DR. OETKER

SCHUL
KOCH
BUCH

DAS ORIGINAL

... und noch ein Helfer
in „brenzligen" Lebenslagen ...
Wir wünschen gutes Gelingen
und sind uns sicher :
„Aschaka", du schaffst das!

Mutti & Vati

August 2008

DR. OETKER

SCHUL
KOCH
BUCH

DAS ORIGINAL

Dr. Oetker Verlag

Vorwort

Das „Dr. Oetker Schulkochbuch", das bewährte Standardwerk, das seit Generationen einen festen Platz in vielen Haushalten hat, liegt nun nach einer ausführlichen Überarbeitung in neuem Gewand vor.

Durch viele anschauliche Rezeptfotos, detaillierte Phasenfotos und natürlich eine genaue und ausführliche Beschreibung der Rezepte ist das Buch noch übersichtlicher und benutzerfreundlicher geworden. Das alles garantiert auch Ungeübten das sichere Gelingen der Gerichte.

Neben vielen neuen Rezepten, die den sich ständig verändernden Essgewohnheiten Rechnung tragen, finden Sie im Schulkochbuch natürlich noch immer beliebte Klassiker wie Rinderrouladen, Sauerbraten und gefüllte Paprikaschoten.

Alle Rezepte wurden gründlich von der Dr. Oetker Versuchsküche geprüft und bearbeitet.

Wir wünschen Ihnen viel Freude mit diesem Buch, gutes Gelingen beim Nachkochen der Rezepte und guten Appetit beim Verspeisen der Gerichte.

INHALT

INHALT

Allgemeine Hinweise zum Buch

Lesen Sie vor der Zubereitung – besser noch vor dem Einkaufen – das Rezept einmal vollständig durch. Oft werden Arbeitsabläufe oder Zusammenhänge dann klarer.

Falls Sie ein Rezept aus einer früheren Auflage des Schulkochbuches vermissen, schreiben Sie uns oder rufen Sie uns an, wir senden Ihnen das Rezept gerne zu.

Zubereitungszeit:
Die Zubereitungszeit ist ein Anhaltswert für die Dauer der gesamten Vor- und Zubereitung der Gerichte.
Wartezeiten wie Kühl-, Marinier-, Durchzieh- und Teiggehzeiten sind nicht einbezogen.

Backofentemperatur und Back- bzw. Garzeit:
Die in den Rezepten angegebenen Backofentemperaturen und Back- und Garzeiten sind Richtwerte, die je nach individueller Hitzeleistung des Backofens bzw. Material der verwendeten Formen über- oder unterschritten werden können. Bitte beachten Sie deshalb bei der Einstellung des Backofens die Gebrauchsanweisung des Herstellers. Bitte machen Sie gegen Ende der Back- bzw. Garzeit eine Garprobe. Bei Braten kann diese z. B. mit Hilfe eines Fleischthermometers durchgeführt werden.

Portionenzahl und Nährwerte:
Der Großteil der Rezepte ist jeweils für 4 Portionen. Davon abweichende Portionen- oder Stückzahlen sind in den Rezepten angegeben. Die Nährwerte beziehen sich ebenfalls auf diese Portionenzahl (bei Angabe einer Spanne bei der Portionenanzahl wurde der Mittelwert zur Berechnung verwendet).

Ratgeber:
Vor fast jedem Kapitel finden Sie einen einführenden Ratgeber mit allgemeinen Erläuterungen und hilfreichen Tipps zu dem entsprechenden Thema.
Außerdem befindet sich am Ende des Buches ein allgemeiner Ratgeber, der allerlei Wissenswertes zu Lagerung und Verarbeitung von Lebensmitteln, Garmethoden, Küchengeräten, Kräutern und Gewürzen und eine Liste mit küchentechnischen Begriffen enthält.

Wichtiger Hinweis:
Für Speisen, die mit rohen Eiern zubereitet und auch roh verzehrt werden, nur ganz frische Eier verwenden, die nicht älter als 5 Tage sind (Legedatum beachten!). Die fertige Speise im Kühlschrank aufbewahren und innerhalb von 24 Stunden verzehren.

Suppen

Suppen werden in der Regel als erster Gang eines Menüs serviert und dienen zur Appetitanregung und als Vorbereitung auf die folgenden Speisen. Die Grundlage einer guten Suppe ist eine kräftige, wohl schmeckende Brühe. Brühen bereitet man aus Knochen, Fisch, Rindfleisch, Kalbfleisch, Geflügel, Wild und Gemüse zu. Zur Geschmacksabrundung werden außerdem Suppengrün, ein Bouquet garni und/oder eine gespickte Zwiebel zugegeben.

Suppengrün
besteht aus gleich großen Stücken Porree (Lauch), Knollensellerie, Möhre und manchmal Petersilienwurzel oder einem Stängel Petersilie. Es wird fertig zusammengestellt als Bund im Handel angeboten. Die genaue Zusammensetzung und das Gewicht können je nach Jahreszeit variieren. Das Standardgewicht liegt zwischen 200 und 300 g (ausreichend für 1-2 l Brühe), in einigen Fällen kann ein Bund bis zu 500 g wiegen.

Bouquet garni
ist Suppengrün, das mit Kräutern ergänzt wird, z. B. 1-2 Thymianzweige, 1 Liebstöckelzweig, 1-2 Lorbeerblätter, 1 Petersilienstängel. Die Zutaten zum Bouquet garni putzen, waschen und mit Küchengarn zusammenbinden. So lässt es sich nach Beendigung der Garzeit problemlos entfernen.

Gespickte Zwiebel
dafür wird eine Zwiebel von den äußeren, unansehnlichen Schalen befreit (abgezogen), quer etwa 2 cm tief eingeschnitten und 1 Lorbeerblatt wird in den Spalt geschoben. Dann werden einige Gewürznelken mit dem Stielende in die Zwiebel gesteckt (gespickt).

Brühe zubereiten
1. Zutaten vorbereiten und in einen Topf geben. (Für eine Gemüsebrühe wird das vorbereitete, in grobe Würfel geschnittene Gemüse vorher in erhitztem Speiseöl angebraten und erst dann mit Wasser abgelöscht. Durch das Anbraten bilden sich Röststoffe, die der Brühe einen kräftigeren Geschmack geben).

2. Mit kaltem Wasser auffüllen, bis die Zutaten bedeckt sind und zum Kochen bringen.
3. Den Schaum aus geronnenem Eiweiß und Trübteilchen mit einem Schöpflöffel abheben (abschäumen).
4. Das Suppengrün erst nach dem Abschäumen dazugeben.
5. Temperatur zurückschalten und die Zutaten bei schwacher Hitze ohne Deckel mindestens 60 Minuten köcheln lassen.
6. Die fertige Brühe durch ein feines Sieb gießen (eventuell das Sieb mit einem Küchentuch auslegen) und weiterverarbeiten. Das mitgekochte Gemüse und Fleisch (Fisch) nach Belieben klein schneiden und wieder in die Brühe geben.

Tipp
• Werden die Zutaten in kaltem Wasser aufgesetzt, laugen sie stärker aus, d. h. der Geschmack der Brühe wird voller und kräftiger.
• Werden die Zutaten (besonders Fleisch) erst in das kochende Wasser gegeben, schließen sich die Poren sofort, d. h. weniger Fleischsaft wird an die Brühe abgegeben und das Fleisch bleibt saftiger. Diese Zubereitung wird angewendet, wenn das Fleisch weiterverwendet werden soll.
• Brühe erst bei der Weiterverarbeitung salzen, denn gesal-

zene Brühen werden beim Einkochen noch salziger.

- In klaren Brühen keine Teigwaren, Reis oder Klößchen mitgaren. Die Brühen werden sonst trüb. Die Einlagen getrennt garen.
- Durch eine erhöhte Fleischzugabe, das Anbraten der Zutaten vor dem Angießen des Wassers oder das Reduzieren (Einköcheln) der Brühe kann eine kräftigere Konzentration der Brühe erreicht werden.

Brühe entfetten

Wenn Sie die heiße Brühe direkt weiterverwenden möchten, können Sie

- die Fettaugen mit einem flachen, großen Löffel abschöpfen oder
- stark saugendes Küchenpapier über die Oberfläche der Brühe ziehen, dabei wird die Fettschicht von dem Papier aufgenommen.

Ist mehr Zeit vorhanden, die Brühe abkühlen lassen. Das Fett schwimmt an der Oberfläche, erstarrt beim Erkalten und lässt sich dann leicht mit einem flachen, großen Löffel abheben.

Brühe einfrieren

Klare Brühen können eingefroren werden, am besten portionsweise (eventuell in Eiswürfelbehältern), so sind sie nach Bedarf schnell einsatzbereit.

Instant-Produkte

Falls nicht genügend Zeit ist, selbst eine Brühe zu kochen, kann auf Instant-Produkte des Handels (z. B. gekörnte Brühe oder Brühwürfel) zurückgegriffen werden. Die Dosierung erfolgt entsprechend der Packungsanleitung. Eine weitere Möglichkeit sind die in Gläsern angebotenen verwendungsfertigen Fonds, die allerdings recht teuer sind.

Cremesuppen

Sie basieren auf einer Brühe, die mit einem Bindemittel wie Mehl, Speisestärke, Crème fraîche, püriertem Gemüse, Eigelb oder einer Eigelb-Sahne-Mischung gebunden wird. Cremesuppen, die mit Eigelb gebunden (abgezogen oder legiert) werden, dürfen nach der Eigelbzugabe nicht noch einmal aufkochen, da das

Eigelb sonst gerinnt.

Suppeneinlagen

Als Suppeneinlagen eignen sich gehackte Kräuter, Tomatenwürfel (aus abgezogenen, entkernten Tomaten), Backerbsen, Schinkenwürfel, verschlagenes Ei, gegarte Teigwaren oder Reis, gedünstetes Gemüse, geröstete Brotwürfel (Croûtons, S. 29), geröstete Mandeln, Grießklößchen (S. 29), Fleischklößchen (S. 28), Pfannkuchenstreifen (Flädle), Maultaschen (S. 302), Eierstich (S. 28) oder gedünstete, feine Gemüsestreifen (Julienne). Teigwaren, Reis oder Klößchen dürfen nicht in Brühen mitgaren, da die Brühen sonst trüb werden. Die Einlagen getrennt in Salzwasser garen und erst kurz vor dem Servieren in die Brühe geben. Teigwaren und Reis nur knapp garen, da sie in der heißen Brühe oder Suppe noch nachgaren.

Eintöpfe

Eintöpfe sind Suppen mit sehr viel Einlage. Meist ist es empfehlenswert, eine größere Menge Eintopf zu kochen und die Reste einzufrieren.

Hühnerbrühe/Hühnersuppe (Foto unten)

Zubereitungszeit: etwa 2 Stunden

2 l Wasser
1 Bund Suppengrün
1 Zwiebel
1 küchenfertiges
Suppenhuhn (1-1 ½ kg)
mit Herz, aufgeschnitte-
nem, gesäubertem Magen
und Hals
Salz
200 g gekochte Spargel-
stücke (aus dem Glas)
125 g gekochter
Langkornreis
2 EL gehackte Petersilie

Pro Portion:
E: 32 g, F: 15 g, Kh: 6 g,
kJ: 1203, kcal: 287

1   Wasser in einem großen Topf zum Kochen bringen.

2   In der Zwischenzeit Suppengrün vorbereiten: Knollensellerie schälen, schlechte Stellen herausschneiden. Möhren schälen, Grün und Spitzen abschneiden. Sellerie und Möhren waschen und abtropfen lassen. Von dem Porree (Lauch) die Außen-blätter entfernen, Wurzelende und dunkles Grün abschneiden, die Stange längs halbieren, gründlich waschen und abtropfen lassen. Die vorbereiteten Zutaten klein schneiden. Zwiebel ab-ziehen.

3   Suppenhuhn, Herz, Magen und Hals unter fließendem kalten Wasser abspülen, in das kochende Wasser geben, 1 Teelöffel Salz hinzufügen, alles fast zum Kochen bringen und abschäumen.

4   Suppengrün und Zwiebel in die Brühe geben und das Huhn bei schwacher Hitze ohne Deckel in etwa 1 ½ Stunden gar kochen.

5   Die Brühe dann durch ein Sieb gießen, eventuell Fett abschöpfen und die Brühe mit Salz abschmecken.

6   Für Hühnersuppe das Fleisch von den Knochen lösen, die Haut entfernen und das Fleisch in kleine Stücke schneiden. Fleisch, Spargelstücke und Reis in die Brühe geben und darin erhitzen.

7   Die Suppe mit Petersilie bestreut servieren.

Tipp: Sie können die Hühnerbrühe auch mit Eierstich (Foto rechts, Rezept S. 28), Grießklößchen (Foto links, Rezept S. 29) oder Fleischklößchen (Foto oben, Rezept S. 28) als Einlagen servieren.
Wenn Sie die Hühnerbrühe bis einschließlich Punkt 5 am Tag vor dem Ver-zehr zubereiten und erkalten lassen, können Sie am nächsten Tag ganz ein-fach das fest gewordene Fett mit Hilfe eines Löffels abschöpfen.
Die Hühnerbrühe ist ohne Einlagen gefriergeeignet.
Anstelle von Spargel aus dem Glas können Sie auch gekochten TK-Spargel verwenden.
125 g gekochter Reis entsprechen etwa 50 g ungekochtem Reis.

Gulaschsuppe

Klassisch

**300 g Rindfleisch (aus
der Schulter)**
**40 g Margarine oder 4 EL
Speiseöl, z. B. Sonnen-
blumenöl**
1 l Fleischbrühe
200 g Zwiebeln
1 Knoblauchzehe
**je 1 gelbe und grüne
Paprikaschote (je 200 g)**
200 g Tomaten
**3 schwach geh. EL
Tomatenmark**
Salz
frisch gemahlener Pfeffer
**Paprikapulver rosen-
scharf**
$^1/_2$ TL gemahlener Kümmel
**getrockneter, gerebelter
Majoran**
**einige Spritzer
Tabascosauce**

E: 18 g, F: 15 g, Kh: 9 g,
kJ: 1011, kcal: 241

1. Rindfleisch unter fließendem kalten Wasser abspülen, trockentupfen und in 1 $^1/_2$-2 cm große Würfel schneiden. Margarine oder
Öl in einem Topf erhitzen. Die Fleischwürfel darin von allen Seiten
gut anbraten. Fleischbrühe hinzugießen, zum Kochen bringen
und mit Deckel bei mittlerer Hitze etwa 40 Minuten kochen.

2. In der Zwischenzeit Zwiebeln abziehen und in Scheiben schneiden. Knoblauchzehe abziehen und fein würfeln. Paprikaschoten
halbieren, entstielen, entkernen, die weißen Scheidewände entfernen, die Schoten waschen und in Stücke schneiden.

3. Tomaten waschen, abtropfen lassen, kreuzweise einschneiden,
kurz in kochendes Wasser legen und in kaltem Wasser abschrecken. Tomaten enthäuten, die Stängelansätze herausschneiden und Tomaten vierteln.

4. Dann das vorbereitete Gemüse und Tomatenmark zur Suppe
geben. Die Suppe mit Salz, Pfeffer, Paprikapulver, Kümmel und
Majoran würzen, wieder zum Kochen bringen und noch etwa
15 Minuten mit Deckel kochen.

5. Die Suppe mit Salz, Pfeffer, Paprikapulver und Tabascosauce
abschmecken.

Tipp: Die Gulaschsuppe ist gefriergeeignet.
Anstatt der frischen Tomaten können Sie 1 kleine Dose geschälte Tomaten
(Abtropfgewicht 240 g) verwenden.
Sie können auch fertig geschnittenes Gulaschfleisch verwenden.

Beilage: **Kräftiges Bauernbrot, Roggen- oder Körnerbrötchen.**

Feine Fischsuppe

für Gäste

1   Von den Fenchelknollen die Stiele dicht oberhalb der Knollen abschneiden, braune Stellen und Blätter entfernen und die Wurzelenden gerade schneiden. Die Knollen waschen. Möhren schälen, Grün und Spitzen abschneiden und waschen. Von dem Porree die Außenblätter entfernen, Wurzelende und dunkles Grün abschneiden, die Stange längs halbieren und gründlich waschen. Gemüse abtropfen lassen.

2   Die vorbereiteten Zutaten in feine Streifen schneiden (Foto 1). Zwiebel abziehen und fein würfeln. Knoblauch abziehen und fein hacken.

3   Fischfilet unter fließendem kalten Wasser abspülen, trockentupfen, eventuell von Gräten befreien und in etwa 2 $\frac{1}{2}$ cm große Würfel schneiden (Foto 2).

4   Öl in einem Topf erhitzen. Zwiebelwürfel, Knoblauch und Gemüsestreifen darin unter Rühren kurz andünsten. Fischfond oder Gemüsebrühe dazugeben und zum Kochen bringen. Fischfiletwürfel dazugeben und ohne Deckel bei schwacher Hitze in etwa 8 Minuten gar ziehen lassen.

5   Garnelen oder Shrimps unter fließendem kalten Wasser abspülen. Die Suppe mit Salz, Pfeffer und Cayennepfeffer würzen, Garnelen oder Shrimps in die Suppe geben (Foto 3) und weitere 2 Minuten miterhitzen.

Tipp: Die Fischsuppe mit Brot (z. B. Baguette) als kleines Gericht für 4 oder als Vorsuppe für 6 Personen reichen.
Die Fischsuppe vor dem Servieren mit 1 Esslöffel gehacktem Dill, Basilikum oder Petersilie bestreuen.
Nach Belieben etwas von dem Fenchelgrün kalt abspülen, trockentupfen, klein schneiden und die Suppe vor dem Servieren damit bestreuen.
Anstelle von Fischfond, der recht teuer ist, können Sie auch die Fischbrühe (S. 20) verwenden.

Zubereitungszeit: etwa 45 Minuten

150 g Fenchel
150 g Möhren
75 g Porree (Lauch)
1 kleine Zwiebel
2 Knoblauchzehen
500 g Fischfilet, z. B.
Kabeljau- oder
Rotbarschfilet
2 EL Speiseöl, z. B.
Oliven- oder Sonnenblumenöl
1 l Fischfond oder
Gemüsebrühe
100 g Garnelen oder
Shrimps
Salz
frisch gemahlener Pfeffer
etwas Cayennepfeffer

Pro Portion:
E: 29 g, F: 8 g, Kh: 4 g,
kJ: 878, kcal: 210

Französische Zwiebelsuppe

etwa 600 g Zwiebeln
50 g Butter oder
Margarine
850 ml Gemüsebrühe
150 ml Weißwein
Salz
geschroteter, weißer
Pfeffer
30 g Butter
8 Scheiben Baguette
50 g geriebener
Parmesan-Käse

E: 6 g, F: 19 g, Kh: 15 g,
kJ: 1194, kcal: 285

1   Zwiebeln abziehen, halbieren und in dünne Scheiben schneiden oder hobeln. Butter oder Margarine in einem Topf zerlassen. Die Zwiebelscheiben darin unter Rühren bei mittlerer Hitze andünsten.

2   Gemüsebrühe hinzugießen, zum Kochen bringen und mit Deckel bei mittlerer Hitze in 10-15 Minuten gar kochen. Weißwein in die Suppe geben und die Suppe mit Salz und Pfeffer würzen.

3   Den Backofengrill vorheizen. Butter in einer großen Pfanne zerlassen und die Baguettescheiben darin von beiden Seiten goldgelb rösten.

4   Die Zwiebelsuppe in große, hitzebeständige Suppentassen füllen, die Baguettescheiben darauf verteilen und mit Parmesan bestreuen. Die Suppentassen auf dem Rost in den Backofen schieben und die Suppe unter dem vorgeheizten Grill kurz überbacken, bis der Käse leicht gebräunt ist.

5   Die Zwiebelsuppe sofort servieren.

Tipp: Die Zwiebelsuppe als kleines Gericht servieren.
Als Vorspeise reicht die Menge für 6 Portionen, dann 45 g Butter, 6 Baguettescheiben und 45 g Parmesan-Käse verwenden.
Falls Sie keine hitzebeständigen Suppentassen haben, können Sie die Baguettescheiben auch getrennt zubereiten. Dafür die Baguettescheiben auf ein mit Backpapier belegtes Backblech legen, mit Parmesan bestreuen, das Backblech in den vorgeheizten Backofen schieben und die Baguettescheiben bei etwa 220 °C (Ober-/Unterhitze; Heißluft: etwa 200 °C; Gas: Stufe 4-5) etwa 5 Minuten überbacken. Die Baguettescheiben vor dem Servieren auf die Suppe geben.

Forellencremesuppe

375 g geräucherte
Forellenfilets
50 g Butter
35 g Weizenmehl
750 ml (³/₄ l) heiße
Gemüse- oder Fischbrühe
250 ml (¹/₄ l) Schlagsahne
6 EL Weißwein
1-1 ¹/₂ EL Worcestersauce
Salz, Pfeffer, Zitronensaft
2 EL gehackte Petersilie

E: 23 g, F: 34 g, Kh: 10 g,
kJ: 1888, kcal: 451

1   Forellenfilets in Stücke schneiden, dabei eventuell Gräten ent-
    fernen.

2   Butter in einem Topf zerlassen. Mehl unter Rühren so lange
    darin erhitzen, bis es hellgelb ist. Heiße Brühe hinzugießen und
    mit einem Schneebesen kräftig rühren, dabei darauf achten,
    dass keine Klümpchen entstehen. Alles zum Kochen bringen
    und bei schwacher Hitze etwa 3 Minuten ohne Deckel leicht
    kochen lassen, dabei gelegentlich umrühren.

3   Sahne, Weißwein und Worcestersauce hinzufügen. Die Suppe
    mit Salz, Pfeffer und etwas Zitronensaft abschmecken und ein-
    mal aufkochen lassen. Die Fischstücke hinzufügen und kurz in
    der Suppe erhitzen.

4   Die Suppe mit Petersilie bestreut servieren.

Erbsensuppe mit Würstchen

250 g getrocknete,
geschälte Erbsen
1 ¹/₂ l Wasser
250 g durchwachsener
Speck
1 Bund Suppengrün
250 g mehlig kochende
Kartoffeln
etwa 3 geh. TL gekörnte
Brühe
1 TL getrockneter,
gerebelter Majoran
1 Zwiebel
15 g Butter
Salz, Pfeffer

1   Erbsen in ein Sieb geben, kalt abspülen, mit dem Wasser in
    einen großen Topf geben und zum Kochen bringen. Speck hin-
    zufügen und alles etwa 40 Minuten bei mittlerer Hitze mit
    Deckel kochen.

2   In der Zwischenzeit Suppengrün vorbereiten: Knollensellerie
    schälen, schlechte Stellen herausschneiden, Möhren schälen,
    Grün und Spitzen abschneiden. Sellerie und Möhren waschen
    und abtropfen lassen. Von dem Porree (Lauch) die Außenblätter
    entfernen, Wurzelende und dunkles Grün abschneiden, die
    Stange längs halbieren, gründlich waschen und abtropfen las-
    sen. Kartoffeln waschen, schälen und abspülen. Die vorbereite-
    ten Zutaten in Würfel oder Scheiben schneiden.

3   Dann gekörnte Brühe, Suppengrün, Kartoffeln und Majoran in
    die Suppe geben, wieder zum Kochen bringen und noch etwa
    20 Minuten mit Deckel kochen. In der Zwischenzeit Zwiebel
    abziehen und in Würfel schneiden. Butter in einer Pfanne zer-
    lassen. Die Zwiebelwürfel darin unter Rühren leicht bräunen.

4   Den Speck aus der Suppe nehmen, nach Belieben würfeln und
    mit den Zwiebelwürfeln wieder hinzufügen. Die Suppe mit Salz,
    Pfeffer und gekörnter Brühe abschmecken.

5   Würstchen in Scheiben schneiden, in die Suppe geben und kurz
    darin erhitzen. Die Suppe mit Schnittlauchröllchen bestreut
    servieren.

4 Wiener Würstchen
1–2 EL Schnittlauch-
röllchen

Pro Portion:
E: 39 g, F: 31 g, Kh: 39 g,
kJ: 2479, kcal: 592

Spargelcremesuppe

1   Spargel waschen, von oben nach unten dünn schälen, dabei
    darauf achten, dass die Schalen vollständig entfernt, die Köpfe
    aber nicht verletzt werden. Die unteren Enden abschneiden,
    holzige Stellen vollkommen wegschneiden, den Spargel ab-
    spülen und in 3 cm lange Stücke schneiden.

2   Wasser mit jeweils 1 gestrichenen Teelöffel Salz und Zucker und
    20 g Butter in einen Topf geben. Spargelenden und -schalen hin-
    zufügen, zum Kochen bringen und etwa 15 Minuten mit Deckel
    bei mittlerer Hitze kochen.

3   Alles durch ein Sieb gießen, die Kochflüssigkeit auffangen und
    wieder zum Kochen bringen. Spargelstücke hineingeben, zum
    Kochen bringen und die Spargelstücke in 10–12 Minuten mit
    Deckel bissfest garen.

4   Die Spargelstücke dann zum Abtropfen in ein Sieb geben, dabei
    die Kochflüssigkeit wieder auffangen und mit Milch auf
    1 l auffüllen.

5   Die restliche Butter in einem Topf zerlassen. Mehl unter Rühren
    darin erhitzen, bis es hellgelb ist. Die abgemessene Flüssigkeit
    hinzugießen und mit einem Schneebesen kräftig rühren, dabei
    darauf achten, dass keine Klümpchen entstehen. Die Suppe
    zum Kochen bringen und bei schwacher Hitze etwa 5 Minuten
    ohne Deckel leicht kochen, dabei gelegentlich umrühren.

6   Die Suppe mit Salz, Zucker, Pfeffer und Muskatnuss würzen.
    Eigelb mit Sahne verschlagen und vorsichtig unter die Suppe
    rühren (abziehen), die Suppe aber nicht mehr kochen lassen.
    Die Spargelstücke in die Suppe geben und erwärmen. Die
    Suppe mit Petersilie bestreut servieren.

500 g weißer Spargel
1 l Wasser
Salz
Zucker
60 g Butter
etwa 300 ml Milch
30 g Weizenmehl
frisch gemahlener weißer
Pfeffer
geriebene Muskatnuss
2 Eigelb (Größe M)
3 EL Schlagsahne
1–2 EL gehackte
Petersilie

Pro Portion:
E: 7 g, F: 21 g, Kh: 12 g,
kJ: 1117, kcal: 267

Tipp: Nach Belieben zusätzlich 50 g gekochten Schinken in Streifen schneiden und mit den Spargelstücken in der Suppe erhitzen.

Fischbrühe

1 Bund Suppengrün
1 kg Fischreste, z. B.
kleine Abschnitte von
Kabeljau oder Dorsch
1 Zwiebel
2 EL Speiseöl, z. B.
Sonnenblumen- oder
Olivenöl
2 l Wasser
Salz
1 kleines Lorbeerblatt
1 Gewürznelke
5 Pfefferkörner
frisch gemahlener Pfeffer
evtl. 1 Döschen Safran
(0,2 g)

E: 2 g, F: 5 g, Kh: 1 g,
kJ: 233, kcal: 56

1 Suppengrün vorbereiten: Knollensellerie schälen, schlechte Stellen herausschneiden. Möhren schälen, Grün und Spitzen abschneiden. Sellerie und Möhren waschen und abtropfen lassen. Von dem Porree (Lauch) die Außenblätter entfernen, Wurzel-ende und dunkles Grün abschneiden, die Stange längs halbieren, gründlich waschen und abtropfen lassen. Die vorbereiteten Zu-taten klein schneiden.

2 Fischreste unter fließendem kalten Wasser abspülen. Zwiebel abziehen und vierteln.

3 Öl in einem großen Topf erhitzen. Das vorbereitete Suppengrün darin unter Rühren andünsten. Wasser, 2 Teelöffel Salz und Fischreste zugeben. Zwiebelviertel mit Lorbeerblatt, Gewürz-nelke und Pfefferkörnern in die Brühe geben. Alles zum Kochen bringen und etwa 40 Minuten ohne Deckel bei mittlerer Hitze ziehen lassen (Wasser muss sich leicht bewegen).

4 Die Fischbrühe durch ein Sieb geben und mit Salz, Pfeffer und nach Belieben mit Safran abschmecken.

Tipp: Für Fischfond die Brühe nochmals um die Hälfte reduzieren (einkochen lassen).
Sie können die Fischbrühe als Grundlage für Fischsuppen oder -saucen ver-wenden, z. B. für die Feine Fischsuppe (S. 15) oder die Forellencremesuppe (S. 18).
Die Fischbrühe ist gefriergeeignet.

Rindfleischbrühe

Klassisch – dauert länger

1   Rindfleisch unter fließendem kalten Wasser abspülen und mit
    Wasser und 2 Teelöffeln Salz in einen großen Topf geben. Alles
    zum Kochen bringen und das Fleisch ohne Deckel bei mittlerer
    Hitze etwa 60 Minuten kochen, dabei zwischendurch eventuell
    mit einer Schaumkelle den Schaum abschöpfen.

2   In der Zwischenzeit Suppengrün vorbereiten: Knollensellerie
    schälen, schlechte Stellen herausschneiden. Möhren schälen,
    Grün und Spitzen abschneiden. Sellerie und Möhren waschen
    und abtropfen lassen. Von dem Porree (Lauch) die Außenblätter
    entfernen, Wurzelende und dunkles Grün abschneiden, die Stange
    längs halbieren, gründlich waschen und abtropfen lassen. Zwiebeln
    abziehen, 1 Zwiebel mit Lorbeerblatt und Gewürznelken spicken
    (Foto 1).

3   Suppengrün, Zwiebeln und Pfefferkörner hinzufügen (Foto 2),
    alles wieder zum Kochen bringen und noch 1 1/2-2 Stunden ohne
    Deckel köcheln lassen (die Flüssigkeit muss sich leicht bewegen).

4   Fleisch herausnehmen, die Brühe durch ein feines Sieb oder durch
    ein mit einem Geschirrtuch ausgelegtes Sieb gießen (Foto 3). Die
    Brühe mit Salz abschmecken.

Tipp: Sie können die Rindfleischbrühe als Grundlage für viele Rezepte ver-
wenden, in denen Fleischbrühe benötigt wird.
Die Rindfleischbrühe mit einer Einlage aus Spargelspitzen, feinen Suppen-
nudeln, Eierstich (S. 28) und mit gehackter Petersilie bestreut als leichte
Vorsuppe servieren.
Die Brühe ist gefriergeeignet.

**750 g Rindfleisch, z. B.
Bugschaufel, Beinfleisch
2 l Wasser
Salz
1 Bund Suppengrün
2 Zwiebeln
1 Lorbeerblatt
3 Gewürznelken
5 Pfefferkörner**

E: 3 g, F: 1 g, Kh: 1 g,
kJ: 96, kcal: 23

Junge Thüringer Gemüsesuppe

Preiswert

Zubereitungszeit: etwa 75 Minuten, ohne Auftauzeit

**500 g frisches oder TK-
Hühnerklein (Rücken-
stücke, Hälse, Flügel)
1 Bund Suppengrün
1 ¼ l Wasser
Salz
1 Lorbeerblatt
3 Pimentkörner
250 g Möhren
200 g Kohlrabi
150 g Zuckerschoten
150 g grüne Bohnen
1 Bund Kerbel
200 ml Schlagsahne
frisch gemahlener Pfeffer**

E: 7 g, F: 17 g, Kh: 11 g,
kJ: 960, kcal: 229

1 Frisches Hühnerklein unter fließendem kalten Wasser abspülen oder TK-Hühnerklein nach Packungsanleitung auftauen lassen. Suppengrün vorbereiten: Knollensellerie schälen, schlechte Stellen herausschneiden. Möhren schälen, Grün und Spitzen abschneiden. Sellerie und Möhren waschen und abtropfen lassen. Von dem Porree (Lauch) die Außenblätter entfernen, Wurzelende und dunkles Grün abschneiden, die Stange längs halbieren, gründlich waschen und abtropfen lassen. Die vorbereiteten Zutaten grob zerkleinern (Foto 1).

2 Suppengrün mit Hühnerklein, Wasser, 1 Teelöffel Salz, Lorbeerblatt und Pimentkörnern in einen Topf geben, zum Kochen bringen, abschäumen (Foto 2) und etwa 40 Minuten mit Deckel bei mittlerer Hitze kochen.

3 In der Zwischenzeit Möhren schälen, Grün und Spitzen abschneiden. Kohlrabi schälen. Beide Zutaten waschen, abtropfen lassen und in Würfel oder kleine Scheiben schneiden. Von den Zuckerschoten die Enden abschneiden, die Zuckerschoten waschen und eventuell halbieren. Von den grünen Bohnen die Enden abschneiden, eventuell Fäden abziehen, die Bohnen waschen und in kleine Stücke schneiden oder brechen.

4 Nach Beendigung der Kochzeit die Brühe durch ein Sieb geben und 1 l davon abmessen. Die abgemessene Brühe zum Kochen bringen und das vorbereitete Gemüse nacheinander hineingeben: Zuerst die Bohnen, nach etwa 5 Minuten Möhren und Kohlrabi, nach weiteren 5 Minuten die Zuckerschoten und dann alles noch 5-10 Minuten mit Deckel kochen.

5 Kerbel abspülen, trockentupfen, die Blättchen von den Stängeln zupfen und fein schneiden. Sahne unter die Suppe rühren (Foto 3), die Suppe mit Salz und Pfeffer abschmecken und mit Kerbel bestreut servieren.

Tipp: Mit kleinen Grießklößchen (S. 29) oder Fleischklößchen (S. 28) servieren. Die Suppe ist gefriergeeignet.

Gemüsebrühe

3 Zwiebeln
2 Knoblauchzehen
2 Bund Suppengrün
etwa 100 g
Petersilienwurzel
200 g Weißkohl
130 g Tomaten
50 ml Speiseöl, z. B.
Sonnenblumenöl
3 l Wasser
1 EL Salz
2 Lorbeerblätter
1 TL Pfefferkörner
1 Bund Petersilie
2 Zweige Liebstöckel
geriebene Muskatnuss

E: 0 g, F: 13 g, Kh: 1 g,
kJ: 493, kcal: 118

1   Zwiebeln und Knoblauchzehen abziehen und fein würfeln. Suppengrün vorbereiten: Knollensellerie schälen, schlechte Stellen herausschneiden. Möhren schälen, Grün und Spitzen abschneiden. Sellerie und Möhren waschen und abtropfen lassen. Von dem Porree (Lauch) die Außenblätter entfernen, Wurzelende und dunkles Grün abschneiden, die Stange längs halbieren, gründlich waschen und abtropfen lassen. Die 3 Zutaten grob würfeln.

2   Petersilienwurzel putzen, schälen, waschen und würfeln. Von dem Weißkohl die äußeren welken Blätter entfernen, den Kohl vierteln, abspülen, abtropfen lassen, den Strunk herausschneiden und Weißkohl in Streifen schneiden. Tomaten waschen und abtropfen lassen.

3   Öl in einem großen Topf erhitzen. Zwiebel- und Knoblauchwürfel darin unter Rühren andünsten und leicht bräunen lassen.

4   Das restliche vorbereitete Gemüse hinzufügen und kurz mitdünsten. Wasser hinzugießen, Salz, Lorbeerblätter und Pfefferkörner dazugeben, zum Kochen bringen und ohne Deckel bei mittlerer Hitze etwa 60 Minuten schwach köcheln lassen.

5   In der Zwischenzeit Petersilie und Liebstöckel abspülen, trockentupfen, die Blättchen von den Stängeln zupfen und hacken.

6   Nach Beendigung der Kochzeit die Kräuter hinzufügen und einige Minuten in der Brühe bei schwacher Hitze ziehen lassen. Die Brühe mit Muskatnuss würzen und anschließend durch ein Sieb geben.

Tipp: Sie können die Gemüsebrühe als Grundlage für Eintöpfe, Saucen und Gemüserezepte verwenden.
Die Brühe kann in Portionen eingefroren werden.

Käse-Porree-Suppe

Gut vorzubereiten (6 Portionen)

1 Von dem Porree die Außenblätter entfernen, Wurzelenden und dunkles Grün abschneiden, die Stangen gründlich waschen, abtropfen lassen und in feine Ringe schneiden (Foto 1).

2 Öl in einem großen Topf erhitzen, das Gehackte darin anbraten, dabei die Fleischklümpchen mit einer Gabel oder einem Kochlöffel zerdrücken (Foto 2) und mit Salz und Pfeffer würzen.

3 Porreeringe hinzufügen und kurz mitdünsten. Fleischbrühe hinzugießen, alles zum Kochen bringen und etwa 15 Minuten mit Deckel bei mittlerer Hitze garen.

4 Champignons in einem Sieb abtropfen lassen und hinzufügen. Schmelzkäse unterrühren (Foto 3) und in der heißen Suppe schmelzen lassen (nicht mehr kochen lassen). Die Suppe mit Salz und Pfeffer abschmecken.

Tipp: Die Suppe als kleines Gericht mit Baguette oder Brötchen servieren.

Zubereitungszeit: etwa 40 Minuten

1 kg Porree (Lauch)
3 EL Speiseöl
500 g Gehacktes (halb Rind-, halb Schweinefleisch)
Salz
frisch gemahlener Pfeffer
1 l Fleischbrühe
1 Glas Champignonscheiben (Abtropfgewicht 315 g)
200 g Sahne- oder Kräuterschmelzkäse

E: 23 g, F: 29 g, Kh: 7 g,
kJ: 1577, kcal: 378

Gemüse-Nudel-Topf

Preiswert 16 Portionen)

Zubereitungszeit: etwa 75 Minuten,
ohne Auflaufzeit

**500 g frisches oder TK-
Hühnerklein (Rücken-
stücke, Hälse, Flügel)
1 1/2 l Wasser
Salz
1 1/4 kg Gemüse, z. B.
Möhren, Kohlrabi, grüne
Bohnen, Blumenkohl,
Brokkoli, Porree (Lauch),
Zucchini, Erbsen
100 g Suppennudeln
etwas gekörnte Hühner-
oder Gemüsebrühe
frisch gemahlener Pfeffer
2 EL gehackte Petersilie**

Pro Portion
E: 17 g, F: 8 g, Kh: 17 g,
kJ: 895, kcal: 213

1 Frisches Hühnerklein unter fließendem kalten Wasser abspülen oder TK-Hühnerklein nach Packungsanleitung auftauen lassen, mit dem Wasser in einen Topf geben, 1 Teelöffel Salz hinzufügen und alles zum Kochen bringen, dabei mehrfach abschäumen. Alles mit Deckel bei mittlerer Hitze etwa 40 Minuten kochen.

2 In der Zwischenzeit Gemüse putzen, waschen, abtropfen lassen und in Scheiben oder Würfel schneiden (Blumenkohl und Brokkoli in Röschen teilen, Stiele schälen und würfeln).

3 Nach Beendigung der Kochzeit die Brühe durch ein Sieb gießen, das Fett mit einem Löffel vorsichtig abschöpfen und 1350 ml Brühe abmessen, eventuell mit etwas Wasser ergänzen. Das Fleisch von Haut und Knochen befreien, klein schneiden und beiseite stellen. Die Brühe zurück in den Topf geben und wieder zum Kochen bringen.

4 Zuerst das Gemüse mit längerer Garzeit wie Möhren, Kohlrabi, grüne Bohnen und Blumenkohl hinzufügen und etwa 8 Minuten mit Deckel bei mittlerer Hitze garen.

5 Dann Gemüse mit kürzerer Garzeit wie Brokkoli, Zucchini, Porree und Erbsen und die Suppennudeln hinzufügen und alles noch weitere 5-7 Minuten mit Deckel garen.

6 Den Eintopf mit gekörnter Brühe, Salz und Pfeffer würzen. Das vorbereitete Fleisch hinzufügen und erwärmen. Den Eintopf mit Petersilie bestreut servieren.

Tipp: Die Suppennudeln nur knapp gar kochen (Packungsanleitung beachten), denn sie garen in der heißen Suppe noch etwas nach.
Wenn Sie die Hühnerbrühe (Punkt 1) bereits am Vortag kochen und kalt stellen, lässt sich das fest gewordene Fett am nächsten Tag mit Hilfe eines Esslöffels oder einer Schaumkelle einfach abheben.
Wenn Sie etwas mehr Fleisch im Eintopf mögen, können Sie anstelle von Hühnerklein 4 Hähnchenkeulen verwenden.

Abwandlung: Die Gemüsezutaten können je nach Saison beliebig ausgetauscht werden.
Anstelle von frischem Gemüse können Sie auch 1 kg TK-Suppengemüse verwenden (Garzeit entsprechend der Packungsanleitung).

Eierstich

2 Eier (Größe M)
125 ml (⅛ l) Milch
Salz
geriebene Muskatnuss
heißes Wasser

E: 5 g, F: 5 g, Kh: 2 g,
kJ: 286, kcal: 68

1 Eier mit Milch, Salz und Muskatnuss verschlagen. Die Eiermilch in eine gefettete, hitzebeständige, verschließbare Form füllen. Die Form verschließen, in einen weiten, hohen Topf stellen und heißes Wasser angießen, bis die Form halb im Wasser steht.

2 Den Topf verschließen und die Eiermilch bei schwacher Hitze 25-30 Minuten stocken lassen (das Wasser sollte sich nur leicht bewegen). Anschließend den Eierstich aus der Form lösen, stürzen und etwas abkühlen lassen. Den Eierstich in Rauten oder Würfel schneiden.

Abwandlung: Zusätzlich 1 Esslöffel fein geschnittene Kräuter (z. B. Petersilie, Schnittlauch), fein geriebenen Käse oder Tomatenmark mit den Eiern verschlagen.

Tipp: Eierstich passt besonders gut als Einlage in klare Brühen und Suppen, (z. B. Hühnerbrühe, S. 12).
Sie können den Eierstich auch in einem Mikrowellengerät zubereiten. Dafür die Eierstichmasse in eine gefettete Glas- oder Porzellanschüssel geben, zudecken und etwa 8 Minuten bei etwa 450 Watt garen.

Fleischklößchen

40 g weiche Butter oder
Margarine
100 g Gehacktes (halb
Rind-, halb Schweine-
fleisch)
2 Eigelb (Größe M)
40 g Semmelbrösel
Salz
frisch gemahlener Pfeffer
Salzwasser (auf 1 l Wasser
1 TL Salz) oder Brühe

E: 7 g, F: 16 g, Kh: 7 g,
kJ: 842, kcal: 201

1 Butter oder Margarine mit einem Rührlöffel geschmeidig rühren. Gehacktes, Eigelb und Semmelbrösel hinzufügen und alles miteinander vermengen. Mit Salz und Pfeffer würzen.

2 In einem Topf so viel Salzwasser oder Brühe zum Kochen bringen, dass die Klößchen in der Flüssigkeit „schwimmen" können.

3 Aus der Masse mit nassen Händen Klößchen formen, in das kochende Salzwasser oder die Brühe geben und in etwa 5 Minuten gar ziehen lassen (Flüssigkeit muss sich leicht bewegen).

Tipp: Fleischklößchen eignen sich als Einlage für Brühen (z. B. Hühnerbrühe, S. 12) oder Gemüsesuppen.
Die gegarten Klößchen können auf Vorrat eingefroren werden. Die gefrorenen Klößchen kurz antauen lassen, bis sie sich voneinander lösen lassen, dann in die heiße Suppe geben und darin erhitzen.
Für **schnelle Fleischklößchen** aus 200 g frischer Bratwurstmasse Fleischklößchen formen. Dazu die Masse portionsweise aus den Würsten drücken und wie oben angegeben gar ziehen lassen.

Grießklößchen

1 Milch mit Butter, Salz und Muskatnuss in einem kleinen Topf zum Kochen bringen, dann von der Kochstelle nehmen.

2 Weizengrieß unter Rühren mit einem Kochlöffel hineinstreuen, zu einem glatten Kloß rühren und noch etwa 1 Minute auf der Kochstelle erhitzen. Den heißen Kloß in eine Schüssel geben und das Ei unterrühren.

3 In einem Topf so viel Salzwasser oder Brühe zum Kochen bringen, dass die Klößchen in der Flüssigkeit „schwimmen" können. Aus der Masse mit Hilfe von 2 in heißes Wasser getauchten Teelöffeln Klößchen formen, in das kochende Salzwasser oder die kochende Brühe geben und ohne Deckel in etwa 5 Minuten gar ziehen lassen (Flüssigkeit muss sich leicht bewegen).

Tipp: Die Grießklößchen eignen sich als Einlage für viele herzhafte Suppen (z. B. Hühnersuppe, S. 12).
Zusätzlich 1–2 Esslöffel gehackte Petersilie oder gemischte Kräuter (Petersilie, Dill, Estragon, Basilikum) oder 20 g geriebenen Käse unter die Kloßmasse rühren.

Abwandlung: Für **süße Grießklößchen** die Grießmasse mit 1 Prise Salz und ½ Esslöffel Zucker zubereiten. Süße Grießklößchen eignen sich als Einlage für Fruchtkaltschalen oder Milchsuppen.

125 ml (⅛ l) Milch
10 g Butter
1 Msp. Salz
geriebene Muskatnuss
50 g Hartweizengrieß
1 Ei (Größe M)
Salzwasser (auf 1 l Wasser
1 TL Salz) oder Brühe

E: 4 g, F: 5 g, Kh: 10 g,
kJ: 424, kcal: 101

Croûtons (Geröstete Weißbrotwürfel)

1 Toastbrot nach Belieben entrinden und in kleine Würfel schneiden. Nach Belieben Knoblauch abziehen und fein würfeln.

2 Butter oder Öl in einer Pfanne erhitzen. Die Brotwürfel darin unter gelegentlichem Rühren von allen Seiten knusprig braun braten.

3 Knoblauch unter die Brotwürfel mischen und noch kurz mitrösten, aber nicht braun werden lassen, da er sonst bitter wird. Die Croûtons kurz vor dem Servieren in die Suppe geben.

Tipp: Croûtons passen besonders gut zu Cremesuppen. Sie können auch auf Salate gestreut werden.
Sie können Croûtons auch auf Vorrat zubereiten. Die erkalteten Brotwürfel dann in einer gut schließenden Dose maximal 1 Woche aufbewahren.

3 Scheiben Toastbrot
evtl. 1 Knoblauchzehe
30 g Butter oder 3 EL
Olivenöl

E: 1 g, F: 7 g, Kh: 7 g,
kJ: 398, kcal: 95

Gemüsecremesuppe (Grundrezept)

Klassisch

Zubereitungszeit: etwa
30 Minuten (Erbsencremesuppe
etwa 35 Minuten)

650–1100 g Gemüse
1 Zwiebel
25 g Butter oder 2 EL
Speiseöl, z. B. Sonnen-
blumen- oder Olivenöl
1 l Gemüsebrühe
Salz
frisch gemahlener Pfeffer
evtl. Gewürze
evtl. Suppeneinlage

Pro Portion (bei 6 Portionen)
E: 4 g, F: 6 g, Kh: 4 g,
kJ: 350, kcal: 84

1 Gemüse vorbereiten und eventuell zerkleinern. Zwiebel abziehen und würfeln. Butter oder Öl in einem Topf erhitzen. Zwiebelwürfel darin unter Rühren andünsten.

2 Das vorbereitete Gemüse hinzufügen und unter Rühren mitdünsten. Gemüsebrühe zugießen, alles zum Kochen bringen und gar kochen lassen.

3 Die Suppe anschließend pürieren und mit Salz und Pfeffer und entsprechenden Gewürzen abschmecken. Nach Belieben eine Einlage in die Suppe geben und die Suppe servieren.

Brokkolicremesuppe: Von 700 g Brokkoli die Blätter entfernen, Röschen abschneiden, die Stängel schälen, in Stücke schneiden und beides waschen. Stängel mit den Röschen zu den Zwiebelwürfeln in den Topf geben. Nach der Brühezugabe in etwa 8 Minuten mit Deckel bei mittlerer Hitze gar kochen, anschließend pürieren. Die Suppe zusätzlich mit geriebener Muskatnuss abschmecken. Die Suppe nach Belieben mit 1–2 Teelöffeln Joghurt, 1 Teelöffel abgezogenen, gehobelten, gerösteten Mandeln oder etwas gehackter Petersilie pro Portion servieren.

Möhrencremesuppe (Foto rechts unten): 700 g Möhren schälen, Grün und Spitzen abschneiden, Möhren waschen, abtropfen lassen und in etwa 1 cm dicke Scheiben schneiden. Nach der Brühezugabe in 12–15 Minuten mit Deckel bei mittlerer Hitze gar kochen, anschließend pürieren. Die Suppe zusätzlich mit Zucker und nach Belieben mit gemahlenem oder etwas frisch geriebenem Ingwer abschmecken. Die Suppe nach Belieben mit 1–2 Teelöffeln Crème fraîche, 1 Teelöffel gerösteten Sesamsamen, etwas gehacktem Dill oder einigen Streifen Räucherlachs pro Portion servieren.

Kürbiscremesuppe: 1,1 kg Kürbis in Spalten schneiden, schälen, Kerne und Innenfasern entfernen, das Fruchtfleisch in Würfel schneiden. Nach der Brühezugabe in etwa 15 Minuten mit Deckel bei mittlerer Hitze gar kochen, anschließend pürieren. Die Suppe zusätzlich mit Zucker und Curry oder gemahlenem Ingwer abschmecken. Die Suppe nach Belieben mit 1–2 Teelöffeln Joghurt oder Crème fraîche, 1–2 Teelöffeln gerösteten Kürbiskernen oder Sesamsamen oder etwas gehacktem Dill pro Portion servieren.

Erbsencremesuppe (Foto links oben): 650 g TK-Erbsen unaufgetaut verwenden. Nach der Brühezugabe in etwa 8 Minuten mit Deckel bei mittlerer Hitze gar kochen, anschließend pürieren. Die Suppe zusätzlich mit geriebener Muskatnuss, Zucker und Cayennepfeffer abschmecken. Die Suppe nach Belieben mit 1–2 Teelöffeln Crème fraîche, 1 Teelöffel abgezogenen, gehobelten, gerösteten Mandeln, etwas gehackter Petersilie oder gehacktem Kerbel oder einigen Krabben pro Portion servieren.

(Fortsetzung Seite 32)

Kartoffelcremesuppe (Foto S. 30 rechts oben): **1 Bund Suppengrün** vorbereiten: Knollensellerie schälen, schlechte Stellen herausschneiden. Möhren schälen, Grün und Spitzen abschneiden. Sellerie und Möhren waschen und abtropfen lassen. Von dem Porree (Lauch) die Außenblätter entfernen, Wurzelende und dunkles Grün abschneiden, die Stange längs halbieren, gründlich waschen und abtropfen lassen. 400 g Kartoffeln waschen, schälen und abspülen. Die vorbereiteten Zutaten zerkleinern. Nach der Brühezugabe in 15-20 Minuten mit Deckel bei mittlerer Hitze gar kochen, anschließend pürieren. Die Suppe zusätzlich mit geriebener Muskatnuss abschmecken. Die Suppe nach Belieben mit 1-2 Teelöffeln Crème fraîche, etwas gehackter Petersilie oder gehacktem Kerbel oder einigen Croûtons pro Portion servieren.

Tipp: Sie können auch gemischtes Gemüse verwenden (Foto S. 30 links unten). Gemüsecremesuppen sind ohne Einlagen gefriergeeignet. Als weitere Einlagen können Sie z. B. Croûtons (S. 29), Fleischklößchen (S. 28), 50-75 g rohen oder gekochten, in Streifen geschnittenen Schinken, 75 g in Streifen geschnittenen Räucherlachs oder 50-100 g Krabben kurz vor dem Servieren in die Suppe geben.

Grünkernsuppe

1 Zwiebel
40 g Butter
100 g Grünkernmehl
gut 1 l Gemüsebrühe
125 ml (¹/₈ l) Schlagsahne
Salz
frisch gemahlener Pfeffer
1 Prise Zucker
geriebene Muskatnuss
1 EL gehackte Kräuter,
z. B. Petersilie, Dill,
Estragon, Schnittlauch,
Kerbel

E: 4 g, F: 19 g, Kh: 20 g,
kJ: 1119, kcal: 267

1 Zwiebel abziehen und fein würfeln. Butter in einem Topf zerlassen. Die Zwiebelwürfel darin unter Rühren hellgelb andünsten. Grünkernmehl hinzufügen und unter Rühren kurze Zeit mitdünsten.

2 Gemüsebrühe hinzugießen und alles mit einem Schneebesen kräftig durchschlagen, dabei darauf achten, dass keine Klümpchen entstehen. Die Suppe zum Kochen bringen und ohne Deckel bei schwacher Hitze etwa 10 Minuten kochen, dabei gelegentlich umrühren.

3 Sahne hinzugießen, erhitzen und die Suppe mit Salz, Pfeffer, Zucker und Muskatnuss abschmecken. Vor dem Servieren Kräuter unterrühren.

Tipp: Die Suppe vor dem Servieren mit Croûtons (S. 29) bestreuen.

Pilzsuppe

500 g Champignons
(weiß oder braun) oder
Austernpilze
1 Zwiebel
35 g Butter oder
Margarine
35 g Weizenmehl
1 l Gemüsebrühe
1 Becher (125 g) Crème
Double oder 1 Becher
(150 g) Crème fraîche
Salz, Pfeffer
1 EL gehackte
Basilikumblättchen

E: 7 g, F: 21 g, Kh: 8 g,
kJ: 1024, kcal: 246

1   Champignons oder Austernpilze putzen, mit Küchenpapier
    abreiben, eventuell abspülen, trockentupfen und in Scheiben
    oder Stücke schneiden. Zwiebel abziehen und würfeln.

2   Butter oder Margarine in einem Topf zerlassen. Zwiebelwürfel
    und Pilzscheiben oder -stücke darin unter Rühren andünsten.
    Mehl darüber stäuben, durchrühren und kurz mitdünsten.

3   Gemüsebrühe hinzugießen, mit einem Schneebesen gut durch-
    schlagen, dabei darauf achten, dass keine Klümpchen entstehen.
    Die Suppe zum Kochen bringen und bei schwacher Hitze in etwa
    5 Minuten ohne Deckel gar kochen, dabei gelegentlich umrühren.

4   Crème double oder Crème fraîche unterrühren. Die Suppe mit
    Salz und Pfeffer würzen und mit Basilikum bestreuen.

    Abwandlung: Sie können die Suppe entweder mit etwas Sherry oder mit
    etwas Curry, 1 Prise Zucker und 1-2 Teelöffeln Zitronensaft geschmacklich
    verändern.

Tomatensuppe

1 ½ kg Fleischtomaten
2 Zwiebeln
2 Knoblauchzehen
2 EL Olivenöl
500 ml (½ l) Gemüse-
brühe
Zucker, Salz, Pfeffer
Cayennepfeffer
1 Lorbeerblatt
gerebelter Oregano
einige Basilikumblättchen

E: 3 g, F: 4 g, Kh: 8 g,
kJ: 329, kcal: 78

1   Tomaten waschen, abtropfen lassen, vierteln, die Stängelansätze
    herausschneiden und Tomaten in Würfel schneiden. Zwiebeln
    und Knoblauch abziehen und fein würfeln.

2   Öl in einem Topf erhitzen. Zwiebel- und Knoblauchwürfel darin
    unter Rühren andünsten. Tomatenwürfel, Gemüsebrühe, Zucker,
    Salz, Pfeffer, Cayennepfeffer, Lorbeerblatt und Oregano hinzu-
    fügen, wieder zum Kochen bringen und etwa 15 Minuten bei
    schwacher Hitze mit Deckel kochen.

3   Das Lorbeerblatt herausnehmen, die Suppe pürieren und durch
    ein Sieb streichen. Die Suppe einmal aufkochen lassen und noch-
    mals mit den Gewürzen abschmecken. Mit Basilikum bestreuen.

    Abwandlung: Die Suppe mit Mozzarellaklößchen servieren. Dazu 250 g
    Mozzarella abtropfen lassen, grob zerkleinern und pürieren. 1 Topf Basilikum
    abspülen, trockentupfen, die Blättchen von den Stängeln zupfen, hacken,
    unter die Mozzarellamasse kneten, salzen und pfeffern. Aus der Masse 18-24
    Klößchen formen, auf Suppenteller verteilen und die Suppe darüber geben.

Obstkaltschale (Grundrezept)

1 Obst vorbereiten: Kirschen waschen, abtropfen lassen, entstielen und entsteinen (Foto 1). Beeren verlesen, eventuell waschen und gut abtropfen lassen, TK-Beeren auftauen lassen (den austreten-den Saft auffangen und mitverwenden). Pflaumen waschen, abtropfen lassen, halbieren und entsteinen (Foto 2). Aprikosen und Pfirsiche waschen, abtropfen lassen, halbieren und ent-steinen. Melone halbieren, die Kerne entfernen (Foto 3) und Melone schälen. Das vorbereitete Obst je nach Größe eventuell in Stücke schneiden.

2 Von der Flüssigkeit 6 Esslöffel abnehmen. Die restliche Flüssig-keit in einen Topf geben, nach Belieben Zitronenschale, Nelken, Zimtstange und Vanillin-Zucker hinzufügen und alles zum Kochen bringen.

3 Speisestärke oder Pudding-Pulver mit 50 g Zucker mischen. Nach und nach mit der zurückgelassenen Flüssigkeit glatt rüh-ren. Den Topf von der Kochstelle nehmen und angerührtes Pulver mit einen Schneebesen in die Flüssigkeit einrühren. Die Masse erneut auf die Kochstelle geben und einmal aufkochen.

4 Das vorbereitete Obst hinzufügen. Süß- oder Sauerkirschen je nach Festigkeit nur einmal aufkochen oder 2-3 Minuten kochen, dabei gelegentlich vorsichtig umrühren. TK-Beerenfrüchte ein-mal aufkochen. Frische Beeren in die von der Kochstelle ge-nommene Suppe geben (weiche Erd- oder Himbeeren erst kurz vor dem Servieren in die kalte Suppe geben). Pflaumen, Apri-kosen, Pfirsiche und Melonen je nach Festigkeit 1-5 Minuten kochen, dabei ab und zu vorsichtig umrühren.

5 Zitronenschale, Nelken oder/und Zimtstange entfernen. Die Suppe mit Zucker und nach Belieben mit Zitronensaft abschmecken, in eine Glasschale geben und die Suppe erkalten lassen.

6 Die Suppe vor dem Servieren eventuell nochmals mit Zucker und Zitronensaft abschmecken und gut gekühlt servieren.

(Fortsetzung Seite 36)

**500 g Obst, z. B. Süß-
oder Sauerkirschen,
gemischte Beeren (frisch
oder TK), Pflaumen,
Aprikosen, Pfirsiche oder
Melone
1 l Flüssigkeit (bei hellem
Obst weißer Traubensaft,
Apfelsaft, Aprikosen-
oder Pfirsichnektar, bei
dunklem Obst Sauer-
kirsch-, Johannisbeer-
nektar oder roter
Traubensaft)
1-3 Stücke Zitronen-
schale (unbehandelt)
evtl. 2-3 Gewürznelken
evtl. 1 Stück (4-5 cm)
Zimtstange
evtl. 1 Pck. Vanillin-
Zucker
40 g Speisestärke
oder 1 Pck. Pudding-Pulver,
z. B. Vanille- oder Sahne-
Geschmack oder
Rote Grütze Himbeer-
Geschmack
50-125 g Zucker
evtl. etwas Zitronensaft**

E: 2 g, F: 0 g, Kh: 79 g,
kJ: 1400, kcal: 335

Tipp: Sie können nach Belieben maximal die Hälfte der Flüssigkeit durch Rot- oder Weißwein bzw. Wasser ersetzen.

Die Obstkaltschalen vor dem Servieren nach Belieben mit fein geschnittenen Zitronenmelisse- oder Pfefferminzblättchen oder abgezogenen, gehobelten, gerösteten Mandeln bestreuen.

Als Einlage für Obstkaltschalen eignen sich süße Grießklößchen (S. 29) oder auf Wasser gegarte Schneeklößchen (siehe Rezept Milchsuppe mit Schnee-klößchen, unten).

Sie können Schlagsahne, Crème fraîche, Joghurt, Vanilleeis und Gebäck (z. B. Waffelgebäck, Löffelbiskuits oder Makronen) dazu reichen.

Anstelle von frischen Sauerkirschen können Sie auch 1 Glas Sauerkirschen (Abtropfgewicht 350 g) verwenden. Die Sauerkirschen abtropfen lassen, dabei den Saft auffangen, abmessen und mit anderem Fruchtsaft oder einer Fruchtsaft-Wasser-Mischung auf 1 l auffüllen.

Pfirsiche und Aprikosen vorher enthäuten. Dafür die Früchte kurz in kochendes Wasser geben (nicht kochen lassen), mit kaltem Wasser übergießen und enthäuten.

Milchsuppe mit Schneeklößchen

Für die Suppe:
1 Pck. Pudding-Pulver
Vanille-, Mandel- oder
Sahne-Geschmack
60 g Zucker
1 Prise Salz
1 l Milch
1 Eigelb (Größe M)
Schale von ½ Zitrone
(unbehandelt)

Für die Schneeklößchen:
1 Eiweiß (Größe M)
1 schwach geh. TL Zucker

E: 10 g, F: 11 g, Kh: 36 g,
kJ: 1181, kcal: 282

1 Für die Suppe Pudding-Pulver mit Zucker und Salz mischen. Nach und nach mit mindestens 6 Esslöffeln von der Milch glatt rühren. Eigelb unterrühren. Milch mit Zitronenschale in einem großen Topf zum Kochen bringen.

2 Den Topf dann von der Kochstelle nehmen und das angerührte Pudding-Pulver mit einem Schneebesen einrühren. Den Topf wieder auf die Kochstelle stellen und alles unter Rühren kurz aufkochen lassen. Die Zitronenschale aus der Suppe nehmen.

3 Für die Schneeklößchen Eiweiß mit Zucker steif schlagen. Mit Hilfe von 2 Teelöffeln kleine Klöße abstechen, auf die Suppe geben und mit Deckel in etwa 5 Minuten gar ziehen lassen (Flüssigkeit muss sich leicht bewegen).

Tipp: Die Suppe nach Belieben mit Zimt-Zucker bestreuen oder 50 g Rosinen mitkochen.
Für die Zitronenschale die Zitrone heiß waschen, trockenreiben und die gelbe Schale dünn abschälen (mit Hilfe eines Sparschälers), die darunter liegende weiße Haut schmeckt bitter.

Abwandlung: Für eine **Schokoladensuppe** die Suppe mit 1 Päckchen Pudding-Pulver Schokoladen-Geschmack und 75 g Zucker, aber ohne Zitronen-schale zubereiten. Dafür nach Belieben 1 Stück Zimtstange mitkochen und vor dem Verzehr entfernen.

Süße Grießsuppe

Schnell

1   Milch mit Zitronenschale in einen Topf geben und zum Kochen bringen.

2   Weizengrieß mit Zucker vermischen, unter Rühren in die kochende Milch einstreuen und etwa 5 Minuten ohne Deckel bei schwacher Hitze ausquellen lassen, dabei gelegentlich umrühren.

3   Die Zitronenschale herausnehmen und die Suppe warm servieren.

Tipp: Die Suppe vor dem Servieren mit Mandelmakronen (Amarettini) oder gerösteten gehackten oder gehobelten Mandeln bestreuen.

Zubereitungszeit: etwa 15 Minuten

1 l Milch
1 kleines Stück Zitronenschale (unbehandelt)
60 g Weichweizengrieß
60 g Zucker

Pro Portion:
E: 10 g, F: 9 g, Kh: 37 g,
kJ: 1135, kcal: 271

Haferflockensuppe

Leicht

1   Wasser in einen Topf geben. Haferflocken, Salz und Zitronenschale hinzufügen, umrühren, zum Kochen bringen, einmal kurz aufkochen.

2   Dann Milch hinzufügen, alles wieder unter gelegentlichem Umrühren zum Kochen bringen und ohne Deckel bei schwacher Hitze in etwa 10 Minuten ausquellen lassen, dabei gelegentlich umrühren.

3   Zum Schluss Zitronenschalenstücke entfernen und Zucker und Vanillin-Zucker unterrühren.

Tipp: Nach Belieben zusätzlich 20 g Butter unter die Suppe rühren. Durch das Aufkochen der Haferflocken in Wasser sind die Haferflocken leichter verdaulich.
Abhängig davon, welche Haferflockensorte (zarte, kernige) Sie verwenden, bekommt die Suppe eine etwas andere Konsistenz.

Zubereitungszeit: etwa 15 Minuten

250 ml ($^1/_4$ l) Wasser
40 g Haferflocken
1 Prise Salz
abgeriebene Schale von $^1/_2$ Zitrone (unbehandelt) oder 2–3 Stücke Zitronenschale (unbehandelt)
750 ml ($^3/_4$ l) Milch
50 g Zucker
1 Pck. Vanillin-Zucker

Pro Portion:
E: 8 g, F: 7 g, Kh: 30 g,
kJ: 916, kcal: 219

Italienischer Bohnen-Gemüse-Topf
Vegetarisch

Zubereitungszeit: etwa 90 Minuten, ohne Einweichzeit

250 g getrocknete weiße Bohnen
1 1/2 l Wasser
2 Zwiebeln
3 Knoblauchzehen
2 EL Olivenöl
1 Lorbeerblatt
je 1/2 TL getrockneter, gerebelter Oregano und gerebeltes Basilikum oder 1 TL getrocknete italienische Kräuter
1 Bund Suppengrün
150 g grüne Bohnen
300 g Staudensellerie
150 g Zucchini
200 g Tomaten
2–3 Gemüsebrühwürfel (für je 500 ml Flüssigkeit) oder 2 geh. TL gekörnte Gemüsebrühe
1 EL Tomatenmark
Salz
frisch gemahlener Pfeffer
Cayennepfeffer
2 EL gehackte Kräuter, z. B. Basilikum, Thymian, Estragon, Oregano oder Kräuter der Provence

Pro Portion:
E: 18 g, F: 7 g, Kh: 32 g,
kJ: 1085, kcal: 259

1 Weiße Bohnen in ein Sieb geben, kalt abspülen und in dem Wasser 12–24 Stunden einweichen.

2 Die Bohnen dann mit dem Einweichwasser in einen großen Topf geben und mit Deckel zum Kochen bringen.

3 In der Zwischenzeit Zwiebeln und Knoblauchzehen abziehen, würfeln und mit Öl, Lorbeerblatt und Kräutern hinzufügen. Die Bohnen in etwa 55 Minuten mit Deckel bei mittlerer Hitze fast gar kochen.

4 In der Zwischenzeit Suppengrün vorbereiten: Knollensellerie schälen, schlechte Stellen herausschneiden, Möhren schälen, Grün und Spitzen abschneiden. Sellerie und Möhren waschen und abtropfen lassen. Von dem Porree (Lauch) die Außenblätter entfernen, Wurzelende und dunkles Grün abschneiden, die Stange längs halbieren, gründlich waschen und abtropfen lassen. Die vorbereiteten Zutaten in Scheiben oder Würfel schneiden.

5 Von den grünen Bohnen die Enden abschneiden, eventuell Fäden abziehen, Bohnen waschen und in Stücke schneiden oder brechen. Von dem Staudensellerie Wurzelenden und welke Blätter entfernen, die harten Außenfäden abziehen, die Stangen waschen und abtropfen lassen. Zucchini waschen, abtrocknen, die Enden abschneiden und Zucchini halbieren oder vierteln. Die beiden Zutaten in Scheiben schneiden.

6 Tomaten waschen, abtropfen lassen, kreuzweise einschneiden, kurz in kochendes Wasser legen und in kaltem Wasser abschrecken. Tomaten enthäuten, die Stängelansätze herausschneiden und Tomaten in Stücke schneiden.

7 Dann grüne Bohnen, Möhren und Knollensellerie mit der Brühe zu den weißen Bohnen geben, zum Kochen bringen und noch etwa 12 Minuten mit Deckel kochen. Dann Porree, Staudensellerie und Zucchini hinzufügen und alles noch weitere 5 Minuten mit Deckel kochen. Zum Schluss Tomaten und Tomatenmark zugeben und noch 2–3 Minuten mitgaren.

8 Die Suppe mit Salz, Pfeffer und Cayennepfeffer abschmecken und mit den Kräutern bestreut servieren.

Tipp: Anstelle von Staudensellerie können Sie auch 250 g geputzten, in Streifen geschnittenen Wirsing verwenden.
Der Eintopf ist gefriergeeignet.

Steckrübeneintopf (Kohlrüben)

Preiswert

Zubereitungszeit: etwa 80 Minuten

**500 g Schweinebauch
(ohne Knochen und
Schwarte)
2 Zwiebeln
1 EL Speiseöl, z. B.
Sonnenblumenöl
Salz
frisch gemahlener weißer
Pfeffer
etwa 500 ml (½ l)
Gemüsebrühe
750 g Steckrüben
500 g vorwiegend fest
kochende Kartoffeln
1 EL gehackte, glatte
Petersilie**

Pro Portion:

E: 24 g, F: 39 g, Kh: 25 g,
kJ: 2286, kcal: 546

1 Schweinebauch unter fließendem kalten Wasser abspülen, trockentupfen und in kleine Würfel schneiden. Zwiebeln abziehen und würfeln.

2 Öl in einem Topf erhitzen. Die Fleischwürfel unter Wenden darin hellbraun anbraten. Zwiebelwürfel hinzufügen und kurz mitdünsten. Das Fleisch mit Salz und Pfeffer würzen, etwa die Hälfte der Gemüsebrühe hinzufügen, alles zum Kochen bringen und etwa 30 Minuten bei mittlerer Hitze mit Deckel garen.

3 In der Zwischenzeit Steckrüben und Kartoffeln waschen, schälen, abspülen und in Stifte schneiden. Steckrüben- und Kartoffelstifte mit der restlichen Brühe zu dem Fleisch geben. Den Eintopf mit Salz und Pfeffer würzen und noch etwa 20 Minuten mit Deckel garen.

4 Den Eintopf nochmals mit den Gewürzen abschmecken und mit Petersilie bestreut servieren.

Tipp: Den Eintopf mit mittelscharfem Senf abschmecken oder den Senf dazu reichen.
Den Eintopf nach Belieben zusätzlich mit getrocknetem, gerebeltem Majoran würzen oder vor dem Servieren mit 1–2 abgespülten, in feine Ringe geschnittenen Frühlingszwiebeln bestreuen.
Der Steckrübeneintopf ist gefriergeeignet.

Abwandlung: Anstelle von Schweinebauch können Sie auch Lammfleisch (aus der Schulter) oder mageren Kasseler-Nacken verwenden.

Gemüseeintopf

Vegetarisch

1 Möhren schälen, Grün und Spitzen abschneiden, Möhren waschen und abtropfen lassen. Kartoffeln waschen, schälen und abspülen. Beide Zutaten in Würfel schneiden. Von den Bohnen die Enden abschneiden, eventuell Fäden abziehen, Bohnen waschen und in Stücke schneiden oder brechen.

2 Von dem Blumenkohl Blätter und schlechte Stellen entfernen, den Strunk abschneiden und den Blumenkohl in Röschen teilen. Tomaten waschen, abtropfen lassen, kreuzweise einschneiden, kurz in kochendes Wasser legen und in kaltem Wasser abschrecken. Tomaten enthäuten, die Stängelansätze herausschneiden und Tomaten vierteln.

3 Zwiebeln abziehen und würfeln. Basilikum abspülen, trockentupfen, die Blättchen von den Stängeln zupfen, fein schneiden und beiseite stellen. Die Stiele klein schneiden.

4 Butter, Margarine oder Öl in einem Topf zerlassen. Zwiebel-, Kartoffelwürfel und Bohnen etwa 5 Minuten unter Wenden darin andünsten. Mit Salz und Pfeffer würzen. Basilikumstiele und Gemüsebrühe hinzufügen, alles zum Kochen bringen und etwa 5 Minuten bei mittlerer Hitze mit Deckel dünsten.

5 Möhrenwürfel und Blumenkohlröschen hinzufügen und etwa 15 Minuten mit Deckel garen.

6 Tomatenviertel hinzufügen und noch etwa 2 Minuten miterhitzen. Den Eintopf mit Salz und Pfeffer abschmecken, mit Petersilie und Basilikum bestreut servieren.

Tipp: Den Eintopf zusätzlich mit Paprikapulver edelsüß oder Curry würzen. Der Gemüseeintopf ist gefriergeeignet.
Wer den Eintopf lieber etwas „dünner" mag, kann die Gemüsebrühemenge auf 1–1 ¼ l erhöhen.
Anstelle des frischen Gemüses können Sie auch etwa 1 kg TK-Gemüse verwenden.
Den Eintopf nach Belieben mit vegetarischer Paste (aus dem Reformhaus) abschmecken.

Abwandlung: Für einen **Gemüseeintopf mit Fleischklößchen** etwa 300 g frische Bratwurstmasse aus der Haut drücken, die Masse zu kleinen Klößchen formen und die letzten 5 Minuten im Eintopf mitgaren.

Zubereitungszeit: etwa 70 Minuten

375 g Möhren
375 g mehlig kochende Kartoffeln
375 g grüne Bohnen
250 g Blumenkohl
250 g Tomaten
2 Zwiebeln
3 Stängel Basilikum
50 g Butter oder Margarine oder 4–5 EL Speiseöl, z. B. Sonnenblumen- oder Olivenöl
Salz
frisch gemahlener Pfeffer
500 ml (½ l) heiße Gemüsebrühe
2 EL gehackte Petersilie

Pro Portion:
E: 6 g, F: 11 g, Kh: 23 g, kJ: 927, kcal: 221

Wirsingeintopf
Klassisch

Zubereitungszeit: etwa 80 Minuten

**500 g Rind- oder Lamm-
fleisch (aus der Schulter)
2 Zwiebeln
30 g Schweineschmalz
oder 3 EL Speiseöl,
z. B. Sonnenblumenöl
Salz
frisch gemahlener Pfeffer
gemahlener Kümmel oder
Kümmelsamen
750 ml (³/₄ l) heiße
Gemüsebrühe
1 kg Wirsing
375 g mehlig kochende
Kartoffeln
2 EL gehackte Petersilie**

Pro Portion:
E: 32 g, F: 18 g, Kh: 18 g,
kJ: 1510, kcal: 360

1 Fleisch unter fließendem kalten Wasser abspülen, trockentupfen und in etwa 2 cm große Würfel schneiden. Zwiebeln abziehen, halbieren und in Scheiben schneiden.

2 Schmalz oder Öl in einem großen Topf erhitzen. Die Fleisch-würfel darin unter Wenden schwach bräunen.

3 Kurz bevor das Fleisch genügend gebräunt ist, Zwiebelscheiben hinzufügen und kurz mitdünsten.

4 Die Fleischwürfel mit Salz, Pfeffer und Kümmel würzen. Ge-müsebrühe hinzugießen, alles zum Kochen bringen und etwa 30 Minuten bei mittlerer Hitze mit Deckel kochen.

5 In der Zwischenzeit von dem Wirsing die groben äußeren welken Blätter entfernen, Wirsing vierteln, abspülen, abtropfen lassen, den Strunk herausschneiden und den Wirsing in Streifen schneiden. Kartoffeln waschen, schälen, abspülen und in Würfel schneiden.

6 Nach Beendigung der Kochzeit Wirsingstreifen und Kartoffel-würfel hinzufügen, wieder zum Kochen bringen und in noch etwa 20 Minuten mit Deckel gar kochen.

7 Den Eintopf nochmals mit den Gewürzen abschmecken und mit Petersilie bestreut servieren.

Tipp: Für 500 g schieres Lammfleisch aus der Schulter benötigt man eine Lammschulter von etwa 900 g (mit Knochen).
Der Eintopf ist gefriergeeignet.

Abwandlung: **Der Wirsingeintopf schmeckt auch gut, wenn Sie anstelle des Fleisches kleine Mettwürste (Rauchenden) verwenden. Dafür die Zwiebel-scheiben in dem Schmalz oder Öl andünsten, vorbereitetes Gemüse, Brühe, Gewürze und Mettwürste hinzufügen und in etwa 25 Minuten gar kochen.**

Minestrone
Klassisch

1 Möhren schälen, Grün und Spitzen abschneiden, Möhren waschen, abtropfen lassen. Kartoffeln waschen, schälen und abspülen. Beide Zutaten in kleine Würfel schneiden.

2 Zucchini waschen, abtrocknen, die Enden abschneiden und Zucchini in Scheiben schneiden. Von dem Porree die Außenblätter entfernen, Wurzelende und dunkles Grün abschneiden, die Stange längs halbieren, gründlich waschen, abtropfen lassen und in Scheiben schneiden.

3 Von dem Staudensellerie Wurzelenden und welke Blätter entfernen, die harten Außenfäden abziehen, die Stangen waschen, abtropfen lassen und in Scheiben schneiden.

4 Von den Bohnen die Enden abschneiden, eventuell Fäden abziehen, Bohnen waschen und in Stücke schneiden oder brechen. Zwiebeln abziehen und in Ringe schneiden. Speck in kleine Würfel schneiden.

5 Tomaten waschen, abtropfen lassen, kreuzweise einschneiden, kurz in kochendes Wasser legen und in kaltem Wasser abschrecken. Tomaten enthäuten, die Stängelansätze herausschneiden, Tomaten halbieren, entkernen und klein schneiden.

6 Öl in einem großen Topf erhitzen. Speck- und Zwiebelwürfel unter Rühren darin andünsten. Möhren, Kartoffeln, Staudensellerie und Bohnen dazugeben und mitdünsten.

7 Gemüsebrühe hinzugießen, alles zum Kochen bringen und 10-12 Minuten mit Deckel kochen. Dann Zucchini, Porree, Erbsen und Nudeln hinzufügen, wieder zum Kochen bringen und noch 5-7 Minuten mit Deckel kochen.

8 Tomaten mit Petersilie und Basilikum in die Suppe geben und darin erhitzen. Die Suppe mit Salz und Paprikapulver würzen und mit Parmesan bestreut servieren.

Tipp: Die Nudeln immer nur knapp gar kochen (Packungsanleitung beachten), da sie in der heißen Suppe noch nachgaren.
Die Minestrone ist ohne Nudeln gefriergeeignet. Die Nudeln dann extra garen und vor dem Servieren in die Suppe geben.
Für eine vegetarische Variante den Speck weglassen und 2 Esslöffel Olivenöl oder Butter zusätzlich verwenden.

Zubereitungszeit: etwa 55 Minuten

200 g Möhren
300 g vorwiegend fest kochende Kartoffeln
150 g Zucchini
200 g Porree (Lauch)
100 g Staudensellerie
100 g grüne Bohnen
2 Zwiebeln
75 g durchwachsener Speck
2 Fleischtomaten
2 EL Olivenöl
1 l Gemüsebrühe
100 g TK-Erbsen
50 g Hörnchennudeln oder Gabelspaghetti
2 EL gehackte Petersilie
2 EL gehackte Basilikumblättchen
Salz
Paprikapulver rosenscharf
40 g frisch geriebener Parmesan-Käse

Pro Portion:
E: 13 g, F: 20 g, Kh: 29 g, kJ: 1480, kcal: 353

Altdeutsche Kartoffelsuppe

Vegetarisch

Zubereitungszeit: etwa 50 Minuten

Für die Suppe:

700 g mehlig kochende Kartoffeln
50–75 g Knollensellerie
250 g Möhren
1 Zwiebel
1 Lorbeerblatt
1 Gewürznelke
40 g Butter
1 1/2 l heiße Gemüsebrühe
200 g Porree (Lauch)
125 ml (1/8 l) Schlagsahne oder 1 Becher (150 g) Crème fraîche
Salz
frisch gemahlener Pfeffer
getrockneter, gerebelter Majoran
geriebene Muskatnuss

Für die Einlage:

200 g Pfifferlinge
1 Zwiebel
25 g Butter
2 EL gehackte Kräuter, z. B. Kerbel, Schnittlauch, glatte Petersilie

Pro Portion:
E: 7 g, F: 24 g, Kh: 27 g,
kJ: 1483, kcal: 354

1 Für die Suppe Kartoffeln waschen, schälen und abspülen. Knollensellerie schälen, schlechte Stellen herausschneiden. Möhren schälen, Grün und Spitzen abschneiden. Sellerie und Möhren waschen und abtropfen lassen. Die vorbereiteten Zutaten in Würfel schneiden. Zwiebel abziehen und mit Lorbeerblatt und Nelke spicken.

2 Butter in einem Topf zerlassen. Sellerie- und Möhrenwürfel darin unter Rühren andünsten. Kartoffelwürfel, gespickte Zwiebel und Gemüsebrühe dazugeben, zum Kochen bringen und etwa 20 Minuten bei mittlerer Hitze mit Deckel kochen.

3 In der Zwischenzeit von dem Porree die Außenblätter entfernen, Wurzelende und dunkles Grün abschneiden, die Stange längs halbieren, gründlich waschen, abtropfen lassen und in Scheiben schneiden. Porreescheiben in die Suppe geben und alles noch etwa 10 Minuten mit Deckel kochen.

4 Die gespickte Zwiebel entfernen. Etwa 1/3 der Kartoffel-Gemüse-Mischung aus der Suppe schöpfen, pürieren, mit Sahne oder Crème fraîche verrühren und wieder in die Suppe geben. Die Suppe erhitzen und mit Salz, Pfeffer, Majoran und Muskatnuss würzen.

5 Für die Einlage Pfifferlinge mit Hilfe eines Pinsels säubern, schlechte Stellen wegschneiden, die Pfifferlinge eventuell abspülen und trockentupfen. Zwiebel abziehen und in feine Würfel schneiden. Butter in einer Pfanne zerlassen. Die Zwiebelwürfel unter Rühren darin andünsten. Die Pfifferlinge dazugeben und etwa 5 Minuten unter häufigem Umrühren dünsten.

6 Die Pfifferling-Zwiebel-Mischung in die Suppe geben und etwa 5 Minuten ziehen lassen. Die Kartoffelsuppe mit den Kräutern bestreut servieren.

Tipp: Nach Belieben zusätzlich Wiener Würstchen in der Suppe erwärmen. Wenn Sie die Pfifferlinge während der Kochzeit der Suppe vorbereiten und dünsten, verkürzt sich die Zubereitungszeit um etwa 15 Minuten.
Anstelle der frischen Pfifferlinge können Sie auch Pfifferlinge aus dem Glas verwenden.

Linseneintopf mit Mettwürstchen

Einfach

Zubereitungszeit: etwa 60 Minuten

1 Bund Suppengrün
250 g getrocknete Tellerlinsen
375 g vorwiegend fest kochende Kartoffeln
2 Zwiebeln
2 EL Speiseöl, z. B. Sonnenblumenöl
1 ½ l Gemüsebrühe
4 Mettwürstchen (Rauchenden, je etwa 90 g)
Weinessig
Salz
frisch gemahlener Pfeffer
etwas Zucker
2 EL gehackte Petersilie

Pro Portion:
E: 34 g, F: 31 g, Kh: 42 g,
kJ: 2444, kcal: 584

1 Suppengrün vorbereiten: Knollensellerie schälen, schlechte Stellen herausschneiden, Möhren schälen, Grün und Spitzen abschneiden. Sellerie und Möhren waschen und abtropfen lassen. Von dem Porree (Lauch) die Außenblätter entfernen, Wurzelende und dunkles Grün abschneiden, die Stange längs halbieren, gründlich waschen und abtropfen lassen. Die 3 Zutaten klein schneiden (Foto 1).

2 Tellerlinsen in ein Sieb geben und kalt abspülen. Kartoffeln waschen, schälen, abspülen und in Würfel schneiden (Foto 2). Zwiebeln abziehen, halbieren und in Scheiben schneiden.

3 Öl in einem Topf erhitzen, vorbereitetes Gemüse und Kartoffeln darin andünsten. Gemüsebrühe und Linsen dazugeben, zum Kochen bringen und etwa 15 Minuten bei mittlerer Hitze mit Deckel kochen.

4 Die Mettwürstchen zugeben (Foto 3) und weitere 10 Minuten mitkochen.

5 Den Eintopf mit Essig, Salz, Pfeffer und Zucker abschmecken und mit Petersilie bestreut servieren.

Tipp: Nach Belieben 1 Lorbeerblatt mitkochen und vor dem Servieren herausnehmen.

Abwandlung 1: Schneller geht's, wenn Sie den Linseneintopf mit Linsen aus der Dose zubereiten. Dazu die vorbereiteten Kartoffeln in 750 ml (¾ l) Gemüsebrühe etwa 10 Minuten bei mittlerer Hitze zugedeckt kochen. Dann die Mettwürstchen hinzufügen und alles weitere 5 Minuten mit Deckel kochen. Zum Schluss 1 Dose Linsen mit Suppengrün (800 g) hinzufügen und alles noch weitere 5 Minuten kochen. Mit Salz, Pfeffer, Essig und Zucker abschmecken.

Abwandlung 2: Für einen vegetarischen Linseneintopf die Kartoffelmenge auf 500–600 g erhöhen, die Mettwürstchen weglassen und den Eintopf kurz vor dem Servieren nach Belieben mit gehobeltem Parmesan-Käse bestreuen.

Graupeneintopf
Klassisch

Zubereitungszeit: etwa 90 Minuten

1 Dicke Rippe unter fließendem kalten Wasser abspülen und mit gut 1 l Wasser in einen großen Topf geben. Lorbeerblatt, Gewürznelken und Pfefferkörner hinzufügen, zum Kochen bringen und etwa 60 Minuten mit Deckel bei mittlerer Hitze kochen.

2 In der Zwischenzeit Perlgraupen mit dem restlichen Wasser in einen Topf geben, 1 Teelöffel Salz zugeben, zum Kochen bringen und in etwa 30 Minuten mit Deckel bei mittlerer Hitze gar kochen. Die garen Graupen in ein Sieb geben, kalt abspülen und abtropfen lassen.

3 In der Zwischenzeit Zwiebeln abziehen. Knollensellerie schälen, schlechte Stellen herausschneiden, Möhren schälen, Grün und Spitzen abschneiden. Sellerie und Möhren waschen und abtropfen lassen. Das Gemüse würfeln. Von dem Porree die Außenblätter entfernen, Wurzelenden und dunkles Grün abschneiden, die Stangen längs halbieren, gründlich waschen, abtropfen lassen und in Ringe oder Streifen schneiden.

4 Nach Beendigung der Kochzeit die dicke Rippe herausnehmen, die Brühe durch ein Sieb gießen und mit Wasser auf 1 1/4 l auffüllen. Die Brühe wieder zum Kochen bringen. Die Gemüsewürfel hineingeben und etwa 10 Minuten mit Deckel kochen.

5 Dann Graupen und Porree hinzufügen und alles noch weitere 5–10 Minuten mit Deckel kochen.

6 Das Fleisch von den Knochen lösen, in Würfel schneiden, in den Eintopf geben und darin erhitzen. Den Eintopf mit Salz, Pfeffer und nach Belieben mit Thymian würzen und mit Petersilie bestreut servieren.

1 kg geräucherte dicke Rippe (vom Metzger in 3–4 Stücke teilen lassen)
etwa 2 l Wasser
1 Lorbeerblatt
2 Gewürznelken
5 Pfefferkörner
125 g Perlgraupen
Salz
2 Zwiebeln
150 g Knollensellerie
200 g Möhren
300 g Porree (Lauch)
frisch gemahlener Pfeffer
evtl. getrockneter, gerebelter Thymian
2 EL gehackte, glatte Petersilie

Pro Portion:
E: 45 g, F: 16 g, Kh: 27 g,
kJ: 1841, kcal: 440

Grüne-Bohnen-Eintopf

Für Gäste

Zubereitungszeit: etwa 80 Minuten

500 g Rindfleisch
(aus der Schulter)
1 Zwiebel
2–3 Zweige Bohnenkraut
30 g Butterschmalz oder
Margarine oder 3 EL
Speiseöl, z. B. Sonnen-
blumenöl
Salz
frisch gemahlener Pfeffer
500 ml (1/2 l) Gemüse-
brühe
1 kg grüne Bohnen
500 g vorwiegend fest
kochende Kartoffeln
1–2 EL gehackte Petersilie

Für Portion

E: 33 g, F: 15 g, Kh: 27 g,
kJ: 1592, kcal: 380

1 Rindfleisch unter fließendem kalten Wasser abspülen, trockentupfen und in 2 cm große Würfel schneiden. Zwiebel abziehen
und würfeln. Bohnenkraut abspülen und trockentupfen.

2 Butterschmalz, Margarine oder Öl in einem Topf erhitzen. Die
Fleischwürfel unter Wenden schwach darin bräunen. Kurz bevor
das Fleisch genügend gebräunt ist, die Zwiebelwürfel hinzufügen und kurz miterhitzen.

3 Das Fleisch mit Salz und Pfeffer würzen. Bohnenkraut und
Gemüsebrühe hinzufügen, alles zum Kochen bringen und bei
mittlerer Hitze etwa 40 Minuten mit Deckel garen.

4 In der Zwischenzeit von den Bohnen die Enden abschneiden,
eventuell Fäden abziehen, Bohnen waschen und in kleine
Stücke schneiden oder brechen. Kartoffeln waschen, schälen,
abspülen und in Würfel schneiden.

5 Bohnenstücke und Kartoffelwürfel hinzufügen, mit Salz und
Pfeffer würzen, wieder zum Kochen bringen und alles mit Deckel
noch etwa 20 Minuten garen.

6 Bohnenkraut aus dem Eintopf entfernen. Den Eintopf mit Salz
und Pfeffer abschmecken und mit Petersilie bestreut servieren.

Tipp: Der Eintopf ist gefriergeeignet.

Abwandlung (Foto): **Anstelle von Rindfleisch können Sie auch Lammfleisch (aus der Schulter) verwenden. Zusätzlich 2–3 Tomaten waschen,
abtropfen lassen, kreuzweise einschneiden, kurz in kochendes Wasser legen
und in kaltem Wasser abschrecken. Tomaten enthäuten, die Stängelansätze
herausschneiden, Tomaten würfeln und kurz vor Ende der Garzeit unter den
Eintopf heben. Nach Belieben mit Basilikum bestreut servieren.**

Pichelsteiner

Klassisch

Zubereitungszeit: etwa 70 Minuten

**500 g gemischte Fleisch-
sorten aus Schulter oder
Nacken (Lamm, Schwein,
Rind)**
2 Zwiebeln
**30 g Butterschmalz oder
Margarine oder 3 EL
Speiseöl, z. B. Sonnen-
blumenöl**
Salz
**getrockneter, gerebelter
Majoran**
**getrocknetes, gerebeltes
Liebstöckel**
frisch gemahlener Pfeffer
**500 ml (¹/₂ l) Gemüse-
brühe**
250 g Möhren
**375 g vorwiegend fest
kochende Kartoffeln**
350 g Porree (Lauch)
300 g Weißkohl
2 EL gehackte Petersilie

Pro Portion:
E: 30 g, F: 17 g, Kh: 19 g,
kJ: 1469, kcal: 351

1 Fleisch unter fließendem kalten Wasser abspülen, trockentupfen und in 2 cm große Würfel schneiden. Zwiebeln abziehen, eventuell halbieren und in Scheiben schneiden.

2 Butterschmalz, Margarine oder Öl in einem Topf erhitzen. Die Fleischwürfel darin unter Wenden schwach bräunen (Foto 1). Kurz bevor das Fleisch genügend gebräunt ist, die Zwiebel-scheiben hinzufügen (Foto 2) und kurz miterhitzen.

3 Das Fleisch mit Salz, Majoran, Liebstöckel und Pfeffer würzen. Gemüsebrühe hinzufügen, alles zum Kochen bringen und etwa 40 Minuten mit Deckel bei mittlerer Hitze kochen.

4 In der Zwischenzeit Möhren schälen, Grün und Spitzen ab-schneiden, Möhren waschen und abtropfen lassen. Kartoffeln waschen, schälen und abspülen. Beide Zutaten in Würfel schneiden. Von dem Porree die Außenblätter entfernen, Wurzelenden und dunkles Grün abschneiden, die Stangen längs halbieren, gründlich waschen, abtropfen lassen und in Scheiben schneiden. Von dem Weißkohl die äußeren welken Blätter ent-fernen, den Kohl vierteln, abspülen, abtropfen lassen, den Strunk herausschneiden und Kohl in schmale Streifen schnei-den (Foto 3).

5 Nach Beendigung der Kochzeit das vorbereitete Gemüse und die Kartoffeln hinzufügen, zum Kochen bringen, den Eintopf mit Salz und Pfeffer würzen und noch etwa 20 Minuten mit Deckel garen.

6 Den Eintopf nochmals mit den Gewürzen abschmecken und mit Petersilie bestreut servieren.

Tipp: Der Eintopf ist gefriergeeignet.

Irish Stew
Dauert länger

1 Lammschulter unter fließendem kalten Wasser abspülen, trocken-
tupfen, von den Knochen lösen, Fett abschneiden und das
Fleisch (etwa 650 g) in etwa 2 cm große Würfel schneiden. Die
Fleischwürfel mit Salz und Pfeffer würzen.

2 Von dem Wirsing die äußeren welken Blätter entfernen, den
Wirsing vierteln, abspülen, abtropfen lassen, den Strunk herausschneiden und Wirsing in dünne Streifen schneiden. Kartoffeln
waschen, schälen, abspülen und in dünne Scheiben schneiden.
Zwiebeln abziehen, halbieren und ebenfalls in Scheiben schneiden.

3 Zunächst nacheinander jeweils die Hälfte der Wirsingstreifen,
Kartoffel- und Zwiebelscheiben in einen großen Topf schichten,
dabei jede Schicht mit Salz und Pfeffer würzen. Die Fleischwürfel darauf geben. Die restlichen Zutaten in umgekehrter
Reihenfolge einschichten, dabei ebenfalls jede Schicht mit Salz
und Pfeffer würzen.

4 Fleischbrühe hinzugießen, zum Kochen bringen und etwa
60 Minuten mit Deckel bei schwacher bis mittlerer Hitze garen.

5 Den Eintopf nach Beendigung der Garzeit umrühren und mit
den Gewürzen abschmecken.

Tipp: **Der Eintopf ist gefriergeeignet.**

Zubereitungszeit: etwa
1 ¾ Stunden

**1 kg Lammschulter (mit
Knochen)**
Salz
frisch gemahlener Pfeffer
650 g Wirsing
**600 g mehlig kochende
Kartoffeln**
375 g Zwiebeln
375 ml (³/₈ l) Fleischbrühe

Pro Portion:
E: 41 g, F: 7 g, Kh: 26 g,
kJ: 1384, kcal: 330

Weiße-Bohnen-Suppe
Preiswert

1 Bohnen in ein Sieb geben, kalt abspülen und in dem Wasser etwa
12 Stunden einweichen. Die Bohnen dann mit dem Einweichwasser
in einen großen Topf geben.

2 Dicke Rippe unter fließendem kalten Wasser abspülen, mit der
gekörnten Brühe zu den Bohnen geben, zum Kochen bringen und
etwa 55 Minuten mit Deckel kochen.

3 In der Zwischenzeit Kartoffeln waschen, schälen, abspülen und in
Würfel schneiden. Von dem Porree die Außenblätter entfernen,
Wurzelende und dunkles Grün abschneiden, die Stange längs
halbieren, gründlich waschen und abtropfen lassen.

(Fortsetzung Seite 52)

Zubereitungszeit: etwa 90 Minuten
ohne Einweichzeit

**250 g getrocknete weiße
Bohnen**
1 ¹/₂ l Wasser
**500 g geräucherte
dicke Rippe**
**2 geh. TL gekörnte
Gemüsebrühe**
**375 g mehlig kochende
Kartoffeln**
200 g Porree (Lauch)

300 g Möhren
75 g Knollensellerie
2 Zwiebeln
200 g geräucherte
Mettwürstchen
(Rauchenden)
Salz
frisch gemahlener Pfeffer
2 EL gehackte Petersilie

Pro Portion:

E: 43 g, F: 22 g, Kh: 39 g,
kJ: 2198, kcal: 524

4   Möhren schälen, Grün und Spitzen abschneiden. Knollensellerie
    schälen, schlechte Stellen herausschneiden. Möhren und Sellerie
    waschen und abtropfen lassen. Zwiebeln abziehen. Die 4 Zutaten
    in Würfel oder Scheiben schneiden.

5   Das vorbereitete Gemüse und die Kartoffeln zu dem Fleisch geben,
    zum Kochen bringen und etwa 10 Minuten mit Deckel kochen. Dann
    die Mettwürstchen hinzufügen und alles noch weitere 10 Minuten
    mit Deckel kochen.

6   Fleisch und Wurst aus der Suppe herausnehmen, das Fleisch von
    den Knochen lösen, Fleisch und Wurst klein schneiden und wieder
    in die Suppe geben. Die Suppe mit Salz und Pfeffer abschmecken.
    Petersilie unterrühren.

Tipp: Die Suppe ist gefriergeeignet.

Grünkerneintopf mit Crème fraîche

Einfach

Zubereitungszeit: etwa 45 Minuten

2 Zwiebeln
400 g Porree (Lauch)
50 g Butter
125 g Grünkernschrot
1 l Gemüsebrühe
2 Fleischtomaten
1 Becher (150 g) Crème
fraîche
Salz
frisch gemahlener Pfeffer
1 EL Schnittlauchröllchen

Pro Portion:

E: 7 g, F: 23 g, Kh: 27 g,
kJ: 1447, kcal: 347

1   Zwiebeln abziehen und in Würfel schneiden. Von dem Porree
    die Außenblätter entfernen, Wurzelenden und dunkles Grün ab-
    schneiden, die Stangen längs halbieren, gründlich waschen,
    abtropfen lassen und in Streifen schneiden.

2   Butter in einem Topf zerlassen. Zwiebelwürfel unter Rühren
    darin andünsten. Porreestreifen und Grünkernschrot zugeben
    und mitdünsten.

3   Gemüsebrühe hinzufügen, alles zum Kochen bringen und etwa
    25 Minuten mit Deckel kochen.

4   In der Zwischenzeit Tomaten waschen, abtropfen lassen, kreuz-
    weise einschneiden, kurz in kochendes Wasser legen und in kal-
    tem Wasser abschrecken. Tomaten enthäuten, Stängelansätze
    entfernen und Tomaten würfeln.

5   Crème fraîche unter den Eintopf rühren. Tomatenwürfel hinzu-
    fügen und kurz miterhitzen.

6   Den Eintopf mit Salz und Pfeffer würzen und mit Schnittlauch-
    röllchen bestreut servieren.

Tipp: Der Grünkerneintopf ist gefriergeeignet.

Fleisch

Vorbereitung/Lagerung

Fleisch sollte möglichst frisch verarbeitet werden, da es durch seinen hohen Eiweiß- und Wassergehalt leicht verderblich ist. Nach dem Einkauf unzerkleinerte Fleischstücke unter fließendem kalten Wasser abspülen, trockentupfen und entsprechend dem Rezept weiterverarbeiten. Oder die Fleischstücke in ein Porzellan- oder Edelstahlgefäß legen und zugedeckt (z. B. mit einem Deckel, einem Teller oder Klarsichtfolie) bis zur Weiterverarbeitung im Kühlschrank lagern. Das Fleisch dann erst vor der Zubereitung kalt abspülen. Kleine vorbereitete Fleischstücke vor dem Kaltstellen mit Öl bestreichen. So trocknen sie nicht aus und werden zarter.
Wenn Sie das Fleisch nicht sofort benötigen, können Sie es verpacken und tiefgefrieren. Das eingefrorene Fleisch dann vor der Verarbeitung zugedeckt im Kühlschrank auftauen lassen und das Auftauwasser sofort weggießen (Salmonellengefahr). Einmal aufgetautes Fleisch sollte sofort weiterverarbeitet werden und auf keinen Fall ein zweites Mal eingefroren werden.
Falls Sie eingeschweißtes Fleisch kaufen, achten Sie auf das Mindeshaltbarkeitsdatum und die empfohlene Lagertemperatur auf der Packung.

Panieren

Paniertes Bratgut wird durch eine Hülle (Panade) vor dem Austrocknen beim Braten geschützt. Außerdem bildet sich eine schmackhafte Kruste. Das Panieren bietet sich besonders bei Portionsstücken wie Schnitzel oder Koteletts an.

Dazu 3 tiefe Teller vorbereiten. In den ersten Teller wird Mehl gegeben, in dem zweiten ein oder mehrere Eier (je nach Menge des zu panierenden Fleisches) mit Hilfe einer Gabel verschlagen und in den dritten werden Semmelbrösel gegeben. Nun das kalt abgespülte, trockengetupfte und gewürzte Bratgut nacheinander in Mehl, Ei und Semmelbröseln wenden, leicht andrücken und überschüssige Semmelbrösel abschütteln, da sie beim Braten schnell verbrennen. Das so vorbereitete Bratgut sofort weiterverarbeiten, damit die Panade nicht weich wird.

Sie können die Semmelbrösel auch mit geriebenem Hartkäse mischen oder das Bratgut in z. B. Sesamsamen, Kokosraspeln, zerkleinerten Cornflakes oder fein gehackten Nusskernen, Mandeln oder Sonnenblumenkernen wenden.

Garmethoden

Braten in der Pfanne (Kurzbraten)

Unter Kurzbraten versteht man Garen und Bräunen in wenig Fett. Diese Garmethode eignet sich für Portionsstücke wie Schnitzel, Koteletts oder Steaks. Das Bratgut kann unpaniert (natur), mehliert (in Mehl gewendet) oder paniert gebraten werden.
- Fett (Speiseöl, Butterschmalz oder Pflanzenfett) in einer Pfanne erhitzen.
- Das kalt abgespülte, trockengetupfte, gewürzte (salzen erst nach dem Braten) Bratgut in das heiße Fett legen, die Poren schließen sich schnell und das Fleisch bleibt saftig.
- Das Bratgut von einer Seite goldbraun und knusprig braten.
- Das Bratgut erst wenden, wenn es sich leicht vom Pfannenboden lösen lässt.
- Das Bratgut von der zweiten Seite goldbraun und knusprig braten.
- Erst nach der gewünschten Bräunung eventuell salzen

und Zwiebeln hinzufügen, da sie Wasser ziehen.

- Das fertige Bratgut aus der Pfanne nehmen, eventuell kurz auf Küchenpapier abtropfen lassen, um überschüssiges Fett zu entfernen und sofort servieren oder zugedeckt warm stellen.
- Für die Saucenzubereitung den Bratensatz mit etwas Flüssigkeit (z. B. Wasser, Brühe, Wein, Schlagsahne) loskochen und nach Belieben binden (z. B. mit angerührtem Mehl, Speisestärke oder Saucenbinder).

Braten im Backofen

Beim Braten im Backofen wird das Bratgut unter Bräunung mit oder ohne Fettzugabe in einem offenen Gefäß gegart. Diese Garmethode eignet sich besonders für große Fleischstücke wie Braten und Großgeflügel.

- Den Backofen auf die im Rezept angegebene Temperatur vorheizen.
- Die Fettfangschale in den Backofen schieben (unterste Einschubleiste) und eventuell etwas Wasser einfüllen.
- Das vorbereitete, gewürzte Bratgut in die Fettfangschale oder auf den aufgesetzten Rost legen.
- Wenn der Bratensatz zu bräunen beginnt und die

vorhandene Flüssigkeit verdampft und eingekocht ist, weitere Flüssigkeit (am besten heiß) hinzugießen.

- Während der Garzeit das Bratgut gelegentlich mit der Flüssigkeit begießen.
- Eine weitere Möglichkeit besteht darin, das Bratgut in einem Bräter auf der Kochstelle in heißem Fett rundherum anzubraten und den Bräter dann auf dem Rost in den Backofen zu schieben. Auch bei dieser Methode wird verdampfte Flüssigkeit ersetzt und das Bratgut ab und zu mit dem Bratensatz begossen.

Zum Braten im Backofen eignet sich auch ein Ton- oder Römertopf. Das Bratgut in dem gewässerten Topf mit aufgelegtem Deckel in den kalten Backofen schieben (bitte Herstellerhinweise beachten). Auch in Bratbeuteln oder Bratfolien können Braten im Backofen zubereitet werden (bitte Herstellerhinweise beachten).

Um besonders saftiges Fleisch zu erhalten, können Sie die Niedrigtemperatur-Garmethode mit Fleischthermometer einsetzen. Das in einem Bräter auf der Kochstelle gut angebratene Fleisch wird im vorgeheizten Backofen (Ober-/Unter-

hitze: 80 °C, Heißluft: 70 °C) in etwa 4 Stunden ohne Deckel gegart. Der Braten wird nicht angegossen. Die Temperaturangabe muss bei dieser Garmethode besonders genau eingehalten werden, dafür ein Fleischthermometer benutzen. Am Ende der Garzeit muss die Kerntemperatur des Fleisches mindestens 60 °C betragen. Diese Methode ist nur für Rind- und Lammfleisch (z. B. Lammkeule, S. 98) geeignet. Die übrigen Fleischsorten benötigen eine höhere Kerntemperatur.

Schmoren

Schmoren bedeutet Garen von Fleisch durch Anbraten in heißem Fett und Weitergaren in siedender Flüssigkeit und Wasserdampf. Schmorgerichte können entweder auf der Kochstelle oder in einem gut schließenden Bräter im Backofen zubereitet werden.

- Das kalt abgespülte, trockengetupfte und gewürzte Fleisch in heißem Fett rundherum anbraten.
- Eventuell vorbereitete Zwiebeln und Suppengrün zugeben und anbraten.
- Etwas heiße Flüssigkeit (z. B. Wasser, Brühe, Wein) dazugießen (das Fleisch sollte zu maximal einem Viertel in Flüssigkeit liegen).

- Die Temperatur reduzieren und das Fleisch mit Deckel schmoren oder den Bräter mit Deckel auf dem Rost in den vorgeheizten Backofen schieben.
- Während der Schmorzeit verdampfte Flüssigkeit nach und nach ersetzen.

Kochen (Sieden)

Unter Kochen (Sieden) versteht man das Garen von Fleisch (z. B. Tafelspitz, S. 62) in einer größeren Menge siedender Flüssigkeit (Wasser oder Brühe, eventuell mit Essig oder Wein vermischt).

- So viel Flüssigkeit (eventuell mit vorbereitetem Suppengrün) in einem Topf zum Kochen bringen, dass das Fleisch von der Flüssigkeit vollkommen oder zum größten Teil bedeckt ist.
- Das kalt abgespülte Fleisch in die siedende Flüssigkeit legen, die Poren schließen sich sofort, es wird wenig Fleischsaft an die Flüssigkeit abgegeben und das Fleisch bleibt saftig und zart.
- Das Fleisch mit Deckel garen, dabei die Temperatur konstant auf dem Siedepunkt halten, die Flüssigkeit soll sich nur leicht bewegen.
- Die verbleibende Kochflüssigkeit kann als Brühe anderweitig verwendet oder eingefroren werden.

Garprobe

Den Garzustand von Fleisch können Sie auf unterschiedliche Arten überprüfen. Sie können z. B. ein Fleischthermometer (Haushaltswarengeschäft) verwenden. Anhand der auf dem Thermometer angegebenen Kerntemperaturen können Sie erkennen, ob das Fleisch gar ist. Außerdem ist der beim Schneiden austretende Fleischsaft bei garem Fleisch klar und nicht mehr rosa oder rot. Der Garzustand kann auch durch einen Löffeldruck auf das Fleisch geprüft werden:

weich: Braten im Innern rot (gibt stark nach)

federnd: Braten im Innern rosa (gibt nach)

fest: Braten durchgegart (gibt nicht nach).

Fleisch aufschneiden

- Besonders größere Fleischstücke (z. B. Braten), aber auch Steaks, sollten vor dem Aufschneiden mit einer ausreichend großen Schüssel oder Alufolie zugedeckt oder in Alufolie eingewickelt etwa 10 Minuten ruhen, damit sich der Fleischsaft setzt.
- Das Fleisch immer quer zur Faser aufschneiden. Fangen Sie den beim Ruhen und Aufschneiden eventuell austretenden Fleischsaft auf und verwenden Sie ihn mit für die Sauce.

Rindfleisch

Je nach Alter der Schlachttiere unterscheidet man:

- Jungrinder (noch nicht ausgewachsene männliche und weibliche Tiere bis etwa 12 Monate alt).
- Jungbullen und Färsen (15 Monate bis 2 Jahre alt).
- Ochsen (2 bis 3 Jahre alt).
- Kühe und Bullen (2 Jahre bis über 5 Jahre alt).

Fleisch von jungen Tieren hat eine kräftige hell- bis ziegelrote Farbe, mit weiß bis hellgelben Fettäderchen. Die Schnittfläche ist glänzend und die Faserung ist fein bis mittelfein. Fleisch von älteren Tieren hat eine dunkle, rotbraune Farbe mit gelblichen Fettadern und grober Faserung. Rindfleisch muss gut abgehangen sein. Abhängen bedeutet, dass das schlachtfrische, ausgeblutete Fleisch bei 1–3 °C in einem luftigen Raum einige Tage bis zu einigen Wochen (abhängig vom Fleischstück und seiner Verwendung) aufgehängt wird, damit es mürber wird. Nur Geflügel darf nicht abhängen, da es zu schnell verdirbt.

Zum Braten eignen sich:

Roastbeef, Filet (Lende), Hohe Rippe, Oberschale, Schwanzstück, Kugel und Hüfte.

Zum Schmoren eignen sich:
Oberschale, Schwanzstück
(mit Schwanzrolle), Quer-
rippe, Kugel, Schulterspitze
und Schulter.

**Zum Kurzbraten und Grillen
eignen sich:**
Scheiben von Roastbeef
(Entrecôte), von der Hüfte,
Filet (Chateaubriand), Ober-
schale, Kugel und Leber.

Zum Kochen eignen sich:
Kamm, Nacken (Hals), Brust,
Hohe Rippe, Flach- oder
Querrippe, Schulter, Lappen,
Beinscheibe und Schwanz,
Lunge, Herz, Zunge, Nieren.

Teilstücke vom Rind

Hals (Nacken)
Mit durchwachsenem Muskelfleisch und kräftiger Faser.

Bugschaufel
Durchwachsenes Fleisch, gut
für Eintöpfe verwendbar.

Hohe Rippe (Hochrippe)
Aus dem Mittelteil dieses
Stückes sind die zarten Steaks.

Roastbeef

Aus dem mittleren Rinder-
rücken. Aufgeteilt in Rumpsteaks und Entrecôtes.

Unterschale (Schwanzstück)
Mageres Muskelfleisch zum
Schmoren, für große Rouladen
und Gulasch.

Lappen (Bauchlappen, Spannrippe)
Mit Sehnen und Fett durch-
wachsen.

Filet (Lende)

Wertvollstes Stück. Sehr zart
und deshalb für Steaks geeignet.

Hüfte
Mageres, zum Schwanz hin
gelegenes Teilstück. Obere
Preisklasse.

Kamm (Zungenstück, Halsgrat)

Unterer Teil des Halses.

Kugel (Blume, Rose)
Sehr zartes Stück aus der
Keule. Obere Preisklasse.

Oberschale (Kluft)

Mageres Stück aus der Keule
mit feinen Fettadern durchzogen.

Quer- oder Flachrippe
Hinter der Vorderkeule gelegenes Stück.

**Beinscheiben aus dem Beinfleisch
(Hesse)**
Mager, mit Sehnen durch-
wachsen. Mark im Knochen
mit hohem Fettanteil.

Dickes Bugstück
Das wertvollste Teilstück des
Buges ist das Dicke Bugstück,
aus dem zartfaserige Braten-
stücke geschnitten werden.

Schulterfilet (Falsche Lende)
Zartes Stück aus der Vorder-
keule. Etwas grobfaseriger. Für
Tafelspitz geeignet.

Unterschale mit Rolle
Spezielle Teilstücke sind Rolle
und Tafelspitz.

Rindersteaks

Filetsteak

Besonders saftig, aus der Mitte des Rinderfilets. Gewicht: 150-200 g, Dicke: 3-4 cm.

Chateaubriand

Doppelt geschnittenes Filetsteak. Gewicht: etwa 400 g (reicht für 2 Portionen), Dicke: etwa 8 cm. Wird besonders blutig gegessen.

Rumpsteak

Wird aus dem flachen Teil des Roastbeefs geschnitten. Es hat einen dünnen Fettrand, der vor dem Braten ange-schnitten wird. Gewicht: 200-250 g, Dicke: 2-3 cm.

Hüftsteak

Wird aus der Hüfte geschnitten (gut abgehangen). Gewicht: etwa 200 g, Dicke: 2-3 cm.

Kalbfleisch

Kalbfleisch stammt von jungen Rindern, die jünger als 4 Monate und bis 150 kg schwer sind. Kalbfleisch ist zartfaserig, hat eine hellrote Farbe (eisenhaltig) und ist mager bis fettarm.

Zum Kurzbraten und Grillen eignen sich: Scheiben von Ober- und Unterschale (Fricandeau), Nuss, Haxe, Filet, Kotelett, Scheiben von Leber, Niere.

Zum Kochen eignen sich: Nacken, Brust, Haxe, Leber, Zunge, Herz.

Zum Braten eignen sich: Nuss, Ober- und Unterschale (Fricandeau), Kugel, Hüfte, Rücken, Filet, Brust, Haxe.

Zum Schmoren eignen sich: Brust, Nacken, Schulter (Bug), Haxe.

Teilstücke vom Kalb

Nacken (Hals)

Zartes, kurzfaseriges Stück, wird überwiegend mit Knochen angeboten.

Oberschale

Mürbes Bratenstück. In Scheiben geschnitten als Schnitzelfleisch.

Kotelettstück (Mittelstück, Kamm)

Das Filet wird ausgelöst und getrennt angeboten.

Kalbsbrust

Bei Mastkälbern ist sie gut mit Fleisch bewachsen.

Kalbsnuss

Hochwertiges Bratenstück aus der Keule. Ideal für Schnitzel.

Haxen (Hesse)

Mit mageren Muskeln und Sehnen durchzogen.

Schweinefleisch

Schweinefleisch wird überwiegend von Tieren unter einem Jahr, d. h. vor der Geschlechtsreife, angeboten. Am besten schmeckt es frisch geschlachtet. Das Fleisch ist bei jungen Tieren blassrot bis rosarot, zartfaserig, mager bis leicht marmoriert (mit feinen Fettäderchen durchzogen). Fleisch von älteren Tieren ist dunkelrot und grobfaserig.

Zum Kochen eignen sich: Bauch, Eisbein, Zunge, Herz, Nieren.

Zum Kurzbraten und Grillen eignen sich: Ober- und Unterschale, Hüfte, Nuss (Kugel), Filet (Lende), Kotelett, Nacken (Kamm), Bauch.

Zum Braten eignen sich: Ober- und Unterschale, Hüfte, Nuss (Kugel), Filet (Lende), Rücken, Nacken (Kamm).

Zum Schmoren eignen sich: Schulter (Bug), Brust (Dicke Rippe), Bauch, Eisbein (Haxe), Leber, Niere, Herz.

Teilstücke vom Schwein

Eisbein (Hämmchen, Haxe)
Besonders hoher Knochen- und Sehnenanteil. Zum Braten und Kochen verwendbar.

Oberschale

Mageres, etwas trockenes, grobfaseriges Stück aus der Keule. Klassisches Stück für Schnitzel.

Nacken (Kamm, Hals)

Mit Fett marmoriertes saftiges Stück.

Schulter (Bug, Vorderschinken)
Typisches Bratenstück.

Kotelettstrang (Karbonade, Karree, Rippenspeer)

Relativ mager, gleichmäßige Faserung. Mit Knochen als Koteletts, ohne als Braten oder Steaks, gepökelt und geräuchert als Kasseler angeboten.

Dicke Rippe

Fortsetzung der Kotelett-Rippenknochen.

Bauch (Lappen, Wammerl)
Saftiges, langfaseriges, mit Fett durchzogenes Stück. Magere Stücke eignen sich zum Grillen. Auch Weiterverarbeitung z. B. zu durchwachsenem Speck, Frühstücksspeck.

Filet (Lende)
Sehr zartes fettarmes Stück. Obere Preisklasse.

Hüfte
Oberer Teil der Keule. Teilstück mit Fettschwarte.

Unterschale (Schinkenstück)
Mageres und zartes Stück aus der Keule. Klassisches Stück für Schnitzel.

Nuss (Kugel, Nussschinken)
Besonders zartes Teil aus der Keule. Obere Preisklasse.

Lammfleisch

Lammfleisch gibt es frisch (meist aus heimischer Produktion) und tiefgefroren (zum größten Teil aus Neuseeland) zu kaufen. Frisches Lammfleisch bekommen Sie entweder beim Metzger (evtl. vorbestellen) oder in türkischen und griechischen Geschäften. Milchlämmer sind maximal

3 Monate alte Tiere, die noch nicht entwöhnt sind. Das Fleisch ist ziegelrot, zartfaserig und hat wenig Fett. Mastlämmer sind die entwöhnten, ausgemästeten Tiere, die maximal 1 Jahr alt sind. Das Fleisch ist ziegelrot, mit wenig, leicht gelblichem Fett und zartfaserig. Hammel, Schaf: Ihr Fleisch ist dunkelrot, grobfaserig, sehr geschmacksintensiv und hat eine gelbe Fettschicht.

Zum Braten eignen sich:
Keule, Rücken (Kotelett).

Zum Schmoren eignen sich:
Keule, Nacken (Hals, Kamm), Brust, Schulter (Bug), Haxe.

Zum Kurzbraten und Grillen eignen sich: Koteletts (aus dem Rücken), Steaks (aus der Keule), Filet, Lachse.

Zum Kochen eignen sich:
Nacken (Hals, Kamm), Brust, Schulter (Bug), Lappen, Haxe.

Teilstücke vom Lamm

Nacken (Hals, Kamm)

Saftiges kurzfaseriges Stück mit Fett durchzogen. Für Gulasch und Hackfleisch.

Schulter (Bug, Schaufel)

Leicht mit Sehnen durchsetzt. Zart und saftig. Mittlere Preisklasse.

Keule (Schlegel)

Relativ mageres, sehr zartes, saftiges Teil. Obere Preisklasse.

Doppelrücken (Sattel)

Saftiges Stück. Wird häufig zu Koteletts verarbeitet.

Filet
Liegt unter dem Rücken. Obere Preisklasse.

Lachse
Ausgelöster Rücken.

Hackfleisch (Gehacktes)

Hackfleisch kann aus allen Fleischarten hergestellt werden. In den Verkauf kommt aber nur Hackfleisch von Rind, Schwein und Lamm, nicht von Wild- oder Geflügelfleisch. Es unterliegt der Hackfleischverordnung, die genaue Regelungen zur Herstellung und Lagerung, zum Fettgehalt und zum Verkauf enthält. Rohes Hackfleisch darf nur am Tag der Herstellung verkauft werden. Wegen der stark vergrößerten Oberfläche bietet es einen optimalen Nährboden für Mikroorganismen und ist somit schnell verderblich. Aus diesem Grund sollte es so schnell wie möglich nach dem Einkauf weiterverarbeitet werden.

Hackfleischsorten

Schabefleisch (Beefsteakhack oder Tatar)

Schieres, d. h. von sichtbarem Fett und Bindegewebe sorgfältig befreites, fein zerkleinertes Muskelfleisch vom Rind, Fettgehalt von maximal 6 %.

Rinderhackfleisch (Rindergehacktes)
Hat einen Fettanteil von bis zu 20 %.

Schweinehackfleisch (Schweinegehacktes)
Hat einen Fettanteil von höchstens 35 %.

Mett
Gewürztes Schweingehacktes, z. B. Thüringer Mett (mit Gewürzen, Salz und Zwiebeln gewürzt).

Gemischtes Hackfleisch (gemischtes Gehacktes)
Besteht zu je 50 % aus Rind- und Schweinefleisch und hat einen Fettanteil bis zu 30 %.

Kalbsbrät
Wird aus sehnen- und fettarmem Fleisch von Jungrindern, grob entsehntem Kalbfleisch, Schweinefleisch und Speck hergestellt.

Um eine lockere Konsistenz der Hackfleischgerichte zu erreichen, können Sie pro 500 g Gehacktes entweder 1 eingeweichtes, ausgedrücktes Brötchen (Semmel), 1 große durchgepresste Pellkartoffel, 1-2 Esslöffel gegarten Reis oder Bulgur (Weizengrütze), einige Esslöffel Quark oder 2 Esslöffel eingeweichte, abgetropfte Getreideflocken (z. B. Haferflocken) unter die

Fleischmasse mengen. Hackfleisch lässt sich vielfältig formen, z. B. als Hackbraten, Hacksteaks, Frikadellen, Cevapcici oder Hackbällchen. Vor dem Formen sollten die Hände mit Wasser angefeuchtet werden. Eine bessere Bindung bekommt die Hackfleischmasse, wenn Sie pro 500 g 1 Eiweiß (für eine feste Bindung) oder 1 Ei (für eine etwas lockerere Bindung) untermengen.

Kaninchenfleisch

Jungmastkaninchen haben ein Schlachtgewicht von 1,3-1,7 kg. Neben küchenfertigen ganzen Kaninchen werden auch Kaninchenteile (vor allem Keulen und Rücken) im Handel angeboten.

Zerlegen von Kaninchen

- Das küchenfertig vorbereitete Kaninchen auf einem Brett auf den Rücken legen.
- Die Vorderläufe und Hinterläufe (Keulen) mit einem scharfen Messer einschneiden und abtrennen, dabei die Gelenke mit kräftigem

Druck nach unten durchtrennen.
- Die Bauchlappen mit einem scharfen Messer oder einer Küchenschere den Rücken entlang abtrennen.

Innereien

Zu den essbaren Innereien gehören Leber, Zunge, Herz, Hirn, Bries (Thymusdrüse), Nieren, Kutteln, Lunge, Milz, Euter und Magen. Innereien sind überwiegend fettarm und reich an Eiweiß, Vitaminen und Mineralstoffen. Sie enthalten jedoch z. T. reichlich Cholesterin und Harnsäure. Einige der Innereien gelten in manchen Gegenden als Delikatesse. Da sie jedoch oft eine hohe Schwermetallbelastung (vor allem Leber und Nieren) aufweisen, sollten sie trotzdem nicht zu häufig, allenfalls einmal im Monat, verzehrt werden. Beim Einkauf von Innereien sollten Sie darauf achten, nur solche von jungen Schlachttieren zu nehmen, da sie zarter sind und eine noch nicht so hohe Schadstoffbelastung aufweisen.

Tafelspitz mit Meerrettichsauce

Dauert länger

Zubereitungszeit: etwa 3 Stunden

1–1 ½ l Wasser
1 kg Rindfleisch (aus der Hüfte)
1–1 ½ TL Salz
1 Lorbeerblatt
1 EL Pfefferkörner
2 große Zwiebeln
150 g Möhren
150 g Kohlrabi
150 g Knollensellerie
200 g Porree (Lauch)

Für die Meerrettichsauce:

30 g Butter oder Margarine
25 g Weizenmehl
375 ml (³/₈ l) Tafelspitz-brühe
125 ml (¹/₈ l) Schlagsahne
20 g frisch geriebener Meerrettich
Salz
etwas Zucker
etwa 1 TL Zitronensaft

1 EL gehackte Petersilie

Pro Portion:
E: 58 g, F: 22 g, Kh: 12 g,
kJ: 2011, kcal: 480

1   Wasser in einem großen Topf zum Kochen bringen. Rindfleisch unter fließendem kalten Wasser abspülen, mit Salz, Lorbeerblatt und Pfefferkörnern in das kochende Wasser geben, zum Kochen bringen und etwa 2 Stunden mit Deckel gar ziehen lassen (nicht kochen, das Wasser soll sich nur leicht bewegen).

2   In der Zwischenzeit Zwiebeln abziehen und würfeln. Möhren schälen, Grün und Spitzen abschneiden. Kohlrabi und Knollensellerie schälen, schlechte Stellen herausschneiden. Die 3 Zutaten waschen, abtropfen lassen und in Scheiben schneiden. Von dem Porree die Außenblätter entfernen, Wurzelende und dunkles Grün abschneiden, die Stange längs halbieren, gründlich waschen, abtropfen lassen und in 2 cm lange Stücke schneiden.

3   Das vorbereitete Gemüse nach der Garzeit zu dem Fleisch geben und noch etwa 20 Minuten mit Deckel mitgaren.

4   Das gare Fleisch vor dem Schneiden etwa 10 Minuten zugedeckt ruhen lassen, damit sich der Fleischsaft setzt. Die Brühe mit dem Gemüse durch ein Sieb geben, dabei die Brühe auffangen und 375 ml (³/₈ l) für die Sauce abmessen. Das Gemüse zugedeckt warm stellen.

5   Während das Fleisch ruht, für die Meerrettichsauce Butter oder Margarine in einem kleinen Topf zerlassen. Mehl unter Rühren so lange darin erhitzen, bis es hellgelb ist. Die abgemessene Tafelspitzbrühe und Sahne hinzugießen und mit einem Schneebesen gut durchschlagen, dabei darauf achten, dass keine Klümpchen entstehen. Die Sauce unter Rühren zum Kochen bringen und bei schwacher Hitze etwa 5 Minuten ohne Deckel kochen lassen, dabei gelegentlich umrühren.

6   Meerrettich unterrühren. Die Sauce mit Salz, Zucker und Zitronensaft abschmecken. Das Fleisch in Scheiben schneiden, auf einer vorgewärmten Platte anrichten, mit etwas heißer Brühe übergießen und mit Gemüse und Petersilie garnieren. Die Sauce zu dem Tafelspitz reichen.

Tipp: Anstelle von frischem Meerrettich können Sie auch Meerrettich aus dem Glas verwenden.
Der Tafelspitz kann in der Brühe eingefroren werden.

Beilage: **Petersilienkartoffeln (S. 280) und grüner Salat.**

Rinderrouladen
Klassisch

Zubereitungszeit: etwa 75 Minuten

**4 Scheiben Rindfleisch
(je 180–200 g, aus der
Keule)
Salz
frisch gemahlener Pfeffer
mittelscharfer Senf
60 g durchwachsener
Speck
4 Zwiebeln
2 mittelgroße Gewürz-
gurken
1 Bund Suppengrün
3 EL Speiseöl, z. B.
Sonnenblumenöl
etwa 250 ml (¹/₄ l) heißes
Wasser oder Gemüsebrühe
20 g Weizenmehl
3 EL Wasser**

Außerdem:

**Rouladennadeln oder
Küchengarn**

Pro Portion:
E: 42 g, F: 32 g, Kh: 9 g,
kJ: 2072, kcal: 495

1 Rindfleischscheiben eventuell mit Küchenpapier trockentupfen, mit Salz und Pfeffer bestreuen und mit 2–3 Teelöffeln Senf bestreichen. Speck in Streifen schneiden. 2 Zwiebeln abziehen, halbieren und in Scheiben schneiden. Gewürzgurken in Streifen schneiden.

2 Die vorbereiteten Zutaten auf die Fleischscheiben geben, die Scheiben von der schmalen Seite her aufrollen und mit Rouladennadeln feststecken oder mit Küchengarn umwickeln.

3 Die übrigen 2 Zwiebeln abziehen und vierteln. Suppengrün vorbereiten: Knollensellerie schälen, schlechte Stellen herausschneiden, Möhren schälen, Grün und Spitzen abschneiden. Sellerie und Möhren waschen und abtropfen lassen. Von dem Porree (Lauch) die Außenblätter entfernen, Wurzelende und dunkles Grün abschneiden, die Stange längs halbieren, gründlich waschen und abtropfen lassen. Die vorbereiteten Zutaten klein schneiden.

4 Öl in einem Topf oder Bräter erhitzen. Die Rouladen von allen Seiten gut darin anbraten. Zwiebeln und Suppengrün kurz mitbraten, gut die Hälfte des heißen Wassers oder der Brühe hinzugießen und die Rouladen bei mittlerer Hitze etwa 1 ¹/₂ Stunden mit Deckel schmoren.

5 Während der Schmorzeit Rouladen von Zeit zu Zeit wenden und verdampfte Flüssigkeit nach und nach durch heißes Wasser oder Brühe ersetzen. Die garen Rouladen (Rouladennadeln oder Fäden entfernen) auf einer vorgewärmten Platte anrichten und warm stellen.

6 Den Bratensatz durch ein Sieb streichen, mit Wasser oder Brühe auf 375 ml (³/₈ l) auffüllen und zum Kochen bringen. Mehl mit Wasser verrühren, mit einem Schneebesen in die kochende Flüssigkeit rühren, dabei darauf achten, dass keine Klümpchen entstehen. Die Sauce zum Kochen bringen und bei schwacher Hitze etwa 5 Minuten ohne Deckel leicht kochen lassen, dabei gelegentlich umrühren. Die Sauce mit Salz, Pfeffer und Senf abschmecken.

Beilage: Blumenkohl (S. 207), Rotkohl (S. 227) oder Erbsen (S. 208) und Möhren (S. 204) und Salzkartoffeln.

Tipp: Sie können nach Belieben etwa 100 ml Wasser oder Gemüsebrühe durch Rotwein ersetzen.

Gulasch
Klassisch

1 Zwiebeln abziehen, halbieren und in Scheiben schneiden. Rindfleisch unter fließendem kalten Wasser abspülen, trockentupfen
und in etwa 3 cm große Würfel schneiden.

2 Die Hälfte Margarine oder Öl in einem Topf erhitzen. Die Fleischwürfel von allen Seiten gut darin anbraten. Restliche Margarine
oder Öl und die Zwiebelscheiben hinzufügen (Foto 1) und mitbräunen.

3 Das Ganze mit Salz, Pfeffer und Paprikapulver würzen und
Tomatenmark unterrühren (Foto 2). 250 ml ($^1/_4$ l) heißes Wasser
hinzugießen und das Fleisch in 1 $^1/_4$-1 $^1/_2$ Stunden bei mittlerer
Hitze mit Deckel gar schmoren. Sollte zuviel Flüssigkeit verdampfen, eventuell noch etwas Wasser zugeben (Foto 3).

4 Das Gulasch mit Salz, Pfeffer, Paprikapulver und Tabasco abschmecken.

Tipp: Anstelle von Salz, Pfeffer und Paprikapulver können Sie auch fertiges
Gulaschgewürz verwenden.
Raffinierter wird das Gulasch, wenn die Hälfte des Wassers durch Rotwein
ersetzt wird.
Anstelle von Rindfleisch können Sie auch mageres Schweinefleisch (Schmorzeit
etwa 45 Minuten) oder halb Rind-, halb Schweinefleisch verwenden.
Das Gulasch ist gefriergeeignet.

Beilage: Nudeln oder Reis und Tomaten-Zwiebel-Salat (S. 259) oder
Gurkensalat (S. 254).

Abwandlung: Für **Gulasch mit Champignons** von 200 g Champignons
Stielenden und schlechte Stellen abschneiden, Pilze mit Küchenpapier abreiben, eventuell abspülen, trockentupfen, in Scheiben schneiden und etwa
10 Minuten vor Beendigung der Garzeit zu dem Gulasch geben. Oder 1 Glas
Champignonscheiben (Abtropfgewicht 210 g) in einem Sieb abtropfen lassen
und kurz vor Garzeitende hinzufügen.

Zubereitungszeit: etwa 90 Minuten

500 g Zwiebeln
500 g schieres Rind-
fleisch (ohne Knochen,
z. B. aus der Unterschale)
oder geschnittenes
Gulaschfleisch
30 g Margarine oder 3 EL
Speiseöl, z. B. Sonnen-
blumenöl
Salz
frisch gemahlener Pfeffer
Paprikapulver edelsüß
2 schwach geh. EL
Tomatenmark
etwa 250 ml ($^1/_4$ l) heißes
Wasser
1–2 Spritzer Tabascosauce

Pro Portion:
E: 29 g, F: 10 g, Kh: 7 g,
kJ: 979, kcal: 234

Sauerbraten
Dauert länger

Zubereitungszeit: etwa 3 Stunden,
ohne Marinierzeit

**750 g Rindfleisch
(aus der Oberschale,
ohne Knochen)**

Für die Marinade:
**2 Zwiebeln
1 Bund Suppengrün
5 Wacholderbeeren
15 Pfefferkörner
5 Pimentkörner
(Nelkenpfeffer)
2 Gewürznelken
1 Lorbeerblatt
250 ml (¹/₄ l) Weinessig
375 ml (³/₈ l) Wasser
oder Rotwein**

**30 g Butterschmalz,
Kokosfett oder 3 EL
Speiseöl, z. B. Sonnen-
blumenöl
Salz
frisch gemahlener Pfeffer
375 ml (³/₈ l) Marinaden-
flüssigkeit
50 g Honigkuchen
etwas Zucker**

Pro Portion:
E: 41 g, F: 16 g, Kh: 14 g,
kJ: 1641, kcal: 392

1 Rindfleisch unter fließendem kalten Wasser abspülen und trockentupfen.

2 Für die Marinade Zwiebeln abziehen und in Scheiben schneiden.
Suppengrün vorbereiten: Knollensellerie schälen, schlechte
Stellen herausschneiden. Möhren schälen, Grün und Spitzen
abschneiden. Sellerie und Möhren waschen und abtropfen lassen.
Von dem Porree (Lauch) die Außenblätter entfernen, Wurzelende und dunkles Grün abschneiden, die Stange längs halbieren,
gründlich waschen und abtropfen lassen. Die 3 Zutaten klein
schneiden.

3 Zwiebeln und Suppengrün mit Wacholderbeeren, Pfefferkörnern,
Pimentkörnern, Nelken, Lorbeerblatt, Weinessig und Wasser oder
Rotwein in einer Schüssel verrühren. Das Fleisch in die Marinade
geben, mit einem Deckel zudecken und etwa 4 Tage im Kühlschrank stehen lassen, dabei das Fleisch ab und zu wenden.

4 Das genügend gesäuerte Fleisch aus der Marinade nehmen und
trockentupfen. Die Marinade durch ein Sieb gießen, 375 ml (³/₈ l)
davon abmessen und Marinade und Gemüse beiseite stellen.

5 Butterschmalz, Kokosfett oder Öl in einem Topf oder Bräter
erhitzen. Das Fleisch von allen Seiten gut darin anbraten und
mit Salz und Pfeffer würzen. Das abgetropfte Gemüse hinzufügen und kurz mitbraten. Etwas von der abgemessenen
Marinade zu dem Fleisch gießen. Das Fleisch etwa 30 Minuten
bei mittlerer Hitze mit Deckel schmoren, dabei von Zeit zu Zeit
wenden und verdampfte Flüssigkeit nach und nach durch
Marinade ersetzen.

6 Honigkuchen fein zerkleinern, hinzufügen und weitere
1 ¹/₂ Stunden wie oben beschrieben schmoren.

7 Das gare Fleisch etwa 10 Minuten zugedeckt ruhen lassen,
damit sich der Fleischsaft setzt. Das Fleisch dann in Scheiben
schneiden, auf einer vorgewärmten Platte anrichten.

8 Den Bratensatz mit dem Gemüse durch ein Sieb streichen,
nochmals erhitzen, mit Salz, Pfeffer und Zucker abschmecken
und als Sauce zu dem Braten servieren.

Beilage: Makkaroni oder Kartoffelklöße (S. 292), Rotkohl (S. 227) und Apfel-
mus (S. 370) oder Backobst. Dazu 200 g gemischtes Backobst in 500 ml (¹/₂ l)
Apfelsaft 30 Minuten einweichen, dann in der Flüssigkeit etwa 30 Minuten mit
Deckel kochen. Backobst mit etwas Salz abschmecken.

Rinderschmorbraten
Dauert länger

Zubereitungszeit: etwa
2 ¾ Stunden

**750 g Rindfleisch (aus
der Keule, ohne Knochen)**
Salz
frisch gemahlener Pfeffer
2 Zwiebeln
100 g Tomaten
1 Bund Suppengrün
**30 g Butterschmalz,
Kokosfett oder 3 EL
Speiseöl, z. B. Sonnen-
blumenöl**
**1 TL getrockneter,
gerebelter Thymian**
**250 ml (¼ l) Gemüse-
brühe**
Tomatenmark
etwas Zucker

Pro Portion:
E: 40 g, F: 22 g, Kh: 6 g,
kJ: 1593, kcal: 380

1 Rindfleisch unter fließendem kalten Wasser abspülen, trockentupfen und mit Salz und Pfeffer einreiben. Zwiebeln abziehen
und würfeln. Tomaten waschen, abtropfen lassen, vierteln,
die Stängelansätze herausschneiden und Tomaten in Stücke
schneiden.

2 Suppengrün vorbereiten: Knollensellerie schälen, schlechte
Stellen herausschneiden. Möhren schälen, Grün und Spitzen
abschneiden. Sellerie und Möhren waschen und abtropfen
lassen. Von dem Porree (Lauch) die Außenblätter entfernen,
Wurzelende und dunkles Grün abschneiden, die Stange längs
halbieren, gründlich waschen und abtropfen lassen. Die vorbereiteten Zutaten klein schneiden.

3 Butterschmalz, Kokosfett oder Öl in einem Topf oder Bräter erhitzen. Das Fleisch darin von allen Seiten gut anbraten. Das vorbereitete Gemüse hinzufügen, kurz miterhitzen und das Fleisch
mit Thymian bestreuen. Etwas von der Gemüsebrühe hinzugießen,
zum Kochen bringen und das Fleisch etwa 2 ½ Stunden mit
Deckel schmoren.

4 Das Fleisch während der Schmorzeit von Zeit zu Zeit wenden
und verdampfte Flüssigkeit nach und nach durch Gemüsebrühe
ersetzen.

5 Das gare Fleisch etwa 10 Minuten zugedeckt ruhen lassen,
damit sich der Fleischsaft setzt. Das Fleisch dann in Scheiben
schneiden und auf einer vorgewärmten Platte anrichten.

6 Den Bratensatz mit dem Gemüse pürieren oder durch ein Sieb
streichen, eventuell noch etwas Gemüsebrühe hinzufügen. Die
Sauce erhitzen, mit Salz, Pfeffer, Tomatenmark und Zucker abschmecken und zu dem Braten servieren.

Tipp: Anstelle der Gemüsebrühe können Sie auch halb Gemüsebrühe, halb
Rotwein verwenden.
Reste von dem Schmorbraten können mit der Sauce eingefroren werden.

Beilage: **Kartoffelklöße (S. 292)** oder **Salzkartoffeln (S. 280)** und grüne
Bohnen (S. 208) oder Erbsen (S. 208) und Möhren (S. 204).

Römische Bohnen
Raffiniert

1. Rindfleisch unter fließendem kalten Wasser abspülen, trockentupfen und in etwa 1 ½ cm große Würfel schneiden (Foto 1).
Zwiebeln abziehen, halbieren und in Scheiben schneiden.

2. Öl in einem Topf erhitzen. Die Fleischwürfel darin von allen Seiten unter Wenden anbraten und mit Salz und Pfeffer würzen.

3. Zwiebelscheiben zu dem Fleisch geben und kurz anbraten. Gemüsebrühe hinzugießen, alles zum Kochen bringen und etwa
40 Minuten bei mittlerer Hitze mit Deckel schmoren.

4. In der Zwischenzeit von den Bohnen die Enden abschneiden,
eventuell die Fäden abziehen, Bohnen waschen, abtropfen lassen
und in Stücke schneiden (Foto 2) oder brechen. Tomaten waschen,
abtropfen lassen, kreuzweise einschneiden, kurz in kochendes
Wasser legen und in kaltem Wasser abschrecken. Tomaten enthäuten (Foto 3), die Stängelansätze herausschneiden und Tomaten in
Würfel schneiden. Frisches Bohnenkraut kalt abspülen, trockentupfen und klein schneiden.

5. Nach Beendigung der Schmorzeit Bohnen mit dem Bohnenkraut
zu dem Fleisch geben, mit Salz und Pfeffer würzen, wieder zum
Kochen bringen und noch etwa 15 Minuten mit Deckel garen,
eventuell noch etwas Brühe dazugießen.

6. Die Tomatenwürfel zu den Bohnen geben und weitere 5 Minuten
garen. Das Gericht mit Salz und Pfeffer abschmecken.

Tipp: Anstelle von gerebeltem Bohnenkraut können Sie auch getrocknete
italienische Kräuter verwenden.
Nach Belieben zusammen mit den Zwiebelscheiben 1-2 abgezogene, in Würfel
geschnittene Knoblauchzehen zugeben.
Das Gericht ist gefriergeeignet.

Beilage: **Pellkartoffeln (S. 280), Kroketten oder Ciabatta (italienisches
Weißbrot).**

Zubereitungszeit: etwa 90 Minuten

**500 g Rindfleisch
(aus der Unterschale)
250 g Zwiebeln
3 EL Speiseöl
Salz
frisch gemahlener Pfeffer
250 ml (¼ l) Gemüse-
brühe
750 g grüne Bohnen
2 Fleischtomaten
1-2 TL getrocknetes,
gerebeltes oder
3-4 Zweige frisches
Bohnenkraut**

Pro Portion:
E: 33 g, F: 12 g, Kh: 14 g,
kJ: 1253, kcal: 299

Sächsisches Zwiebelfleisch
Raffiniert

Zubereitungszeit: etwa 75 Minuten

500 g Gemüsezwiebeln
800 g Rindfleisch
(aus dem Nacken)
etwa 600 ml Wasser oder
Gemüsebrühe
Salz
frisch gemahlener Pfeffer
1/2–1 TL Kümmelsamen
1 Lorbeerblatt
etwa 350 g Salatgurken
125 g Pumpernickel
evtl. 1–2 TL gehackte
Petersilie

Pro Portion:
E: 41 g, F: 16 g, Kh: 19 g,
kJ: 1621, kcal: 387

1 Gemüsezwiebeln abziehen, vierteln und in Scheiben schneiden. Rindfleisch unter fließendem kalten Wasser abspülen, trocken- tupfen und in etwa 2 cm große Würfel schneiden (Foto 1), dabei Haut und Fett entfernen.

2 Das Wasser mit knapp 1 Teelöffel Salz oder die Gemüsebrühe in einem großen Topf zum Kochen bringen. Zwiebelscheiben, Fleischwürfel, Pfeffer, Kümmel und Lorbeerblatt hineingeben, alles zum Kochen bringen und etwa 50 Minuten bei mittlerer Hitze mit Deckel kochen.

3 In der Zwischenzeit Gurken schälen, die Enden abschneiden und Gurken in Würfel schneiden. Pumpernickel fein hacken.

4 Pumpernickel (Foto 2) und Gurkenwürfel (Foto 3) hinzufügen, mit Salz und Pfeffer würzen und alles noch etwa 10 Minuten mit Deckel kochen.

5 Das Zwiebelfleisch mit Salz und Pfeffer abschmecken und nach Belieben mit Petersilie bestreut servieren.

Beilage: **Salz- oder Pellkartoffeln (S. 280) oder Bauernbrot.**

Roastbeef mit Kräuter-Senf-Kruste
Für Gäste

Zubereitungszeit: etwa 60 Minuten

1 kg Roastbeef
2–3 EL Speiseöl, z. B.
Sonnenblumenöl
Salz
frisch gemahlener Pfeffer

Für die Kräuter-Senf-
Kruste:
1 Bund Petersilie
1 kleines Bund Majoran
1 kleines Bund Thymian
1 kleines Bund Basilikum
4 EL mittelscharfer Senf

Pro Portion:
E: 57 g, F: 18 g, Kh: 1 g,
kJ: 1639, kcal: 391

1 Den Backofen bei Ober- und Unterhitze vorheizen. Roastbeef unter fließendem kalten Wasser abspülen, trockentupfen und den dünnen Fettrand mit einem scharfen Messer entfernen.

2 Öl in einer Pfanne erhitzen. Das Fleisch darin rundherum anbraten. Das Fleisch dann mit Salz und Pfeffer würzen und in eine flache Auflaufform legen. Die Form auf dem Rost in den Backofen schieben.

Ober-/Unterhitze: **etwa 220 °C (vorgeheizt)**, Heißluft: **etwa 200 °C (nicht vorgeheizt)**, Gas: **Stufe 4–5 (nicht vorgeheizt)**, Bratzeit: **etwa 20 Minuten.**

3 In der Zwischenzeit für die Kräuter-Senf-Kruste Petersilie, Majoran, Thymian und Basilikum abspülen, trockentupfen, die Blättchen von den Stängeln zupfen, fein hacken oder wiegen und mit Senf vermischen.

4 Das Roastbeef mit einem Pinsel mit der Kräuter-Senf-Mischung bestreichen und **bei der oben angegebenen Backofeneinstellung noch etwa 25 Minuten fertig garen.**

5 Das fertige Roastbeef etwa 10 Minuten zugedeckt ruhen lassen. Den Bratensatz mit wenig Wasser loskochen und mit Salz und Pfeffer würzen.

6 Das Fleisch in Scheiben schneiden und die Sauce dazu servieren.

Beilage: **Baguette oder Bratkartoffeln (S. 288), Brokkoli (S. 207), grüne Bohnen (S. 208), Spargel (S. 230), Remouladensauce (S. 192) und Salat.**

Tipp: Das Roastbeef schmeckt auch kalt sehr gut, z. B. mit Remouladensauce und Bratkartoffeln oder Brot.

Filetsteaks mit Pfeffer

Schnell

Zubereitungszeit: etwa 15 Minuten

**4 Rinderfiletsteaks aus
der Filetmitte (je 150 g)
40 g Butterschmalz oder
4 EL Speiseöl, z. B.
Sonnenblumenöl
Salz
2 TL bunte Pfefferkörner**

Pro Portion:

E: 32 g, F: 16 g, Kh: 1 g,
kJ: 1147, kcal: 274

1 Rinderfiletsteaks unter fließendem kalten Wasser abspülen und trockentupfen. Butterschmalz oder Öl in einer Pfanne erhitzen. Die Steaks hineinlegen und 2–4 Minuten braten. Nachdem die untere Seite gebräunt ist, das Fleisch wenden und mit Salz bestreuen.

2 Pfefferkörner etwas zerdrücken, über die Steaks verteilen und mit einem Löffel etwas andrücken. Das Fleisch weitere 2–4 Minuten braten, dabei öfter mit dem Bratfett begießen.

3 Die Steaks auf einer vorgewärmten Platte anrichten. Das Bratfett über die Steaks geben.

Beilage: **Pommes frites (S. 287), Hollandaise (S. 188) oder Sauce béarnaise (S. 188) und gemischter Blattsalat (S. 252) oder Kartoffelgratin (S. 286).**

Rumpsteaks mit Zwiebeln

Schnell

Zubereitungszeit: etwa 25 Minuten

**2 große Zwiebeln
4 Rumpsteaks (je 200 g)
30 g Butterschmalz oder
3 EL Speiseöl, z. B.
Sonnenblumenöl
Salz
frisch gemahlener Pfeffer
evtl. etwas Steak-Gewürz**

Pro Portion:

E: 45 g, F: 16 g, Kh: 1 g,
kJ: 1402, kcal: 335

1 Zwiebeln abziehen und in Scheiben schneiden (Foto 1). Rumpsteaks unter fließendem kalten Wasser abspülen, trockentupfen und an den Rändern etwas einschneiden (Foto 2).

2 Butterschmalz oder Öl in einer Pfanne erhitzen. Das Fleisch in das heiße Fett legen und kurz von beiden Seiten anbraten. Dann mit Salz, Pfeffer und nach Belieben mit Steak-Gewürz bestreuen und jede Seite 3–4 Minuten braten. Die Fleischscheiben dabei öfter mit Bratfett aus der Pfanne begießen (Foto 3), damit sie saftig bleiben.

3 Die Steaks auf einer vorgewärmten Platte anrichten, zudecken und warm stellen. Die Zwiebelscheiben in das Bratfett geben, mit Salz und Pfeffer würzen und unter Wenden einige Minuten bräunen. Die Steaks mit den Zwiebeln servieren.

Tipp: Das Fleisch sollte nach dem Braten immer noch etwas ruhen, damit sich der Fleischsaft verteilt und das Steak saftig bleibt. Den ausgetretenen Fleischsaft über die Steaks geben oder mit für die Sauce verwenden.
Das 3-Minuten-Steak („medium") ist besonders beliebt. Es ist nicht mehr roh („rare", 1–2 Minuten), aber auch noch nicht ganz durchgebraten („welldone", 5 Minuten). Die Zeitangaben entsprechen der Bratzeit pro Seite.

Beilage: Bratkartoffeln (S. 288) oder Pommes frites (S. 287) und gemischter Salat.

Boeuf Stroganoff
Klassisch

1 Rinderfilet unter fließendem kalten Wasser abspülen, trockentupfen und in Streifen schneiden. Zwiebeln abziehen. Von den Champignons Stielenden und schlechte Stellen abschneiden, Pilze mit Küchenpapier abreiben, eventuell abspülen und trockentupfen. Gewürzgurken abtropfen lassen. Zwiebeln, Champignons und Gewürzgurken in Streifen schneiden.

2 Die Hälfte des Öls in einer Pfanne erhitzen. Die Hälfte der Filetstreifen darin 2–3 Minuten unter Rühren von allen Seiten anbraten, mit Salz und Pfeffer würzen, herausnehmen und warm stellen. Das übrige Fleisch in dem restlichen Öl entsprechend anbraten.

3 Zwiebel-, Champignon- und Gewürzgurkenstreifen in dem verbliebenen Bratfett leicht anbraten, herausnehmen und zu dem Fleisch geben.

4 Rinderfond oder Fleischbrühe zu dem Bratensatz in die Pfanne geben und ohne Deckel bei starker Hitze etwas einkochen lassen.

5 Senf und Crème fraîche oder saure Sahne unterrühren. Fleisch und Gemüse zurück in die Sauce geben und leicht darin erhitzen (nicht mehr kochen lassen). Mit Salz und Pfeffer abschmecken.

Tipp: Bei kurz gebratenen Fleischteilen, insbesondere bei Geschnetzeltem, ist es wichtig, das Fleisch erst nach dem Bratvorgang zu würzen, da sonst die Gewürze durch zu hohe Hitzeeinwirkung verbrennen und dadurch bitter schmecken würden. Außerdem löst das Salz den Fleischsaft aus dem Fleisch heraus, dadurch wird das Fleisch trocken.
Das Fleisch darf in der Sauce nicht mehr kochen, da es sonst hart wird.

Beilage: Reis oder Butternudeln und zartes Gemüse wie Möhren (S. 204), grüne Bohnen (S. 208) oder Brokkoli (S. 207).

Zubereitungszeit: etwa 45 Minuten

600 g Rinderfilet
150 g Zwiebeln
150 g Champignons
100 g Gewürzgurken
3 EL Speiseöl, z. B. Sonnenblumenöl
Salz
frisch gemahlener Pfeffer
200 ml Rinderfond oder Fleischbrühe
1 TL mittelscharfer Senf
2 EL Crème fraîche oder saure Sahne

Pro Portion:
E: 34 g, F: 15 g, Kh: 3 g, kJ: 1184, kcal: 283

Cordon bleu
Etwas teurer

Zubereitungszeit: etwa 25 Minuten

**8 Kalbsschnitzel
(je etwa 75 g)
Salz
frisch gemahlener Pfeffer
4 Scheiben Käse (je etwa
40 g), z. B. Emmentaler-
Käse
4 Scheiben gekochter
Schinken (je etwa 50 g)
2 Eier
etwa 60 g Semmelbrösel
etwa 40 g Butterschmalz
oder Margarine**

Pro Portion:
E: 57 g, F: 28 g, Kh: 6 g,
kJ: 2117, kcal: 505

1 Kalbsschnitzel unter fließendem kalten Wasser abspülen, trockentupfen, leicht klopfen und mit Salz und Pfeffer bestreuen. 4 Kalbsschnitzel mit je 1 Käse- und Schinkenscheibe belegen, mit je
1 weiterem Schnitzel bedecken (Foto 1) und gut zusammendrücken.

2 Eier mit Hilfe einer Gabel in einem tiefen Teller verschlagen. Die
Fleischportionen zunächst in der Eiermasse, dann in den Semmelbröseln wenden (Foto 2).

3 Butterschmalz oder Margarine in einer beschichteten Pfanne erhitzen. Das Fleisch von beiden Seiten darin bei mittlerer Hitze in
etwa 10 Minuten hellbraun braten, dabei gelegentlich vorsichtig
wenden (Foto 3).

Beilage: **Pommes frites (S. 287) oder Kroketten, Erbsen (S. 208) und
Möhren (S. 204), Blumenkohl (S. 207) oder Spargel (S. 230).**

**Tipp: Die Käse- und Schinkenscheiben sollten knapp so groß sein wie die
Fleischscheiben.
Schütteln Sie die nicht fest haftenden Semmelbrösel vor dem Braten leicht
von den Fleischstücken ab, da die Semmelbrösel sonst zu schnell bräunen
und dadurch leicht bitter schmecken.
Sie können das Fleisch mit einem Fleischklopfer oder Fleischbeil klopfen
oder das Fleisch vom Metzger klopfen lassen.**

Abwandlung: **Anstelle von Kalbsschnitzel können Sie auch Schweine- oder
Putenschnitzel verwenden.**

Züricher Geschnetzeltes (Foto)

Schnell

Zubereitungszeit: etwa 30 Minuten

**600 g Kalbfleisch (aus
der Keule)**
2 Zwiebeln
40 g Butterschmalz oder
**4 EL Speiseöl, z. B.
Sonnenblumenöl**
Salz
frisch gemahlener Pfeffer
15 g Weizenmehl
250 ml (¼ l) Schlagsahne
125 ml (⅛ l) Weißwein
etwas Zucker
**einige Spritzer
Zitronensaft**
evtl. Kerbelblättchen

Pro Portion:

E: 33 g, F: 35 g, Kh: 6 g,
kJ: 2079, kcal: 497

1 Kalbfleisch unter fließendem kalten Wasser abspülen, trockentupfen und in dünne Streifen schneiden. Zwiebeln abziehen,
halbieren und fein würfeln.

2 Die Hälfte Butterschmalz oder Öl in einer Pfanne erhitzen.
Die Hälfte der Fleischstreifen darin 2-3 Minuten unter häufigem
Wenden anbraten, mit Salz und Pfeffer bestreuen und herausnehmen. Das übrige Fleisch in dem restlichen Bratfett entsprechend anbraten.

3 Zwiebelwürfel in die Pfanne in das verbliebene Bratfett geben
und unter Rühren etwa 2 Minuten dünsten. Mehl darüber stäuben und kurz miterhitzen. Sahne und Weißwein hinzugießen,
unter Rühren aufkochen und bei mittlerer bis starker Hitze unter
Rühren einige Minuten einkochen lassen.

4 Die Fleischstreifen wieder hinzufügen und in der Sauce erhitzen
(nicht mehr kochen lassen, das Fleisch wird sonst hart). Das
Geschnetzelte mit Salz, Pfeffer, Zucker und Zitronensaft abschmecken und nach Belieben mit Kerbelblättchen anrichten.

Beilage: **Rösti (S. 282) und grüner Salat.**

Abwandlung: **Zusätzlich 250 g geputzte, in Scheiben geschnittene
Champignons zusammen mit den Zwiebeln andünsten (Foto).**

Saltimbocca alla romana

Etwas teurer

Zubereitungszeit: etwa 30 Minuten

**4 dünne Scheiben Kalb-
fleisch (je 100 g, aus der
Keule)**
4 Salbeiblätter
4 Scheiben Parmaschinken
Salz, Pfeffer
20 g Weizenmehl
**2-3 EL Speiseöl, z. B.
Sonnenblumenöl**

1 Kalbfleisch unter fließendem kalten Wasser abspülen, trockentupfen. Salbeiblätter abspülen und trockentupfen. Kalbfleisch-
scheiben mit je 1 Scheibe Parmaschinken und 1 Salbeiblatt
belegen, zusammenklappen und mit Holzstäbchen feststecken.
Das Fleisch von beiden Seiten mit Salz und Pfeffer bestreuen
und in Mehl wenden.

2 Öl in einer Pfanne erhitzen. Das Fleisch in das Öl legen und
3-4 Minuten von der einen Seite braten. Das Fleisch dann wenden und noch 3-4 Minuten braten. Das Fleisch auf einer vorgewärmten Platte anrichten und zugedeckt warm stellen.

(Fortsetzung Seite 80)

Für die Sauce:
125 ml (¹/₈ l) Weißwein oder Wermut
125 g Crème Double
Salz, Pfeffer, Zucker

Außerdem:
Holzstäbchen

Pro Portion:
E: 24 g, F: 23 g, Kh: 4 g,
kJ: 1442, kcal: 346

3 Für die Sauce den Bratensatz mit Weißwein oder Wermut loskochen und etwas einkochen lassen (reduzieren). Crème Double unterrühren. Die Sauce erhitzen und mit Salz, Pfeffer und Zucker abschmecken.

4 Den aus dem Fleisch ausgetretenen Fleischsaft unterrühren. Die Sauce über das Fleisch geben.

Tipp: Anstelle von Kalbfleisch können Sie auch Schweine- oder Putenschnitzel verwenden.

Beilage: Mit einem Döschen Safran (0,2 g) gekochter Reis.

Vitello tonnato
Gut vorzubereiten

1 Wasser in einem Topf zum Kochen bringen. Kalbfleisch unter fließendem kalten Wasser abspülen. Zwiebeln abziehen und vierteln. Das Fleisch mit Salz, Lorbeerblättern, Nelken und Zwiebelvierteln in das kochende Wasser geben, wieder zum Kochen bringen und etwa 75 Minuten mit Deckel bei schwacher Hitze kochen. Das Fleisch in dem Kochsud erkalten lassen.

Zubereitungszeit: etwa
2 ¹/₂ Stunden, ohne Abkühlzeit

1 ¹/₄ l Wasser
750 g mageres Kalbfleisch (aus der Unterschale)
2 Zwiebeln
1 ¹/₄ TL Salz
2 Lorbeerblätter
4 Gewürznelken

Für die Tunfischsauce:
2 Dosen Tunfisch im eigenen Saft (Abtropfgewicht je 185 g)
2 EL Zitronensaft
150 g Mayonnaise
150 g Crème fraîche
2 EL Kapern (aus dem Glas)
Salz, Pfeffer

einige Cocktailtomaten
glatte Petersilie

Pro Portion:
E: 62 g, F: 59 g, Kh: 2 g,
kJ: 3309, kcal: 792

2 Für die Sauce Tunfisch gut abtropfen lassen und mit dem Zitronensaft pürieren. Mit Mayonnaise und Crème fraîche verrühren. 1 ¹/₂ Esslöffel der Kapern fein hacken und unter die Masse rühren. Mit Salz und Pfeffer würzen.

3 Das kalte Fleisch aus dem Kochsud nehmen, trockentupfen, in sehr dünne Scheiben schneiden (am besten mit einer Aufschnittmaschine) und auf eine tiefe Platte legen.

4 Die Sauce auf den Fleischscheiben verteilen und mit den restlichen Kapern bestreuen.

5 Cocktailtomaten waschen, abtrocknen und halbieren. Petersilie abspülen und trockentupfen. Das Gericht mit Cocktailtomatenhälften und Petersilie garnieren.

Beilage: Baguette oder Ciabatta (italienisches Weißbrot).

Tipp: Als Vorspeise reicht das Gericht für 6–8 Portionen.
Sie können das Fleisch bereits am Tag vor dem Verzehr kochen und in dem Kochsud erkalten lassen.

Szegediner Gulasch
Für Gäste

Zubereitungszeit: etwa 80 Minuten

200 g Zwiebeln
250 g Schweinefleisch
(z. B. aus dem Nacken)
250 g Rindfleisch
(z. B. aus dem Nacken)
3 EL Speiseöl, z. B.
Sonnenblumenöl
Salz, Pfeffer
1-2 TL Paprikapulver
edelsüß
etwa 750 ml (³/₄ l)
Gemüsebrühe
1-2 EL Tomatenmark
500 g Sauerkraut (frisch
oder aus der Dose)
1 Lorbeerblatt
2 Wacholderbeeren
1 Becher (150 g) Crème
fraîche oder saure Sahne

Pro Portion:

E: 28 g, F: 31 g, Kh: 6 g,
kJ: 1743, kcal: 417

1 Zwiebeln abziehen, halbieren und in Scheiben schneiden. Beide Fleischsorten unter fließendem kalten Wasser abspülen, trockentupfen und in etwa 2 cm große Würfel schneiden.

2 Öl in einem Topf oder Bräter erhitzen. Die Fleischwürfel darin gut anbraten und mit Salz, Pfeffer und Paprikapulver würzen. Zwiebelscheiben zu dem Fleisch geben und ebenfalls anbraten. Gemüsebrühe mit Tomatenmark hinzufügen, umrühren und alles etwa 35 Minuten mit Deckel bei mittlerer Hitze garen.

3 Sauerkraut locker zupfen und mit Lorbeerblatt und Wacholderbeeren zu dem Fleisch geben, eventuell noch etwas Brühe hinzufügen und noch etwa 25 Minuten mit Deckel schmoren.

4 Crème fraîche oder saure Sahne unter das gare Gulasch rühren und mit Salz, Pfeffer und Paprikapulver abschmecken.

Tipp: Wenn Sie nur Schweinefleisch verwenden, verkürzt sich die Garzeit um etwa 25 Minuten.
Wer gerne scharf isst, kann anstelle von Paprikapulver edelsüß rosenscharfes Paprikapulver verwenden.

Beilage: Kartoffelpüree (S. 290) oder Salzkartoffeln (S. 280).

Bratwurst
Für Kinder

Zubereitungszeit: etwa 15 Minuten

4 vorgebrühte oder
frische Bratwürste
30 g Margarine oder
3 EL Speiseöl, z. B.
Sonnenblumenöl

Pro Portion:

E: 23 g, F: 42 g, Kh: 0 g,
kJ: 1934, kcal: 462

1 Bratwürste unter fließendem kalten Wasser abspülen und trockentupfen. Frische Bratwürste rundherum mehrmals mit einer Gabel einstechen.

2 Margarine oder Öl in einer Pfanne erhitzen. Bratwürste unter gelegentlichem Wenden von beiden Seiten darin in etwa 10 Minuten ohne Deckel braun braten.

Beilage: Kartoffelpüree (S. 290) und Rotkohl (S. 227) oder Sauerkraut (S. 224).

Schweineschmorbraten
Beliebt

1 Schweinefleisch unter fließendem kalten Wasser abspülen, trockentupfen und mit Salz, Pfeffer und Paprikapulver würzen.

2 Suppengrün vorbereiten: Knollensellerie schälen, schlechte Stellen herausschneiden. Möhren schälen, Grün und Spitzen abschneiden. Sellerie und Möhren waschen und abtropfen lassen. Von dem Porree (Lauch) die Außenblätter entfernen, Wurzelende und dunkles Grün abschneiden, die Stange längs halbieren, gründlich waschen und abtropfen lassen. Zwiebeln abziehen. Die vorbereiteten Zutaten klein schneiden.

3 Butterschmalz oder Öl in einem Topf oder Bräter erhitzen. Das Fleisch darin von allen Seiten gut anbraten und mit Majoran oder Thymian bestreuen.

4 Suppengrün und Zwiebeln hinzufügen (Foto 1) und kurz andünsten. So viel heißes Wasser hinzugießen, dass der Topfboden bedeckt ist und alles etwa 1 ½ Stunden bei mittlerer Hitze mit Deckel schmoren. Während der Schmorzeit den Braten von Zeit zu Zeit wenden und verdampfte Flüssigkeit nach und nach durch heißes Wasser ersetzen.

5 Das gare Fleisch vor dem Schneiden etwa 10 Minuten zugedeckt ruhen lassen, damit sich der Fleischsaft setzt.

6 In der Zwischenzeit den Bratensatz mit dem Gemüse durch ein Sieb streichen (Foto 2) und etwa 400 ml Bratensatz, eventuell mit heißem Wasser aufgefüllt, abmessen. Den aus dem Braten ausgetretenen Bratensaft hinzufügen, zum Kochen bringen und nach Belieben etwas einkochen lassen (reduzieren). Mit Salz, Pfeffer und Majoran oder Thymian abschmecken.

7 Das Fleisch quer zur Faser in Scheiben schneiden (Foto 3), auf einer vorgewärmten Platte anrichten und die Sauce dazu reichen.

Beilage: **Salzkartoffeln, Blumenkohl (S. 207), Erbsen (S. 208) und Möhren (S. 204) oder Brokkoli (S. 207).**

Zubereitungszeit: etwa 2 Stunden

**750 g Schweinefleisch
(aus der Keule, ohne
Knochen)
Salz
frisch gemahlener Pfeffer
Paprikapulver edelsüß
1 Bund Suppengrün
4 Zwiebeln
30 g Butterschmalz oder
3 EL Speiseöl, z. B.
Sonnenblumenöl
getrockneter, gerebelter
Majoran oder Thymian
heißes Wasser**

Pro Portion:
E: 41 g, F: 21 g, Kh: 5 g,
kJ: 1571, kcal: 375

Panierte Schweinekoteletts
Schnell

Zubereitungszeit: etwa 30 Minuten

**4 Schweinekoteletts
(je etwa 200 g)
Salz
frisch gemahlener Pfeffer
Paprikapulver edelsüß
1 Ei
20 g Weizenmehl
40 g Semmelbrösel
50 g Butterschmalz,
Margarine oder 5 EL
Speiseöl, z. B. Sonnen-
blumenöl**

Pro Portion:

E: 45 g, F: 14 g, Kh: 9 g,
kJ: 1431, kcal: 342

1 Schweinekoteletts unter fließendem kalten Wasser abspülen, trockentupfen und mit Salz, Pfeffer und Paprikapulver bestreuen.

2 Ei mit Hilfe einer Gabel in einem tiefen Teller verschlagen. Die Koteletts zunächst in Mehl (Foto 1), dann in dem Ei (Foto 2) und zuletzt in Semmelbröseln (Foto 3) wenden. Die Semmelbrösel gut festdrücken, nicht anhaftende Brösel leicht abschütteln.

3 Butterschmalz, Margarine oder Öl in einer Pfanne erhitzen. Die Koteletts darin etwa 8 Minuten von jeder Seite braten und auf einer vorgewärmten Platte anrichten.

Beilage: Petersilienkartoffeln (S. 280), gemischte Gemüseplatte und Pilzsauce (S. 184).

Tipp: Sie können anstelle von Schweinekoteletts auch Kalbskoteletts verwenden (Bratzeit 5–6 Minuten pro Seite).
Die Koteletts mit Zitronenachteln und Petersilie anrichten.

Abwandlung: Für **Schweinekoteletts natur** die Koteletts wie oben angegeben abspülen, trockentupfen, würzen und in dem erhitzten Fett von jeder Seite etwa 7 Minuten braten.

Jägerschnitzel
Klassisch

1 Zwiebel abziehen und würfeln. Von den Champignons Stielenden und schlechte Stellen abschneiden, Pilze mit Küchenpapier abreiben, eventuell abspülen, trockentupfen und in Scheiben schneiden.

2 Schweineschnitzel unter fließendem kalten Wasser abspülen, trockentupfen, mit Salz, Pfeffer und Paprikapulver bestreuen und in Mehl wenden. Nicht anhaftendes Mehl abschütteln.

3 Butterschmalz, Margarine oder Öl in einer Pfanne erhitzen. Die Schnitzel darin bei mittlerer Hitze in 10-12 Minuten (je nach Dicke der Schnitzel) von beiden Seiten braten, dabei gelegentlich wenden. Die garen Schnitzel aus der Pfanne nehmen und warm stellen.

4 Die Zwiebelwürfel in dem verbliebenem Bratfett unter Rühren andünsten. Champignonscheiben zu den Zwiebelwürfeln geben und mitdünsten. Crème fraîche unterrühren, mit Salz und Pfeffer würzen und 2-3 Minuten bei schwacher Hitze ohne Deckel leicht köcheln.

5 Petersilie unterrühren. Die Sauce zu den Schnitzeln reichen.

Tipp: Anstelle von Champignons können Sie die Schnitzel auch mit 1 Glas Waldpilzen (Abtropfgewicht 290 g) zubereiten.

Beilage: **Pommes frites (S. 287) oder Bratkartoffeln (S. 288) und Blattsalat.**

Abwandlung: **Für Zigeunerschnitzel** die Schnitzel wie unter Punkt 2-3 angegeben zubereiten. Dann 1 Glas Zigeunersauce (500 g) in den Bratensatz geben, erhitzen und zu den Schnitzeln reichen.

Zubereitungszeit: etwa 35 Minuten

1 Zwiebel
250 g Champignons
4 Schweineschnitzel
(je etwa 200 g)
Salz
frisch gemahlener Pfeffer
Paprikapulver edelsüß
40 g Weizenmehl
50 g Butterschmalz,
Margarine oder 5 EL
Speiseöl, z. B. Sonnen-
blumenöl
1 Becher (150 g) Crème
fraîche
1 EL gehackte Petersilie

Pro Portion:
E: 49 g, F: 28 g, Kh: 6 g,
kJ: 1931, kcal: 463

Elsässer Bäckerofe

Für Gäste (etwa 6 Portionen)

Zubereitungszeit: etwa 60 Minuten, ohne Durchzieh- und Backzeit

500 g Rindfleisch (z. B. aus der Unterschale)
500 g Schweinenacken (ohne Knochen)
500 g Lammfleisch (ohne Knochen, aus Schulter oder Keule)
250 g Zwiebeln
225 g Porree (Lauch)
750 ml ($^3/_4$ l) trockener Weißwein
2 Lorbeerblätter
8 Pfefferkörner
1 EL frische Thymianblättchen
1 $^1/_2$ kg vorwiegend fest kochende Kartoffeln
Salz
frisch gemahlener Pfeffer

Für den Teig:
250 g Weizenmehl
$^1/_2$ TL Salz
knapp 200 ml Wasser

Außerdem:
Butter für die Form

Pro Portion:
E: 56 g, F: 18 g, Kh: 32 g, kJ: 2563, kcal: 612

1 Alle Fleischsorten unter fließendem kalten Wasser abspülen, trockentupfen und in etwa 2 $^1/_2$ cm große Würfel schneiden. Zwiebeln abziehen, halbieren und in Scheiben schneiden. Von dem Porree die Außenblätter entfernen, Wurzelende und dunkles Grün abschneiden, die Stange längs halbieren, gründlich waschen, abtropfen lassen und in Ringe schneiden.

2 Fleischwürfel, Porree und die Hälfte der Zwiebelscheiben in einen Topf geben, Weißwein darüber gießen (Foto 1), Lorbeerblätter, Pfefferkörner und Thymian dazugeben und 24 Stunden mit Deckel im Kühlschrank durchziehen lassen.

3 Den Backofen bei Ober- und Unterhitze vorheizen. Das Fleisch abtropfen lassen. Kartoffeln waschen, schälen, abspülen und in Scheiben schneiden. Eine große Auflaufform oder einen Bräter (Inhalt 3 l, mit Deckel) mit Butter fetten, mit $^1/_3$ der Kartoffelscheiben auslegen und mit Salz und Pfeffer bestreuen. Darauf die nicht marinierten Zwiebelscheiben und die Hälfte des abgetropften Fleisches geben, salzen und pfeffern.

4 Das zweite Drittel der Kartoffelscheiben einschichten, salzen und pfeffern, dann das restliche Fleisch darauf geben. Die eingelegten Zwiebelscheiben und den Porree darauf verteilen (Foto 2). Zum Schluss die restlichen Kartoffelscheiben auflegen und mit Salz und Pfeffer bestreuen. Die Marinade darüber geben.

5 Für den Teig Mehl in eine Rührschüssel sieben, Salz zufügen und mit so viel Wasser mit dem Handrührgerät mit Knethaken verkneten, dass ein fester Teig entsteht. Aus dem Teig eine Rolle in Länge des Form- oder Bräterumfangs formen. Den Rand der Auflaufform oder des Bräters einfetten, die Teigrolle darauf legen und etwas andrücken. Den Deckel ebenfalls einfetten und auf den Teig legen (Foto 3). Die Form (Bräter) auf dem Rost in den Backofen stellen.

Ober-/Unterhitze: **etwa 180 °C (vorgeheizt)**, Heißluft: **etwa 160 °C (nicht vorgeheizt)**, Gas: **Stufe 2–3 (nicht vorgeheizt)**, Backzeit: **etwa 3 Stunden.**

Kasseler Rippenspeer
Einfach (6 Portionen)

Zubereitungszeit: etwa 90 Minuten

1 ½ kg Kasseler Kotelett-stück (Knochen vom Metzger herauslösen und zerkleinern lassen)
1 Zwiebel
1 Tomate
1 Bund Suppengrün
1 kleines Lorbeerblatt
125 ml (¹⁄₈ l) heißes Wasser
evtl. Saucenbinder
Salz
frisch gemahlener Pfeffer

Pro Portion:
E: 44 g, F: 16 g, Kh: 3 g,
kJ: 1390, kcal: 332

1 Kasseler unter fließendem kalten Wasser abspülen, trockentupfen und die Fettschicht gitterförmig einschneiden (Foto 1). Den Backofen bei Ober- und Unterhitze vorheizen.

2 Zwiebel abziehen. Tomate waschen, vierteln und den Stängelansatz herausschneiden. Suppengrün vorbereiten: Knollensellerie schälen, schlechte Stellen herausschneiden, Möhren schälen, Grün und Spitzen abschneiden. Sellerie und Möhren waschen und abtropfen lassen. Von dem Porree (Lauch) die Außenblätter entfernen, Wurzelende und dunkles Grün abschneiden, die Stange längs halbieren, gründlich waschen und abtropfen lassen. Die 5 Zutaten fein würfeln.

3 Das Fleisch mit der Fettschicht nach oben in einen mit Wasser ausgespülten Bräter legen (Foto 2). Gemüsewürfel, Lorbeerblatt und Knochen dazugeben und den Bräter ohne Deckel auf dem Rost in den Backofen schieben.

Ober-/Unterhitze: **etwa 200 °C (vorgeheizt)**, Heißluft: **etwa 180 °C (nicht vorgeheizt)**, Gas: **Stufe 3-4 (nicht vorgeheizt)**, Garzeit: **etwa 50 Minuten.**

4 Wenn der Bratensatz bräunt, etwas von dem heißen Wasser zugeben (Foto 3). Verdampfte Flüssigkeit nach und nach durch heißes Wasser ersetzen und das Fleisch ab und zu mit dem Bratensatz begießen.

5 Das gare Fleisch und die Knochen aus dem Bräter nehmen und das Fleisch etwa 10 Minuten zugedeckt ruhen lassen, damit sich der Fleischsaft setzt. Dann das Fleisch in Scheiben schneiden und auf einer vorgewärmten Platte anrichten.

6 Für die Sauce den Bratensatz mit etwas Wasser loskochen, mit dem Gemüse durch ein Sieb streichen und auf der Kochstelle erneut zum Kochen bringen. Die Flüssigkeit nach Belieben mit Saucenbinder binden und nochmals kurz aufkochen lassen. Die Sauce mit Salz und Pfeffer abschmecken und zu dem Fleisch servieren.

Beilage: Salzkartoffeln oder Kartoffelpüree (S. 290) und Sauerkraut (S. 224).

Tipp: Zusätzlich 1–2 Esslöffel Crème fraîche unter die Sauce rühren.
Das Fleisch schmeckt auch kalt mit einer Grillsauce oder einem Chutney zu Kartoffelsalat (S. 270).
Das Fleisch ist gefriergeeignet.

Eisbein mit Sauerkraut
Klassisch

1 Eisbeine unter fließendem kalten Wasser abspülen, in das Wasser in einen Topf geben, zum Kochen bringen und etwa 90 Minuten mit Deckel kochen.

2 In der Zwischenzeit Sauerkraut locker zupfen. Zwiebel abziehen. Nach Beendigung der Kochzeit das Fleisch herausnehmen, die Brühe durch ein Sieb gießen, auffangen, zunächst etwa 500 ml ($\frac{1}{2}$ l) abmessen (die Flüssigkeitsmenge richtet sich nach der Beschaffenheit des Sauerkrauts) und wieder in den Topf geben.

3 Sauerkraut, Zwiebel, Lorbeerblatt, Nelken und Wacholderbeeren in die Kochbrühe geben, Eisbeine hinzufügen, alles zum Kochen bringen und noch etwa 30 Minuten bei mittlerer Hitze mit Deckel kochen. Nach Bedarf noch etwas Kochbrühe zugeben.

4 In der Zwischenzeit Kartoffel waschen, schälen und abspülen. Nach Beendigung der Kochzeit die Kartoffel reiben, zu dem Sauerkraut geben und nochmals kurz aufkochen, damit es sämig wird. Das Sauerkraut mit Salz, Pfeffer und Zucker würzen. Die Eisbeine mit dem Sauerkraut servieren.

Tipp: Etwa 125 ml ($\frac{1}{8}$ l) der Eisbeinbrühe zum Kochen des Sauerkrauts durch trockenen Weißwein ersetzen.

Beilage: Kartoffelpüree (S. 290) oder Salzkartoffeln.

Zubereitungszeit: etwa 2 $\frac{1}{4}$ Stunden

1 $\frac{1}{2}$ kg gepökeltes Eisbein (2–3 Stück, eventuell beim Metzger vorbestellen)
etwa 1 $\frac{1}{4}$ l Wasser
750 g Sauerkraut (frisch oder aus der Dose)
1 Zwiebel
1 Lorbeerblatt
3 Gewürznelken
5 Wacholderbeeren
1 mittelgroße mehlig kochende Kartoffel
Salz
frisch gemahlener Pfeffer
etwas Zucker

Pro Portion:
E: 58 g, F: 36 g, Kh: 6 g, kJ: 2467, kcal: 589

Hackbraten mit Quark
Für Gäste

Zubereitungszeit: etwa 75 Minuten

1 Zwiebel
750 g Gehacktes (halb Rind-, halb Schweine-fleisch)
250 g Speisequark (Magerstufe)
2 Eier (Größe M)
70 g Tomatenmark
2 EL gemischte, gehackte Kräuter oder Petersilie
1 TL mittelscharfer Senf
1 TL Paprikapulver edelsüß
Salz
frisch gemahlener Pfeffer
1 EL Semmelbrösel
200 ml Gemüsebrühe
½ TL getrocknetes, gerebeltes Basilikum

Außerdem:
Fett für die Form

Pro Portion:
E: 49 g, F: 35 g, Kh: 7 g,
kJ: 2245, kcal: 536

1 Den Backofen bei Ober- und Unterhitze vorheizen. Zwiebel abziehen und fein würfeln. Gehacktes mit Zwiebelwürfeln, Quark, Eiern, etwa der Hälfte des Tomatenmarks, Kräutern (Petersilie), Senf, Paprikapulver, Salz und Pfeffer vermengen.

2 Semmelbrösel auf die Arbeitsfläche streuen, die Fleischmasse darauf geben, zu einem länglichen Stück (etwa 25 x 12 cm) formen und in eine gefettete, hitzebeständige, ovale oder rechteckige Auflaufform geben. Die Form ohne Deckel auf dem Rost in den Backofen schieben.

Ober-/Unterhitze: **etwa 200 °C (vorgeheizt)**, Heißluft: **etwa 180 °C (nicht vorgeheizt)**, Gas: **Stufe 3–4 (nicht vorgeheizt)**, Garzeit: **etwa 40 Minuten.**

3 Dann das restliche Tomatenmark mit Gemüsebrühe und Basilikum verrühren, in die Form gießen und **den Braten bei der oben angegebenen Backofeneinstellung weitere 20 Minuten garen.**

4 Den garen Hackbraten in Scheiben schneiden, auf einer vorgewärmten Platte anrichten und warm stellen.

5 Die Sauce durchrühren, mit Salz, Pfeffer und Paprikapulver abschmecken und zu dem Fleisch reichen.

Beilage: **Kartoffelpüree (S. 290) und gemischtes Gemüse.**

Tipp: Die Auflaufform sollte einige Zentimeter größer sein als der Hackbraten, aber nicht zu groß, damit nicht zu viel Flüssigkeit verdunstet.

Abwandlung: **Für einen Hackbraten mit Schafkäse** die wie in Punkt 1 vorbereitete Fleischmasse zu einem Rechteck von etwa 25 x 20 cm auf den Semmelbröseln flach drücken. 200 g Schafkäse würfeln, längs auf der Mitte verteilen, die Fleischmasse darüber schlagen, zusammendrücken und zu einem länglichen Stück (25 x 12 cm) formen. Das Fleischstück mit der Nahtstelle nach unten in die gefettete Form geben. Weiter wie im Rezept angegeben verfahren.

Königsberger Klopse

Preiswert (8-10 Stück)

1 Brötchen 10 Minuten in kaltem Wasser einweichen (Foto 1).
Zwiebel abziehen und fein würfeln. Gehacktes mit dem gut ausgedrückten Brötchen, Zwiebelwürfeln, Ei oder Eiweiß und Senf
vermengen und mit Salz und Pfeffer würzen.

2 Aus der Masse mit nassen Händen 8-10 Klopse formen (Foto 2),
in die kochende Gemüsebrühe geben, wieder zum Kochen bringen, eventuell abschäumen und mit Deckel bei schwacher Hitze
in etwa 15 Minuten gar ziehen lassen (das Wasser muss sich
leicht bewegen). Die Brühe durch ein Sieb gießen und 500 ml
(¹/₂ l) davon für die Sauce abmessen.

3 Für die Sauce Butter oder Margarine in einem Topf zerlassen.
Mehl unter Rühren so lange darin erhitzen, bis es hellgelb ist.
Kochbrühe hinzugießen und mit einem Schneebesen durchschlagen, dabei darauf achten, dass keine Klümpchen entstehen. Die Sauce zum Kochen bringen und bei schwacher
Hitze etwa 5 Minuten ohne Deckel leicht kochen lassen, dabei
gelegentlich umrühren.

4 Eigelb mit Milch verschlagen und langsam in die Sauce einrühren (abziehen), aber nicht mehr kochen lassen. Kapern mit der
Flüssigkeit aus dem Glas hinzufügen, mit Salz, Pfeffer, Zucker
und Zitronensaft abschmecken. Die Klopse in die Sauce geben
(Foto 3) und etwa 5 Minuten bei schwacher Hitze darin ziehen
lassen. Königsberger Klopse mit Dill bestreut servieren.

Tipp: Saucenliebhaber sollten die 1 ¹/₂-fache Saucenmenge zubereiten.
Sie können die Klopse in der Kochbrühe einfrieren. Die Sauce dann nach dem
Auftauen frisch zubereiten.

Beilage: **Salzkartoffeln (S. 280) und eingelegte Rote Bete (aus dem Glas).**

Zubereitungszeit: etwa 50 Minuten

**1 Brötchen (Semmel) vom
Vortag
1 Zwiebel
500 g Gehacktes (halb
Rind-, halb Schweine-
fleisch)
1 Ei oder 1 Eiweiß
(Größe S)
2 gestr. TL mittelscharfer
Senf
Salz
frisch gemahlener Pfeffer
750 ml (³/₄ l) kochende
Gemüsebrühe**

Für die Sauce:

**30 g Butter oder
Margarine
30 g Weizenmehl
500 ml (¹/₂ l) Kochbrühe
von den Klopsen
1 Eigelb (Größe S)
2 EL Milch
1 kleines Glas Kapern
(Abtropfgewicht 20 g)
Salz
frisch gemahlener Pfeffer
etwas Zucker
Zitronensaft
etwas Dill**

Pro Portion:
E: 28 g, F: 30 g, Kh: 13 g,
kJ: 1819, kcal: 434

Schweinshaxen
Für Gäste (6 Portionen)

Zubereitungszeit: etwa
3 ½ Stunden

**4 gepökelte Schweins-
haxen (je etwa 800 g,
mit Knochen)
frisch gemahlener Pfeffer
250 ml (¼ l) heißes
Wasser für die Fettfang-
schale
etwa 1 l heißes Wasser
(oder halb Gemüsebrühe,
halb Wasser)
3 Zwiebeln
100 ml helles Bier
evtl. dunkler Saucenbinder**

Pro Portion:

E: 78 g, F: 34 g, Kh: 1 g,
kJ: 2616, kcal: 622

1   Den Backofen bei Ober- und Unterhitze vorheizen. Schweins-
    haxen unter fließendem kalten Wasser abspülen, trockentupfen
    und mit Pfeffer einreiben. Eine Fettfangschale im unteren Drittel
    in den Backofen schieben und 250 ml (¼ l) heißes Wasser hinein-
    gießen. Die Haxen auf einen Rost legen und den Rost oberhalb der
    Fettfangschale in den Backofen schieben.

Ober-/Unterhitze: **etwa 180 °C (vorgeheizt)**, Heißluft: **etwa 160 °C (nicht vorgeheizt)**,
Gas: **Stufe 2–3 (nicht vorgeheizt)**, Bratzeit: **etwa 2 ¼ Stunden**.

2   Verdampfte Flüssigkeit nach und nach durch heißes Wasser
    oder Gemüsebrühe ersetzen (die Fettfangschale sollte immer
    etwa 1 cm hoch mit Flüssigkeit gefüllt sein). Das Fleisch ge-
    legentlich wenden und mit dem Bratensatz begießen.

3   Zwiebeln abziehen, vierteln, mit in die Fettfangschale geben
    und **bei der oben angegebenen Backofeneinstellung weitere
    60 Minuten mitgaren.** Die Haxen ab und zu mit dem Bier
    bestreichen.

4   Das gare Fleisch nach Belieben vom Knochen lösen und auf einer
    vorgewärmten Platte anrichten.

5   Von dem Bratensatz das Fett mit einem Löffel abnehmen (ent-
    fetten), 500 ml (½ l) von dem Bratensatz abmessen, eventuell
    mit Wasser oder Brühe auffüllen, nach Belieben mit Saucen-
    binder binden und mit Pfeffer abschmecken. Die Sauce zu dem
    Fleisch reichen.

Beilage: **Sauerkraut (S. 224) oder Weißkohlsalat (S. 265) und Kartoffelpüree
(S. 290), Kartoffelklöße (S. 292) oder Bauernbrot.**

Tipp: Die Sauce schmeckt pikanter, wenn sie mit Senf abgeschmeckt wird;
sie wird dadurch auch bekömmlicher.
Die Schweinshaxen zusätzlich mit getrocknetem, gerebeltem Majoran oder
Kümmelsamen würzen.
Wenn Sie die Schwarte besonders kross haben möchten, erhöhen Sie die
Backofentemperatur für die letzten 15 Minuten um 20–40 °C.
Im Backofen können maximal 6 Haxen auf einmal gebraten werden.

Leber mit Zwiebeln
Klassisch

Zubereitungszeit: etwa 40 Minuten

5 Zwiebeln
500 g Leber
20 g Weizenmehl
50 g Butterschmalz,
Margarine oder 3 EL
Speiseöl, z. B. Sonnen-
blumenöl
Salz
frisch gemahlener Pfeffer
getrockneter, gerebelter
Majoran

Pro Portion:

E: 26 g, F: 18 g, Kh: 10 g,
kJ: 1260, kcal: 301

1 Zwiebeln abziehen, in dünne Scheiben schneiden oder hobeln und in Ringe teilen. Leber unter fließendem kalten Wasser abspülen, trockentupfen und in 1–1 ½ cm dicke Scheiben schneiden. Leber in Mehl wenden (Foto 1). Nicht anhaftendes Mehl abschütteln.

2 30 g Butterschmalz, Margarine oder Öl in einer Pfanne erhitzen. Die Leberscheiben hineinlegen und 3–4 Minuten braten (Foto 2), bis die untere Seite gebräunt ist. Die Scheiben dann wenden, auf der Oberseite mit Salz, Pfeffer und Majoran würzen und in weiteren 3–4 Minuten gar braten. Dann die zweite Seite würzen. Die Leber auf einer vorgewärmten Platte anrichten und warm stellen.

3 Restliches Butterschmalz, Margarine oder Öl in dem Bratfett erhitzen. Die Zwiebelscheiben hineingeben und unter Wenden in 8–10 Minuten bräunen lassen. Die Zwiebelringe mit Salz und Pfeffer würzen und mit auf der Platte anrichten.

Tipp: Sie können das Gericht mit Schweine-, Rinder- oder Kalbsleber zubereiten. Die Lebersorten unterscheiden sich in Geschmack und Beschaffenheit. Kalbsleber ist zarter und milder im Geschmack als Schweineleber und hat die kürzeste Garzeit. Rinderleber ist am kräftigsten im Geschmack und von etwas festerer Konsistenz. Die Garzeit der Leber richtet sich auch nach der Dicke der Scheiben. Leber sollte auf keinen Fall bei zu starker Hitze gebraten werden, da sie sonst schnell hart und trocken wird.

Beilage: **Kartoffelpüree (S. 290) und Apfelmus (S. 370).**

Abwandlung: **Für Leber „Berliner Art"** (Foto 3) Apfelringe oder -spalten von 2 mittelgroßen Äpfeln zusammen mit den Zwiebeln braten.

Chili con carne
Beliebt

1 Tomaten waschen, abtropfen lassen, kreuzweise einschneiden, kurz in kochendes Wasser legen und in kaltem Wasser abschrecken. Tomaten enthäuten, die Stängelansätze herausschneiden und Tomaten würfeln (Dosentomaten zerkleinern).

2 Zwiebeln und Knoblauch abziehen und in kleine Würfel schneiden. Speck ebenfalls würfeln. Paprikaschoten halbieren, entstielen, entkernen, die weißen Scheidewände entfernen, die Schoten waschen und in Streifen schneiden.

3 Öl in einem großen Topf erhitzen. Zwiebel-, Knoblauch- und Speckwürfel darin andünsten. Gehacktes hinzufügen und unter Rühren darin braun und gar braten, dabei die Fleischklümpchen mit Hilfe einer Gabel zerdrücken. Mit Salz und Pfeffer würzen.

4 Paprikastreifen und Gemüsebrühe hinzufügen, zum Kochen bringen und etwa 5 Minuten bei mittlerer Hitze mit Deckel schmoren.

5 Bohnen in ein Sieb geben, kalt abspülen und abtropfen lassen. Tomatenwürfel (Dosentomaten mit dem Saft) und Bohnen unterrühren, alles mit Chilipulver, Paprikapulver und Oregano würzen und noch etwa 10 Minuten mit Deckel bei schwacher Hitze kochen. Das Chili mit Salz und Pfeffer abschmecken.

Tipp: Das Chili ist gefriergeeignet.

Beilage: Warmes Fladenbrot oder Roggenbrötchen.

Abwandlung 1: Für ein **Chili mit Fleischwürfeln** 375 g getrocknete Kidneybohnen über Nacht in 1 Liter Wasser einweichen. 1 kg Rindfleisch unter fließendem kalten Wasser abspülen, trockentupfen und in etwa 2 cm große Würfel schneiden. 1 Gemüsezwiebel (250 g) und 2–3 Knochblauchzehen abziehen und würfeln. 1–2 rote Chilischoten entkernen, waschen, abtropfen lassen und klein schneiden. 3 Esslöffel Olivenöl portionsweise in einem Topf erhitzen. Die Fleischwürfel portionsweise darin anbraten. Gesamtes Fleisch mit Zwiebel- und Knoblauchwürfeln hinzufügen, einige Minuten dünsten. Chiliwürfel und die Bohnen mit dem Einweichwasser zugeben und mit 1 Teelöffel Kümmelsamen, 1 Teelöffel gerebeltem Oregano, 2–3 Lorbeerblättern und 1 Esslöffel Paprikapulver edelsüß würzen, zum Kochen bringen und etwa 1 1/4 Stunden bei mittlerer Hitze mit Deckel garen. 1 große Dose (800 g) geschälte Tomaten in der Dose grob zerkleinern, mit dem Saft zugeben, mit Salz würzen und alles weitere 15–30 Minuten garen. Das Chili dann kräftig mit Chilipulver abschmecken.

(Fortsetzung Seite 96)

Zubereitungszeit: etwa 60 Minuten

**400 g Tomaten oder
1 Dose (400 g) geschälte
Tomaten
2 Zwiebeln
2 Knoblauchzehen
75 g durchwachsener
Speck
je 1 rote und grüne
Paprikaschote (je 150 g)
1–2 EL Speiseöl, z. B.
Sonnenblumenöl
400 g Rindergehacktes
Salz
frisch gemahlener Pfeffer
250 ml (¼ l) Gemüse-
brühe
2 Dosen Kidneybohnen
(Abtropfgewicht je 250 g)
Chilipulver
1–2 TL Paprikapulver
edelsüß
1 TL getrockneter,
gerebelter Oregano**

Pro Portion:
E: 30 g, F: 31 g, Kh: 18 g,
kJ: 1977, kcal: 472

Abwandlung 2: Für ein **Linsenchili** die Kidneybohnen durch 1 große Dose Linsen mit Suppengemüse (800 g) ersetzen. Sie können die Flüssigkeit aus der Dose mitverwenden, dann aber nur die Hälfte der angegebenen Gemüsebrühe verwenden. Das Linsenchili nach Belieben zusätzlich mit 1–2 Teelöffeln gemahlenem Kreuzkümmel (Cumin) würzen und vor dem Servieren mit 40–50 g geriebenem Käse, z. B. Emmentaler oder Parmesan bestreuen.

Frikadellen
Einfach

Zubereitungszeit: etwa 35 Minuten, ohne Abkühlzeit

1 Brötchen (Semmel) vom Vortag
2 Zwiebeln
1–2 EL Speiseöl, z. B. Sonnenblumenöl
600 g Gehacktes (halb Rind-, halb Schweinefleisch)
1 Ei (Größe M)
Salz
frisch gemahlener Pfeffer
Paprikapulver edelsüß
40 g Butterschmalz, Margarine oder 5 EL Speiseöl, z. B. Sonnenblumenöl

Pro Portion:
E: 31 g, F: 37 g, Kh: 7 g,
kJ: 2019, kcal: 482

1 Brötchen in kaltem Wasser einweichen. Zwiebeln abziehen und fein würfeln. Öl in einer Pfanne erhitzen. Die Zwiebelwürfel darin unter Rühren in 2–3 Minuten glasig dünsten. Die Zwiebelwürfel dann aus der Pfanne nehmen, auf Küchenpapier abtropfen und etwas abkühlen lassen.

2 Das Brötchen gut ausdrücken (Foto 1), mit dem Gehackten, den Zwiebelwürfeln und dem Ei vermengen (Foto 2) und mit Salz, Pfeffer und Paprikapulver würzen. Aus der Masse mit nassen Händen 8 Frikadellen formen (Foto 3).

3 Butterschmalz, Margarine oder Öl in der Pfanne erhitzen. Die Frikadellen von beiden Seiten darin unter gelegentlichem Wenden bei mittlerer Hitze in etwa 10 Minuten braun und gar braten.

Tipp: Sie können zusätzlich 1–2 Esslöffel gehackte Petersilie mit den Zwiebelwürfeln andünsten oder 1 Teelöffel Senf unter die Fleischmasse kneten. Die Frikadellen sind gefriergeeignet.

Beilage: Kartoffelpüree (S. 290) und Möhren (S. 204).

Kaninchen in Olivensauce

Mit Alkohol

1   Kaninchenteile unter fließendem kalten Wasser abspülen und
    trockentupfen. Vom Rücken die Bauchlappen abschneiden (Foto 1)
    und den Rücken enthäuten (Foto 2). Die Kaninchenteile mit Salz
    und Pfeffer würzen.

2   Rosmarin kalt abspülen, trockentupfen und die Nadeln von den
    Stängeln zupfen. Möhren schälen, Grün und Spitzen abschnei-
    den. Sellerie schälen, schlechte Stellen herausschneiden.
    Möhren und Sellerie waschen, abtropfen lassen und in Stücke
    schneiden. Zwiebeln abziehen und würfeln.

3   Tomaten waschen, abtropfen lassen, kreuzweise einschneiden,
    kurz in kochendes Wasser legen und in kaltem Wasser ab-
    schrecken. Tomaten enthäuten, die Stängelansätze herausschnei-
    den und Tomaten grob zerkleinern. Oliven entsteinen und vierteln.

4   Öl in einem Topf oder Bräter erhitzen und die Kaninchenteile
    darin unter Wenden von allen Seiten anbraten. Den Rücken her-
    ausnehmen, das vorbereitete Gemüse und Rosmarin in den
    Topf geben und 2–3 Minuten mitbraten.

5   Weißwein und Brühe hinzugießen. Alles zum Kochen bringen und
    etwa 25 Minuten bei mittlerer Hitze mit Deckel schmoren. Dann
    den Kaninchenrücken hinzufügen und alles noch etwa 25 Minuten
    mit Deckel gar schmoren.

6   Die Fleischstücke herausnehmen, auf einer Platte anrichten
    und zugedeckt warm stellen. Die Sauce pürieren (Foto 3),
    Crème fraîche und Oliven unterrühren. Die Sauce nochmals mit
    Salz und Pfeffer abschmecken und zu dem Fleisch reichen.

Tipp: Die Sauce wird noch würziger, wenn Sie zusätzlich 20 g Olivencreme
(aus Glas oder Tube) zusammen mit Wein und Brühe unterrühren.
Das Gericht ist gefriergeeignet.

Beilage: Bandnudeln oder Ciabatta (italienisches Weißbrot) und Brokkoli
(S. 207) oder Fenchel-Orangen-Salat (S. 265).

Zubereitungszeit: etwa 75 Minuten

**1 Kaninchen (etwa 1 ½ kg,
in 5 Teile zerlegt)
Salz
frisch gemahlener Pfeffer
1–2 Zweige Rosmarin
200 g Möhren
100 g Knollensellerie
2 Zwiebeln
150 g Tomaten
100 g schwarze Oliven
(oder 50 g entsteinte
Oliven)
4 EL Olivenöl
125 ml (⅛ l) Weißwein
250 ml (¼ l) Hühner-
oder Gemüsebrühe
½–1 Becher (75–150 g)
Crème fraîche**

Pro Portion:
E: 64 g, F: 46 g, Kh: 6 g,
kJ: 2984, kcal: 714

Gegrillte Lammkoteletts (Foto)

Einfach

Zubereitungszeit: etwa 20 Minuten, ohne Marinierzeit

**8 doppelte Lamm-
koteletts (je 100 g)
2 kleine Knoblauchzehen
3 EL Speiseöl, z. B.
Sonnenblumen- oder
Olivenöl
frisch gemahlener Pfeffer
Salz**

Pro Portion:

E: 37 g, F: 31 g, Kh: 0 g,
kJ: 1783, kcal: 426

1 Von den Lammkoteletts eventuell das Fett entfernen oder den Fettrand mehrmals einschneiden. Die Koteletts unter fließendem kalten Wasser abspülen und trockentupfen.

2 Knoblauch abziehen, durch eine Knoblauchpresse drücken und mit Öl und Pfeffer verrühren. Die Koteletts damit bestreichen und etwa 60 Minuten im Kühlschrank marinieren. Kurz vor Ende der Marinierzeit den Backofengrill vorheizen.

3 Die Koteletts auf den mit Alufolie belegten Rost legen. Den Rost unter den vorgeheizten Backofengrill schieben und die Koteletts von beiden Seiten je etwa 3 Minuten grillen.

4 Die garen Lammkoteletts mit Salz würzen.

Beilage: **Gegrillte Tomaten (S. 238), grüne Bohnen (S. 208) und warmes Fladenbrot oder Bratkartoffeln (S. 288).**

Lammkeule

Für Gäste (4–6 Portionen)

Zubereitungszeit: etwa 2 Stunden

**2 Zwiebeln
150 g Tomaten
1 Lammkeule mit Knochen
(1 ½ kg)
Salz
frisch gemahlener Pfeffer
1–2 Knoblauchzehen
4 EL Speiseöl, z. B.
Olivenöl
1–2 TL gerebelte Kräuter
der Provence
etwa 375 ml (³/₈ l)
Gemüsebrühe (oder halb
Rotwein, halb Gemüse-
brühe)**

1 Den Backofen bei Ober- und Unterhitze vorheizen. Zwiebeln abziehen und vierteln. Tomaten waschen, abtrocknen, vierteln und die Stängelansätze herausschneiden. Lammkeule unter fließendem kalten Wasser abspülen, trockentupfen und mit Salz und Pfeffer einreiben. Knoblauch abziehen und durch die Knoblauchpresse drücken.

2 Öl in einem Bräter erhitzen. Die Lammkeule darin von allen Seiten gut anbraten. Die Keule dann mit dem Knoblauchmus bestreichen und mit Kräutern der Provence bestreuen. Die Keule aus dem Bräter nehmen.

3 Zwiebel- und Tomatenviertel in das Bratfett geben und 3–4 Minuten anbraten. Dann Lammkeule und ¹/₃ der Gemüsebrühe oder Rotwein-Brühe-Mischung dazugeben. Den Bräter ohne Deckel auf dem Rost in den Backofen schieben.

Ober-/Unterhitze: **etwa 180 °C (vorgeheizt),** Heißluft: **etwa 160 °C (nicht vorgeheizt),** Gas: **Stufe 2–3 (nicht vorgeheizt),** Garzeit: **75–90 Minuten.**

(Fortsetzung Seite 100)

Pro Portion:
E: 49 g, F: 19 g, Kh: 2 g,
kJ: 1552, kcal: 370

4   Verdampfte Flüssigkeit nach und nach durch die restliche Brühe oder Rotwein-Brühe-Mischung ersetzen.

5   Das gare Fleisch aus dem Bräter nehmen und zugedeckt etwa 10 Minuten ruhen lassen, damit sich der Fleischsaft setzt. Das Fleisch dann in Scheiben schneiden und auf einer vorgewärmten Platte anrichten.

6   Den Bratensatz mit dem Gemüse durch ein Sieb streichen, eventuell mit Brühe oder Wein ergänzen, salzen, pfeffern und zu dem Fleisch reichen. Das Fleisch heiß servieren.

Beilage: Bohnensalat (S. 258) oder Ratatouille (S. 202) und Baguette.

Lammpilaw

Raffiniert

Zubereitungszeit: etwa 90 Minuten

500 g Lammfleisch (aus Schulter oder Keule, ohne Knochen)
2 Zwiebeln
1 Knoblauchzehe
200 g Knollensellerie
je 1 rote und grüne Paprikaschote (je 150 g)
3 EL Olivenöl
3 EL Tomatenmark
Salz, Pfeffer
getrockneter, geschnittener Rosmarin und gerebelter Thymian
Paprikapulver edelsüß
800 ml heiße Gemüsebrühe
250 g Tomaten
250 g Langkornreis
1 EL gehackte, glatte Petersilie

Pro Portion:
E: 32 g, F: 16 g, Kh: 56 g,
kJ: 2093, kcal: 500

1   Lammfleisch unter fließendem kalten Wasser abspülen, trockentupfen und in 2 cm große Würfel schneiden.

2   Zwiebeln abziehen, halbieren und in Scheiben schneiden. Knoblauch abziehen. Knollensellerie schälen, schlechte Stellen herausschneiden, waschen und in Würfel schneiden. Paprikaschoten halbieren, entstielen, entkernen, die weißen Scheidewände entfernen, die Schoten waschen und in Streifen schneiden.

3   Öl in einem Topf erhitzen und die Fleischwürfel darin unter Wenden bräunen. Kurz bevor das Fleisch genügend gebräunt ist, Zwiebelscheiben, Selleriewürfel und Tomatenmark hinzufügen und kurz miterhitzen.

4   Knoblauch durch die Knoblauchpresse drücken und hinzufügen. Alles mit Salz, Pfeffer, Rosmarin, Thymian und Paprikapulver würzen. Gemüsebrühe hinzufügen, alles zum Kochen bringen und bei mittlerer Hitze etwa 30 Minuten mit Deckel garen.

5   In der Zwischenzeit Tomaten waschen, abtropfen lassen, kreuzweise einschneiden, kurz in kochendes Wasser legen und in kaltem Wasser abschrecken. Tomaten enthäuten, die Stängelansätze herausschneiden und Tomaten in Stücke schneiden.

6   Paprikastreifen und Reis zu dem Fleisch geben und alles noch 15-20 Minuten mit Deckel garen.

7   Zum Schluss die Tomatenwürfel unterrühren und kurz miterhitzen. Das Gericht nochmals mit Salz und Pfeffer abschmecken und mit Petersilie bestreut servieren.

Geflügel

Geflügelfleisch ist im Vergleich zu anderen Fleischsorten relativ eiweißreich und fettarm.

Da Geflügel mit Salmonellen belastet sein kann, sollten bei der Vor- und Zubereitung einige Regeln beachtet werden:
- Geflügel immer ausreichend kühlen bzw. tiefgefrieren.
- Alle Gegenstände, die bei der Zubereitung mit dem Geflügel in Kontakt kommen, nach Gebrauch gründlich reinigen.
- Auftauwasser von gefrorenem Geflügel sofort weggießen.
- Andere Lebensmittel oder Speisen dürfen nicht mit dem rohen Geflügel bzw. dem Auftauwasser in Berührung kommen.
- Die Hände sind nach der Vorbereitung von Geflügel gründlich zu reinigen.
- Geflügelfleisch immer gut durchgaren (das Geflügel ist gar, wenn der austretenden Saft wasserklar ist, das Bein sich leicht aus dem Gelenk lösen lässt. Man kann auch mit einem Fleischthermometer arbeiten, um die Kerntemperatur zu ermitteln. Dabei ist wichtig, dass nicht zu nah an einem Knochen gemessen wird, da sonst das Ergebnis verfälscht wird).

Hühner

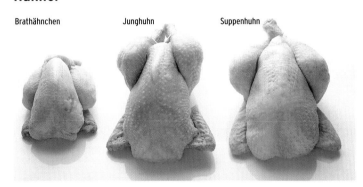

Brathähnchen   Junghuhn   Suppenhuhn

Brathähnchen
Etwa 5-7 Wochen alte Masttiere. Ihr Brustbeinfortsatz ist biegsam, das Gewicht liegt zwischen 800-1200 g. Frisch oder tiefgefroren angeboten. Mittlerweile werden immer häufiger Hähnchen angeboten, die mit speziellem Futter gemästet wurden (z. B. Maishähnchen). Das Fleisch dieser Tiere ist besonders schmackhaft.

Junghühner
Etwa 8-9 Wochen alte, vor der Geschlechtsreife geschlachtete Masttiere. Ihr Brustbeinfortsatz ist biegsam, das Gewicht liegt zwischen 1200-1500 g.

Suppenhühner
Legehennen, die nach 12-15 Monaten geschlachtet werden. Ihr Brustbeinfortsatz ist verknorpelt. Suppenhühner werden nicht gemästet, sondern zum Eierlegen gehalten. Gewicht je nach Rasse zwischen 1000 und 2000 g. Suppenhühner werden gekocht und eignen sich als Grundlage für Hühnerbrühen und Ragouts.

Perlhühner
Eine Haushuhnrasse mit dunklem Fleisch von zarter, feiner Struktur mit würzigem Geschmack. Das Schlachtgewicht liegt zwischen 1000-1300 g. Für alle Zubereitungsarten geeignet.

Enten
Frühmastenten
Vor der ersten Federreife geschlachtete, 7-8 Wochen alte Masttiere. Ihr Brustbeinfortsatz ist biegsam, die Knorpelteile sind nicht verknöchert. Gewicht 1600-1800 g.

Junge Enten
Etwa 6 Monate alt, nach der ersten Federreife geschlachtete Tiere. Ihr Brustbeinfort-

satz muss noch biegsam sein. Gewicht 1500-2000 g.

Enten
Über 1 Jahr alte, nach der Geschlechtsreife geschlachtete Tiere. Der Brustbeinfortsatz ist verknöchert. Gewicht 1800-2500 g.

Barbarieenten
Flugente mit geringem Fettansatz und kräftiger Flugmuskulatur, d. h. hohem Brustfleischanteil. Bratgewichte für Enten liegen bei etwa 1,6 kg, für Erpel bei etwa 3 kg. Häufig auch als Teilstücke (z. B. Entenbrust) angeboten.

Gänse

Frühmastgänse
Junge, 11-12 Wochen alte, vor der ersten Federreife geschlachtete Tiere. Der Brustbeinfortsatz ist biegsam. Gewicht 2-3 kg.

Junge Gänse
Etwa 6-7 Monate alte Tiere, nach der ersten Federreife geschlachtet. Der Brustbeinfortsatz ist biegsam, die Knorpelteile sind weich. Gewicht 3-4 kg.

Gänse
Über 1 Jahr alte, nach der ersten Geschlechtsreife geschlachtete Tiere. Der Brust-

beinfortsatz ist verknöchert. Gewicht 4-7 kg.

Tipp
Enten und Gänse gehören zu den fettreichen Geflügelarten und werden nur zum Braten verwendet.

Puten
Pute (Truthahn)
Sind überwiegend als junge Puten im Angebot. Sie sind nicht älter als 1 Jahr. Der Brustbeinfortsatz ist noch biegsam, das Fleisch mager und eiweißreich. Nach der Langmast wiegen die Tiere 5-11 kg und werden zerlegt (Putenkeulen, Putenschnitzel) im Handel angeboten.

Junge Puten (Babypute)
Ist nach einer Kurzmast von 9-13 Wochen schlachtreif. Gewicht zwischen 3-6 kg (Babypute etwa 1, 6 kg).

Wachteln
Kleine Wildvögel, die heute jedoch meist aus Zuchtbeständen auf den Markt kommen. Werden gefüllt und gebraten als Vorspeise oder Zwischengericht zubereitet. Die Bratgewichte liegen im Bereich von etwa 150 g.

Geflügelteile
Alle gängigen Geflügelsorten werden auch in Teilstücken frisch, gekühlt und tiefgefroren angeboten. Folgende Teilstücke sind erhältlich: Hälften, Brust, Brustfilet (Schnitzel, nur von Hähnchen und Puten), Schenkel (Ober- und Unterschenkel), Oberschenkel, Unterschenkel (Keule) und Flügel. Brust und Schenkel haben den höchsten Fleischanteil, sind jedoch auch am teuersten. Brustfleisch vom Hähnchen oder der Pute kann sehr gut als Geschnetzeltes oder als

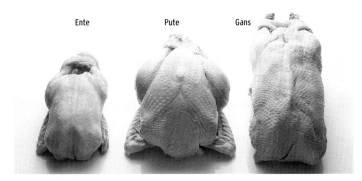

Ente   Pute   Gans

Grundlage für asiatische Gerichte verwendet werden.

Vorbereitung/ Zubereitung

Frischgeflügel nach dem Kauf schnellstmöglich in den Kühlschrank legen. Wenn Sie gefrorenes Geflügel kaufen, das Sie zu Hause wieder einfrieren möchten, achten Sie darauf, dass es während des Transports möglichst wenig antaut. Verwenden Sie deswegen eine Kühltasche mit Kühlakkus und geben das Geflügel sofort wieder in Ihr Gefriergerät.

Einfrieren
Wenn Sie Frischgeflügel selbst einfrieren möchten, sollten Sie einige Punkte beachten:
- Das Geflügel gut verpacken, der Gefrierbeutel darf nicht beschädigt sein, damit kein Gefrierbrand entstehen kann.
- Das Geflügel so einfrieren, dass es schnellstmöglich bis zum Kern durchgefroren ist, denn beim langsamen Einfrieren entstehen große Eiskristalle, die die Zellstruktur des Fleisches zerstören, so dass das Fleisch beim Auftauen viel Fleischsaft verliert und zäh wird.

Auftauen
Tiefgefrorenes Geflügel sollte möglichst langsam auftauen (am besten im Kühlschrank, maximal bei Zimmertemperatur), damit die Zellstruktur nicht geschädigt und das Fleisch zäh wird.
- Die Verpackung vollkommen entfernen und wegwerfen.
- Das Geflügel in ein Gefäß mit Siebeinsatz (Metallsieb) oder in eine große Schüssel mit einem umgedrehten Suppenteller legen, damit die Auftauflüssigkeit ablaufen kann (das Geflügel darf nicht in der Auftauflüssigkeit liegen).
- Das Gefäß zudecken (mit Deckel, Teller oder Folie).
- Auftauflüssigkeit vollständig weggießen, andere Lebensmittel nicht mit der Auftauflüssigkeit in Berührung bringen (Salmonellengefahr).
- Zum Schluss Arbeitsflächen, Geschirr und Hände gründlich waschen.

Zerlegen
Unter Zerlegen versteht man das Zerkleinern von Geflügel in Teilstücke. Teilstücke mit unterschiedlicher Fleischbeschaffenheit können optimal gegart werden. Brustfleisch z. B. hat eine kürzere Garzeit als Schenkelfleisch.

Beispiel Hähnchen:
- Das vorbereitete Geflügel auf den Rücken legen, Keulen und Flügel mit einem scharfen Messer abtrennen.
- Das Brustfleisch am Brustbein entlang bis zum Knochen einschneiden, den Brustknochen mit einer Geflügelschere durchtrennen.
- Den Rücken am Rückgrat entlang durchtrennen (Geflügelschere), das Rückgrat herausschneiden, das Brustfleisch halbieren.
- Die Keulen im Gelenk mit einem Messer oder der Geflügelschere durchtrennen.

Dressieren
Bei Geflügel, das im Ganzen gegart werden soll, werden mit Küchengarn alle abstehenden Teile (Flügel, Keulen) möglichst nah am Körper befestigt, um zu verhindern, dass das Geflügel bei der Zubereitung austrocknet.

Vorgehensweise:
- Die Keulen mit einem scharfen Messer (Tranchiermesser) auslösen, das Fleisch bis zum Gelenk einschneiden, das Gelenk etwas drehen und die Sehnen durchschneiden.
- Die Flügel ebenfalls mit dem Messer abtrennen und dann an den Gelenken durchtrennen.
- Das Brustfleisch mit dem Messer an beiden Seiten von den Knochen lösen und in Portionsstücke schneiden.
- Das Fleisch auf einer vorgewärmten Platte anrichten.

Vorgehensweise:
- Das vorbereitete Geflügel auf den Rücken legen, die Flügelspitzen nach hinten biegen und unter den Rumpf schieben. Sind die Spitzen abgeschnitten, die Flügel unter dem Rumpf mit Küchengarn zusammenbinden.
- Die Keulen mit Küchengarn kreuzweise oder rundherum zusammenbinden.

Füllen

Besonders bei Großgeflügel wie Gänsen oder Puten bietet es sich an, diese vor der Zubereitung zu füllen. Die Füllung wird dann als Beilage zu dem Fleisch serviert, das zudem aromatischer ist als ungefüllt.

Vorgehensweise:
- Das vorbereitete Geflügel auf den Rücken legen.
- Die Füllung in den Bauchraum geben.
- Die Öffnung mit Küchengarn zunähen oder mit Holzspießchen zustecken und kreuzweise mit Küchengarn verschnüren.

Tranchieren

Tranchieren bedeutet, das im Ganzen gegarte Geflügel vor dem Servieren in Portionsstücke zu zerteilen.

Hühnerfrikassee
Klassisch

Zubereitungszeit: etwa 1¾ Stunden, ohne Abkühlzeit

1 ½ l Wasser
1 Bund Suppengrün
1 Zwiebel
1 Lorbeerblatt
1 Gewürznelke
1 küchenfertiges Hähnchen (1–1,2 kg)
1 ½ TL Salz

Für die Sauce:
25 g Butter
30 g Weizenmehl
500 ml (½ l) Hühnerbrühe
1 Glas Spargelstücke (Abtropfgewicht 175 g)
1 Glas Champignons (Abtropfgewicht 150 g)
4 EL Weißwein
etwa 1 EL Zitronensaft
1 TL Zucker
2 Eigelb (Größe M)
4 EL Schlagsahne
Salz
frisch gemahlener Pfeffer
Worcestersauce

Pro Portion:
E: 41 g, F: 24 g, Kh: 8 g, kJ: 1788, kcal: 427

1 Wasser in einem Topf zum Kochen bringen. In der Zwischenzeit Suppengrün vorbereiten: Knollensellerie schälen, schlechte Stellen herausschneiden. Möhren schälen, Grün und Spitzen abschneiden. Sellerie und Möhren waschen und abtropfen lassen. Von dem Porree (Lauch) die Außenblätter entfernen, Wurzelende und dunkles Grün abschneiden, die Stange längs halbieren, gründlich waschen und abtropfen lassen. Die vorbereiteten Zutaten in grobe Stücke schneiden. Zwiebel abziehen und mit Lorbeerblatt und Nelke spicken.

2 Hähnchen von innen und außen unter fließendem kalten Wasser abspülen, mit dem Salz in das kochende Wasser geben, wieder zum Kochen bringen und abschäumen.

3 Das vorbereitete Gemüse in den Topf geben und das Hähnchen in etwa 60 Minuten mit Deckel bei schwacher Hitze gar kochen.

4 Das Hähnchen aus der Brühe nehmen und etwas abkühlen lassen. Die Brühe durch ein Sieb gießen, eventuell entfetten und 500 ml (½ l) davon für die Sauce abmessen. Das Fleisch von den Knochen lösen, die Haut entfernen und das Fleisch in große Stücke schneiden.

5 Für die Sauce Butter in einem Topf zerlassen. Mehl unter Rühren so lange darin erhitzen, bis es hellgelb ist. Die abgemessene Brühe hinzugießen und mit einem Schneebesen gut durchschlagen, dabei darauf achten, dass keine Klümpchen entstehen. Die Sauce zum Kochen bringen und etwa 5 Minuten ohne Deckel leicht kochen lassen, dabei gelegentlich umrühren.

6 Spargelstücke und Champignons in einem Sieb abtropfen lassen, mit dem Fleisch in die Sauce geben und kurz aufkochen. Weißwein, 1 Esslöffel Zitronensaft und Zucker hinzufügen.

7 Eigelb mit Sahne verschlagen und vorsichtig unter das Frikassee rühren (abziehen), Frikassee nicht mehr kochen lassen. Das Frikassee mit Salz, Pfeffer, Worcestersauce und Zitronensaft abschmecken.

Beilage: Reis oder Nudeln und Salat.

Tipp: Anstelle von Spargel aus dem Glas können Sie auch gekochten TK-Spargel verwenden. Die Champignons aus dem Glas können Sie durch 150 g frische, geputzte, in Scheiben geschnittene und in 1 Esslöffel Butter angedünstete Champignons ersetzen (Foto).
Die restliche Brühe mit einer Einlage als Suppe verwenden oder als Basis für eine Sauce. Die Brühe kann auch eingefroren werden.

Coq au vin (Huhn in Wein)
Mit Alkohol

Zubereitungszeit: etwa 80 Minuten

5 Schalotten oder kleine Zwiebeln
250 g Champignons
120 g magerer geräucherter Speck
1 küchenfertiges Hähnchen (etwa 1,3 kg)
Salz
frisch gemahlener Pfeffer
getrockneter, gerebelter Thymian
40 g Butterschmalz oder 4 EL Speiseöl, z. B. Sonnenblumenöl
1 Knoblauchzehe
etwa 500 ml (1/2 l) Rotwein (Burgunder)
20 g weiche Butter
10 g Weizenmehl

Pro Portion:
E: 57 g, F: 30 g, Kh: 7 g, kJ: 2469, kcal: 589

1 Schalotten oder Zwiebeln abziehen und vierteln. Von den Champignons die Stielenden abschneiden, Pilze mit Küchenpapier abreiben, eventuell abspülen, trockentupfen und halbieren. Speck in Streifen schneiden.

2 Hähnchen von innen und außen unter fließendem kalten Wasser abspülen, trockentupfen, in etwa 8 Teile zerlegen und mit Salz, Pfeffer und Thymian würzen, dabei etwas von den Gewürzen unter die Haut schieben (dafür die Haut mit den Fingern etwas lockern und leicht anheben).

3 10 g Butterschmalz oder 1 Esslöffel Öl in einer großen Pfanne oder einem Bräter erhitzen. Die Champignons darin unter Rühren andünsten, mit Salz und Pfeffer würzen, herausnehmen und beiseite stellen.

4 Die Speckstreifen und 10 g Butterschmalz oder 1 Esslöffel Öl in die Pfanne (Bräter) geben und den Speck darin ausbraten. Schalotten- oder Zwiebelviertel zu dem Speck geben und von allen Seiten bräunen. Schalotten und Speck aus der Pfanne (Bräter) nehmen und beiseite stellen.

5 Das restliche Butterschmalz oder Öl in der Pfanne (Bräter) erhitzen. Die Hähnchenteile darin von allen Seiten anbraten. Knoblauch abziehen, durch die Knoblauchpresse zu den Hähnchenteilen drücken und 500 ml (1/2 l) Rotwein hinzugießen. Die Hähnchenteile bei schwacher Hitze etwa 30 Minuten mit Deckel garen, dabei zwischendurch einmal wenden.

6 Die garen Hähnchenteile herausnehmen und warm stellen. Die Sauce durch ein Sieb in ein Litermaß geben, das Fett mit einem Löffel abnehmen (entfetten), die Sauce mit Rotwein auf 400 ml auffüllen, wieder in die Pfanne (Bräter) geben und zum Kochen bringen.

7 Butter mit Mehl verkneten, mit dem Schneebesen in die kochende Flüssigkeit rühren und kurz aufkochen lassen. Die Speck-Schalotten-(Zwiebel)-Mischung und die Champignons wieder in die Sauce geben und 5-7 Minuten schwach kochen.

8 Die Sauce mit Salz und Pfeffer abschmecken. Die Hähnchenteile ebenfalls in die Sauce geben.

Beilage: Petersilienkartoffeln (S. 280), Reis oder Baguette und grüner Salat.

Gefüllte Gans
Für Gäste (8 Portionen)

Zubereitungszeit: etwa
4 ³/₄ Stunden

**1 küchenfertige Gans
(4-4 ¹/₂ kg)
Salz
frisch gemahlener Pfeffer
getrockneter, gerebelter
Majoran oder Beifuß**

Für die Füllung:
**50 g durchwachsener
Speck
2 Zwiebeln
20 g Butter oder
Margarine
etwa 8 Brötchen
(Semmeln, 300 g) vom
Vortag
300 ml Milch
4 Eier (Größe M)
2 EL gehackte Petersilie
Salz
2 Äpfel**

**heißes Wasser
1 Bund Suppengrün
kaltes Wasser
10 g Weizenmehl**

Außerdem:
**Küchengarn oder
Holzstäbchen**

Pro Portion:
E: 62 g, F: 59 g, Kh: 27 g,
kJ: 3779, kcal: 895

1 Die Gans von innen und außen unter fließendem kalten Wasser abspülen, trockentupfen und innen mit Salz, Pfeffer und Majoran oder Beifuß bestreuen oder einreiben.

2 Für die Füllung Speck in Würfel schneiden. Zwiebeln abziehen und fein würfeln. Butter oder Margarine in einer Pfanne erhitzen. Die Speckwürfel darin knusprig braten. Dann die Zwiebelwürfel hinzufügen, glasig dünsten und beiseite stellen.

3 Den Backofen bei Ober- und Unterhitze vorheizen. Brötchen in kleine Würfel schneiden und in eine Schüssel geben. Milch in einem kleinen Topf einmal aufkochen, über die Brötchenwürfel gießen und gut verrühren. Die Speck-Zwiebel-Masse unterrühren und die Masse abkühlen lassen.

4 Eier und Petersilie unterrühren und die Masse mit Salz würzen. Äpfel waschen, schälen, halbieren, entkernen, raspeln und mit der Masse vermengen. Die Füllung in das Innere der Gans geben, die Öffnung mit Küchengarn zunähen oder mit Holzstäbchen verschließen. Die Gans außen mit Salz, Pfeffer und Majoran oder Beifuß einreiben.

5 Eine Fettfangschale im unteren Drittel in den Backofen schieben und 125 ml (¹/₈ l) heißes Wasser hineingießen. Die Gans mit der Brust nach unten auf einen Rost legen und den Rost oberhalb der Fettfangschale in den Backofen schieben. Während des Bratens ab und zu unterhalb der Flügel und Keulen in die Gans stechen, damit das Fett besser ausbraten kann.

Ober-/Unterhitze: etwa 200 °C (vorgeheizt), Heißluft: etwa 180 °C (nicht vorgeheizt), Gas: Stufe 3-4 (nicht vorgeheizt), Bratzeit: etwa 45 Minuten.

6 Das angesammelte Fett abschöpfen und die Gans **weitere 45 Minuten braten,** zwischendurch das Fett wieder abschöpfen. Sobald der Bratensatz bräunt, so viel heißes Wasser hinzugießen, dass das Wasser in der Fettfangschale etwa 1 cm hoch steht. Die Gans ab und zu mit dem Bratensatz begießen, verdampfte Flüssigkeit nach und nach durch heißes Wasser ersetzen.

7 In der Zwischenzeit Suppengrün vorbereiten: Knollensellerie und Möhren putzen, waschen und abtropfen lassen. Porree (Lauch) putzen, die Stange längs halbieren, gründlich waschen und abtropfen lassen. Die vorbereiteten Zutaten in Stücke schneiden.

8 Die Gans wenden, das vorbereitete Suppengrün in die Fettfangschale geben und **weitere etwa 2 Stunden** braten.

9 50 ml kaltes Wasser mit $^1\!/_2$ Teelöffel Salz verrühren, die Gans **etwa 10 Minuten vor Ende der Bratzeit** damit bestreichen und **die Temperatur um 20 °C erhöhen,** damit die Haut schön kross wird. Die gare Gans vom Rost nehmen und 5–10 Minuten zugedeckt ruhen lassen.

10 Die Fettfangschale auf die Kochstelle stellen, den Bratensatz mit etwas Wasser loskochen, durch ein Sieb streichen, mit Wasser auf 600 ml auffüllen, in einen Topf geben und zum Kochen bringen. Mehl mit 50 ml Wasser anrühren, mit einem Schneebesen in die kochende Flüssigkeit einrühren, dabei darauf achten, dass keine Klümpchen entstehen. Die Sauce zum Kochen bringen und bei schwacher Hitze etwa 5 Minuten ohne Deckel leicht kochen lassen, dabei gelegentlich umrühren. Die Sauce mit Salz, Pfeffer und Majoran abschmecken. Die Gans in Portionsstücke schneiden (tranchieren), auf einer vorgewärmten Platte anrichten und mit der Sauce servieren.

Beilage: **Kartoffelklöße (S. 292) und Rotkohl (S. 227) oder Rosenkohl (S. 227).**

Brathähnchen
Für Kinder

1 Den Backofen bei Ober- und Unterhitze vorheizen. Hähnchen von innen und außen unter fließendem kalten Wasser abspülen, trockentupfen, mit Salz, Pfeffer und Paprikapulver einreiben und mit Butter oder Öl bestreichen.

2 Zwiebel abziehen und würfeln. Möhren schälen, Grün und Spitzen abschneiden, Möhren waschen, abtropfen lassen und in Scheiben schneiden. Tomaten waschen, abtropfen lassen, kreuzweise einschneiden, kurz in kochendes Wasser legen und in kaltem Wasser abschrecken. Tomaten enthäuten, die Stängelansätze herausschneiden und Tomaten vierteln. Rosmarin kalt abspülen, trockentupfen und die Nadeln von den Stängeln zupfen.

3 Zwiebelwürfel, Möhrenscheiben und Tomatenviertel mit Rosmarinnadeln und in Stücke gebrochenem Lorbeerblatt, Hühnerbrühe und Hähnchen in einen Bräter geben. Den Bräter ohne Deckel auf dem Rost in den Backofen schieben.

Ober-/Unterhitze: **etwa 200 °C (vorgeheizt),** Heißluft: **etwa 180 °C (nicht vorgeheizt),** Gas: **Stufe 3–4 (nicht vorgeheizt),** Bratzeit: **etwa 60 Minuten.**

(Fortsetzung Seite 112)

Zubereitungszeit: etwa 80 Minuten

1 Hähnchen (etwa 1,3 kg)
Salz
frisch gemahlener Pfeffer
Paprikapulver edelsüß
20 g zerlassene Butter
oder 2 EL Speiseöl, z. B.
Sonnenblumenöl
1 Zwiebel
200 g Möhren
130 g Tomaten
1–2 Zweige Rosmarin
1 Lorbeerblatt
125 ml ($^1\!/_8$ l) Hühner-
brühe

Pro Portion:
E: 49 g, F: 27 g, Kh: 3 g,
kJ: 1908, kcal: 456

4   Das gare Hähnchen aus dem Bräter nehmen und zugedeckt
     5–10 Minuten ruhen lassen.

5   Eventuell noch etwas Wasser zu dem Bratensatz geben, ihn nach
     Belieben mit dem Gemüse durch ein Sieb streichen und mit Salz,
     Pfeffer und Paprikapulver abschmecken. Das Hähnchen mit einem
     Messer oder einer Geflügelschere in Stücke teilen (tranchieren),
     auf einer Platte anrichten und mit der Sauce servieren.

     Beilage: **Pommes frites oder Curryreis (S. 304) und Brokkoli (S. 207).**

Hähnchenbrust mit Mozzarella
Schnell

Zubereitungszeit: etwa 30 Minuten

**4 Hähnchenbrustfilets
ohne Haut (je etwa 150 g)
Salz
frisch gemahlener
schwarzer Pfeffer
2 große Tomaten
125 g Mozzarella-Käse
3 EL Speiseöl, z. B.
Sonnenblumenöl
einige Basilikumblättchen**

Pro Portion:
E: 42 g, F: 9 g, Kh: 1 g,
kJ: 1047, kcal: 250

1   Den Backofengrill vorheizen. Hähnchenbrustfilets unter fließendem
     kalten Wasser abspülen, trockentupfen, salzen und pfeffern.

2   Tomaten waschen, abtrocknen, die Stängelansätze heraus-
     schneiden und Tomaten jeweils in 4 Scheiben schneiden.
     Mozzarella abtropfen lassen und in 8 Scheiben schneiden.

3   Öl in einer hitzebeständigen Pfanne erhitzen. Die Hähnchen-
     brustfilets darin in etwa 10 Minuten von beiden Seiten braten.

4   Jedes Filet zuerst mit je 2 Tomatenscheiben belegen und mit
     Pfeffer bestreuen, dann mit je 2 Mozzarellascheiben belegen
     und ebenfalls mit Pfeffer bestreuen.

5   Die Pfanne auf dem Rost unter den vorgeheizten Grill in den
     Backofen schieben und die Filets 5–10 Minuten übergrillen, bis
     der Käse zerläuft (wer keine hitzebeständige Pfanne hat, kann
     die Filets auch nach dem Anbraten in eine Auflaufform umfüllen).

6   Die übergrillten Filets vor dem Servieren mit Basilikumblättchen
     garnieren.

     Beilage: **Butterreis oder Knoblauchtoast und Eisbergsalat (S. 250).**

     **Tipp: Wenn Sie keinen Backofengrill haben, die Pfanne (Auflaufform) bei
     etwa 220 °C (Ober-/Unterhitze), etwa 200 °C (Heißluft) oder Stufe 4–5 (Gas)
     auf dem Rost in den vorgeheizten Backofen schieben und 5–10 Minuten über-
     backen, bis der Käse zerläuft.**

Hähnchenkeulen (Foto links unten)

Beliebt

Zubereitungszeit: etwa 55 Minuten

**4 Hähnchenkeulen
(je etwa 250 g)**
1/2 TL Salz
**1 Msp. frisch gemahlener
Pfeffer**
**1 TL Paprikapulver
edelsüß**
**2–3 EL Speiseöl,
z. B. Sonnenblumenöl**

Pro Portion:
E: 34 g, F: 21 g, Kh: 0 g,
kJ: 1369, kcal: 327

1 Den Backofen bei Ober- und Unterhitze vorheizen. Hähnchen-keulen kalt abspülen, trockentupfen und eventuell Rückenstück, Fett und Hautreste abschneiden.

2 Salz, Pfeffer und Paprikapulver mit Öl verrühren. Die Hähnchen-keulen damit einreiben und in eine Fettfangschale legen. Die Fett-fangschale auf der mittleren Schiene in den Backofen schieben.

Ober-/Unterhitze: etwa 200 °C (vorgeheizt), Heißluft: etwa 180 °C (nicht vorgeheizt), Gas: Stufe 3-4 (nicht vorgeheizt), Bratzeit: etwa 45 Minuten.

Beilage: Pommes frites (S. 287), Kartoffelsalat (S. 270) oder Bratkartoffeln (S. 288) und Erbsen (S. 208) oder Möhren (S. 204).

Abwandlung 1: Für **Tandoori-Hähnchenkeulen** (Foto rechts unten) 125 g Naturjoghurt (3,5 % Fett) glatt rühren. 1 Knoblauchzehe abziehen und durch die Knoblauchpresse zu dem Joghurt drücken. 1/2 Teelöffel Salz, 1-1 1/2 Teelöffel Paprikapulver edelsüß, 1/2-1 Teelöffel Madrascurry, knapp 1/2 Teelöffel gemahlener Zimt, 1 kleine Messerspitze Cayennepfeffer und 1 Prise gemahlene Gewürznelken unterrühren. Die wie oben in Punkt 1 vorbereiteten Hähnchenkeulen mit der Marinade bestreichen, in eine flache Schale legen und zugedeckt mindestens 2 Stunden oder über Nacht kalt stellen. Die Keulen wie oben angegeben in eine Fettfangschale geben, noch-mals mit der Marinade bestreichen und wie oben angegeben braten. Die Keulen nach Belieben nach der Hälfte der Bratzeit nochmals mit der Marinade bestreichen und mit Sesamsamen bestreuen.

Abwandlung 2: Für pikante **Chili-Hähnchenkeulen** (Foto links oben) 4 gehäufte Esslöffel scharfe Chilisauce mit 1 durchgepressten Knoblauchzehe, 1 Teelöffel Balsamico-Essig, 1 Teelöffel flüssigen Honig und 1 Esslöffel Speise-öl (z. B. Sonnenblumenöl) unterrühren. Die wie oben in Punkt 1 vorbereiteten Hähnchenkeulen mit der Marinade bestreichen, in eine flache Schale legen und zugedeckt mindestens 2 Stunden oder über Nacht kalt stellen. Die Keulen wie oben angegeben in eine Fettfangschale geben, nochmals mit der Marinade bestreichen und wie oben angegeben braten. Die Keulen während der Bratzeit ab und zu mit der Marinade bestreichen.

Abwandlung 3: Für **Hähnchenkeulen mit Kräuterpanade** (Foto rechts oben) die Hähnchenkeulen wie in Punkt 1 angegeben vorbereiten und mit Salz, Pfeffer und Paprikapulver edelsüß einreiben. 4-5 Esslöffel gemischte, gehackte Kräuter (frisch oder TK, z. B. Petersilie, Estragon, Schnittlauch) mit 6 Esslöffeln Semmelbröseln mischen. Die Hähnchenkeulen zunächst in Weizenmehl, dann in 1 verschlagenen Ei und zuletzt in der Semmelbrösel-Kräuter-Mischung wenden und die Panade gut andrücken. Die Keulen wie oben angegeben in eine Fettfangschale geben, mit 3-4 Esslöffeln Speiseöl (z. B. Sonnenblumenöl) beträufeln und wie oben angegeben braten.

Amerikanische Erntedank-Pute

Gut vorzubereiten (8-10 Portionen)

Zubereitungszeit: etwa 4 ½ Stunden, ohne Trocken- und Kühlzeit

1 Ciabatta (italienisches Weißbrot, etwa 400 g)
1 küchenfertige Pute (4-5 kg)
1 ¼ l Hühnerbrühe
100 g Möhren
1 Zwiebel
1 Zweig Thymian
6 Stängel Petersilie
1 Lorbeerblatt
200 g Zwiebeln
4 Stangen Staudensellerie
100 g magerer durchwachsener Speck oder Schinken
100 g Butter
2 EL gehackte Petersilie
1 EL gehackte Salbeiblättchen
1 EL gehackte Thymianblättchen
Salz
frisch gemahlener Pfeffer
125 ml (¹/₈ l) Wasser
100 g zerlassene Butter
20 g Weizenmehl

Außerdem:
Küchengarn

Pro Portion:
E: 80 g, F: 51 g, Kh: 25 g,
kJ: 3703, kcal: 884

1 Am Vortag Ciabatta in etwa 2 ½ cm große Würfel schneiden, auf ein Backblech legen und trocknen lassen.

2 Von der Pute Hals, Magen und Herz unter fließendem kalten Wasser abspülen, trockentupfen, mit der Hühnerbrühe in einen großen Topf geben und zum Kochen bringen.

3 In der Zwischenzeit Möhren putzen, waschen und klein schneiden. Zwiebel abziehen und grob würfeln. Thymian und Petersilie abspülen und trockentupfen. Die vorbereiteten Zutaten mit Lorbeerblatt in die Brühe geben, aufkochen lassen, eventuell mehrmals abschäumen und etwa 90 Minuten bei schwacher Hitze ohne Deckel kochen. Die Brühe dann durch ein Sieb geben und bis zum nächsten Tag kalt stellen.

4 Zwiebeln abziehen und würfeln. Vom Staudensellerie Wurzelenden und welke Blätter entfernen, die harten Außenfäden abziehen, die Stangen waschen, abtropfen lassen und in Würfel schneiden. Speck oder Schinken fein würfeln. Butter in einer Pfanne erhitzen. Zwiebel-, Staudensellerie- und Speck- oder Schinkenwürfel zugeben und 5-7 Minuten darin dünsten.

5 Die Brühe vom Vortag entfetten, mit Wasser auf 1 Liter auffüllen und erhitzen. Den Backofen bei Ober- und Unterhitze vorheizen.

6 Brotwürfel in eine große Schüssel geben, Speck-Gemüse-Mischung, Petersilie, Salbei und Thymian und 400-500 ml Brühe zugeben und alles gut vermengen, bis eine locker zusammenhaltende Füllung entsteht. Die Füllung mit Salz und Pfeffer abschmecken.

7 Pute von innen und außen unter fließendem kalten Wasser abspülen, trockentupfen, innen mit Küchenpapier ausreiben und mit Salz einreiben. Die Füllung fest hineindrücken, die Öffnung mit Küchengarn zunähen und die Pute außen mit Salz und Pfeffer einreiben.

8 75 ml von dem Wasser in einen großen Bräter geben, Pute mit der Brust nach unten hineinlegen und mit etwas zerlassener Butter einpinseln. Den Bräter ohne Deckel auf dem Rost auf der unteren Schiene in den Backofen schieben.

Ober-/Unterhitze: **etwa 200 °C (vorgeheizt)**, Heißluft: **etwa 180 °C (nicht vorgeheizt)**, Gas: **Stufe 3-4 (nicht vorgeheizt)**, Bratzeit: **3-3 ½ Stunden.**

(Fortsetzung Seite 118)

9   Die Pute **nach 45 Minuten Bratzeit** mit zerlassener Butter bepinseln und etwas von der restlichen Brühe angießen. **Nach weiteren 45 Minuten** Pute wenden und wieder mit Butter bepinseln. Verdampfte Flüssigkeit nach und nach durch Brühe und eventuell durch Wasser ersetzen. Die Pute zwischendurch mit restlicher Butter bepinseln oder mit Bratensatz begießen.

10 Die gare Pute (beim Einstechen mit einer Metallnadel muss der Fleischsaft klar austreten), aus dem Bräter nehmen und zugedeckt 5-10 Minuten ruhen lassen.

11 Den Bratensatz durch ein Sieb geben, abmessen und mit Wasser auf 600 ml Flüssigkeit auffüllen. Mehl mit den restlichen 50 ml Wasser verrühren, mit einem Schneebesen in die kochende Flüssigkeit einrühren, dabei darauf achten, dass keine Klümpchen entstehen. Die Sauce zum Kochen bringen und bei schwacher Hitze etwa 5 Minuten ohne Deckel kochen lassen, dabei gelegentlich umrühren. Sauce mit den Gewürzen abschmecken.

12 Die Pute in Stücke schneiden (tranchieren), mit der Füllung auf einer vorgewärmten Platte anrichten. Die Sauce dazu reichen.

Beilage: Kartoffeln oder Spätzle (S. 298), Brokkoli (S. 207) oder Fenchel-Orangen-Salat (S. 265) und Preiselbeer-Relish (S. 195).

Tipp: Da Putenfleisch sehr mager ist, kann es leicht austrocknen. Deshalb ist eine Zubereitung bei Ober-/Unterhitze empfehlenswert. Bei der Zubereitung mit Heißluft muss die Flüssigkeitsmenge zum Braten erhöht werden. Außerdem sollte die Pute dann häufiger mit dem Bratensatz begossen werden.

Putencurry Indische Art
Raffiniert

Zubereitungszeit: etwa 25 Minuten

500 g Putenschnitzel
1 Zwiebel
275 g Staudensellerie
250 g säuerliche Äpfel
1 Banane
2 EL Speiseöl, z. B. Sonnenblumenöl

1   Putenschnitzel unter fließendem kalten Wasser abspülen, trockentupfen und in gut $\frac{1}{2}$ cm dicke Streifen schneiden. Zwiebel abziehen und in kleine Würfel schneiden.

2   Vom Staudensellerie Wurzelenden und welke Blätter entfernen, die harten Außenfäden abziehen, die Stangen waschen und abtropfen lassen. Äpfel waschen, schälen, vierteln und entkernen. Banane schälen. Die vorbereiteten Zutaten in Würfel schneiden.

3 Öl in einer großen Pfanne oder einem weiten, flachen Topf erhitzen. Die Fleischstreifen darin kräftig anbraten. Zwiebelwürfel hinzufügen und kurz mitbraten. Mit Curry, Salz, Pfeffer und Ingwer würzen und Brühe zugeben.

4 Selleriewürfel zu dem Fleisch geben und alles etwa 5 Minuten mit Deckel dünsten. Dann Apfel- und Bananenwürfel hinzufügen und alles noch weitere 2-3 Minuten garen.

5 Joghurt mit Speisestärke verrühren, unter die Zutaten rühren und kurz aufkochen. Das Gericht mit Honig, Zitronensaft, Salz, Pfeffer, Curry und Ingwer abschmecken.

Beilage: **Reis und grüner Salat.**

etwa 1 ¹/₂ TL Curry
Salz, Pfeffer
1 Msp. gemahlener Ingwer
200 ml Hühnerbrühe
150 g Naturjoghurt
(3,5 % Fett)
1 TL Speisestärke
1 TL Honig
etwas Zitronensaft

Pro Portion:

E: 33 g, F: 8 g, Kh: 16 g, kJ: 1137, kcal: 272

Panierte Putenschnitzel
Schnell

1 Putenschnitzel unter fließendem kalten Wasser abspülen, trockentupfen und mit Salz, Pfeffer und Curry oder Paprikapulver bestreuen.

2 Ei mit Hilfe einer Gabel in einem tiefen Teller verschlagen. Die Schnitzel zunächst in Mehl, dann in dem Ei und zuletzt in Semmelbröseln oder Sesam wenden und gut andrücken.

3 Butterschmalz in einer Pfanne zerlassen. Die Schnitzel darin von jeder Seite in etwa 6 Minuten bei mittlerer Hitze goldbraun braten.

4 Die Schnitzel auf Küchenpapier abtropfen lassen und mit Zitronenmelisse garniert servieren.

Beilage: **Pommes frites (S. 287), Risotto (S. 305) oder Tomaten-Zwiebel-Salat (S. 259).**

Abwandlung 1: **Nach Belieben die Putenschnitzel mit gebratenem Obst** servieren. Dazu entweder 1 vorbereiteten, in etwa 1 cm dicke Scheiben geschnittenen Apfel und 2 große, in etwa 1 cm dicke Scheiben geschnittene Bananen oder 4 Scheiben Ananas aus der Dose in dem verbliebenen Bratfett kurz von beiden Seiten braten.

Abwandlung 2: **Für Putenschnitzel natur** die Schnitzel nach dem Würzen nur mit Mehl bestäuben, dann wie oben angegeben braten.

Zubereitungszeit: etwa 25 Minuten

4 Putenschnitzel
(je 150 g)
Salz
frisch gemahlener weißer
Pfeffer
Curry oder Paprikapulver
edelsüß
1 Ei
50 g Weizenmehl
50-75 g Semmelbrösel
oder Sesamsamen
75 g Butterschmalz
Zitronenmelisse

Pro Portion:

E: 38 g, F: 10 g, Kh: 9 g, kJ: 1181, kcal: 283

Putenoberkeule mit Gemüse

Für Gäste

Zubereitungszeit: etwa 1 ³/₄ Stunden

4 EL Speiseöl
1 Putenoberkeule
(mit Knochen, etwa 1 kg)
Salz
frisch gemahlener Pfeffer
1 l heißes Wasser oder
Gemüsebrühe
500 g Zwiebeln
200 g Möhren
200 g Knollensellerie
1 kleine Petersilienwurzel
200 g Porree (Lauch)
250 g Tomaten
1-2 Zweige Rosmarin
oder Thymian
150 g saure Sahne
15 g Weizenmehl
evtl. 1-2 EL gehackte
Petersilie

Pro Portion:

E: 44 g, F: 35 g, Kh: 16 g,
kJ: 2338, kcal: 559

1 Öl in eine Fettfangschale geben, auf der mittleren Schiene in den Backofen schieben und den Backofen vorheizen.

2 Putenoberkeule unter fließendem kalten Wasser abspülen, trockentupfen, mit Salz und Pfeffer einreiben, in die heiße Fettfangschale legen und garen.

Ober-/Unterhitze: **etwa 200 °C (vorgeheizt),** Heißluft: **etwa 180 °C (vorgeheizt),** Gas: **Stufe 3-4 (vorgeheizt),** Garzeit: **etwa 70 Minuten.**

3 Sobald der Bratensatz bräunt, etwas heißes Wasser oder Gemüsebrühe hinzugießen. Die Putenkeule ab und zu mit dem Bratensatz begießen, verdampfte Flüssigkeit nach und nach durch Wasser oder Brühe ersetzen.

4 In der Zwischenzeit Zwiebeln abziehen und würfeln. Möhren schälen, Grün und Spitzen abschneiden, Knollensellerie schälen, schlechte Stellen herausschneiden, Petersilienwurzel putzen, schälen. Gemüse waschen und abtropfen lassen. Möhren in etwa 1 ¹/₂ cm dicke Scheiben schneiden. Knollensellerie und Petersilienwurzel grob würfeln.

5 Von dem Porree die Außenblätter entfernen, Wurzelende und dunkles Grün abschneiden, die Stange längs halbieren, gründlich waschen, abtropfen lassen und in etwa 3 cm lange Stücke schneiden. Tomaten waschen, abtrocknen, die Stängelansätze herausschneiden und Tomaten würfeln.

6 Rosmarin- oder Thymianzweige abspülen, trockentupfen, die Nadeln bzw. Blättchen von den Stängeln zupfen und grob zerkleinern.

7 Die Zwiebeln und das vorbereitete Gemüse zu der Putenkeule in die Fettfangschale geben, eventuell noch etwas Wasser oder Brühe zugeben, mit Salz, Pfeffer, Rosmarin oder Thymian würzen und **die Zutaten etwa 20 Minuten bei der oben angegebenen Backofeneinstellung mitbraten.**

8 Die Putenoberkeule mit dem Gemüse auf einer vorgewärmten Platte anrichten und warm stellen.

9 Die Fettfangschale auf die Kochstelle stellen, den Bratensatz mit etwas Wasser loskochen, durch ein Sieb gießen, mit Wasser auf 400 ml auffüllen, in einen Topf geben und zum Kochen bringen.

(Fortsetzung Seite 122)

10 Saure Sahne mit Mehl verrühren, mit einem Schneebesen in die kochende Flüssigkeit einrühren, dabei darauf achten, dass keine Klümpchen entstehen. Die Sauce zum Kochen bringen und bei schwacher Hitze etwa 5 Minuten ohne Deckel leicht kochen lassen, dabei gelegentlich umrühren. Die Sauce mit Salz und Pfeffer abschmecken und zu Keule und Gemüse servieren. Nach Belieben mit Petersilie bestreuen.

Beilage: **Salzkartoffeln (S. 280), Nudeln oder Reis.**

Pikante Chicken Wings (Hähnchenflügel)
Für Gäste

Zubereitungszeit: etwa 60 Minuten

Für die Marinade:
100 ml Hühner- oder Gemüsebrühe
3 EL Tomatenketchup
1 EL brauner Zucker
2 EL Sojasauce
1 EL Weinessig
2 TL Sambal Oelek (scharfe Paste)
1 TL Curry

20 Chicken Wings (Hähnchenflügel, 1,2–1,4 kg)

Außerdem:
Backpapier

Pro Portion:
E: 28 g, F: 26 g, Kh: 6 g,
kJ: 1536, kcal: 366

1 Den Backofen vorheizen. Für die Marinade Hühner- oder Gemüsebrühe mit Ketchup, Zucker, Sojasauce, Essig, Sambal Oelek und Curry in einen Topf geben und unter Rühren aufkochen lassen.

2 Chicken Wings unter fließendem kalten Wasser abspülen, trockentupfen, gegebenenfalls im Gelenk durchtrennen und auf ein gefettetes, mit Backpapier belegtes Backblech legen. Die Chicken Wings dick mit der Marinade bestreichen. Das Backblech auf mittlerer Schiene in den Backofen schieben.

Ober-/Unterhitze: **etwa 200 °C (vorgeheizt)**, Heißluft: **etwa 180 °C (vorgeheizt)**, Gas: **Stufe 3-4 (vorgeheizt)**, Garzeit: **etwa 45 Minuten.**

3 Die Chicken Wings während der Garzeit ab und zu mit der restlichen Marinade bestreichen.

4 Die Chicken Wings heiß oder kalt servieren.

Beilage: **Baguette, Kartoffelsalat (S. 270) oder Pommes frites und Salat.**

Tipp: **Die Marinade eignet sich auch für Grillfleisch, wie Rippchen, Hähnchenkeulen und Nackensteaks.**

Abwandlung: Für **Hähnchennuggets** 300 g Hähnchenbrustfilet unter fließendem kalten Wasser abspülen, trockentupfen, in 3 cm dicke Streifen schneiden und mit 1 Esslöffel Speiseöl bestreichen. 50 g Semmelbrösel mit knapp 1 Teelöffel Salz, 2 Teelöffeln Paprikapulver edelsüß und 1 Teelöffel Curry vermischen, über die Hähnchenteile streuen, dann auf ein mit Backpapier belegtes Backblech legen, in den Backofen schieben und bei der oben angegebenen Backofeneinstellung etwa 20 Minuten garen.

Gebratene Ente

Klassisch

Zubereitungszeit:
2 ¹/₂–2 ³/₄ Stunden

**1 küchenfertige Ente
(2–2 ¹/₂ kg)
Salz
frisch gemahlener Pfeffer
etwa 850 ml Wasser**

Für die Sauce:
**1 geh. EL Weizenmehl
50 ml kaltes Wasser**

Außerdem:
Küchengarn

Pro Portion:
E: 82 g, F: 53 g, Kh: 2 g,
kJ: 3388, kcal: 805

1 Den Backofen bei Ober- und Unterhitze vorheizen. Ente unter fließendem kalten Wasser von innen und außen abspülen, trockentupfen, eventuell Fett aus der Bauchhöhle entfernen und die Ente von innen und außen mit Salz und Pfeffer einreiben.

2 Jeweils Keulen und Flügel zusammenbinden, 50 ml Wasser in einen Bräter geben, Ente mit der Brust nach unten hineinlegen und Bräter ohne Deckel auf dem Rost in den Backofen schieben.

Ober-/Unterhitze: **etwa 180 °C (vorgeheizt),** Heißluft: **etwa 160 °C (nicht vorgeheizt),** Gas: **Stufe 2–3 (nicht vorgeheizt),** Bratzeit: **2 ¹/₄–2 ¹/₂ Stunden.**

3 In der Zwischenzeit Magen, Herz und Hals kalt abspülen und mit 750 ml Wasser in einen Kochtopf geben. 1 Teelöffel Salz hinzufügen, zum Kochen bringen und etwa 30 Minuten bei schwacher Hitze mit Deckel kochen. Dann durch ein Sieb gießen, dabei die Kochbrühe auffangen.

4 Die Ente während der Bratzeit mehrmals unterhalb der Flügel und Keulen einstechen, damit das Fett besser ausbraten kann. **Nach etwa 30 Minuten Bratzeit** das angesammelte Fett abschöpfen (den Vorgang wiederholen). Sobald der Bratensatz bräunt, etwas von der Kochbrühe zugeben. Verdampfte Flüssigkeit nach und nach durch Kochbrühe ersetzen. **Nach etwa 60 Minuten Bratzeit** die Ente umdrehen.

5 100 ml Wasser mit ¹/₂ Teelöffel Salz verrühren, die Ente etwa **10 Minuten vor Ende der Bratzeit** damit bestreichen und **die Temperatur um 20 °C erhöhen,** damit die Haut kross wird.

6 Die gare Ente aus dem Bräter nehmen und zugedeckt 5–10 Minuten ruhen lassen.

7 Den Bratensatz mit etwas Wasser loskochen, durch ein Sieb gießen, entfetten, mit Wasser auf 375 ml (³/₈ l) auffüllen und auf der Kochstelle zum Kochen bringen. Mehl mit kaltem Wasser anrühren, mit einem Schneebesen in die kochende Flüssigkeit einrühren, dabei darauf achten, dass keine Klümpchen entstehen. Die Sauce zum Kochen bringen und bei schwacher Hitze etwa 5 Minuten ohne Deckel leicht kochen lassen, dabei gelegentlich umrühren. Die Sauce mit Salz und Pfeffer abschmecken.

8 Die Ente in Portionsstücke schneiden (tranchieren), auf einer vorgewärmten Platte anrichten und mit der Sauce servieren.

Beilage: **Kartoffelklöße (S. 292) und Rotkohl (S. 227).**

Hähnchengeschnetzeltes Mailänder Art

Mit Alkohol

Zubereitungszeit: etwa 45 Minuten

1 Hähnchenbrustfilet unter fließendem kalten Wasser abspülen, trockentupfen und in dünne Streifen schneiden. Zwiebel abziehen und würfeln.

2 Von dem Porree die Außenblätter entfernen, Wurzelenden und dunkles Grün abschneiden, die Stangen längs halbieren, gründlich waschen, abtropfen lassen und in Streifen schneiden. Möhren schälen, Grün und Spitzen abschneiden, Möhren waschen, abtropfen lassen und in dünne Scheiben schneiden. Von den Champignons Stielenden und schlechte Stellen abschneiden, Pilze mit Küchenpapier abreiben, eventuell abspülen und in Scheiben schneiden.

3 Tomaten waschen, abtropfen lassen, kreuzweise einschneiden, kurz in kochendes Wasser legen und in kaltem Wasser abschrecken. Tomaten enthäuten, die Stängelansätze herausschneiden und Tomaten in Würfel schneiden.

4 Etwa die Hälfte Butterschmalz oder Öl in einer Pfanne erhitzen. Die Hälfte der Fleischstreifen darin etwa 2 Minuten bei starker Hitze anbraten, herausnehmen, mit Salz, Pfeffer und Paprikapulver würzen und beiseite stellen. Die zweite Hälfte in dem restlichen Fett entsprechend anbraten.

5 Butter in dem verbliebenen Bratfett erhitzen. Das vorbereitete Gemüse (außer den Tomatenwürfeln) darin unter Rühren andünsten. Zitronenschale und Oregano hinzufügen und das Gemüse mit Salz und Pfeffer würzen.

6 Mehl darüber stäuben, Weißwein oder Wermut und Sahne unter Rühren hinzufügen und etwa 5 Minuten ohne Deckel bei schwacher Hitze garen.

7 Fleischstreifen und Tomatenwürfel hinzugeben, erhitzen, etwa 5 Minuten bei schwacher Hitze darin ziehen lassen und mit den Gewürzen und Zucker abschmecken.

8 Das Geschnetzelte mit Basilikumstreifen und Parmesan bestreut servieren. Nach Belieben mit Kräuterzweigen garniert servieren.

Beilage: **Reis oder Nudeln und ein gemischter Salat.**

600 g Hähnchenbrustfilet
1 Zwiebel
150 g Porree (Lauch)
150 g Möhren
150 g Champignons
400 g Tomaten
30 g Butterschmalz
oder 3 EL Speiseöl, z. B.
Sonnenblumenöl
Salz
frisch gemahlener Pfeffer
Paprikapulver edelsüß
15 g Butter
$^{1}/_{2}$ TL abgeriebene Zitronenschale (unbehandelt)
1 TL gehackter Oregano
10 g Weizenmehl
125 ml ($^{1}/_{8}$ l) Weißwein
oder Wermut (Noilly Prat)
250 ml ($^{1}/_{4}$ l) Schlagsahne
etwas Zucker
2 EL Basilikumstreifen
2 EL geriebener
Parmesan-Käse
evtl. Kräuterzweige,
z. B. Basilikum, Oregano

Pro Portion:
E: 43 g, F: 34 g, Kh: 11 g,
kJ: 2267, kcal: 542

Entenbrust mit Orangensauce

Mit Alkohol

Zubereitungszeit: etwa 35 Minuten

**2 Entenbrustfilets
(je etwa 300 g)
Salz
frisch gemahlener Pfeffer
2 TL Honig
15 g Butter
3–4 EL Orangenlikör,
z. B. Grand Marnier**

Für die Orangensauce:

**1 Orange (unbehandelt)
1 Becher (150 g)
Crème fraîche
Salz
frisch gemahlener Pfeffer
etwas Honig**

Pro Portion:

E: 28 g, F: 37 g, Kh: 11 g,
kJ: 2118, kcal: 507

1 Entenbrustfilets unter fließendem kalten Wasser abspülen, trockentupfen und mit Salz und Pfeffer bestreuen.

2 Eine Pfanne ohne Fett erhitzen. Die Filets mit der Fettseite nach unten hineinlegen und etwa 6 Minuten braten. Die Filets dann wenden und von der anderen Seite ebenfalls etwa 6 Minuten braten (Foto 1).

3 Kurz vor Beendigung der Bratzeit die Haut der Entenbrustfilets mit Hilfe eines Backpinsels mit Honig bestreichen (Foto 2) und Butter dazugeben. Die Entenbrüste mit Orangenlikör übergießen, aus dem Bratensatz nehmen, auf einer vorgewärmten Platte anrichten und zugedeckt warm stellen.

4 Für die Orangensauce Orange heiß waschen, trockenreiben, dünn schälen und die Schale in sehr feine Streifen schneiden oder mit einem Zestenreißer dünn abziehen. Die Orange halbieren und auspressen.

5 Von dem Bratensatz eventuell das Fett mit einem Löffel abnehmen (entfetten) oder abgießen, Orangensaft und -schale zu dem Bratensatz geben und loskochen. Crème fraîche unterrühren und zum Kochen bringen. Die Sauce mit Salz, Pfeffer und Honig abschmecken, eventuell ausgetretenen Bratensaft von den Entenbrustfilets unterrühren. Die Sauce zu den Filets reichen.

Beilage: Bandnudeln oder Herzoginkartoffeln (S. 291) und Brokkoli (S. 207).

Tipp: Sie können die Entenbrüste auch mit dem Orangenlikör flambieren. Dazu 4–5 Esslöffel Orangenlikör in einem kleinen Pfännchen erwärmen, den Alkohol anzünden und über die Entenbrüste geben (Foto 3).

Cassoulet (Bohnen-Gänse-Topf)

Für Gäste (8 Portionen)

Zubereitungszeit: etwa 3 Stunden, ohne Einweichzeit

500 g getrocknete weiße Bohnen
2 l Wasser
1 kg Eisbein
(in 2 Stücken)
3 Lorbeerblätter
frisch gemahlener Pfeffer
2 Bund Suppengrün
2 Zwiebeln
3 Knoblauchzehen
4 Gänsekeulen
Salz
250 g durchwachsener Speck
1 EL Gänse- oder Schweineschmalz
1 Dose (800 g) geschälte Tomaten
etwa 4 TL getrockneter, gerebelter Thymian
evtl. etwas Gemüsebrühe
¹/₂ Bund Petersilie
4 EL Semmelbrösel

Pro Portion:

E: 54 g, F: 29 g, Kh: 30 g, kJ: 2483, kcal: 592

1 Bohnen in ein Sieb geben, kalt abspülen, abtropfen lassen und über Nacht in dem Wasser in einem großen Topf einweichen.

2 Eisbein unter fließendem kalten Wasser abspülen, zu den Bohnen geben, Lorbeerblätter hinzufügen, mit Pfeffer bestreuen, zum Kochen bringen und etwa 20 Minuten bei schwacher Hitze mit Deckel garen.

3 In der Zwischenzeit Suppengrün vorbereiten: Knollensellerie schälen, schlechte Stellen herausschneiden. Möhren schälen, Grün und Spitzen abschneiden. Sellerie und Möhren waschen und abtropfen lassen. Von dem Porree (Lauch) die Außenblätter entfernen, Wurzelenden und dunkles Grün abschneiden, die Stangen längs halbieren, gründlich waschen und abtropfen lassen. Die vorbereiteten Zutaten in grobe Stücke schneiden.

4 Zwiebeln und Knoblauch abziehen und würfeln. Gänsekeulen unter fließendem kalten Wasser abspülen, trockentupfen und mit Salz und Pfeffer einreiben. Speck in Würfel schneiden.

5 Schmalz in einer großen Pfanne zerlassen. Speckwürfel und Gänsekeulen darin portionsweise rundherum kräftig anbraten, zu den Bohnen geben und etwa 30 Minuten mit Deckel mitgaren.

6 Das Bratfett aus der Pfanne bis auf 2 Esslöffel abgießen. Zwiebel- und Knoblauchwürfel darin andünsten. Vorbereitetes Suppengrün hinzufügen.

7 Tomaten in der Dose etwas zerkleinern, mit dem Saft hinzufügen, aufkochen lassen und alles zu den Bohnen geben. Mit Salz, Pfeffer und 2 Teelöffeln Thymian kräftig würzen und weitere etwa 30 Minuten mit Deckel garen, eventuell nochmals etwas Fett abschöpfen.

8 Den Backofen bei Ober- und Unterhitze vorheizen. Eisbein und Gänsekeulen herausnehmen und das Eisbeinfleisch in Stücke schneiden. Wenn der Topf nicht hitzebeständig ist, alle Zutaten mit einer Schaumkelle aus der Kochflüssigkeit nehmen und in eine große Auflaufform füllen. Bohnen-Topf mit Salz und Pfeffer abschmecken. Die Gänsekeulen und Eisbeinstücke obenauf legen. In der Auflaufform die Kochflüssigkeit wieder hinzugießen, falls die Gänsekeulen nicht damit bedeckt sind, eventuell mit Gemüsebrühe ergänzen.

9 Petersilie abspülen, hacken, die Hälfte mit den Semmelbröseln und 1 Teelöffel Thymian vermischen und über die Zutaten streuen. Den Topf oder die Auflaufform im unteren Drittel auf dem Rost in den Backofen schieben und ohne Deckel garen, bis die Kruste gut gebräunt ist.

Ober-/Unterhitze: **etwa 180 °C (vorgeheizt)**, Heißluft: **etwa 160 °C (nicht vorgeheizt)**, Gas: **Stufe 2–3 (nicht vorgeheizt)**, Garzeit: **etwa 60 Minuten.**

10 Das Cassoulet vor dem Servieren mit den restlichen Kräutern bestreuen.

Entenkeulen auf Spitzkohl
Für Gäste

1 Entenkeulen unter fließendem kalten Wasser abspülen, trockentupfen und mit Salz und Pfeffer bestreuen.

2 Eine Pfanne ohne Fett erhitzen und die Entenkeulen darin von allen Seiten anbraten. Etwas heiße Brühe hinzugießen und die Keulen bei mittlerer Hitze etwa 60 Minuten mit Deckel schmoren, dabei verdampfte Flüssigkeit nach und nach durch heiße Brühe ersetzen und die Keulen ab und zu wenden.

3 In der Zwischenzeit von dem Spitzkohl die äußeren Blätter entfernen, den Kohl vierteln, waschen, abtropfen lassen, den Strunk herausschneiden und den Kohl in Streifen schneiden. Schalotte oder Zwiebel abziehen und würfeln.

4 Butterschmalz oder Öl in einem Topf erhitzen. Die Schalotten- oder Zwiebelwürfel darin andünsten. Die Spitzkohlstreifen hinzufügen, Weißwein hinzugießen und mit Salz und Pfeffer würzen. Den Spitzkohl in 8–15 Minuten mit Deckel gar dünsten, dabei ab und zu umrühren.

5 Die Entenkeulen aus der Pfanne nehmen und zugedeckt etwa 10 Minuten ruhen lassen.

6 Von dem Bratensatz etwas Fett mit einem Löffel abnehmen (entfetten), den Spitzkohl mit der Garflüssigkeit in den Bratensatz geben und kurz durchschmoren lassen. Mit Salz und Pfeffer abschmecken und Petersilie unterrühren. Die Entenkeulen auf dem Spitzkohl anrichten.

Beilage: **Kartoffelklöße (S. 292).**

Tipp: Anstelle von Spitzkohl können Sie auch Wirsing verwenden.

Zubereitungszeit: etwa 80 Minuten

4 Entenkeulen
(je etwa 200 g)
Salz
frisch gemahlener Pfeffer
etwa 100 ml heiße
Gemüse- oder Hühner-
brühe
500 g Spitzkohl
1 Schalotte oder Zwiebel
20 g Butterschmalz oder
2 EL Speiseöl, z. B.
Sonnenblumenöl
125 ml ($^1/_8$ l) Weißwein
1–2 EL gehackte Petersilie

Pro Portion:
E: 35 g, F: 44 g, Kh: 3 g,
kJ: 2374, kcal: 568

Wild

Wild wird eingeteilt in:

Rehwild mit wohlschmeckendem, rotbraunem Fleisch, das in der Jagdzeit von Mai bis Februar frisch auf dem Markt ist.

Rotwild (Hirsche) mit sehr zartem, feinfaserigem, dunklen Fleisch (Jungtiere bis zu 3 Jahren), das in der Jagdzeit von Juni bis Februar frisch angeboten wird. Während der Brunftzeit hat Hirschfleisch oft einen strengen, ausgeprägten Geschmack.

Damwild (Damhirsche) hat ein zarteres Fleisch als Rotwild, das außerdem mit mehr Fettadern durchzogen ist. Im Geschmack ist es dem Rehwild sehr ähnlich. Jagdzeit ist von Juli bis Februar. Damwild wird nicht nur gejagt, es ist auch möglich, die Tiere in Gattern zu halten.

Schwarzwild (Wildschwein) Bei Schwarzwild sollte das Fleisch von jungen Tieren (Frischlingen oder Überläufern) stammen. Fleisch von älteren Tieren ist zäher, fetter, schwerer verdaulich und bekommt eine Speckschicht. Jagdzeit ist von Juni bis Januar für Frischlinge und Überläufer.

Hasen (Feldhasen) bis zu 8 Monaten haben ein sehr zartes Fleisch mit rotbrauner Farbe. Die Fleischqualität ist abhängig vom Alter und dem Lebensraum der Tiere. Jagdzeit ist von Oktober bis Januar.

Fasanen sind bratfertig etwa hühnergroß mit zartem, saftigen Fleisch vor allem bei jüngeren Tieren. Jagdzeit ist von Oktober bis Januar. Fasanen werden mittlerweile oft in Zuchtbetrieben gehalten.

Rebhühner sind gut taubengroß und haben besonders als Jungtiere ein zartes Fleisch mit feinem Geschmack. Jagdzeit ist von September bis Dezember.

Vorbereitung

Wild kommt überwiegend abgezogen und zerlegt in den Handel. Die handelsüblichen Wildteile sind:
• Rücken, Keulen (Schlegel), ganze Hasen zum Braten.
• Schulter (Blatt), Vorderläufe zum Schmoren.
• Hals, Bauch, Brust zum Kochen.
Wildfleisch sollte nur gut durchgegart verzehrt werden.

Häuten

Wildfleisch (außer Wildgeflügel) muss vor der Verarbeitung enthäutet werden. Dazu ein spitzes, sehr scharfes Messer vorsichtig unter die sehnige Haut schieben und einschneiden. Dann das abgeschnittene Sehnenende mit der Hand etwas abziehen, das Messer mit der Klinge etwas nach oben richten und die Häute in breiten Streifen ablösen.

Beizen/Marinieren

Als „Beizen" bezeichnet man das Einlegen oder Marinieren von Fleisch zur Geschmacksabwandlung oder zur Milderung des manchmal starken Wildgeschmacks. Es wird vor allem bei älteren Tieren und bei preiswerteren Stücken angewendet. Das Wildfleisch wird 12 Stunden bis zu 4 Tage gebeizt (tiefgefrorenes Fleisch vorher auftauen lassen). Dadurch wird es zarter und mürber, verliert etwas von dem teilweise starken Wildgeschmack und nimmt die Geschmacksstoffe der Beize/Marinade an. Die Beize/Marinade enthält neben den Hauptbestandteilen wie Essig, Wein oder Buttermilch Gewürze und Zwiebeln. Die Gewürze sollten nicht zu stark dosiert werden, um ein Überwürzen zu vermeiden. Die Beize/Marinade nicht salzen, da Salz das Fleisch austrocknet. Soviel Beize verwenden, dass das Wildfleisch vollständig bedeckt ist. Das Beizgut in der Beize/Marinade zudecken und kalt stellen.

Grundrezept für eine Rotweinmarinade: 200 g Zwiebeln, 150 g Möhren, 150 g Knollensellerie putzen, in grobe Stücke schneiden, mit 2 Zweigen Thymian, 1 Esslöffel leicht zerdrückten Wacholderbeeren, 1 Esslöffel schwarzen Pfefferkörnern, 4 Gewürznelken und 2 Lorbeerblättern mischen und auf dem Fleisch verteilen. 1 Liter Rotwein mit 40 ml rotem Portwein mischen und darüber gießen.

Bardieren und spicken

Beim Spicken werden Speckstreifen mit Hilfe einer Spicknadel schräg zur Fleischfaser eingezogen. Dabei können die Fleischfasern verletzt werden,

der Fleischsaft kann austreten und das Fleisch wird trocken. Wenn Sie bereits gespickte Wildteile kaufen, sollten Sie den Speck überprüfen, da er während der Lagerung ranzig werden kann.

Um das Austrocknen des Fleisches beim Garen zu vermeiden, wird mageres Wild mit fetten oder durchwachsenen Speckscheiben umwickelt (bardiert) und der Speck mit Küchengarn festgebunden. Der Speck kann nach dem Garen wieder entfernt werden, das Fleisch bleibt saftig. Besonders das magere Wildgeflügelfleisch sollte bardiert werden, damit es nicht austrocknet.

Der Speck wird nach der Zubereitung entfernt und kann nach Belieben mitgegessen werden.

Hasen- oder Rehrücken tranchieren

Ein fertig gegarter Hasen- oder Rehrücken wird folgendermaßen tranchiert (in Portionsstücke zerlegt):

- Den Rücken mit dem Knochen nach unten auf ein Brett legen.
- Am Mittelknochen entlang mit einem scharfen Messer einschneiden, dann am unteren Knochen entlang auslösen.
- An der Knochenunterseite befindliche, kleine Filets auslösen.

- Das ausgelöste Rückenfleisch in Stücke oder Scheiben schneiden und mit den Filets auf einer vorgewärmten Platte anrichten.

Wenn es schnell gehen soll, können Sie den Rücken auch roh auslösen und kurz braten.

Gefrorenes Wildfleisch

Tiefgeforen ist Wildfleisch das ganze Jahr über im Handel. Das Fleisch wird durch den Gefriervorgang zarter. Gefrorenes Wildfleisch kann bei –18 °C bis zu einem Jahr, Wildgeflügel 8–10 Monate aufbewahrt werden. Gefrorenes Wildfleisch zugedeckt im Kühlschrank auftauen lassen, aufgetautes Fleisch sofort weiterverarbeiten.

Badischer Rehrücken

Mit Alkohol

Zubereitungszeit: etwa 90 Minuten

1 Rehrücken mit Knochen (etwa 1,6 kg)
Salz
frisch gemahlener Pfeffer
75 g durchwachsener Speck in Scheiben
1 Zwiebel
50 g Knollensellerie
100 g Möhren
5 Wacholderbeeren
125 ml (¹/₈ l) trockener Rotwein oder Gemüsebrühe
2-3 Birnen, z. B. Williams Christ
200 ml lieblicher Weißwein
Saft von 1 Zitrone
200 ml trockener Rotwein
250 ml (¹/₄ l) Schlagsahne
180 g Preiselbeerkompott
evtl. dunkler Saucenbinder

Pro Portion:

E: 67 g, F: 31 g, Kh: 29 g,
kJ: 2925, kcal: 699

1 Den Backofen bei Ober- und Unterhitze vorheizen. Rehrücken unter fließendem kalten Wasser abspülen, trockentupfen und enthäuten (Foto 1). Rehrücken mit Salz und Pfeffer einreiben, in einen mit Wasser ausgespülten Bräter legen und mit Speckscheiben belegen.

2 Zwiebel abziehen und fein würfeln. Knollensellerie und Möhren putzen, schälen, waschen, abtropfen lassen und würfeln. Gemüse in den Bräter geben. Den Bräter ohne Deckel auf dem Rost in den Backofen schieben. Sobald der Bratensatz bräunt, Wacholderbeeren und Rotwein oder Gemüsebrühe dazugeben.

Ober-/Unterhitze: **etwa 200 °C (vorgeheizt),** Heißluft: **etwa 180 °C (nicht vorgeheizt),** Gas: **Stufe 3-4 (nicht vorgeheizt),** Bratzeit: **35-50 Minuten.**

3 In der Zwischenzeit Birnen waschen, halbieren, entkernen (am besten mit Hilfe eines Kugelausstechers, Foto 2). Die Birnenhälften mit Weißwein und Zitronensaft zum Kochen bringen und etwa 10 Minuten bei mittlerer Hitze mit Deckel dünsten. Die Birnen mit einer Schaumkelle aus der Flüssigkeit nehmen und erkalten lassen.

4 Das gare Fleisch aus dem Bräter nehmen und etwa 10 Minuten zugedeckt ruhen lassen. Den Bratensatz mit Rotwein loskochen, mit dem Gemüse durch ein Sieb streichen, zum Kochen bringen und die Sahne einrühren. 2 Esslöffel Preiselbeerkompott dazugeben, wieder zum Kochen bringen und 3-5 Minuten sprudelnd kochen lassen. Eventuell ausgetretenen Fleischsaft von dem ruhenden Fleisch unterrühren. Die Sauce nach Belieben mit Saucenbinder binden und nochmals mit den Gewürzen abschmecken.

5 Speckscheiben entfernen. Das Fleisch von dem Knochengerüst lösen, in Scheiben schneiden, wieder auf das Knochengerüst legen (Foto 3) und auf einer vorgewärmten Platte anrichten.

6 Die Birnenhälften mit übrigem Preiselbeerkompott füllen und um den Rehrücken legen. Die Sauce getrennt dazu reichen.

Beilage: **Spätzle (S. 298), Pilze und Rotkohl (S. 227).**

Rehkeule
Gefriergeeignet (6 Portionen)

Zubereitungszeit: etwa 3 Stunden, ohne Marinierzeit

1 ½ kg Rehkeule mit Knochen
3 EL Speiseöl, z. B. Sonnenblumenöl
je 1 TL getrockneter, gerebelter Majoran und Thymian
1 TL getrockneter, geschnittener Rosmarin
100 g fetter Speck in dünnen Scheiben
Salz
frisch gemahlener Pfeffer
etwa 150 ml heißer Wildfond oder Gemüsebrühe
1 Zwiebel
100 g Möhren
150 g Porree (Lauch)

Für die Sauce:
125 ml (⅛ l) Rotwein
250 ml (¼ l) Wildfond oder Gemüsebrühe
100 ml Schlagsahne
20 g Weizenmehl
3 EL kaltes Wasser
3 EL Preiselbeeren (aus dem Glas)
einige Thymianblättchen

Pro Portion:
E: 46 g, F: 19 g, Kh: 6 g,
kJ: 1640, kcal: 392

1 Rehkeule unter fließendem kalten Wasser abspülen, trockentupfen und enthäuten. Öl mit Majoran, Thymian und Rosmarin verrühren, die Keule damit bestreichen und zugedeckt über Nacht im Kühlschrank stehen lassen.

2 Den Backofen bei Ober- und Unterhitze vorheizen. Die Hälfte von den Speckscheiben in einen mit Wasser ausgespülten Bräter legen. Die Rehkeule mit Salz und Pfeffer bestreuen, auf die Speckscheiben in den Bräter legen und mit den restlichen Speckscheiben bedecken. Den Bräter ohne Deckel auf dem Rost in den Backofen schieben.

Ober-/Unterhitze: **etwa 200 °C (vorgeheizt)**, Heißluft: **etwa 180 °C (nicht vorgeheizt)**, Gas: **Stufe 3-4 (nicht vorgeheizt)**, Bratzeit: **etwa 60 Minuten.**

3 Sobald der Bratensatz zu bräunen beginnt, 150 ml heißen Fond oder Brühe hinzugießen. Das Fleisch ab und zu mit dem Bratensatz begießen, verdampfte Flüssigkeit nach und nach durch heißes Wasser oder Brühe ersetzen.

4 In der Zwischenzeit Zwiebel abziehen. Möhren schälen, Grün und Spitzen abschneiden, Möhren waschen und abtropfen lassen. Von dem Porree die Außenblätter entfernen, Wurzelende und dunkles Grün abschneiden, die Stange längs halbieren, gründlich waschen und abtropfen lassen. Die Zutaten grob zerkleinern. Nach Ende der Bratzeit Gemüse in den Bräter geben und **weitere 60-90 Minuten mitbraten.**

5 Das gare Fleisch vor dem Schneiden etwa 10 Minuten zugedeckt ruhen lassen, damit sich der Fleischsaft setzt. Speck entfernen. Das Fleisch in Scheiben schneiden und auf einer vorgewärmten Platte anrichten.

6 Für die Sauce den Bratensatz mit Rotwein und Wildfond oder Gemüsebrühe loskochen, mit dem Gemüse durch ein Sieb streichen und mit Sahne zum Kochen bringen. Mehl und Wasser mit dem Schneebesen glatt rühren, unter Rühren in die kochende Flüssigkeit geben, dabei darauf achten, dass keine Klümpchen entstehen und die Sauce ohne Deckel etwa 5 Minuten unter gelegentlichem Umrühren leicht kochen lassen. Preiselbeeren, Thymianblättchen und eventuell ausgetretenen Fleischsaft unterrühren. Die Sauce mit Salz und Pfeffer würzen und zu dem Fleisch servieren.

Beilage: **Salzkartoffeln (S. 280)** oder **Kartoffelklöße (S. 292)** und **Rotkohl (S. 227)** oder **Rosenkohl (S. 227).**

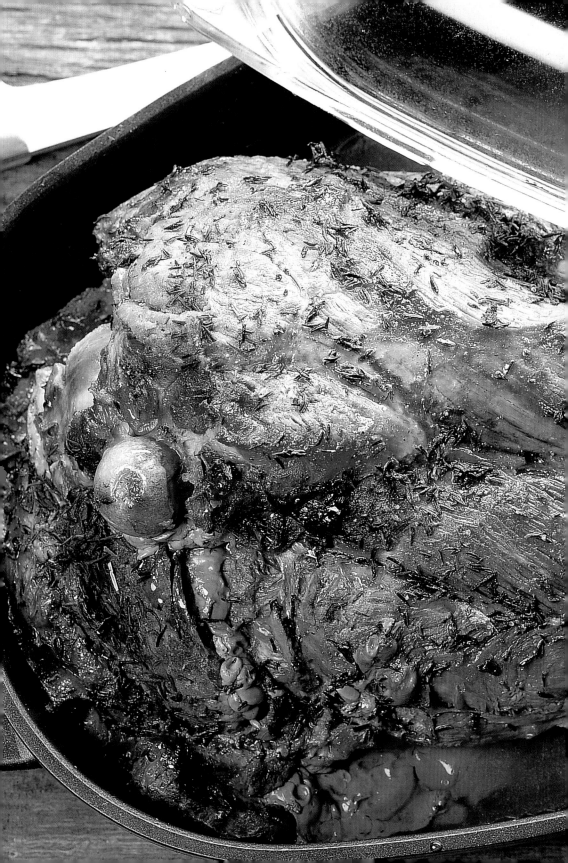

Wildschweinkeule
Für Gäste (4–5 Portionen)

Zubereitungszeit: etwa
2 ³/₄ Stunden, ohne Marinierzeit

**1 kg Wildschweinkeule
ohne Knochen
1 l Buttermilch
1 Bund Suppengrün
Salz
frisch gemahlener Pfeffer
getrockneter,
geschnittener Rosmarin
2 EL Speiseöl, z. B.
Sonnenblumenöl
400 ml heißer Wildfond
oder Gemüsebrühe
5 zerdrückte Wacholder-
beeren
125 ml (¹/₈ l) Rotwein
125 g Champignons oder
Pfifferlinge**

Außerdem:
Küchengarn

Pro Portion:
E: 46 g, F: 12 g, Kh: 4 g,
kJ: 1366, kcal: 326

1 Wildschweinkeule unter fließendem kalten Wasser abspülen, trockentupfen, eventuell enthäuten und mit Küchengarn zusammenbinden. Die Keule in Buttermilch legen und zugedeckt über Nacht kalt stellen.

2 Suppengrün vorbereiten: Knollensellerie schälen, schlechte Stellen herausschneiden, Möhren schälen, Grün und Spitzen abschneiden. Sellerie und Möhren waschen und abtropfen lassen. Von dem Porree (Lauch) die Außenblätter entfernen, Wurzelende und dunkles Grün abschneiden, die Stange längs halbieren, gründlich waschen und abtropfen lassen. Die vorbereiteten Zutaten klein schneiden.

3 Die Keule trockentupfen und mit Salz, Pfeffer und Rosmarin einreiben. Öl in einem Bräter erhitzen. Das Fleisch darin rundherum gut anbraten. Das vorbereitete Suppengrün zugeben und kurz mit anbraten.

4 Etwas heißen Wildfond oder Brühe und die Wacholderbeeren hinzufügen, zum Kochen bringen und das Fleisch etwa 2 Stunden mit Deckel bei mittlerer Hitze schmoren, dabei von Zeit zu Zeit wenden. Verdampfte Flüssigkeit nach und nach durch heißen Wildfond oder Brühe ersetzen.

5 Das gare Fleisch von dem Garn befreien und etwa 10 Minuten zugedeckt ruhen lassen, damit sich der Fleischsaft setzt. Das Fleisch dann in Scheiben schneiden und auf einer vorgewärmten Platte anrichten.

6 Den Bratensatz mit Rotwein loskochen, pürieren und durch ein Sieb streichen. Von den Champignons oder Pfifferlingen Stielenden und schlechte Stellen abschneiden, mit Küchenpapier abreiben, eventuell abspülen und trockentupfen. Champignons in Scheiben schneiden, Pfifferlinge ganz lassen oder halbieren. Die Pilze in der Sauce etwa 5 Minuten gar ziehen lassen.

7 Eventuell ausgetretenen Fleischsaft unter die Sauce rühren, mit Salz, Rosmarin und Pfeffer würzen und zu dem Fleisch servieren.

Beilage: **Salzkartoffeln oder Kartoffelklöße (S. 292) und Rosenkohl (S. 227) oder Wirsing (S. 232).**

Marinierte Wildsteaks
Etwas teurer

1 Die Steaks eventuell enthäuten, unter fließendem kalten Wasser abspülen und trockentupfen.

2 Für die Marinade Zitronensaft mit Öl, Wacholderbeeren, Lorbeerblatt und Thymian oder Rosmarin verrühren. Die Steaks in eine Schüssel geben, mit der Marinade übergießen und etwa 2 Stunden darin im Kühlschrank marinieren, dabei gelegentlich wenden.

3 Eine Pfanne ohne Fett erhitzen. Das Fleisch aus der Marinade nehmen, in die Pfanne geben, von beiden Seiten anbraten, eventuell etwas von dem Wasser hinzufügen und etwa 15 Minuten mit Deckel garen, dabei zwischendurch einmal wenden. Die Steaks mit Salz und Pfeffer würzen und zugedeckt warm stellen.

4 Die übrige Marinade mit dem restlichen Wasser in die Pfanne geben und den Bratensatz loskochen. Sahne und Gelee hinzufügen und gut verrühren. Den ausgetretenen Fleischsaft von den Steaks unterrühren. Die Sauce mit Salz, Pfeffer und nach Belieben Cayennepfeffer abschmecken und zu den Steaks reichen.

Beilage: Salzkartoffeln, gemischter Blattsalat (S. 252) oder Feldsalat und Preiselbeeren oder Preiselbeer-Relish (S. 195).

Tipp: Nach Belieben die Sauce mit etwas dunklem Saucenbinder binden.

Zubereitungszeit: etwa 30 Minuten, ohne Marinierzeit

4 Wildsteaks (je 150 g) vom Reh, Hirsch oder Wildschwein

Für die Marinade:
3 EL Zitronensaft
5 EL Speiseöl, z. B. Sonnenblumenöl
10 zerdrückte Wacholderbeeren
1 Lorbeerblatt in Stückchen
1 TL getrockneter, gerebelter Thymian oder geschnittener Rosmarin

125 ml (¹/₈ l) Wasser
Salz
frisch gemahlener Pfeffer
125 ml (¹/₈ l) Schlagsahne
2 TL Brombeer- oder Johannisbeergelee
evtl. Cayennepfeffer

Pro Portion:
E: 32 g, F: 28 g, Kh: 3 g, kJ: 1632, kcal: 390

Wildragout
Für Gäste

Zubereitungszeit: etwa 90 Minuten

**800 g Wildfleisch ohne
Knochen aus der Keule,
z. B. Hirsch, Reh, Wild-
schwein
75 g durchwachsener
Speck
1 Zwiebel
30 g Butterschmalz
oder 3 EL Speiseöl,
z. B. Sonnenblumenöl
Salz
frisch gemahlener Pfeffer
10 g Weizenmehl
4 Wacholderbeeren
3 Gewürznelken
2 Msp. getrockneter,
gerebelter Thymian
250 ml (¼ l) heiße
Gemüsebrühe oder Wild-
fond
250 g Champignons
oder Pfifferlinge
2 EL Johannisbeergelee
2 EL Portwein
50 g kalte Butter**

Pro Portion:
E: 47 g, F: 25 g, Kh: 8 g,
kJ: 1880, kcal: 449

1 Wildfleisch unter fließendem kalten Wasser abspülen, trocken-
tupfen, enthäuten und in etwa 2 ½ cm große Würfel schneiden
(Foto 1). Speck fein würfeln. Zwiebel abziehen und ebenfalls in
Würfel schneiden.

2 Butterschmalz oder Öl in einem Topf erhitzen. Die Speckwürfel
darin auslassen. Die Fleischwürfel hinzufügen, darin von allen
Seiten gut anbraten und mit Salz und Pfeffer würzen.

3 Zwiebelwürfel hinzufügen und mitbräunen lassen. Mehl darüber
stäuben. Wacholderbeeren, Nelken, Thymian und gut die Hälfte
der heißen Gemüsebrühe oder des Wildfonds hinzugeben, unter
Rühren aufkochen lassen und das Fleisch darin in etwa 55 Minuten bei mittlerer Hitze mit Deckel schmoren. Die verdampfte
Flüssigkeit nach und nach durch Gemüsebrühe oder Wildfond
ersetzen.

4 In der Zwischenzeit von den Pilzen Stielenden und schlechte
Stellen abschneiden (Foto 2), mit Küchenpapier abreiben, eventuell abspülen und trockentupfen (große Pilze halbieren oder
vierteln). Die Pilze zu dem Ragout geben und noch etwa 5 Minuten mitschmoren.

5 Johannisbeergelee (Foto 3) und Portwein unterrühren. Butter in
Flöckchen unterschlagen und das Ragout mit Salz abschmecken.

Beilage: Salzkartoffeln (S. 280), Kartoffelklöße (S. 292) oder Spätzle
(S. 298), Rotkohl (S. 227) oder Rosenkohl (S. 227) und Preiselbeerkompott.

Tipp: Damit das Fleisch zarter und der Wildgeschmack gemildert wird,
können Sie das Wildfleisch im Ganzen über Nacht in Buttermilch einlegen.
Dann gut trockentupfen und in Würfel schneiden.
Die Sauce kann anstatt mit Butter auch mit dunklem Saucenbinder gebunden
werden.

Hasenkeulen mit Kirschen
Einfach

Zubereitungszeit: etwa 75 Minuten

4 Hasenkeulen mit Knochen (je etwa 200 g)
3 EL Speiseöl, z. B. Sonnenblumenöl
getrockneter, gerebelter Thymian
getrockneter, ge-schnittener Rosmarin
Salz
frisch gemahlener Pfeffer
1 Glas Sauerkirschen (Abtropfgewicht 350 g)
Sauerkirschsaft (aus dem Glas) oder Gemüsebrühe
etwas Zucker

Pro Portion:
E: 36 g, F: 13 g, Kh: 18 g, kJ: 1403, kcal: 335

1 Hasenkeulen enthäuten, unter fließendem kalten Wasser ab-spülen, trockentupfen, mit Öl bestreichen, mit Thymian und Rosmarin bestreuen und zugedeckt etwa 2 Stunden im Kühl-schrank durchziehen lassen.

2 Eine Pfanne ohne Fett erhitzen. Die Hasenkeulen mit Salz und Pfeffer bestreuen, unabgetropft in die Pfanne geben und rund-herum gut anbraten.

3 Sauerkirschen in ein Sieb geben und abtropfen lassen, dabei den Saft auffangen. Den Bratensatz mit etwas von dem Sauer-kirschsaft ablöschen und die Keulen in etwa 50 Minuten mit Deckel bei mittlerer Hitze schmoren. Verdampfte Flüssigkeit durch Sauerkirschsaft oder Gemüsebrühe ersetzen.

4 Die Sauerkirschen hinzufügen und noch etwa 10 Minuten mit-schmoren lassen. Die Garflüssigkeit mit Salz, Pfeffer und Zucker abschmecken und als Sauce zu den Hasenkeulen servieren.

Beilage: Bandnudeln, Reis oder warmes Baguette und Rotkohl (S. 227) oder Salat.

Tipp: Die Sauerkirschsauce mit etwas mittelscharfem Senf abschmecken und mit dunklem Saucenbinder binden.

Abwandlung: Für **Hasenkeulen mit Brombeeren** die Hasenkeulen wie oben angegeben vorbereiten und gut anbraten. Mit 150 ml Portwein ablöschen und mit Deckel gar schmoren. Verdampfte Flüssigkeit nach und nach durch etwa 200 ml Gemüsebrühe ersetzen. Etwa 10 Minuten vor Beendigung der Schmor-zeit 300 g TK-Brombeeren zugeben und mitgaren.

Hasenrücken
Für Gäste

1 Zwiebeln abziehen und in Würfel schneiden. Hasenrücken unter fließendem kalten Wasser abspülen, trockentupfen und enthäuten.

2 Öl in einem ovalen Bräter erhitzen. Die Hasenrücken darin rundherum anbraten, mit Salz, Pfeffer und Rosmarin oder Thymian bestreuen und auf der Fleischseite mit den Speckscheiben belegen.

3 Zwiebelwürfel mit Rotwein in den Bräter geben, zum Kochen bringen und das Fleisch etwa 25 Minuten bei mittlerer Hitze mit Deckel schmoren.

4 Das gare Fleisch vor dem Schneiden etwa 10 Minuten zugedeckt ruhen lassen, damit sich der Fleischsaft setzt.

5 Den Bratensatz mit den Zwiebeln pürieren. Tomatenmark und Crème Double unterrühren und die Sauce mit Salz, Pfeffer und Wildpreiselbeeren abschmecken.

6 Nach Belieben die Speckscheiben entfernen. Das Fleisch von den Knochen lösen, in Scheiben schneiden und auf einer vorgewärmten Platte anrichten. Eventuell ausgetretenen Fleischsaft unter die Sauce rühren. Die Sauce zu dem Fleisch servieren.

Tipp: Anstelle von Crème Double können Sie auch Crème fraîche verwenden. Kaufen Sie möglichst einen ungespickten Hasenrücken, da der dort verwendete Speck bei der Lagerung ranzig werden kann. Außerdem tritt bei gespickten Rücken durch die Verletzung des Fleisches beim Braten Saft aus und der Rücken wird trocken.

Beilage: Spätzle (S. 298), Baguette oder Kroketten und Apfelmus (S. 370) mit Preiselbeerkompott.

Zubereitungszeit: etwa 60 Minuten

2 Zwiebeln
2 Hasenrücken mit Knochen (je etwa 600 g)
2 EL Speiseöl, z. B. Sonnenblumenöl
Salz
frisch gemahlener Pfeffer
1–2 TL getrockneter, geschnittener Rosmarin oder gerebelter Thymian
80 g fetter Speck in dünnen Scheiben
100 ml Rotwein
1 EL Tomatenmark
1 Becher (125 g) Crème Double
1–2 TL Wildpreiselbeeren (aus dem Glas)

Pro Portion:
E: 48 g, F: 32 g, Kh: 3 g, kJ: 2128, kcal: 511

Fasan auf Weinsauerkraut

Etwas teurer

Zubereitungszeit: etwa
1 ¹/₄ Stunden

1 Zwiebel
1 Dose Sauerkraut
(Abtropfgewicht 770 g)
1 kleines Lorbeerblatt
einige Pfefferkörner
einige Wacholderbeeren
Salz
250 ml (¹/₄ l) Weißwein
1 küchenfertiger Fasan
(etwa 1 kg)
6 Scheiben durch-
wachsener Speck
200 g blaue Weintrauben
200 g grüne Weintrauben
etwas Zucker

Kerbel oder Petersilie
Tomatenachtel

Pro Portion:
E: 58 g, F: 16 g, Kh: 19 g,
kJ: 2108, kcal: 503

1 Den Backofen bei Ober- und Unterhitze vorheizen. Zwiebel abziehen, würfeln und mit Sauerkraut, Lorbeerblatt, Pfefferkörnern und Wacholderbeeren vermengen. Mit Salz würzen und in eine Auflaufform oder einen kleinen Bräter geben. Weißwein hinzugießen.

2 Fasan unter fließendem kalten Wasser innen und außen abspülen, trockentupfen, vierteln, innen und außen mit Salz einreiben und auf das Sauerkraut legen (das Sauerkraut sollte möglichst bedeckt sein). Die Viertel mit den Speckscheiben belegen. Die Form (den Bräter) mit Deckel auf dem Rost in den Backofen schieben.

Ober-/Unterhitze: **etwa 200 °C (vorgeheizt)**, Heißluft: **etwa 180 °C (nicht vorgeheizt)**, Gas: **Stufe 3-4 (nicht vorgeheizt)**, Garzeit: **etwa 25 Minuten.**

3 Dann den Deckel abnehmen und das Gericht **etwa 30 Minuten bei der oben angegebenen Backofeneinstellung garen.**

4 In der Zwischenzeit Weintrauben waschen, abtropfen lassen, halbieren und entkernen.

5 Die garen Fasanenviertel aus der Auflaufform (dem Bräter) nehmen und 10 Minuten zugedeckt ruhen lassen.

6 Die Weintrauben zu dem Sauerkraut geben, untermengen und mit Zucker abschmecken. Die Form (den Bräter) mit dem Deckel verschließen und auf dem Rost in den Backofen schieben. Das Sauerkraut **noch etwa 10 Minuten bei der oben angegebenen Backofeneinstellung erhitzen.**

7 Die Fasanenviertel auf dem Sauerkraut auf einer vorgewärmten Platte anrichten und mit Kerbel oder Petersilie und Tomatenachteln garnieren.

Beilage: **Kartoffelpüree (S. 290).**

Tipp: Anstelle von Fasan können Sie auch ein Perlhuhn verwenden.

Fisch & Meeresfrüchte

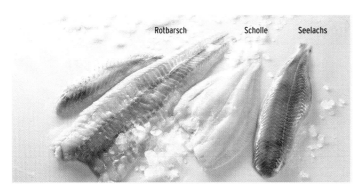

Rotbarsch   Scholle   Seelachs

Fische werden in Salz- und Süßwasserfische eingeteilt. Salzwasserfische leben im Meer, z. B. Rotbarsch, Schellfisch, Kabeljau, Stein-, Glatt- und Heilbutt, Scholle, Seelachs, Seezunge, Tunfisch, Lachs, Makrele, Hering. Die Fische werden nach dem Fang auf Eis gekühlt (nicht gefroren) und kommen sofort in den Handel. Bei längeren Fangreisen wird der Fisch sofort auf dem Fangschiff weiterverarbeitet (z. T. filetiert) und tiefgefroren.

Süßwasserfische leben in Flüssen, Bächen, Seen und Teichen, z. B. Aal, Hecht, Regenbogenforelle, Lachsforelle, Karpfen, Felchen, Zander, Schleie, Wels. Süßwasserfische werden vor dem Schlachten häufig in kleinen Wasserbecken lebend frisch gehalten.

Frischemerkmale
Frische ganze Fische sind zu erkennen an:

1. klaren, prallen Augen mit nach außen gewölbten Linsen.
2. leuchtend roten Kiemen ohne Schleim (Kiemendeckel etwas anheben und darunter sehen).
3. kräftig glänzender Haut, die mit klarem Schleim überzogen ist (verfärbt sich beim Garen im Sud blau).
4. festen Schuppen.
5. frischem Geruch (bei Salzwasserfischen nach Meerwasser oder Seetang).

Bei zerlegtem Fisch ist es schwieriger zu erkennen, ob er frisch ist. Die wichtigsten Kriterien sind der frische Geruch und glatte, glänzende Fischstücke.
Tiefgekühlter Fisch wird fangfrisch auf dem Fangschiff weiterverarbeitet und tiefgefroren, so dass er sehr frisch in den Handel kommt.

Lagerung

Frischfisch sofort nach dem Kauf in eine Glas- oder Porzellanschüssel geben (eventuell zusätzlich eine umgedrehte Untertasse in das Gefäß legen, damit austretende Flüssigkeit ablaufen kann) und mit Klarsichtfolie zugedeckt im Kühlschrank aufbewahren. Den Fisch möglichst noch am selben Tag zubereiten. Tiefgefrorener Fisch hält sich bei -18 °C je nach Fettgehalt 2-5 Monate (Mindesthaltbarkeitsdatum beachten). Er kann in wenigen Stunden bei Zimmertemperatur aufgetaut und sofort weiterverarbeitet werden.

Vorbereitung von Frischfisch

Normalerweise wird Frischfisch küchenfertig, d. h. bereits ausgenommen und zum Teil bereits geschuppt oder als Filet im Handel angeboten.

Fisch schuppen
1. Das Schwanzende des Fisches festhalten (eventuell mit einem Tuch oder Küchenpapier).
2. Mit einem flachen, breiten Messer oder einem Fischschupper die Schuppen vom Schwanzende Richtung Kopf abschaben. Die Schuppen spritzen nicht so stark,

wenn sie unter fließendem Wasser abgeschabt werden.

Fisch häuten
Beispiel Seezunge

1. Die Haut an der Schwanzflosse mit einem scharfen Messer einschneiden.
2. Die Schwanzflosse mit einem Tuch festhalten.
3. Die Haut mit einem Ruck in Richtung Kopf abziehen.
4. Den Fisch umdrehen und auf der Rückseite ebenso verfahren.

Fisch filetieren/filieren
Beispiel Seezunge

1. Den gehäuteten Fisch mit einem scharfen Messer an der Hauptgräte entlang vom Kopf bis zum Schwanz einschneiden.
2. Das obere und untere Filet mit einem flach angesetzten Messer vorsichtig von den Gräten trennen.
3. Den Fisch umdrehen und die beiden Filets der Rückseite ebenso ablösen.

Bei Rundfischen werden nur 2 große Filets ausgelöst:
1. Den Fisch am Rückgrat entlang vom Kopf bis zum Schwanz tief einschneiden.
2. Hinter den Kiemen einschneiden.
3. Das komplette Filet von der Brustgräte her abtrennen.
4. Die Gräte mit einem Messer von dem unteren Filet ablösen.

5. Die Haut mit einem Messer von den Filets ablösen.

Drei-S-System
1. Säubern
Ganzen Fisch oder Fischfilet kurz unter fließendem kalten Wasser abspülen (ganzen Fisch von innen und außen) und trockentupfen. Bei ganzen Fischen, die im Sud gegart werden, dabei die Schleimhaut nicht verletzen.

2. Säuern
Früher wurde Fisch mit etwas Zitronensaft, Essig oder Weißwein beträufelt und 10–15 Minuten zugedeckt im Kühlschrank durchziehen gelassen. Die Säure sollte den Geruch binden und das Fleisch festigen. Heute ist es normalerweise nicht mehr nötig, Fisch zu säuern, da frischer Fisch, der richtig gelagert wurde, keinen Fischgeruch entwickelt. Außerdem wird das Fischfleisch durch das Säuern sehr schnell zu trocken.

3. Salzen
Ganzen Fisch und Fischfilet erst unmittelbar vor dem Zubereiten salzen, denn Salz entzieht dem Gewebe Flüssigkeit, das Fischfleisch wird trocken. Fisch, der mariniert werden soll, nicht salzen.

Fischgeruch

Fischgeruch lässt sich durch einige einfache, aber wirkungsvolle Tipps vermeiden:

- Fisch zugedeckt in einem Gefäß bis zur Verarbeitung im Kühlschrank lagern.
- Hände und mit Fisch in Berührung gekommene Gegenstände mit kaltem Wasser oder noch besser mit Essig oder Zitronensaft einreiben.
- Benutztes Geschirr zuerst mit kaltem Wasser abspülen und erst danach mit heißem Wasser gründlich spülen.

Garmethoden

Für die Zubereitung von Fisch sind folgende Garmethoden geeignet:
Garen im Sud, Dünsten, Dämpfen, Braten, Überbacken, Frittieren, Räuchern.

Fisch ist gar, wenn:

- sich die Flossen und Gräten leicht herausziehen lassen.
- die Augen heraustreten und trüb gefärbt sind.
- sich die Haut vom Fischfleisch leicht abheben lässt.
- sich beim Druck mit der Gabel das Fischfleisch schuppenförmig löst.

Muscheln/Austern

Herzmuschel   Jakobsmuschel

Miesmuschel

Muscheln und Austern sind Meeresbewohner. Ihr seitlich zusammengepresster Körper ist von zwei Schalen umgeben, die an einer Seite scharnierartig zusammengehalten wird. Sie haben ein zartes eiweißreiches Fleisch, das aber schnell verderben kann. Deshalb sind sie als Frischware überwiegend in der kühlen Jahreszeit zu erhalten (Monate mit einem „R"). Ansonsten sind sie auch als Tiefkühlware oder Konserve im Handel. Es gibt viele Arten von Muscheln, z. B. Jakobs-, Kamm-, Herz-, Venus- und Miesmuscheln.

Kauf

- Frische Muscheln nur mit fest verschlossener Schale kaufen. Bereits geöffnete Muscheln wegwerfen, sie sind verdorben.
- Frische Muscheln haben einen frischen Meerwassergeruch.

Vor- und Zubereitung

1. Muscheln in reichlich kaltem Wasser gründlich waschen und einzeln abbürsten, bis sie nicht mehr sandig sind (Muscheln, die sich beim Waschen öffnen, sind ungenießbar!).
2. Eventuell die Byssusfäden/ Bartbüschel entfernen.
3. Die Muscheln in kochende Flüssigkeit geben und mit Deckel unter gelegentlichem Umrühren so lange (etwa 10 Minuten) darin erhitzen (nicht kochen), bis sie sich öffnen (Muscheln, die sich

nach dem Garen nicht öffnen, sind ungenießbar).
4. Die Muscheln mit einer Schaumkelle aus der Kochflüssigkeit herausnehmen und in einer vorgewärmten Schüssel anrichten.

Krustentiere/Krebstiere

Krustentiere sind in Gewässern lebende Gliederfüßler. Ihr Außenskelett (Panzerkleid) ist durch Kalkablagerungen unterschiedlich stark gefestigt. Während der Wachstumsphase werfen die Tiere wiederholt ihren Panzer ab. Sie atmen durch ihre Kiemen. In den Schalen der Tiere befindet sich ein roter Farbstoff, der die Schalen der braunschwarzen Tiere beim Kochen rötlich färbt.

Kurzschwänzige Krustentiere
Tiefseegarnelen, Kaisergranat, Riesengarnelenschwänze, Nordseegarnelen (auch Nordseekrabben genannt).

Garnelen aus dem Panzer drehen

- Die abgekochten Tiere mit einer Hand hinter dem Kopf und mit der anderen Hand am Schwanz anfassen.
- Kopf und Schwanz leicht gegeneinander drücken, drehen und den Kopf abziehen.
- Panzerteil etwas andrücken und das Fleisch herauslösen.
- Bei Riesengarnelen muss zusätzlich der Darm, der etwas unterhalb der Rückenoberseite gelegen ist (als dunkler Faden zu erkennen), entfernt werden.

Dazu den Darm entweder mit dem Messer oder einem Holzstäbchen herausziehen oder die Tiere vorsichtig entlang des Rückens aufschneiden und dann den Darmfaden entnehmen.

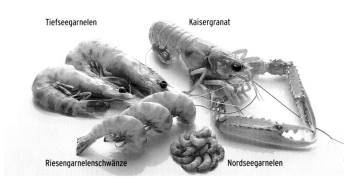

Tiefseegarnelen

Kaisergranat

Riesengarnelenschwänze

Nordseegarnelen

Ausgebackener Fisch

Für Kinder

Zubereitungszeit: etwa 45 Minuten

**600 g Fischfilet, z. B.
Schellfisch-, Kabeljau-
oder Seelachsfilet
Salz
frisch gemahlener Pfeffer**

Für den Ausbackteig:

**100 g Weizenmehl
1 Ei (Größe M)
Salz
125 ml (¹⁄₈ l) Milch
1 EL Speiseöl oder
zerlassene Butter**

**Ausbackfett oder
Speiseöl**

Pro Portion:

E: 31 g, F: 15 g, Kh: 15 g,
kJ: 1355, kcal: 324

1 Fischfilet unter fließendem kalten Wasser abspülen, trockentupfen (Foto 1), in Portionsstücke schneiden und mit Salz und Pfeffer bestreuen.

2 Für den Teig Mehl in eine Schüssel sieben und in die Mitte eine Vertiefung drücken. Ei mit Salz und Milch verschlagen, etwas davon in die Vertiefung geben und von der Mitte aus Eimilch und Mehl mit einem Schneebesen verrühren. Nach und nach die restliche Eimilch und Öl oder Butter hinzugeben. Darauf achten, dass keine Klümpchen entstehen.

3 Die Fischfiletstücke mit Hilfe einer Gabel in den Teig tauchen (Foto 2) und portionsweise schwimmend in siedendem Ausbackfett in etwa 10 Minuten braun und knusprig backen. Den fertigen Fisch auf Küchenpapier abtropfen lassen (Foto 3) und bis zum Servieren warm stellen.

Tipp: Hohe Erhitzbarkeit und Geschmacksneutralität des Fettes sind beim Frittieren von größter Wichtigkeit. Mit einem guten Frittierfett unter Beachtung der vorgeschriebenen Temperaturen können Pommes frites, Fisch, Gemüse, Gebäck und Obst in beliebiger Reihenfolge frittiert werden, ohne dass sich der Geschmack überträgt.
Wenn Sie keine Fritteuse haben, können Sie den Fisch in einer hohen Pfanne oder in einem Topf im Fett ausbacken.

Beilage: Kartoffelsalat (S. 270).

Zanderfilet mit Kartoffelschuppen
Für Gäste

Zubereitungszeit: etwa 50 Minuten

Für das Linsengemüse:

200 g Tellerlinsen
1 Zwiebel
1 EL Speiseöl, z. B.
Sonnenblumen- oder
Olivenöl
500 ml (½ l) Gemüse-
brühe
1–2 Lorbeerblätter
etwa 2 EL Balsamico-
Essig
Salz
frisch gemahlener Pfeffer
Cayennepfeffer
2 EL gehackte Petersilie

Für die Sauce:

1 Schalotte oder 1 kleine
Zwiebel
10 g Butter
80 ml trockener Weißwein
50 ml Wermut
(Noilly Prat)
250 ml (¼ l) Fischfond
200 ml Schlagsahne
½ EL Zitronensaft
1 EL heller Saucenbinder

Für den Fisch:

500 ml (½ l) Wasser
½ TL Salz
300 g kleine, vorwiegend
fest kochende Kartoffeln
25 g Butter
4 kleine Zanderfilets
(je etwa 125 g)
etwas Weizenmehl
1 Ei

1 Für das Linsengemüse Linsen in ein Sieb geben und abspülen. Zwiebel abziehen und würfeln. Öl in einem Topf erhitzen. Die Zwiebelwürfel darin unter Rühren andünsten. Linsen, Gemüsebrühe und Lorbeerblätter zugeben, zum Kochen bringen und 25–30 Minuten bei schwacher Hitze mit Deckel gar köcheln. Die Brühe sollte fast aufgebraucht sein. Sollte beim Garen zu viel Brühe verdampft sein, eventuell noch etwas hinzufügen. Lorbeerblätter entfernen und die Linsen mit Balsamico-Essig, Salz, Pfeffer und Cayennepfeffer würzen. 1 Esslöffel Petersilie unterrühren. Das Linsengemüse warm stellen.

2 Für die Sauce Schalotte oder Zwiebel abziehen und fein würfeln. Butter in einem Topf zerlassen. Die Schalotten- oder Zwiebelwürfel darin andünsten. Mit Weißwein und Wermut ablöschen, ohne Deckel auf die Hälfte einkochen lassen und durch ein Sieb gießen.

3 Fischfond, 150 ml Sahne und Zitronensaft zugeben und erneut auf die Hälfte einkochen lassen. Saucenbinder unterrühren, die Sauce mit Salz und Pfeffer würzen und beiseite stellen. Übrige Sahne anschlagen und kalt stellen.

4 Den Backofen vorheizen. Für den Fisch Wasser in einem Topf zum Kochen bringen. Salz hinzufügen. Kartoffeln waschen, schälen, abspülen, in dünne Scheiben hobeln und etwa 3 Minuten in dem Salzwasser kochen. Die Kartoffelscheiben dann in ein Sieb geben und kalt abspülen.

5 Butter zerlassen. Ein Backblech mit Backpapier belegen und das Papier mit etwas von der Butter einfetten. Zanderfilets unter fließendem kalten Wasser abspülen, trockentupfen, mit Salz und Pfeffer würzen, mit der Hautseite nach oben auf das Backblech legen und mit Mehl bestäuben.

6 Ei mit Hilfe einer Gabel in einem tiefen Teller verschlagen. Die Kartoffelscheiben darin wenden, schuppenförmig auf den Fisch legen, mit der restlichen Butter bepinseln und mit Salz und Pfeffer würzen. Das Backblech in den Backofen schieben.

Ober-/Unterhitze: etwa 220 °C (vorgeheizt), Heißluft: etwa 200 °C (vorgeheizt), Gas: Stufe 4–5 (vorgeheizt), Garzeit: etwa 10 Minuten.

7 **Danach den Grill einschalten und die Kartoffelscheiben in weiteren 3–5 Minuten leicht bräunen.**

(Fortsetzung Seite 152)

Außerdem:
Backpapier

Pro Portion:
E: 41 g, F: 29 g, Kh: 37 g,
kJ: 2527, kcal: 603

8 Die Sauce während der Garzeit des Fisches erhitzen, angeschlagene Sahne unterheben und die Sauce nochmals abschmecken.

9 Das Linsengemüse auf eine vorgewärmte Platte geben, die Fischfilets darauf anrichten und mit der restlichen Petersilie bestreuen. Die Sauce dazu reichen.

Tipp: Wenn Sie keinen Backofengrill haben, stellen Sie den Backofen bei Oberhitze auf 250 °C und schieben das Backblech im oberen Drittel 3–5 Minuten in den Ofen.

Beilage: **Eisbergsalat (S. 250).**

Gebratenes Fischfilet
Für Kinder

Zubereitungszeit: etwa 30 Minuten

**4 Stücke Fischfilet, z. B. Kabeljau-, Seelachs- oder Rotbarschfilet (je 200 g)
Salz
frisch gemahlener Pfeffer
1 Ei
2 EL kaltes Wasser
40 g Weizenmehl
50–75 g Semmelbrösel
75 ml Speiseöl, z. B. Sonnenblumenöl
Zitronenscheiben
(unbehandelt)**

Pro Portion:
E: 39 g, F: 15 g, Kh: 12 g,
kJ: 1398, kcal: 334

1 Fischfilets unter fließendem kalten Wasser abspülen, gut trockentupfen, in Portionsstücke schneiden und mit Salz und Pfeffer bestreuen.

2 Ei und Wasser mit Hilfe einer Gabel in einem tiefen Teller verschlagen. Die Fischfilets zunächst in Mehl (Foto 1), dann in dem Ei und zuletzt in Semmelbröseln wenden. Die Semmelbrösel gut festdrücken, nicht anhaftende Brösel leicht abschütteln.

3 Öl in einer Pfanne erhitzen. Die Filets darin bei mittlerer Hitze in etwa 5 Minuten pro Seite goldbraun braten (Foto 2) und auf Küchenpapier abtropfen lassen (Foto 3).

4 Die Fischfilets mit Zitronenscheiben garniert servieren.

Tipp: Sie können die Fischfilets statt in Semmelbröseln auch nur in Ei und Sesamsamen wenden.

Beilage: **Kartoffelsalat (S. 270) oder Petersilienkartoffeln (S. 280) und Tomatensalat (S. 259).**

Gedünsteter Fisch

Fettarm

1   Kabeljau unter fließendem kalten Wasser abspülen, trocken-
    tupfen und von innen und außen mit Salz und Pfeffer einreiben.

2   Suppengrün vorbereiten: Knollensellerie schälen, schlechte
    Stellen herausschneiden. Möhren schälen, Grün und Spitzen
    abschneiden. Sellerie und Möhren waschen, abtropfen lassen
    und in Würfel schneiden. Von dem Porree (Lauch) die Außen-
    blätter entfernen, Wurzelende und dunkles Grün abschneiden,
    die Stange längs halbieren, gründlich waschen, abtropfen lassen
    und in Ringe schneiden. Zwiebel abziehen und vierteln.

3   Suppengrün und Zwiebel mit Wasser, 1 Messerspitze Salz, Lorbeer-
    blatt, Pfefferkörnern, Nelken und Pimentkörnern in einen gro-
    ßen breiten Topf geben, zum Kochen bringen und etwa
    10 Minuten mit Deckel schwach kochen lassen.

4   Weißwein hinzufügen und wieder zum Kochen bringen. Den
    Fisch dazugeben und in 15-20 Minuten bei schwacher Hitze mit
    Deckel gar ziehen lassen, eventuell einmal vorsichtig wenden.

5   Den Fisch vorsichtig aus dem Topf nehmen und auf einer vor-
    gewärmten Platte anrichten.

    Beilage: **Salzkartoffeln und zerlassene, etwas gebräunte Butter, Senfsauce
    (S. 182) oder Pilzsauce aus Champignons (S. 184).**

    Tipp: **Den Fisch vor dem Servieren mit Zitronenachteln und Petersilie garnieren.**

    Abwandlung: **Anstelle von Kabeljau können Sie auch andere Fische ver-
    wenden, die aber zum Teil andere Garzeiten haben. Schellfisch, Seelachs und
    Rotbarsch haben eine Garzeit von etwa 15 Minuten, Zander und Hecht (beide
    geschuppt, ausgenommen, ohne Flossen, mit Kopf) haben eine Garzeit von
    etwa 20 Minuten.**

Zubereitungszeit: etwa 50 Minuten

**1 kg küchenfertiger
Kabeljau (im Stück oder
geteilt)
Salz
frisch gemahlener Pfeffer
1 Bund Suppengrün
1 Zwiebel
250 ml (¹/₄ l) Wasser
1 Lorbeerblatt
5 Pfefferkörner
3 Gewürznelken
3 Pimentkörner
125 ml (¹/₈ l) Weißwein**

Pro Portion:

E: 44 g, F: 2 g, Kh: 0 g,
kJ: 803, kcal: 193

Fischspieße auf Rucola-Tomaten-Salat
Etwas teurer

Zubereitungszeit: etwa 60 Minuten

Für die Spieße:
2 Zucchini (je etwa 200 g)
500 ml (¹/₂ l) Wasser
Salz
4 Zanderfilets
(je etwa 125 g) oder
6 Schollenfilets (je 80 g)
frisch gemahlener Pfeffer

Für den Salat:
1 Bund kurzstielige
Rucola (Rauke, etwa 125 g)
400 g Fleischtomaten
3 EL Balsamico-Essig
1 Prise Zucker
8 EL Olivenöl

Außerdem:
4 dünne Schaschlikspieße

Pro Portion:

E: 26 g, F: 15 g, Kh: 5 g,
kJ: 1078, kcal: 257

1   Für die Spieße Zucchini waschen, abtrocknen, die Enden abschneiden und Zucchini mit der Aufschnittmaschine längs in 12 dünne Scheiben schneiden. Wasser in einem Topf zum Kochen bringen. ¹/₂ Teelöffel Salz hinzufügen. Zucchinischeiben in das kochende Salzwasser geben, einmal aufkochen, herausnehmen, in kaltem Wasser abschrecken und trockentupfen.

2   Fischfilets unter fließendem kalten Wasser abspülen, trockentupfen, längs halbieren und mit Salz und Pfeffer bestreuen. Fischfilets und Zucchinischeiben aufrollen. Dabei darauf achten, dass bei den Fischfilets die Hautseiten innen liegen. Die Röllchen auf 4 dünne Schaschlikspieße stecken (je Spieß 2 Zander- oder 3 Schollenfilets und 3 Zucchiniröllchen).

3   Für den Salat Rucola verlesen, vorhandene dicke Stängel abschneiden, Rucola waschen und trockenschleudern. Tomaten waschen, abtropfen lassen, kreuzweise einschneiden, kurz in kochendes Wasser legen und in kaltem Wasser abschrecken. Tomaten enthäuten, die Stängelansätze herausschneiden und Tomaten in Würfel schneiden.

4   Für die Salatsauce Balsamico-Essig mit Salz, Pfeffer und Zucker verrühren. Die Hälfte des Öls unterschlagen.

5   Das restliche Öl in einer beschichteten Pfanne erhitzen. Die Fischspießchen darin etwa 10 Minuten bei nicht zu starker Hitze braten, dabei zwischendurch wenden.

6   Rucola und Tomatenwürfel auf Tellern anrichten, die Fischspießchen darauf setzen und mit der Salatsauce beträufeln.

Beilage: **Warmes Baguette oder Ciabatta (italienisches Weißbrot).**

Tipp: **Anstelle von Zander- oder Schollenfilets können Sie auch 12 Limanden- oder Seezungenfilets (je etwa 40 g) verwenden. Die Filets müssen nicht längs durchgeschnitten werden.**
TK-Fischfilets vor der Verwendung nach Packungsanleitung auftauen lassen.

Fischröllchen auf Porreegemüse
Für Gäste

Zubereitungszeit: etwa 45 Minuten

**4 Stücke Fischfilet,
z. B. Rotbarsch-, See-
lachs- oder Dorschfilet
(je etwa 150 g)
Salz
frisch gemahlener Pfeffer
8 dünne Scheiben
Schinkenspeck
(je etwa 10 g)
1 kg Porree (Lauch)
50 g Butter oder
Margarine
125 ml (⅛ l) Gemüse-
brühe
125 ml (⅛ l) Schlagsahne
20 g Weizenmehl
3 EL Schlagsahne
geriebene Muskatnuss**

Außerdem:
4 Holzstäbchen

Pro Portion:
E: 37 g, F: 27 g, Kh: 10 g,
kJ: 1796, kcal: 428

1 Fischfilets unter fließendem kalten Wasser abspülen, trockentupfen und mit Salz und Pfeffer bestreuen. Auf jedes Fischfilet
je 2 Scheiben Schinkenspeck legen, die Filets aufrollen und mit
Holzstäbchen feststecken.

2 Für das Porreegemüse von dem Porree die Außenblätter entfernen, Wurzelenden und dunkles Grün abschneiden, die Stangen längs halbieren, gründlich waschen, abtropfen lassen und
in etwa 2 cm große Stücke schneiden.

3 Butter oder Margarine in einem großen Topf zerlassen. Die
Porreestücke darin andünsten und mit Salz und Pfeffer bestreuen. Gemüsebrühe und Sahne hinzugießen und alles etwa
5 Minuten mit Deckel garen.

4 Dann die Fischröllchen zwischen den Porree setzen und alles
noch etwa 10 Minuten mit Deckel bei schwacher Hitze dünsten.
Die Fischröllchen dann herausnehmen und zugedeckt warm
stellen.

5 Mehl mit Sahne verrühren, unter das Porreegemüse rühren und
unter Rühren einmal aufkochen lassen. Das Porreegemüse mit
Salz, Pfeffer und Muskatnuss abschmecken und mit den Fischröllchen auf einer vorgewärmten Platte anrichten.

Beilage: **Salzkartoffeln (S. 280) oder Reis.**

Tipp: Das Gemüse mit Weißwein abschmecken.

Abwandlung: **Anstelle von Porreegemüse können Sie die Fischröllchen auf
Spinat** servieren. Dazu 1 ¼ kg Spinat verlesen, dicke Stiele entfernen und
Spinat gründlich waschen. 1–2 Zwiebeln und 1–2 Knoblauchzehen abziehen
und fein würfeln. 20 g Butter oder 2 Esslöffel Olivenöl in einem Topf erhitzen.
Zwiebel- und Knoblauchwürfel darin unter Rühren andünsten. Den Spinat
tropfnass zugeben und mit Salz, Pfeffer und Muskatnuss würzen. Den Spinat
etwa 5 Minuten mit Deckel dünsten. 150 ml Schlagsahne hinzufügen, den
Spinat nochmals mit den Gewürzen abschmecken. Die vorbereiteten Fischröllchen zwischen den Spinat setzen und wie oben angegeben garen. Die garen
Fischröllchen warm stellen und den Spinat mit hellem Saucenbinder binden.

Fischröllchen in Weinsauce

Mit Alkohol

Zubereitungszeit: etwa 35 Minuten

**8 Schollenfilets (je etwa
80 g) oder 4 Stücke
Fischfilet, z. B. Dorsch-,
Rotbarsch- oder Zander-
filet (je 150 g)
Salz
frisch gemahlener weißer
Pfeffer**

Für die Weinsauce:

**30 g Butter
25 g Weizenmehl
250 ml ('/4 l) Weißwein
125 ml ('/8 l) Schlagsahne
1 EL Zitronensaft
1 Prise Zucker**

Pro Portion:
E: 30 g, F: 19 g, Kh: 6 g,
kJ: 1513, kcal: 361

1   Fischfilets unter fließendem kalten Wasser abspülen, trockentupfen und von beiden Seiten mit Salz und Pfeffer würzen. Die
Fischfilets so aufrollen, dass die Hautseite innen liegt.

2   Für die Weinsauce Butter in einem Topf zerlassen. Mehl unter
Rühren darin andünsten, bis es hellgelb ist, dann Weißwein und
Sahne hinzugießen und mit einem Schneebesen gut durchschlagen, dabei darauf achten, dass keine Klümpchen entstehen.
Die Sauce zum Kochen bringen und bei schwacher Hitze etwa
5 Minuten ohne Deckel leicht kochen lassen, dabei gelegentlich
umrühren. Die Sauce mit Zitronensaft, Salz, Pfeffer und Zucker
abschmecken.

3   Die Fischröllchen in die Sauce legen, zum Kochen bringen und
bei schwacher Hitze mit Deckel gar ziehen lassen (Schollenfilets
5-6 Minuten, andere Fischfilets etwa 10 Minuten).

Beilage: Reis-Wildreis-Mischung, Kartoffeln oder Nudeln und Spinat
(S. 236), Erbsen (S. 208) oder gegrillte Tomaten (S. 238).

Tipp: Anstelle von Weißwein können Sie die Sauce auch mit Fischfond (aus
dem Glas) oder selbst gemachter Fischbrühe (S. 20) zubereiten. (Wenn Fischfond aus dem Glas verwendet wird, kann der Rest für eine weitere Sauce
eingefroren werden.)

Abwandlung: Die Fischfilets vor dem Aufrollen mit mittelscharfem Senf
oder Estragonsenf dünn bestreichen und/oder mit 4 Esslöffeln fein gehackten Kräutern, z. B. Petersilie, Dill, Estragon und Schnittlauch bestreuen oder
mit je 1 dünnen Scheibe gekochtem Schinken (in Größe der Fischfilets) belegen.

Abwandlung: Die Fischröllchen schmecken auch lecker in einer Safran-
sauce. Dafür die Sauce wie oben angegeben, aber mit Fischfond anstelle von
Weißwein, zubereiten und 1 Döschen Safran (0,2 g) und 1–2 Esslöffel gehackten Kerbel oder Estragon unterrühren.

Lachssteaks mit Zitronenschaum

Schnell

1 Zum Vorbereiten für den Zitronenschaum Butter in einem Topf zerlassen und abkühlen lassen.

2 Lachssteaks unter fließendem kalten Wasser abspülen, trockentupfen und mit Salz bestreuen. Öl in einer Pfanne erhitzen, Butter oder Margarine hinzufügen und zerlassen. Die Steaks darin pro Seite 3-4 Minuten braten. Die garen Steaks auf einer vorgewärmten Platte warm stellen.

3 Für den Zitronenschaum Eigelb mit Zitronensaft in einem kleinen Topf mit einem Schneebesen verrühren und bei schwacher Hitze so lange schlagen, bis eine schaumige Masse entsteht und keine Streifen mehr zu sehen sind.

4 Den Topf sofort auf ein nasses, kaltes Tuch stellen. Die abgekühlte Butter langsam unter die Eigelbmasse rühren und mit Senf, Salz, Pfeffer und Zucker abschmecken. Nach Belieben Dill unterrühren. Den Zitronenschaum zu den Lachssteaks servieren.

Beilage: **Pellkartoffeln (S. 280)** oder Reis und grüner Salat.

Tipp: Zusätzlich 2 Esslöffel steif geschlagene Schlagsahne unter den Zitronenschaum heben.

Abwandlung: Die **Lachssteaks mit Senfsahne** anstelle des Zitronenschaums servieren. Dazu 400 ml Schlagsahne zum Kochen bringen und ohne Deckel sämig einkochen lassen. 3-4 Esslöffel Estragonsenf und 1 Teelöffel gehackte Estragonblättchen unter die Sauce ziehen und mit Salz, Pfeffer, 1 Prise Zucker und einigen Spritzern Zitronensaft abschmecken. Die Senfsahne zu den Lachssteaks servieren.

Zubereitungszeit: etwa 30 Minuten

Zum Vorbereiten:
125 g Butter

4 Lachssteaks (je 200 g)
Salz
3 EL Speiseöl, z. B. Sonnenblumenöl
20 g Butter oder Margarine

Für den Zitronenschaum:
3 Eigelb (Größe M)
5 EL Zitronensaft
2 TL mittelscharfer Senf
Salz
frisch gemahlener Pfeffer
1 Prise Zucker
evtl. 2 TL gehackter Dill

Pro Portion:
E: 40 g, F: 46 g, Kh: 1 g,
kJ: 2413, kcal: 577

Fisch-Shrimps-Auflauf
Für Gäste (4–6 Portionen)

Zubereitungszeit: etwa 50 Minuten, ohne Auftauzeit

**6 TK-Schollenfilets
(je 80 g)
3 Scheiben TK-Lachsfilet
(etwa 400 g)
200 g TK-Grönland-
Shrimps
100 ml Weißwein
etwa 2 EL Zitronensaft
1 Glas Champignons
(Abtropfgewicht 295 g)**

Für die Dillsauce:
**75 g weiche Butter
10 g Weizenmehl
250 ml ($^1/_4$ l) Schlagsahne
1 TL mittelscharfer Senf
1–2 TL Zitronensaft
Salz
frisch gemahlener Pfeffer
1 Prise Zucker
1–2 Bund Dill**

Außerdem:
Fett für die Form

Pro Portion:
E: 43 g, F: 36 g, Kh: 5 g,
kJ: 2214, kcal: 529

1 Schollenfilets, Lachsfiletscheiben und Shrimps nach Packungsanleitung auftauen lassen.

2 Den Backofen vorheizen. Fisch unter fließendem kalten Wasser
abspülen und trockentupfen. Schollenfilets längs halbieren und
so aufrollen, dass die Hautseite innen liegt. Die Fischröllchen in
eine gefettete Auflaufform setzen. Weißwein hinzufügen.

3 Lachsfiletscheiben im Stück in die Auflaufform geben oder in etwa
3 cm große Würfel schneiden und mit den Shrimps zwischen den
Schollenfiletröllchen verteilen. Alles mit Zitronensaft beträufeln.
Champignons in einem Sieb abtropfen lassen, halbieren und mit
in die Auflaufform geben.

4 Für die Dillsauce Butter mit einem Handrührgerät mit Rührbesen
oder einem Schneebesen geschmeidig rühren. Mehl unterrühren.
Sahne, Senf, Zitronensaft, Salz, Pfeffer und Zucker hinzufügen
und ebenfalls unterrühren.

5 Dill abspülen, trockentupfen, die Spitzen von den Stängeln
zupfen, klein schneiden und unterrühren. Die Dillsauce über
den Fisch geben. Die Form ohne Deckel auf dem Rost in den
Backofen schieben.

Ober-/Unterhitze: etwa 200 °C (vorgeheizt), Heißluft: etwa 180 °C (vorgeheizt),
Gas: Stufe 3–4 (vorgeheizt), Garzeit: etwa 25 Minuten.

Tipp: Dazu schmeckt Reis, den Sie auch im Backofen garen können. Dazu
300 g Basmati- oder Langkornreis in eine Auflaufform geben, mit $^1/_2$ Teelöffel
Salz bestreuen und 450 ml kochendes Wasser zugeben. 1 Zwiebel abziehen
und in die Mitte der Auflaufform setzen. Die Form mit dem Deckel oder Alufolie verschließen und auf dem Rost in den Backofen schieben. Den Reis bei
der oben angegebenen Backofeneinstellung etwa 30 Minuten garen.

Forellen Müllerin (Foto)

Klassisch

Zubereitungszeit: etwa 20 Minuten

**4 küchenfertige Forellen
(je 200 g)
Salz, Pfeffer
40 g Weizenmehl
3 EL Speiseöl, z. B.
Sonnenblumenöl
40 g Butter
Zitronenscheiben
(unbehandelt)**

Pro Portion:
E: 31 g, F: 8 g, Kh: 4 g,
kJ: 929, kcal: 222

1   Forellen unter fließendem kalten Wasser abspülen, trockentupfen und von innen und außen mit Salz und Pfeffer einreiben.
Die Forellen in Mehl wenden, überschüssiges Mehl abklopfen.

2   Öl in einer Pfanne erhitzen. Die Forellen von beiden Seiten darin
bei mittlerer Hitze anbraten. Butter hinzufügen und zerlassen.
Die Forellen in etwa 10 Minuten unter mehrmaligem Wenden gar
braten.

3   Die Forellen mit Zitronenscheiben garniert servieren.

Beilage: **Petersilienkartoffeln (S. 280), gemischter Blattsalat (S. 252).**

Abwandlung: **Für Mandelforellen (Foto)** 50–75 g gehobelte Mandeln in
der Pfanne mitbräunen lassen und zum Servieren über die Forellen geben.

Lachsforelle(n) auf Blattspinat

Für Gäste (6 Portionen)

Zubereitungszeit: etwa 80 Minuten,
ohne Garzeit im Backofen

**1 ¹/₂ kg Blattspinat
200 g Schalotten
2 Knoblauchzehen
300 g Champignons
150 g Tomaten
2 EL Butter oder
Margarine
Salz
frisch gemahlener Pfeffer
geriebene Muskatnuss
1 große (etwa 1,3 kg) oder
2 kleine Lachsforellen
(je etwa 600 g)
75 g geräucherter, durch-
wachsener Speck
1 Bund Petersilie
1 Zitrone (unbehandelt)**

1   Spinat verlesen, dicke Stiele entfernen, Spinat gründlich
waschen und abtropfen lassen. Schalotten und Knoblauch
abziehen. Die Hälfte der Schalotten achteln, die restlichen
Schalotten und Knoblauch fein würfeln. Champignons putzen,
mit Küchenpapier abreiben, eventuell abspülen und trockentupfen. Die Hälfte der Champignons in Scheiben schneiden, den
Rest fein würfeln. Tomaten waschen, abtrocknen, vierteln, die
Stängelansätze herausschneiden und Tomaten in Würfel
schneiden.

2   Butter oder Margarine in einem Topf erhitzen. Schalottenachtel,
Knoblauch und Champignonscheiben darin kurz andünsten.
Spinat hinzufügen und ebenfalls unter Rühren kurz andünsten
(so dass der Spinat „zusammenfällt"). Mit Salz, Pfeffer und
Muskatnuss würzen. Tomatenwürfel unter den Spinat heben.

3   Den Backofen vorheizen. Lachsforelle(n) unter fließendem kalten
Wasser innen und außen abspülen und trockentupfen. Innen und
außen mit Salz und Pfeffer einreiben. Speck fein würfeln. Petersilie abspülen, trockentupfen, die Blättchen von den Stängeln
zupfen und fein hacken. Zitrone heiß waschen und trockenreiben, die Schale abreiben, die Zitrone halbieren und den Saft

(Fortsetzung Seite 164)

6 dünne Scheiben durchwachsener Speck

Pro Portion:
E: 48 g, F: 10 g, Kh: 5 g,
kJ: 1311, kcal: 312

auspressen. Speckwürfel mit gehackten Champignons, Schalottenwürfeln, Petersilie, Zitronenschale und -saft verrühren. Die Masse in die Bauchhöhle(n) der Forelle(n) füllen.

4 Das Spinatgemüse in eine große rechteckige Auflaufform oder einen Bräter geben. Die gefüllte(n) Forelle(n) darauf legen und eventuell übrige Füllung darum verteilen. Die Speckscheiben auf die Forelle(n) legen. Die Form oder den Bräter ohne Deckel auf dem Rost im unteren Drittel in den Backofen schieben.

Ober-/Unterhitze: **etwa 200 °C (vorgeheizt),** Heißluft: **etwa 180 °C (vorgeheizt),** Gas: **Stufe 3-4 (vorgeheizt),** Garzeit: **etwa 35 Minuten für die kleinen Forellen, etwa 55 Minuten für die große Forelle.**

Beilage: **Salzkartoffeln (S. 280) oder Reis.**

Speckschollen

Für Gäste

Zubereitungszeit: etwa 30 Minuten

**4 küchenfertige Schollen
(je etwa 300 g)
Salz
frisch gemahlener Pfeffer
40 g Weizenmehl
etwa 150 g magerer,
durchwachsener Speck
3-4 EL Speiseöl, z. B.
Sonnenblumenöl
Zitronenachtel
Dillzweige**

Pro Portion:
E: 36 g, F: 9 g, Kh: 6 g,
kJ: 1039, kcal: 248

1 Schollen unter fließendem kalten Wasser abspülen, trockentupfen, mit Salz und Pfeffer einreiben und in Mehl wenden (Foto 1). Speck in Würfel schneiden.

2 Öl in einer großen Pfanne erhitzen. Die Speckwürfel darin ausbraten (Foto 2), aus der Pfanne nehmen und warm stellen.

3 Je nach Größe der Pfanne die Schollen eventuell nacheinander in dem Speckfett in etwa 15 Minuten von beiden Seiten braun braten (Foto 3), eventuell noch etwas Fett zugeben. Die Schollen auf einer vorgewärmten Platte anrichten und warm stellen, bis alle Schollen gebraten sind.

4 Die Speckwürfel über die Schollen geben und die Schollen mit Zitronenachteln und Dillzweigen garniert servieren.

Beilage: **Salzkartoffeln (S. 280) und Feldsalat (S. 251).**

Tipp: Zusätzlich 150-200 g gepulte Krabben in dem Speckfett anbraten und auf den Schollen verteilen.

Fisch Caprese

Einfach

Zubereitungszeit: etwa 55 Minuten

4 Tomaten
2 kleine Zucchini
250 g Mozzarella-Käse
Salz
frisch gemahlener Pfeffer
1 EL Tessiner Gewürz-
mischung oder
getrocknete italienische
Kräuter
4 EL Olivenöl
4 Stücke Rotbarsch- oder
Seelachsfilet (je 130 g)
einige Stängel Basilikum

Außerdem:
Fett für die Form

Pro Portion:
E: 38 g, F: 27 g, Kh: 4 g,
kJ: 1717, kcal: 410

1 Tomaten waschen, trockentupfen, die Stängelansätze heraus-schneiden und Tomaten in Scheiben schneiden.

2 Zucchini waschen, abtrocknen, die Enden abschneiden und Zucchini in etwa $1/2$ cm dicke Scheiben schneiden. Mozzarella abtropfen lassen und in 12 Scheiben schneiden.

3 Den Backofen vorheizen. Die Hälfte der Tomaten-, Zucchini- und Mozzarellascheiben dachziegelartig in eine flache, gefettete Auflaufform schichten. Mit Salz, Pfeffer und der Hälfte der Gewürzmischung bestreuen und mit 2 Esslöffeln von dem Öl beträufeln.

4 Fischfilet unter fließendem kalten Wasser abspülen, trocken-tupfen, mit Salz und Pfeffer bestreuen und auf die Gemüse-Käse-Mischung legen. Die restlichen Tomaten-, Zucchini- und Mozzarellascheiben dachziegelartig darauf legen.

5 Mit Salz, Pfeffer und der restlichen Gewürzmischung bestreuen und mit dem restlichen Öl beträufeln. Die Form ohne Deckel auf dem Rost in den Backofen schieben.

Ober-/Unterhitze: **etwa 200 °C (vorgeheizt)**, Heißluft: **etwa 180 °C (vorgeheizt)**, Gas: **Stufe 3–4 (vorgeheizt)**, Garzeit: **25–30 Minuten.**

6 Basilikum abspülen, trockentupfen, die Blättchen von den Stängeln zupfen, fein schneiden und den Fischauflauf damit bestreuen.

Beilage: **Reis oder Kartoffelpüree (S. 290).**

Goldbarschpfanne mit Shrimps
Schnell

Zubereitungszeit: etwa 35 Minuten

600 g Goldbarsch- oder Rotbarschfilet
200 g Champignons
2 Knoblauchzehen
2 EL Speiseöl, z. B. Sonnenblumen- oder Olivenöl
300 g küchenfertige Shrimps
30 ml Weinbrand
Salz
frisch gemahlener Pfeffer
1 Becher (150 g) Crème fraîche
2–3 EL gehackte Petersilie

Pro Portion:
E: 44 g, F: 23 g, Kh: 3 g,
kJ: 1711, kcal: 410

1 Goldbarsch- oder Rotbarschfilet unter fließendem kalten Wasser abspülen, trockentupfen, eventuell vorhandene Gräten entfernen und Fischfilet in etwa 3 cm große Würfel schneiden.

2 Von den Champignons Stielenden und schlechte Stellen abschneiden, Pilze mit Küchenpapier abreiben, eventuell abspülen, trockentupfen und in feine Scheiben schneiden. Knoblauch abziehen und grob würfeln.

3 Öl in einer Pfanne erhitzen. Champignonscheiben und Knoblauchwürfel darin leicht anbraten.

4 Die Fischwürfel dazugeben und kurz mit anbraten. Shrimps hinzufügen, alles erhitzen und etwa 5 Minuten mit Deckel dünsten.

5 Mit Weinbrand, Salz und Pfeffer würzen, zum Schluss Crème fraîche unterrühren. Die Goldbarschpfanne sofort mit Petersilie bestreut servieren.

Beilage: Reis-Wildreis-Mischung oder in Butter geschwenkte Nudeln und gemischter Blattsalat (S. 252).

Tipp: Sie können auch Seeteufel oder Loup de mer für dieses Gericht verwenden.
Wenn TK-Shrimps verwendet werden, diese nach dem Auftauen kurz unter fließendem kalten Wasser abspülen und gut trockentupfen.
Sie können statt der Petersilie auch Dill verwenden und zusätzlich 2–3 abgezogene, gewürfelte Tomaten mit den Shrimps hinzufügen.

Matjesfilets nach Hausfrauen-Art (Foto)

Gut vorzubereiten

Zubereitungszeit: etwa 30 Minuten, ohne Durchziehzeit

**8 Matjesfilets
(etwa 600 g)
250 ml (¹/₄ l) Wasser
¹/₄ TL Salz
3 Zwiebeln
400 g Äpfel
150 g Gewürzgurken
(aus dem Glas)
375 ml (³/₈ l) Schlagsahne
3 EL Zitronensaft
Salz, Pfeffer
etwas Zucker**

Pro Portion:
E: 30 g, F: 53 g, Kh: 15 g,
kJ: 2767, kcal: 660

1 Matjesfilets unter fließendem kalten Wasser abspülen, trockentupfen, eventuell noch vorhandene Gräten entfernen und die Filets in etwa 2 cm große Stücke schneiden.

2 Wasser in einem Topf zum Kochen bringen. Salz hinzufügen. Zwiebeln abziehen, halbieren, in Scheiben schneiden und kurz in dem kochenden Salzwasser blanchieren, dann abtropfen lassen.

3 Äpfel waschen, schälen, vierteln und entkernen. Gewürzgurken abtropfen lassen. Äpfel und Gewürzgurken in Scheiben schneiden.

4 Sahne mit Zitronensaft verrühren, mit Salz, Pfeffer und Zucker abschmecken und mit Zwiebel-, Apfel- und Gurkenscheiben verrühren. Die Matjesfiletstücke in die Sauce legen, zugedeckt in den Kühlschrank stellen und etwa 12 Stunden in der Sauce durchziehen lassen.

Beilage: **Pellkartoffeln und gebräunte Zwiebelringe, grüne Bohnen mit Speck (S. 208) oder Bratkartoffeln (S. 288).**

Räucherfischmousse

Für Gäste

Zubereitungszeit: etwa 15 Minuten, ohne Kühlzeit

**2 geräucherte Forellenfilets (je etwa 125 g)
30 g weiche Butter
1–2 EL saure Sahne
1–1 ¹/₂ EL Zitronensaft
Salz
frisch gemahlener Pfeffer
etwas Feldsalat
¹/₂ TL rosa Beeren
(im Gewürzregal)**

Pro Portion:
E: 14 g, F: 9 g, Kh: 0 g,
kJ: 591, kcal: 141

1 Forellenfilets grob zerkleinern, dabei eventuell noch vorhandene Gräten entfernen, die Filets mit Butter, saurer Sahne und Zitronensaft pürieren.

2 Die Masse mit Salz und Pfeffer abschmecken und etwa 60 Minuten kalt stellen.

3 Von dem Feldsalat die Wurzelenden so abschneiden, dass die Blätter noch zusammenhalten. Schlechte Blätter entfernen, den Salat gründlich waschen, trockenschleudern und auf 4 Tellern anrichten.

4 Von der Räucherfischmousse mit Hilfe von 2 in heißes Wasser getauchten Esslöffeln Nocken formen und auf den Feldsalat geben. Mit rosa Beeren bestreut servieren.

Beilage: **Ciabatta (italienisches Weißbrot), Vollkorn- oder Schwarzbrot.**

Tipp: **Die Räucherfischmousse als Vorspeise servieren.**

Gebeizter Lachs

Gut vorzubereiten (8 Portionen)

Zubereitungszeit: etwa 25 Minuten, ohne Marinierzeit

1 kg frischer Lachs
3 Bund Dill
40 g Salz
30 g Zucker

Für die Dillsauce:
1 Bund Dill
3 EL scharfer Senf
3 EL mittelscharfer Senf
4 geh. EL Zucker
3 EL Weißweinessig
5 EL Speiseöl, z. B.
Sonnenblumenöl

Pro Portion:
E: 24 g, F: 15 g, Kh: 12 g,
kJ: 1144, kcal: 274

1 Lachs unter fließendem kalten Wasser abspülen, trockentupfen, längs halbieren und die Gräten entfernen, eventuell mit Hilfe einer Pinzette (Foto 1).

2 Dill abspülen, trockentupfen, die Spitzen von den Stängeln zupfen und klein schneiden. Salz mit Zucker mischen, beide Lachshälften auf der Innenseite zunächst mit der Salz-Zucker-Mischung, dann mit dem geschnittenen Dill bestreuen.

3 Eine Lachshälfte mit der Hautseite nach unten in eine große flache Schale (größer als der Fisch und das Brett zum Beschweren) legen. Die andere Lachshälfte mit der Hautseite nach oben darauf legen und mit Frischhaltefolie bedecken. Darauf ein Brett (etwas größer als der Fisch) legen und zum Beispiel mit 2-3 Gewichten oder geschlossenen, gefüllten Konservendosen gut beschweren (Foto 2). Den Lachs 2-3 Tage kalt stellen, dabei zwischendurch zwei- bis dreimal wenden und ab und zu mit der sich sammelnden Beize begießen.

4 Das Lachsfleisch leicht schräg zur Hautseite hin in dünne Scheiben schneiden (Foto 3) und auf einer Platte anrichten.

5 Für die Dillsauce Dill abspülen, trockentupfen, die Spitzen von den Stängeln zupfen und klein schneiden. Beide Senfsorten mit Zucker und Essig verrühren. Nach und nach Öl unterschlagen. Dill unterrühren und die Sauce zu dem Lachs reichen.

Beilage: Schwarzbrot oder Bauernbrot mit Butter.

Tipp: Den Lachs vor dem Beizen zusätzlich mit 1-2 Esslöffeln zerdrückten weißen Pfefferkörnern und/oder 1 Esslöffel zerdrückten Wacholderbeeren bestreuen.

Abwandlung: **Für eine gebeizte Lachsforelle** 1 küchenfertige Lachsforelle (etwa 1 kg) unter fließendem kalten Wasser abspülen, trockentupfen und in 2 Längshälften teilen. Das Rückgrat entfernen und die Forelle entgräten. Ab Punkt 2 wie oben beschrieben weiterverfahren.

Riesengarnelen-Spieße
Etwas teurer

Zubereitungszeit: etwa 40 Minuten, ohne Auftauzeit

**12 TK-Riesengarnelen
(ohne Kopf, mit Schale)
4 Cocktailtomaten
je ½ gelbe und grüne
Paprikaschote
4 Knoblauchzehen
8 kleine Champignons
2 Knoblauchzehen
30 g Butter oder
Margarine
1 EL Zitronensaft
Salz
frisch gemahlener Pfeffer
1 Prise Zucker**

Außerdem:

**8 Holz- oder Schaschlik-
spieße**

Pro Portion:

E: 4 g, F: 7 g, Kh: 4 g,
kJ: 385, kcal: 92

1 Riesengarnelen nach Packungsanleitung auftauen lassen. Riesengarnelen dann kalt abspülen und trockentupfen.

2 Cocktailtomaten waschen, trockentupfen, halbieren und eventuell die Stängelansätze herausschneiden. Paprikaschotenhälften entstielen, entkernen, die weißen Scheidewände entfernen, die Schoten waschen und in größere Stücke schneiden. Knoblauchzehen abziehen und halbieren. Von den Champignons Stielenden und schlechte Stellen abschneiden, Pilze mit Küchenpapier abreiben, eventuell abspülen, trockentupfen und in Scheiben schneiden. Alle Zutaten abwechselnd auf Holz- oder Schaschlikspieße stecken.

3 Knoblauch abziehen und durch eine Knoblauchpresse drücken. Butter oder Margarine zerlassen. Knoblauch, Zitronensaft, Salz, Pfeffer und Zucker hinzufügen, verrühren und die Spieße damit bestreichen.

4 Eine beschichtete Pfanne ohne Fett nicht zu stark erhitzen. Die Spieße hineinlegen und darin etwa 2 Minuten pro Seite garen.

Beilage: **Risotto (S. 305), Reis oder Baguette und Blattsalat.**

Tipp: Sie können die Spieße auch unter dem vorgeheizten Backofengrill auf Alufolie in etwa 5 Minuten garen.

Muscheln in Weinsud

Klassisch

Zubereitungszeit: etwa 60 Minuten

2 kg Miesmuscheln
2 Zwiebeln
1 Bund Suppengrün
50 g Butter oder
Margarine
500 ml (¹/₂ l) trockener
Weißwein
Salz
frisch gemahlener Pfeffer

Pro Portion:
E: 10 g, F: 12 g, Kh: 2 g,
kJ: 1027, kcal: 245

1   Miesmuscheln in reichlich kaltem Wasser gründlich waschen und einzeln abbürsten (Foto 1), bis sie nicht mehr sandig sind (Muscheln, die sich beim Waschen öffnen, sind ungenießbar). Eventuell die Fäden (Bartbüschel) entfernen (Foto 2).

2   Zwiebeln abziehen und in Ringe schneiden. Suppengrün vorbereiten: Knollensellerie schälen und schlechte Stellen herausschneiden. Möhren schälen, Grün und Spitzen abschneiden. Sellerie und Möhren waschen und abtropfen lassen. Von dem Porree (Lauch) die Außenblätter entfernen, Wurzelende und dunkles Grün abschneiden, die Stange längs halbieren, gründlich waschen und abtropfen lassen. Die vorbereiteten Zutaten grob zerkleinern.

3   Butter oder Margarine in einem Topf zerlassen. Zwiebeln und Suppengrün unter Rühren kurz darin andünsten. Weißwein hinzugießen, mit Salz und Pfeffer würzen und einmal aufkochen. Die Muscheln hinzufügen und mit Deckel unter gelegentlichem Umrühren so lange (etwa 10 Minuten) darin erhitzen (nicht kochen), bis sie sich öffnen (Muscheln, die sich nach dem Garen nicht öffnen, sind ungenießbar).

4   Die Muscheln mit einer Schaumkelle aus der Kochflüssigkeit herausnehmen (Foto 3) und in einer vorgewärmten Schüssel anrichten. Die Kochflüssigkeit durch ein Sieb gießen, nochmals mit den Gewürzen abschmecken und zu den Muscheln reichen.

Beilage: **Vollkornbrot mit Butter.**

Abwandlung: **Für Muscheln Livorneser Art** (großes Foto) die Muscheln wie in Punkt 1 angegeben vorbereiten. 6 Tomaten enthäuten und würfeln. 2 Zwiebeln abziehen und fein hacken. 2 Knoblauchzehen abziehen und durch die Knoblauchpresse drücken. 2 Peperoni (aus dem Glas) fein würfeln. 8 Esslöffel Olivenöl in einem Topf erhitzen. Zwiebeln, Knoblauch und Peperoni darin unter Rühren andünsten. Tomatenwürfel und 200 ml Gemüsebrühe oder Weißwein hinzufügen und zum Kochen bringen. Muscheln dazugeben und etwa 10 Minuten mit Deckel dünsten, dabei ab und zu umrühren. Mit Salz und Pfeffer würzen und mit Zitronenvierteln garniert servieren.

Saucen

Gute Saucen sollen den Geschmack des Gerichtes ergänzen und betonen, aber nicht überdecken. Viele Gerichte liefern bei der Zubereitung entweder Bratensatz oder Brühe, der bzw. die als Basis für eine Sauce verwendet werden kann. Bei anderen Gerichten hingegen, wie kurz gebratenem oder gegrilltem Fleisch oder Fisch oder Gemüse, entsteht keine Saucenbasis. In dem Fall können Sie einen tiefgekühlten, selbst gemachten Fond (z. B. Brauner Rinderfond, S. 186; Heller Geflügelfond, S. 187) oder vorgefertigte Produkte (z. B. Instantbrühe oder Fond aus dem Glas) verwenden.

Fond

Ein Fond ist die konzentrierte Flüssigkeit, die beim Kochen, Dünsten, Schmoren oder Braten von Fleisch, Geflügel, Wild, Fisch oder Gemüse entsteht. Für einen hellen Fond (Brühe) werden z. B. Knochen, Fleisch, Fischreste (die beim Filetieren anfallen), Fisch oder Suppengrün längere Zeit (2–3 Stunden, Fisch etwa 1 Stunde) mit Wasser, Gewürzen und Kräutern gekocht. Fonds, die aus Fleisch, Knochen- und Knorpelstücken hergestellt werden, gelieren beim Erkalten, Gemüsefonds nicht. Der gelierte kalte Fond kann dann löffelweise entnommen werden.

Für einen dunklen Fond (Bratensaft) wird das Brat- oder Schmorgut (z. B. Fleischknochen, Zwiebeln und Suppengrün) kräftig angebraten und mit wenig Wasser, Brühe oder Wein abgelöscht. Die Ablöschflüssigkeit wird immer wieder reduziert (eingekocht) und mit kleineren Mengen Flüssigkeit ergänzt. Je öfter dieser Vorgang wiederholt wird, desto kräftiger und besser wird der Fond.

Saucenarten

1. Helle Grundsaucen

Eine helle Grundsauce (S. 182) basiert auf einer Mehlschwitze mit hellgelb angedünstetem Mehl. Helle Grundsaucen lassen sich z. B. mit Käse, Kapern, Kräutern, Currypulver, Zitronensaft, Weißwein, Meerrettich oder Senf abwandeln.

2. Dunkle Grundsaucen

Eine dunkle Grundsauce (S. 183) basiert auf einer Mehlschwitze mit hell- oder dunkelbraun angedünstetem Mehl. Dunkle Grundsaucen lassen sich, z. B. mit Johannisbeergelee, Preiselbeergelee, Orangensaft, Sauerkirschen, Orangenmarmelade, grünen Pfefferkörnern, Rotwein, Madeira, Sherry, Cognac, Senf oder Crème fraîche abwandeln.

3. Abgeschlagene Saucen

Eine abgeschlagene Sauce basiert auf sehr frischem Eigelb, Gewürzen, Flüssigkeit (z. B. Wein, Brühe, Saft), die im heißen Wasserbad schaumig-dicklich aufgeschlagen und zum Schluss mit zerlassener, leicht abgekühlter Butter verrührt werden. Dabei ist zu beachten:

- Am besten eine Wasserbadschüssel aus Edelstahl verwenden.
- Für das Wasserbad einen großen Topf zu etwa $3/4$ mit Wasser füllen, das Wasser soll leicht köcheln (simmern), aber nicht kochen.
- Die Wasserbadschüssel mit den Zutaten in das Wasserbad stellen und die Masse mit Schneebesen oder mit Handrührgerät mit Rührbesen auf niedrigster Stufe zu einer schaumig-dicklichen Sauce aufschlagen.
- Die zerlassene, etwas abgekühlte Butter langsam unter die Eigelbmasse schlagen.
- Zum Abschmecken nur einen sauberen Löffel verwenden.
- Die Sauce möglichst erst kurz vor dem Servieren zubereiten, da sie schnell zusammenfällt (die Sauce kann kurz im Wasserbad warm gehalten werden).

Herzhafte abgeschlagene Saucen können mit Kräutern, Zitronensaft, Weißwein, zerdrückten Pfefferkörnern, Paprikapulver, geriebenem Käse oder Orangensaft abgewandelt werden, süße abgeschlagene Saucen mit Vanillemark, Ingwer, Orangensaft, Zitronensaft oder Weißwein.

4. Kalte Saucen

Bei kalten Saucen werden alle Zutaten in kaltem Zustand gemischt (z. B. Mayonnaise, Remoulade, Salatsauce bzw. Vinaigrette). Für kalte Saucen, die mit rohem Ei bzw. Eigelb zubereitet werden, nur ganz frische Eier verwenden, die nicht älter als 5 Tage sind (Legedatum beachten!). Die fertige Sauce im Kühlschrank aufbewahren und innerhalb von 24 Stunden verzehren.

Binden von Saucen

Z. T. entsteht bereits bei der Zubereitung von Speisen die Basis für eine Sauce. Diese Basis hat aber meistens noch nicht die gewünschte Konsistenz, so dass ein Bindemittel nötig ist. Zum Schluss sollte die Sauce dann nochmals abgeschmeckt werden.

Mehlschwitze

Weizenmehl in zerlassenem Fett (z. B. Butter, Margarine) leicht oder etwas stärker bräunen. Unter ständigem Rühren Brühe oder Fond hinzufügen und die Sauce kochen, bis die gewünschte Konsistenz erreicht ist.

Mehlbutter

$2/3$ weiche Butter mit $1/3$ Weizenmehl verkneten und portionsweise in die kochende Flüssigkeit rühren, bis die gewünschte Konsistenz erreicht ist. Mehlbutter bindet schnell.

Gemüse

Mitgegartes Gemüse und Zwiebeln mit dem Bratensatz pürieren. Die Sauce nach Belieben zusätzlich durch ein Sieb streichen. Eine kalorienarme und leichte Bindung.

Mehl, Speisestärke

Mehl oder Speisestärke mit wenig kalter Flüssigkeit (z. B. Wasser oder Brühe) anrühren. Unter Rühren in die heiße Flüssigkeit geben und etwa 5 Minuten kochen lassen. Bei dieser Methode wird das Aroma feiner Saucen leicht überdeckt.

Eigelb

Eigelb mit etwas Milch oder Sahne verrühren, langsam in die von der Kochstelle genommene Sauce einrühren und kräftig rühren, bis die Sauce sämig ist (legieren). Nicht mehr aufkochen, weil das Eigelb sonst gerinnt.

Schlagsahne

Schlagsahne in die Sauce rühren und bis zur gewünschten Konsistenz einkochen lassen. Sahne mit einem Fettgehalt von 10 % ist dafür nicht geeignet, weil sie beim Erhitzen ausflockt.

Crème fraîche, Crème Double

Crème fraîche oder Crème Double in die Sauce geben und unterrühren. Gute Bindung durch hohen Fettanteil.

Butter

Eiskalte Butter stückchenweise mit einem Rührlöffel oder Schneebesen einrühren. Die Sauce soll dabei heiß bleiben, aber nicht kochen. Sofort servieren, da die Bindung schnell nachlässt.

Pumpernickel, Lebkuchen

Fein zerbröselten Pumpernickel oder Lebkuchen in die Flüssigkeit rühren und etwas einköcheln lassen. Die Sauce dann nach Belieben durch ein Sieb streichen. Rustikale Bindung für dunkle Saucen.

Saucenbinder

Hellen oder dunklen Saucenbinder (je nach Saucenart) nach Packungsanleitung in die Flüssigkeit einrühren. Sehr schnell und unkompliziert.

179

Frankfurter Grüne Sauce (Foto)
Klassisch

Zubereitungszeit: etwa 30 Minuten

**etwa 150 g frische
Kräuter für Frankfurter
Grüne Sauce
150 g Crème fraîche oder
saure Sahne
1 kleine Zwiebel
150 g Naturjoghurt
(3,5 % Fett)
1–2 EL Olivenöl
1 TL mittelscharfer Senf
1 Spritzer Zitronensaft
1/2 TL Zucker
Salz
frisch gemahlener weißer
Pfeffer**

Pro Portion:
E: 4 g, F: 15 g, Kh: 7 g,
kJ: 736, kcal: 176

1 Kräuter abspülen, trockentupfen, die Blättchen von den Stängeln zupfen, grob schneiden und mit 2 Esslöffeln Crème fraîche oder saurer Sahne pürieren. Oder die Kräuter sehr fein schneiden. Zwiebel abziehen und fein würfeln.

2 Die restliche Crème fraîche oder saure Sahne, Joghurt, Zwiebelwürfel, Öl und Senf mit der Kräuter-Sahne-Mischung oder den Kräutern verrühren. Die Sauce mit Zitronensaft, Zucker, Salz und Pfeffer würzen und bis zum Servieren kalt stellen.

Verwendung: Die Frankfurter Grüne Sauce zu neuen Kartoffeln mit hart gekochten Eiern oder zu gekochtem Rindfleisch reichen.

Tipp: In die „echte" Frankfurter Sauce gehören 7 frische Kräuter. Je nach Jahreszeit kann die Zusammenstellung variiert werden. Mittlerweile gibt es bereits abgepackte, speziell für Grüne Sauce zusammengestellte Kräuter zu kaufen (etwa 150 g). Falls Sie diese nicht bekommen, können Sie auch ein dickes Bund gemischte Kräuter, z. B. Petersilie, Schnittlauch, Kerbel, Pimpinelle, Borretsch, Zitronenmelisse und Kresse oder Sauerampfer verwenden. Sollten keine frischen Kräuter zur Verfügung stehen, können sie durch TK-Kräuter ersetzt werden (4 Packungen zu je 25 g).

Käsesauce
Einfach

Zubereitungszeit: etwa 15 Minuten

**30 g Butter oder
Margarine
25 g Weizenmehl
375 ml (3/8 l) Gemüsebrühe
150 g Schmelzkäse
Salz
einige Spritzer
Zitronensaft**

Pro Portion:
E: 6 g, F: 18 g, Kh: 5 g,
kJ: 845, kcal: 202

1 Butter oder Margarine in einem Topf zerlassen. Mehl unter Rühren so lange darin erhitzen, bis es hellgelb ist.

2 Gemüsebrühe hinzugießen und mit einem Schneebesen gut durchschlagen, dabei darauf achten, dass keine Klümpchen entstehen.

3 Die Sauce zum Kochen bringen und bei schwacher Hitze etwa 5 Minuten ohne Deckel leicht kochen lassen, dabei gelegentlich umrühren.

4 Schmelzkäse unterrühren, in der Sauce auflösen, die Sauce aufkochen lassen und mit Salz und Zitronensaft abschmecken.

(Fortsetzung Seite 182)

Verwendung: **Die Käsesauce zu Blumenkohl (S. 207), Rosenkohl (S. 227), Brokkoli (S. 207) oder zu Fleisch (z. B. Schweinemedaillons) reichen.**

Tipp: Um Kalorien zu sparen, nur die Hälfte Schmelzkäse verwenden, die andere Hälfte durch Kräuter- oder Paprikaquark ersetzen. Die Sauce nach der Quarkzugabe nicht mehr kochen lassen.

Abwandlung: Für eine **Blauschimmelkäse-Sauce** die Sauce mit nur 10 g Mehl zubereiten, den Schmelzkäse durch 150 g Roquefort oder Gorgonzola ersetzen und zusätzlich 5 Esslöffel Schlagsahne unterrühren. Die Sauce anstelle von Zitronensaft mit 1–2 Esslöffeln Weißwein und etwas Pfeffer abschmecken. Zu Nudeln servieren.

Helle Grundsauce

Schnell

Zubereitungszeit: etwa 15 Minuten

25 g Butter oder Margarine
20 g Weizenmehl
375 ml ($^3/_8$ l) Brühe, z. B. Gemüsebrühe
Salz
frisch gemahlener Pfeffer

Pro Portion:
E: 1 g, F: 5 g, Kh: 4 g,
kJ: 274, kcal: 65

1 Butter oder Margarine in einem Topf zerlassen. Mehl unter Rühren so lange darin erhitzen, bis es hellgelb ist.

2 Brühe hinzugießen und mit einem Schneebesen gut durchschlagen, dabei darauf achten, dass keine Klümpchen entstehen.

3 Die Sauce zum Kochen bringen und bei schwacher Hitze etwa 5 Minuten ohne Deckel leicht kochen lassen, dabei gelegentlich umrühren. Die Sauce mit Salz und Pfeffer abschmecken.

Verwendung: **Die helle Grundsauce eignet sich als Basis für Kräuter- oder Käsesaucen, zu gedünstetem Gemüse, Fisch oder kurz gebratenem Fleisch.**

Abwandlung 1: Für eine **Senfsauce** die helle Grundsauce mit 250 ml ($^1/_4$ l) Milch und 125 ml ($^1/_8$ l) Schlagsahne anstelle der 375 ml ($^3/_8$ l) Brühe zubereiten. Zum Schluss 2 Esslöffel mittelscharfen Senf unterrühren und die Sauce mit Zitronensaft, Zucker und Salz abschmecken.

Abwandlung 2: Für eine **Meerrettichsauce** die helle Grundsauce mit 125 ml ($^1/_8$ l) Gemüsebrühe, 125 ml ($^1/_8$ l) Milch und 125 ml ($^1/_8$ l) Schlagsahne anstelle der 375 ml ($^3/_8$ l) Brühe zubereiten. Zum Schluss 2 Esslöffel geriebenen Meerrettich (aus dem Glas) unterrühren und die Sauce mit Salz, weißem Pfeffer, Zucker und Zitronensaft abschmecken.

Abwandlung 3: Für eine **Kräutersauce** die helle Grundsauce mit 250 ml ($^1/_4$ l) Milch und 125 ml ($^1/_8$ l) Gemüsebrühe anstelle der 375 ml ($^3/_8$ l) Brühe zubereiten. Zum Schluss 3 Esslöffel gehackte Kräuter (z. B. Petersilie, Kerbel oder Dill) und 2 Esslöffel Crème fraîche unterrühren und die Sauce mit Salz, Pfeffer und geriebener Muskatnuss abschmecken.

Dunkle Grundsauce

Schnell

1   Butter oder Margarine in einem Topf zerlassen. Mehl unter Rühren so lange darin erhitzen, bis es hell- bis dunkelbraun ist.

2   Brühe hinzugießen und mit einem Schneebesen gut durchschlagen, dabei darauf achten, dass keine Klümpchen entstehen.

3   Die Sauce zum Kochen bringen und bei schwacher Hitze etwa 5 Minuten ohne Deckel leicht kochen lassen, dabei gelegentlich umrühren. Die Sauce mit Salz und Pfeffer abschmecken.

Verwendung: **Die dunkle Grundsauce passt zu Leber oder Ragouts mit dunklem Fleisch.**

Abwandlung: **Nach Belieben zusätzlich 1 Bund Suppengrün putzen, waschen, klein schneiden und in der Butter andünsten. Dann mit dem Mehl bestäuben und die Sauce wie oben beschrieben zubereiten, aber 1 Lorbeerblatt und 1 abgespülten Thymianzweig mitkochen lassen. Die Sauce nach Beendigung der Kochzeit durch ein Sieb gießen und mit Salz, Pfeffer und 2–3 Esslöffeln Portwein oder Sherry abschmecken. Diese Abwandlung eignet sich als Sauce zu Rindergeschnetzeltem.**

Zubereitungszeit: etwa 15 Minuten

**25 g Butter oder Margarine
20 g Weizenmehl
375 ml ($^3/_8$ l) Brühe, z. B. Gemüsebrühe
Salz
frisch gemahlener Pfeffer**

Pro Portion:
E: 1 g, F: 5 g, Kh: 4 g, kJ: 274, kcal: 65

Béchamelsauce

Klassisch

1   Zwiebel abziehen und in kleine Würfel schneiden. Schinken ebenfalls fein würfeln. Butter oder Margarine bei mittlerer Hitze in einem Topf zerlassen. Die Schinkenwürfel darin kurz andünsten. Mehl zusammen mit den Zwiebelwürfeln unter Rühren so lange darin erhitzen, bis das Mehl hellgelb ist.

2   Gemüsebrühe und Milch oder Sahne hinzugießen und mit einem Schneebesen gut durchschlagen, dabei darauf achten, dass keine Klümpchen entstehen.

3   Die Sauce zum Kochen bringen und bei schwacher Hitze etwa 5 Minuten ohne Deckel leicht kochen lassen, dabei gelegentlich umrühren. Die Sauce mit Salz, Pfeffer und Muskatnuss abschmecken.

Verwendung: **Eine Béchamelsauce passt zu Gemüse, z. B. Blumenkohl (S. 207), Spargel (S. 230), Möhren (S. 204) oder Kohlrabi (S. 212) oder zu pochierten Eiern (S. 338) oder gedünstetem Fisch (S. 153).**

Zubereitungszeit: etwa 15 Minuten

**1 Zwiebel
40 g roher Schinken
30 g Butter oder Margarine
25 g Weizenmehl
125 ml ($^1/_8$ l) Gemüsebrühe
250 ml ($^1/_4$ l) Milch oder Schlagsahne
Salz, Pfeffer
geriebene Muskatnuss**

Pro Portion:
E: 4 g, F: 18 g, Kh: 8 g, kJ: 873, kcal: 208

Pilzsauce

Raffiniert

Zubereitungszeit: etwa 20 Minuten

250 g Champignons
50 g durchwachsener
Speck
1 EL Speiseöl, z. B.
Sonnenblumenöl
250 ml (¹/₄ l) Gemüse-
brühe
15 g weiche Butter
15 g Weizenmehl
1 Becher (150 g) Crème
fraîche
Salz
frisch gemahlener Pfeffer
1 EL gehackte Petersilie

Pro Portion:

E: 6 g, F: 18 g, Kh: 5 g,
kJ: 846, kcal: 204

1 Von den Champignons Stielenden und schlechte Stellen abschneiden, Pilze mit Küchenpapier abreiben, eventuell abspülen,
trockentupfen und in Scheiben schneiden. Speck in Würfel
schneiden.

2 Öl in einem Topf erhitzen. Die Speckwürfel darin unter Rühren
kurz andünsten. Champignonscheiben hinzufügen. Gemüsebrühe unterrühren, alles zum Kochen bringen und bei schwacher Hitze etwa 5 Minuten ohne Deckel kochen.

3 Butter mit Mehl verkneten, hinzufügen und unter Rühren mit
einem Schneebesen oder Rührlöffel in der Sauce auflösen. Die
Sauce bei schwacher Hitze etwa 5 Minuten ohne Deckel leicht
kochen lassen, dabei gelegentlich umrühren.

4 Crème fraîche unterrühren. Die Sauce mit Salz und Pfeffer
abschmecken und Petersilie unterrühren.

Verwendung: **Die Pilzsauce passt zu Steaks, Schnitzeln und gebratenen
Fischstücken.**

Abwandlung 1: **Für eine vegetarische Pilzsauce** den Speck weglassen und
die Champignons in 15 g Butter oder 1-2 Esslöffeln Olivenöl andünsten. Die
Sauce zum Schluss zusätzlich mit 1 Teelöffel gehacktem Rosmarin würzen.

Abwandlung 2: **Für eine Champignonsauce mit Steinpilzen** zusätzlich etwa
10 g getrocknete Steinpilze in einem Sieb kalt abspülen und abtropfen lassen.
Die Gemüsebrühe erhitzen, von der Kochstelle nehmen und die Steinpilze etwa
30 Minuten darin einweichen. Die Sauce wie oben angegeben zubereiten und
die Brühe mit den Steinpilzen zugeben.

Brauner Rinderfond
Gut vorzubereiten

Zubereitungszeit: etwa
3 ½ Stunden

1 kg Fleischknochen (vom
Metzger in kleine Stücke
hacken lassen)
2 Zwiebeln
1 Bund Suppengrün
2 EL Speiseöl,
z. B. Sonnenblumenöl
1 EL Tomatenmark
etwa 3 l Wasser
2 Zweige Thymian
1 Lorbeerblatt
Salz

Pro Portion:

E: 3 g, F: 5 g, Kh: 1 g,
kJ: 265, kcal: 63

1 Fleischknochen unter fließendem kalten Wasser abspülen und trockentupfen. Zwiebeln abziehen und würfeln. Suppengrün vorbereiten: Knollensellerie schälen, schlechte Stellen herausschneiden. Möhren schälen, Grün und Spitzen abschneiden. Sellerie und Möhren waschen und abtropfen lassen. Von dem Porree (Lauch) die Außenblätter entfernen, Wurzelende und dunkles Grün abschneiden, die Stange längs halbieren, gründlich waschen und abtropfen lassen. Die vorbereiteten Zutaten klein schneiden.

2 Öl in einem Topf erhitzen. Die Knochen darin anbraten. Das vorbereitete Gemüse dazugeben und anbräunen. Tomatenmark untermischen und kurz mitbraten.

3 So viel Wasser dazugeben, bis der Topfboden knapp bedeckt ist und das Wasser verdampfen lassen. Diesen Vorgang noch zweimal wiederholen. Dabei darauf achten, dass Gemüse und Knochen nicht anbrennen.

4 Das restliche Wasser dazugeben, aufkochen lassen und abschäumen. Thymian abspülen und mit dem Lorbeerblatt hinzufügen. Im Topf bei schwacher Hitze etwa 2 ½ Stunden ohne Deckel auf 1 l Flüssigkeit einkochen lassen.

5 Den Fond durch ein feines Sieb gießen und nach Belieben mit Salz abschmecken.

Verwendung: Einen braunen Rinderfond können Sie zur Zubereitung von dunklen Saucen (z. B. dunkle Grundsauce S. 183) für z. B. Steaks und Braten verwenden.

Abwandlung: Für einen Rinderfond mit asiatischer Note Thymian durch 30 g geschälte Ingwerstücke, 1 abgezogene Knoblauchzehe, 1 Teelöffel Korianderkörner und 2 Stücke Sternanis ersetzen. Den Fond anstelle von Gemüsebrühe bei asiatischen Gerichten verwenden.

Tipp: Der Rinderfond lässt sich gut auf Vorrat zubereiten. Die doppelte Menge zubereiten und einfrieren oder randvoll in gründlich gereinigte und gespülte Gläser mit Twist-off-Deckeln® füllen. Eingefroren hält sich der Fond etwa 3 Monate, in Gläsern im Kühlschrank aufbewahrt etwa 4 Wochen.

Heller Geflügelfond
Gut vorzubereiten

1 Geflügelklein unter fließendem kalten Wasser abspülen und abtropfen lassen. Suppengrün vorbereiten: Knollensellerie schälen, schlechte Stellen herausschneiden. Möhren schälen, Grün und Spitzen abschneiden. Sellerie und Möhren waschen und abtropfen lassen. Von dem Porree (Lauch) die Außenblätter entfernen, Wurzelende und dunkles Grün abschneiden, die Stange längs halbieren, gründlich waschen und abtropfen lassen. Die vorbereiteten Zutaten klein schneiden.

2 Zwiebel abziehen und mit der Nelke und dem Lorbeerblatt spicken. Alle Zutaten mit Weißwein, Wasser und Salz in einen Topf geben und ohne Deckel langsam zum Kochen bringen. Während des Kochens immer wieder mit einer Schaumkelle abschäumen.

3 Den Fond bei schwacher Hitze in etwa 2 ½ Stunden ohne Deckel bis auf etwa 1 l Flüssigkeit einkochen. Den Fond dann durch ein Sieb gießen.

Verwendung: **Der helle Geflügelfond eignet sich als Grundlage für Geflügelsaucen, gebundene bzw. Cremesuppen, für Risotto (S. 305) und Fischgerichte.**

**Tipp: Der Geflügelfond kann zur späteren Verwendung am besten portionsweise eingefroren werden. Für Diätgerichte den Fond nur mit Wasser und ohne Wein zubereiten und nach dem Kochen entfetten.
Sie können auch 2 Packungen (je 500 g) TK-Geflügelklein verwenden, es braucht vorher nicht aufgetaut zu werden.**

Zubereitungszeit: etwa 2 ¾ Stunden

**1 kg Geflügelklein (Flügel, Hals, Herz, Magen)
1 Bund Suppengrün
1 Zwiebel
1 Gewürznelke
1 Lorbeerblatt
125 ml (⅛ l) Weißwein
2 l Wasser
2 TL Salz**

Pro Portion:
E: 2 g, F: 2 g, Kh: 1 g, kJ: 202, kcal: 48

Hollandaise
Klassisch

Zubereitungszeit: etwa 15 Minuten,
ohne Abkühlzeit

150 g Butter
2 Eigelb (Größe M)
2 EL Weißwein
einige Spritzer Zitronen-saft
Salz
frisch gemahlener Pfeffer

Pro Portion:
E: 2 g, F: 34, Kh: 0 g,
kJ: 1345, kcal: 321

1 Butter zerlassen, etwas abkühlen lassen und den Schaum ab-schöpfen.

2 Eigelb mit Weißwein in einer Schüssel mit einem Schneebesen verschlagen. Die Schüssel in ein heißes Wasserbad (Wasser darf nicht kochen!) setzen. Die Eigelbmasse mit dem Schneebesen so lange schlagen, bis die Masse dicklich ist (Foto 1).

3 Die Butter langsam unter die Eigelbmasse schlagen (Foto 2). Die Sauce mit Zitronensaft, Salz und Pfeffer würzen.

Hinweis: Nur ganz frische Eier verwenden, die nicht älter als 5 Tage sind (Legedatum beachten!).

Verwendung: Eine Hollandaise eignet sich besonders zu Spargel (S. 230), Brokkoli (S. 207) oder hellem Gemüse.

Abwandlung 1: Für eine **Sauce béarnaise** (großes Foto) den Weißwein durch einen Kräutersud ersetzen. Dafür 1 Zwiebel abziehen, fein würfeln und in einen Topf geben. 1 Teelöffel gehackten Estragon und 1 Teelöffel gehackten Kerbel, 2 Teelöffel Weißweinessig und 2 Esslöffel Wasser hinzufügen und ein-mal aufkochen. Den Topf von der Kochstelle nehmen und den Kräutersud etwa 5 Minuten mit Deckel ziehen lassen, ihn dann durch ein feines Sieb gießen. Je 1–2 Teelöffel gehackten Kerbel und gehackten Estragon unter die fertige Sauce rühren (Foto 3). Die Sauce mit Salz, Pfeffer und Zitronensaft würzen.

Abwandlung 2: Für eine **Sauce maltaise** anstelle von Weißwein 2 Esslöffel frisch gepressten Blutorangensaft, 2 Teelöffel warmes Wasser und 1 Esslöffel Zitronensaft verwenden. Die Sauce mit Salz und Zucker abschmecken und mit der abgeriebenen Schale von ¼ Orange (unbehandelt) bestreuen.

Tipp: Aufgeschlagene Saucen lassen sich nur kurze Zeit im Wasserbad warm halten. Nach längerem Stehen können sich die Saucen in Fett und Eigelb trennen, sie gerinnen. Deshalb die Saucen möglichst kurz vor dem Verzehr aufschlagen. Geronnene Saucen entweder mit dem Schneidstab pürieren oder 1 Eigelb mit 1 Esslöffel kaltem Wasser verrühren und die geronnene Sauce im Wasserbad nach und nach unterrühren.

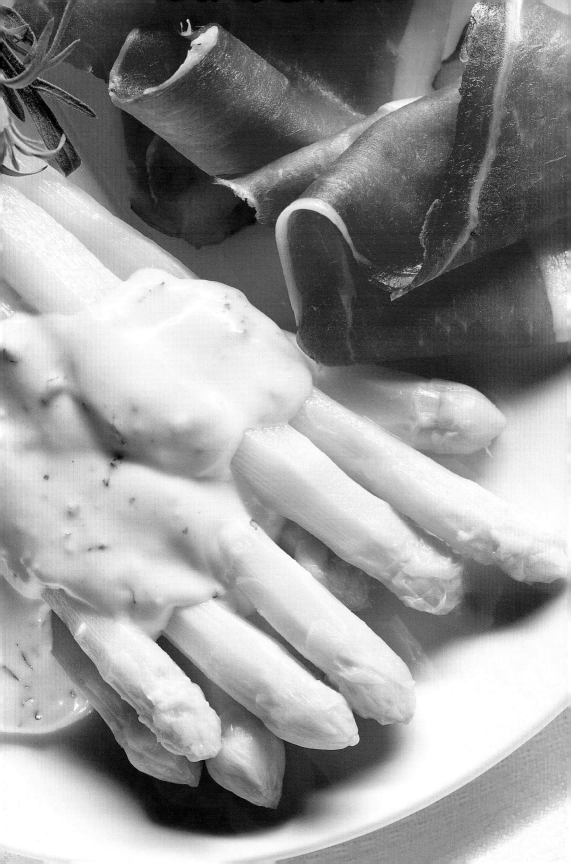

Tomatensauce
Vegetarisch

Zubereitungszeit: etwa 25 Minuten

1 kg reife Tomaten
1 Zwiebel
1 Knoblauchzehe
2–3 EL Olivenöl
evtl. 2 EL Tomatenmark
Salz
frisch gemahlener Pfeffer
etwa 1 TL Zucker
1 EL gehackter Oregano

Pro Portion:
E: 2 g, F: 7 g, Kh: 8 g,
kJ: 442, kcal: 104

1 Tomaten waschen, abtropfen lassen, kreuzweise einschneiden, kurz in kochendes Wasser legen und in kaltem Wasser abschrecken. Tomaten enthäuten (Foto 1), die Stängelansätze herausschneiden und Tomaten in Würfel schneiden. Zwiebel und Knoblauch abziehen und fein würfeln.

2 Öl in einem Topf erhitzen. Zwiebel- und Knoblauchwürfel darin andünsten. Die Tomatenwürfel hinzufügen, nach Belieben Tomatenmark unterrühren, mit Salz und Pfeffer würzen, alles zum Kochen bringen und bei schwacher Hitze etwa 15 Minuten mit Deckel dünsten, dabei gelegentlich umrühren.

3 Die Sauce nach Belieben pürieren (Foto 2) und mit Salz, Pfeffer, Zucker und Oregano abschmecken.

Verwendung: **Tomatensauce passt zu Nudeln, heiß oder kalt zu Gegrilltem oder kalt zu Fondue.**

Tipp: **Sollte die fertige Sauce noch zu flüssig sein, sie entweder bei mittlerer Hitze noch etwas einkochen lassen oder mit hellem Saucenbinder binden. Sie können die Tomaten auch ungehäutet verarbeiten, dann die fertige Sauce durch ein Sieb streichen, um die Schalenreste zu entfernen. Anstelle von frischen Tomaten können Sie die Sauce auch mit 1 Dose (800 g) geschälten Tomaten zubereiten, den Saft dabei mit verwenden. Die Zugabe von Tomatenmark macht die Sauce sämig und gibt einen intensiven Tomatengeschmack.**

Abwandlung 1: **Für eine Tomatensauce mit Speck das Olivenöl weglassen, dafür 50 g durchwachsenen Speck würfeln, in 2 Esslöffeln Speiseöl auslassen (Foto 3) und Zwiebel und Knoblauch darin andünsten. Die Sauce wie oben beschrieben zubereiten, aber nicht pürieren.**

Abwandlung 2: **Für eine Tomaten-Sahne-Sauce die Sauce wie beschrieben zubereiten. Zusätzlich 100 ml Schlagsahne mit 1 Esslöffel Speisestärke verrühren, in die kochende Sauce rühren und aufkochen lassen. Die Sauce nochmals mit den Gewürzen abschmecken.**

Abwandlung 3: Für eine **Tomaten-Gemüse-Sauce** 1 Bund Suppengrün putzen, waschen, in kleine Stücke schneiden und mit 1 abgezogenen, gewürfelten Zwiebel und 1 abgezogenen, gewürfelten Knoblauchzehe in 2–3 Esslöffeln Olivenöl andünsten. 1 Lorbeerblatt und 125 ml ($^1/_8$ l) Gemüsebrühe dazugeben. Die Sauce bei schwacher Hitze etwa 15 Minuten mit Deckel kochen. 1 Dose (800 g) geschälte Tomaten mit dem Saft dazugeben und alles noch etwa 5 Minuten kochen. Das Lorbeerblatt entfernen, die Sauce pürieren und mit Salz, Pfeffer und Zucker abschmecken. Die Sauce mit 1 Esslöffel gehacktem Basilikum bestreut servieren.

Bologneser Sauce
Beliebt

1 Zwiebel und Knoblauch abziehen. Möhren schälen, Grün und Spitzen abschneiden. Knollensellerie schälen, schlechte Stellen herausschneiden. Möhren und Sellerie waschen und abtropfen lassen. Die 4 Zutaten fein würfeln.

2 Öl in einem Topf erhitzen. Die Gemüsewürfel bei mittlerer Hitze darin andünsten. Gehacktes hinzufügen und unter Rühren darin anbraten, dabei die Klümpchen mit Hilfe einer Gabel zerdrücken.

3 Tomaten in der Dose etwas zerkleinern, mit dem Saft aus der Dose und Tomatenmark dazugeben und mit Oregano, Salz und Pfeffer würzen. Die Sauce zum Kochen bringen und bei schwacher Hitze etwa 15 Minuten ohne Deckel leicht kochen lassen.

4 Die Sauce mit Rotwein, Salz und Pfeffer abschmecken.

Verwendung: Eine Bologneser Sauce passt zu Nudeln, z. B. Spaghetti oder Makkaroni und Kartoffelklöße (S. 292) oder Semmelknödeln (S. 309).

Tipp: Kurz vor dem Servieren 1 Esslöffel gehacktes Basilikum dazugeben und mit geriebenem Parmesan-Käse oder altem Gouda-Käse bestreuen. Wenn Kinder mitessen, können Sie den Rotwein ersatzlos weglassen.

Zubereitungszeit: etwa 35 Minuten

1 Zwiebel
1 Knoblauchzehe
100 g Möhren
etwa 50 g Knollensellerie
2 EL Speiseöl, z. B.
Sonnenblumen- oder
Olivenöl
250 g Rindergehacktes
1 Dose (800 g) geschälte
Tomaten
2 EL Tomatenmark
1 TL getrockneter,
gerebelter Oregano
Salz
frisch gemahlener Pfeffer
2–3 EL Rotwein

Pro Portion:
E: 15 g, F: 14 g, Kh: 8 g,
kJ: 933, kcal: 222

Mayonnaise (Foto rechts unten)
Schnell

Zubereitungszeit: etwa 10 Minuten

1 Eigelb (Größe M)
1–2 TL Weißweinessig
oder Zitronensaft
Salz
$1/2$–1 TL mittelscharfer
Senf
125 ml ($1/8$ l) Speiseöl,
z. B. Sonnenblumenöl

Pro Portion:

E: 1 g, F: 33 g, Kh: 0 g,
kJ: 1231, kcal: 294

1 Eigelb mit Essig oder Zitronensaft, Salz und Senf in einer Rühr-schüssel mit einem Schneebesen oder einem Handrührgerät mit Rührbesen zu einer dicklichen Masse aufschlagen.

2 Öl in Mengen von 1–2 Esslöffeln nach und nach darunter schlagen (bei dieser Zubereitung ist es nicht notwendig, das Öl tropfen-weise zuzusetzen, die an das Eigelb gegebenen Gewürze verhin-dern eine Gerinnung).

Verwendung: Die Mayonnaise eignet sich als Grundlage für kalte Saucen und Dips, zu Fondue oder als Brotaufstrich für Sandwiches.

Tipp: Die Zutaten für die Mayonnaise sollten ungefähr die gleiche Temperatur haben, damit sich alle Zutaten gut verbinden.
Sollte die Mayonnaise geronnen sein, nochmals 1 Eigelb mit Essig oder Zitronensaft verrühren und die Mayonnaise nach und nach unterrühren.

Hinweis: Nur ganz frische Eier verwenden, die nicht älter als 5 Tage sind (Legedatum beachten!). Die fertige Mayonnaise im Kühlschrank aufbewahren und innerhalb von 24 Stunden verzehren.

Abwandlung 1: Für eine **leichte Mayonnaise** (Foto oben) die Mayonnaise wie oben angegeben, aber nur mit 5 Esslöffeln Öl zubereiten. Zum Schluss 4 Esslöffel Speisequark (Magerstufe) und 1 Esslöffel Schlagsahne verrühren und unter die Mayonnaise rühren. Eventuell mit $1/2$ abgezogenen, durchge-pressten Knoblauchzehe würzen.

Abwandlung 2: Für eine **kalte Currysauce** (Foto links unten) die Mayonnaise wie oben angegeben zubereiten und mit 1–2 Teelöffeln Curry und 150 g Natur-joghurt (3,5 % Fett) oder Dickmilch verrühren. Für eine **süße Currysauce** zusätzlich noch 1–2 Esslöffel durch ein Sieb gestrichene Aprikosenkonfitüre unterrühren.

Abwandlung 3: Für eine **Remouladensauce** (Foto rechts Mitte) 2 hart gekochte Eier pellen, Eigelb durch ein Sieb streichen und Eiweiß hacken. Das Eigelb mit dem rohen Eigelb verrühren und die Mayonnaise wie oben angege-ben zubereiten. Zum Schluss 1 mittelgroße, fein gewürfelte Gewürzgurke, 2 Esslöffel gehackte Kräuter (z. B. Petersilie, Schnittlauch, Dill, Kerbel, Kresse), 1 Teelöffel abgetropfte, gehackte Kapern und das gehackte Eiweiß unterrühren und die Remouladensauce mit Salz, Pfeffer und Zucker abschmecken.

Abwandlung 4: Für eine **Sauce tatare** (Foto links Mitte) 4 Schalotten oder kleine Zwiebeln abziehen, fein würfeln und mit 2 Teelöffeln abgetropften, gehackten Kapern, 2 Esslöffeln gehackten Kräutern (z. B. Petersilie, Dill, Kerbel) unter die Mayonnaise rühren. Mit Salz abschmecken.

Pesto (Italienische Basilikumsauce)
Klassisch

Zubereitungszeit: etwa 20 Minuten, ohne Abkühlzeit

50 g Pinienkerne
3–4 Knoblauchzehen
1 TL Salz
etwa 8 EL gehackte
Basilikumblättchen
50 g geriebener
Pecorino-Käse
50 g geriebener
Parmesan-Käse (oder
insgesamt 100 g
geriebener Parmesan)
200 ml Olivenöl

Pro Portion:

E: 11 g, F: 65 g, Kh: 2 g,
kJ: 2630, kcal: 628

1 Pinienkerne in einer Pfanne ohne Fett goldgelb rösten und auf einem Teller erkalten lassen.

2 Knoblauch abziehen und mit Salz, Pinienkernen und Basilikumblättchen im Rührbecher mit einem Mixstab pürieren.

3 Pecorino und Parmesan zugeben und mit dem Mixstab unterarbeiten. Zum Schluss Öl unterrühren.

Verwendung: Das Pesto zu Nudelgerichten oder Gemüsesuppen reichen. Für Nudelgerichte das Pesto mit 1–2 Esslöffeln von dem heißen Nudelwasser verrühren und mit den Nudeln vermischen.

Tipp: Sie können das Pesto auch in einem Mörser zubereiten.

Abwandlung 1: Für ein **Petersilien-Mandel-Pesto** anstelle von Pinienkernen gehackte, geröstete Mandeln verwenden und das Basilikum durch glatte Petersilie ersetzen.

Abwandlung 2: Für ein **Rucola-Pesto** 3–4 Knoblauchzehen, 50 g geröstete Pinienkerne, 100 g gehackten Rucola (Rauke), 120 g geriebenen Parmesan-Käse, 100 ml Olivenöl und 50 ml Traubenkernöl wie beschrieben verarbeiten.

Meerrettichsahne
Schnell

Zubereitungszeit: etwa 8 Minuten

250 ml (¹/₄ l) gekühlte
Schlagsahne
3 EL geriebener Meer-
rettich (aus dem Glas)
Salz
frisch gemahlener Pfeffer
1 Prise Zucker
etwas Zitronensaft

Pro Portion:

E: 2 g, F: 21 g, Kh: 3 g,
kJ: 868, kcal: 207

1 Sahne steif schlagen, mit Meerrettich verrühren und mit Salz, Pfeffer, Zucker und Zitronensaft abschmecken.

Tipp: Soll die Sahne länger stehen, z. B. auf einem kalten Büffet, die Sahne mit ¹/₂ Päckchen Sahnesteif steif schlagen.

Verwendung: Die Meerrettichsahne schmeckt zu kaltem Braten, geräucherter Putenbrust, Räucherfisch oder kaltem Gemüse.

Abwandlung 1: Für eine **Senfsahne** die steif geschlagene Sahne mit 1–2 Esslöffeln körnigem Senf verrühren und mit flüssigem Honig oder Zucker abschmecken.

Abwandlung 2: Für eine **Pfeffersahne** nur 4 Esslöffel Schlagsahne verwenden, steif schlagen, 1 Becher (150 g) Crème fraîche und 1–2 Teelöffel eingelegten, gehackten, grünen Pfeffer unterrühren und mit etwas Zucker abschmecken.

Grillmarinade
Einfach (4-6 Portionen)

1 Ahornsirup mit Zucker, Ketchup, Senf oder Senfpulver, Essig, Worcestersauce, Salz und Pfeffer in einem Topf verrühren, zum Kochen bringen, etwa 2 Minuten bei schwacher Hitze ohne Deckel kochen, dann abkühlen lassen.

2 Das zu marinierende Fleisch damit bestreichen und kalt stellen: Kleine Portionsstücke 2-3 Stunden, große Fleischstücke mindestens 8 Stunden. Die Fleischstücke dabei gelegentlich wenden.

Verwendung: **Die Grillmarinade reicht für 1 kg Spareribs oder 800 g Steakfleisch zum Grillen.**

Abwandlung 1: **Für eine Grillmarinade mit saurer Sahne** 150 g saure Sahne mit 1 Esslöffel Zitronensaft, 1 abgezogenen, zerdrückten Knoblauchzehe, 1 Esslöffel Zwiebelwürfel, 1/2-1 Teelöffel Paprikapulver rosenscharf, 1 Messerspitze Salz und 1 Teelöffel Worcestersauce verrühren. Für Lammkoteletts oder Hähnchenschenkel verwenden.

Abwandlung 2: **Für eine asiatische Grillmarinade** 4 Esslöffel Sojasauce mit 2 Esslöffeln flüssigem Honig, 4 Esslöffeln Sherry, 1 abgezogenen, durchgepressten Knoblauchzehe, 1 Teelöffel gemahlenem Zimt, frisch gemahlenem Pfeffer, 1 Messerspitze gemahlenen Gewürznelken und 4 Esslöffeln kaltem schwarzen Tee verrühren. Für Lamm-, Schweine- oder Rindfleisch verwenden.

Zubereitungszeit: etwa 10 Minuten, ohne Abkühlzeit

125 ml (1/8 l) Ahornsirup
2 EL brauner Zucker
2 EL Tomatenketchup
1 TL mittelscharfer Senf
oder 1/2 TL Senfpulver
1-2 EL Obstessig
1 EL Worcestersauce
1/2 TL Salz
frisch gemahlener Pfeffer

Pro Portion:
E: 0 g, F: 0 g, Kh: 22 g,
kJ: 392, kcal: 93

Preiselbeer-Relish
Raffiniert

1 Preiselbeeren verlesen, waschen, abtropfen lassen und 800 g abwiegen. Preiselbeeren mit Cidre, Extra Gelier Zucker, Nelken und Zimt in einen Kochtopf geben, unter Rühren zum Kochen bringen und 5 Minuten ohne Deckel kochen, dabei gelegentlich umrühren.

2 Das Relish sofort randvoll in gründlich gereinigte und gespülte Gläser füllen, mit Twist-off-Deckeln® verschließen, umdrehen und etwa 5 Minuten auf dem Deckel stehen lassen.

Verwendung: **Das Relish zu Geflügelgerichten (z. B. Amerikanische Erntedank-Pute, S. 116) oder zu Gegrilltem servieren.**

Tipp: Anstelle von frischen Preiselbeeren können Sie auch tiefgekühlte Preiselbeeren oder Cranberries verwenden. Die Früchte tiefgekühlt abwiegen, auftauen lassen und den entstehenden Saft bei der Zubereitung mitverwenden.

Zubereitungszeit: etwa 30 Minuten

800 g Preiselbeeren
200 ml Cidre (Apfelwein)
1/2 Pck. (250 g) Extra
Gelier Zucker
1 Msp. gemahlene
Gewürznelken
1/2 TL gemahlener Zimt

Pro Portion:
E: 1 g, F: 1 g, Kh: 79 g,
kJ: 1509, kcal: 357

Gemüse

Für die tägliche Ernährung ist Gemüse sehr wichtig. Es enthält einen hohen Anteil an Kohlenhydraten und Ballaststoffen, Mineralstoffen, Spurenelementen und Vitaminen. Außerdem haben die meisten Gemüsesorten einen geringen Energie- und hohen Wasseranteil (75–95 %).

Einteilung

Knollen- und Wurzelgemüse
z. B. Kartoffeln, Knollensellerie, Möhren, Rübchen, Schwarzwurzeln

Blattgemüse
z. B. Artischocken, Chicorée, Mangold, Spinat

Kohlgemüse
z. B. Blumenkohl, Brokkoli, Grünkohl, Rosenkohl, Rotkohl, Weißkohl, Wirsing

Zwiebelgemüse
z. B. Frühlingszwiebeln, Knoblauch, Porree (Lauch), Zwiebeln

Hülsenfrüchte
z. B. Bohnen, Erbsen, Linsen, Sojabohnen, Kichererbsen

Fruchtgemüse
z. B. Auberginen, Bohnen, Gurken, Kürbis, Paprikaschoten, Tomaten

Stängelgemüse
z. B. Fenchel, Rhabarber, Spargel, Staudensellerie

Kulturpilze
z. B. Austernpilze, Champignons, Shiitake-Pilze

Einkauf und Lagerung

- Viele Gemüsesorten werden mittlerweile ganzjährig angeboten und gewährleisten dadurch eine gute Versorgung der Verbraucher. Bevorzugen Sie einheimisches Gemüse, das gerade Saison hat, denn dann ist es besonders aromatisch und preiswert.
- Möglichst frisches, knackiges Gemüse einkaufen (z. B. auf dem Markt oder in Erzeugerbetrieben). Gemüse mit welken Stängeln und Blättern ist nicht mehr frisch.
- Die Lagerzeit sollte so kurz wie möglich gehalten werden, damit möglichst wenig Nähr- und Aromastoffe verloren gehen.
- Gemüse am besten im Gemüsefach des Kühlschranks oder im kühlen Keller oder Vorratsraum aufbewahren.
- TK-Gemüse erweitert die Angebotspalette ganzjährig. Da das Gemüse schnellstmöglich nach der Ernte eingefroren wird, sind die Nährstoffverluste relativ gering.
- Champignons möglichst lose kaufen, denn in Folie gewickelt reifen sie schnell nach (in Folie verpackte Pilze aus der Verpackung nehmen und in einer Papiertüte im Kühlschrank aufbewahren). Die Pilze sind frisch, wenn Stiel und Kappe fest miteinander verbunden sind.

Vorbereitung

Bei unsachgemäßer Behandlung von frischem Gemüse kann es sehr schnell zu hohen Nährstoffverlusten kommen. Es ist sehr empfindlich gegen Luft-, Wärme-, Wasser- und Lichteinwirkung. Die nachfolgenden Tipps helfen dabei, möglichst viele Nährstoffe zu erhalten.

- Gemüse erst kurz vor der Zubereitung putzen.
- Gemüse immer vor dem Zerkleinern waschen.
- Gemüse kurz aber gründlich unter fließendem kalten Wasser abspülen und nie im Wasser liegen lassen.

Zwiebel würfeln

Zwiebel abziehen, längs halbieren. Die Zwiebelhälfte mit einem Messer in schmalen Abständen senkrecht durchschneiden, dabei die Wurzel aber ganz lassen; dann waagerecht bis zur Wurzel durchschneiden. Die Würfel senkrecht abschneiden.

Paprikaschoten mit einem Löffel aushöhlen

Zum Füllen von Paprikaschoten einen Deckel abschneiden und weiße Scheidewände und Kerne mit einem Löffel entfernen.

Pilze mit Küchenpapier abreiben

Bei Zuchtpilzen ist es meistens nicht nötig, diese mit Wasser abzuspülen. Es genügt das Abreiben mit Küchenpapier.

Spargel schälen

Weißen Spargel mit einem Sparschäler oder einem scharfen Messer vom Kopf zum Ende hin dünn schälen, dabei darauf achten, dass die Schalen vollständig entfernt, die Köpfe aber nicht verletzt werden. Die Spargelenden und holzige Stellen abschneiden.

Grünen Spargel nur im unteren Drittel schälen und die Enden abschneiden.

Tomaten enthäuten

Tomaten waschen, abtropfen lassen, kreuzweise an der oberen Seite einschneiden, kurz in kochendes Wasser legen und in kaltem Wasser abschrecken, so lässt sich die Haut leicht abziehen.

Zubereitung

Damit auch bei der Zubereitung möglichst wenig Nährstoffe verloren gehen und die Gemüsesorten ihren feinen Eigengeschmack entwickeln können, sollte Gemüse schonend gegart werden. Gemüse nur bissfest garen. Bei einer knappen Garzeit behält das Gemüse seine Mineralstoffe und seine frische Farbe. TK-Gemüse unaufgetaut mit etwas Flüssigkeit oder gedünsteten Zwiebelwürfeln garen.

Dünsten

Zum Dünsten (Garen im eigenen Saft oder in wenig Flüssigkeit) das tropfnasse Gemüse mit Gewürzen in einen Topf geben, einen gut schließenden Deckel auflegen und das Gemüse bei schwacher Hitze bissfest garen (nur bei Bedarf etwas Wasser zufügen). Durch das Erwärmen der Flüssigkeit entsteht Dampf, der am Topfdeckel kondensiert und auf das Gemüse tropft. In diesem Kreislauf gart das Gemüse unter 100 °C. Die Geschmacks- und Aromastoffe bleiben erhalten und das Gemüse muss kaum gewürzt werden.

Dämpfen

Zum Dämpfen (Garen im Wasserdampf mit Siebeinsatz) wird der Topfboden mit Wasser bedeckt, das Gemüse in einem passenden Siebeinsatz in den Topf gegeben und der Topf mit einem gut schließenden Deckel verschlossen. Das Gemüse gart im Wasserdampf.

Kochen

Einige Gemüsesorten allerdings müssen gekocht werden. Beim Kochen (Garen in viel Flüssigkeit) ist das Gargut mit Flüssigkeit (fast) bedeckt. Es wird je nach Sorte in kalte (z. B. Kartoffeln) oder kochende Flüssigkeit (z. B. grüne Bohnen) gegeben.

Kleine Warenkunde

Artischocken

Grüne, feste Blütenköpfe mit anliegenden Blättern, die sich zum unteren Ende hin verdicken und einem fleischigen Boden. Von den gegarten Köpfen werden die Blätter abgezupft und nur das untere Ende wird mit einer Sauce verzehrt. Vor dem Verzehr des Bodens den Flaum (Heu) mit einem Messer entfernen. Es gibt auch violette Artischocken, die im Ganzen verzehrt werden.

Auberginen (Eierfrüchte)

Länglich ovale Früchte mit glatter Schale, tiefvioletter Farbe und wenig Eigengeschmack. Die Schale kann mit verzehrt werden.

Blattspinat

Vitamin- und mineralstoffreiches Blattgemüse. Die Blätter werden oberhalb der Wurzel abgeschnitten und müssen sehr gründlich gewaschen werden.

Blumenkohl

Fester weißer bis hellgelber Kopf mit vielen kleinen Röschen. Unzerteilten Blumenkohl vor dem Garen etwa 2 Minuten mit dem Kopf nach unten in Salzwasser legen, um vorhandenes Ungeziefer auszuwaschen. Romanesco ist eine grüne Blumenkohlart.

Bohnen

Es gibt verschiedene Arten (z. B. Prinzess-, Brech-, Schneidebohnen, Dicke Bohnen). Bohnen sollten niemals roh gegessen werden, da sie Phasin enthalten. Dieser Stoff, der Magen- und Darmentzündungen hervorrufen kann, wird aber beim Kochen zerstört.

Brokkoli

Grün-violette Köpfe mit kleinen Röschen, nicht ganz so fest wie Blumenkohl.

Champignons (Egerlinge)

Diese Pilze sind hauptsächlich als Zuchtpilze auf dem Markt. Champignons sind weiß, rosé oder braun (Steinchampignons mit einem intensiveren Pilzgeschmack). Torfreste an der Pilzunterseite abschneiden.

Chicorée

Leicht bitteres Gemüse, das auch als Salat verwendet wird. Der bittere Strunk muss herausgeschnitten werden.

Chinakohl

Große längliche Köpfe von blassgrüner Farbe. Schmeckt als Gemüse oder Salat.

Erbsen

Es gibt Zucker-, Pal- und Markerbsen. Markerbsen sind geschmacklich besser als Palerbsen. Vor dem Zubereiten werden sie aus den Schoten gelöst (ausgepalt). Zuckerschoten (Kaiserschoten) sind flache, hellgrüne Hülsen mit sehr kleinen Erbsen. Sie werden im Ganzen verzehrt. Zuckerschoten gibt es z. B. bereits geputzt zu kaufen, hier unbedingt darauf achten, dass die Enden nicht angetrocknet sind. Frische Zuckerschoten sind knackig, nicht weich.

Fenchel

Weiße, fleischige Blattstiele, die an der Unterseite zu einer festen Knolle zusammengewachsen sind. Das zarte Fenchelkraut kann mitverwendet werden. Fenchel hat einen leichten Anisgeschmack.

Gurken

Es gibt Salat- und Schmorgurken. Freilandgurken haben am Stielansatz häufig Bitter-

stoffe, dann die Enden großzügig abschneiden.

Grünkohl

Die Blätter haben einen gekräuselten Rand und eine starke Mittelrippe. Erst nach dem ersten Frost ist er richtig schmackhaft, da dann die Stärke im Blatt in Zucker umgewandelt wird. Kälte macht den Kohl außerdem bekömmlicher.

Hülsenfrüchte

Hülsenfrüchte (Leguminosen) sind die eiweißreichsten pflanzlichen Lebensmittel mit einem hohen Gehalt an Vitamin B, Folsäure, Eisen und Ballaststoffen. Hülsenfrüchte sind jahrelang haltbar, wenn sie in dichten Behältern trocken aufbewahrt werden. Für die Zubereitung werden Hülsenfrüchte gewaschen und je nach Sorte eventuell vor dem Kochen eingeweicht.

Knollensellerie

Feste, würzige gelb-weiße Knolle. Beim Kauf darauf ach-

ten, dass sie nicht hohl klingt, wenn man darauf klopft, da sie dann im Inneren holzig ist.

Kohlrabi

Glatte, hellgrüne und bläulich-violett gefärbte, feste Knollen. Junge Früchte sind sehr zart, ältere häufig leicht holzig. Die zarten Blättchen können auch mitverwendet werden.

Kürbis

Hellgelbe bis helloorange Früchte mit fester Schale und vielen Kernen und Fasern im Innern. Es gibt verschiedene Sorten von sehr unterschiedlicher Größe.

Mais

Aufgrund des hohen Zuckergehaltes (schwankt zwischen 4 und 14 %) auch Zuckermais genannt. Maiskolben werden frisch, die abgelösten Maiskörner meist als Konserven (Gemüsemais) angeboten.

Mangold

Knackige, schmale Blattstiele mit einer dickeren Mittelrippe. Vitamin- und mineralstoffreich. Mangold hat einen milden, etwas nussartigen Geschmack. Mangold kann anstelle von Blattspinat verwendet werden.

Maronen

Maronen sind Edelkastanien, die frisch, geröstet, in Dosen oder in Sirup auf den Markt kommen.

Möhren (Karotten, Wurzeln)

Spitz zulaufende, kräftige Wurzeln. Besonders reich an Provitamin A, welches bei etwas Fettzugabe (z. B. Butter) vom Körper besonders gut aufgenommen und verwertet wird. Werden als Bund- oder Waschmöhren angeboten.

Okraschoten

Ein Fruchtgemüse, welches überwiegend frisch verwendet wird. Beim Kochen sondern die Schoten einen milchigen Schleim ab, der auch in Konserven zu finden ist.

Paprikaschoten

Paprikaschoten sind in verschiedenen Farben (rot, grün, gelb, orange) im Handel. Reich an Vitamin C und Kalium.

Pastinaken

Ein Wurzelgemüse, welches ähnlich wie Möhren verwendet wird. Sie haben einen stark würzenden Charakter.

Porree (Lauch)

Feste, hell- bis dunkelgrüne Blattstängel mit kleinem Wurzelansatz. Porree ist mineralstoffreich und intensiv würzig.

Rosenkohl

Dicke, kräftige Stängel mit walnussgroßen Röschen. Ein Wintergemüse mit einem hohen Anteil an Vitamin C.

Rote Bete (Rote Rübe)

Nähr- und mineralstoffreiches Wurzelgemüse. Rote Bete färbt sehr stark, daher bei der Vorbereitung Gummihandschuhe tragen.

Rotkohl (Blaukraut)

Kräftige, pralle Köpfe mit glatten, am Rand leicht gekräuselten Blättern. Ihr blauroter Farbstoff wird bei Zugabe von Säure rot.

Schwarzwurzeln

Längliche dunkelbraune Wurzel. Wintergemüse mit hohem Anteil an Mineralstoffen und Vitaminen.

Spargel

Frühlingsgemüse, bis zum 24. Juni aus deutscher Ernte frisch im Handel. Weiße, kräftige Stangen mit weißen, grünen oder violetten Köpfen, wächst unter der Erde. Grüner Spargel wächst über der Erde und ist kräftiger im Geschmack.

Spitzkohl

Kegelförmiger, halbfester Kohlkopf, der zur Weißkohlfamilie gehört. Zarter und feiner als Weißkohl.

Staudensellerie (Stangen- oder Bleichsellerie)

Weißgrüne, knackige Blattstiele, am unteren Rand knollenartig verwachsen. Die zarten Blätter können mit verwendet werden.

Steckrüben (Kohlrübe)

Weiß- bis gelbfleischige pralle Wurzelrüben mit hohem Vitamin- und Mineralstoffanteil. Junge Rübchen (Mairübchen) sind sehr zart.

Stielmus (Rübstiel)

Stielmus wird aus den Blattstielen und Blättern von speziellen Sorten der weißen Mairübe gewonnen. Es ist ein empfindliches Gemüse und sollte daher schnell verbraucht werden.

Teltower Rübchen

Eine rundliche Sorte der Speiserübe mit einer dünnen Haut. Je kleiner die Rübchen, um so feiner, sie schmecken angenehm mild und leicht süßlich.

Tomaten

Rote, feste Früchte von unterschiedlicher Größe (z. B. Fleisch- und Cocktailtomate) und Form (z. B. Flaschentomate). Überwiegend saftiges Kerngehäuse. Für warme Gerichte sollte die Haut abgezogen werden. Es gibt auch grüne und gelbe Tomaten. Tomaten nicht zusammen mit Gurken aufbewahren. Tomaten scheiden Äthylen aus, ein Gas, das Gurken schnell gelb werden lässt.

Topinambur

Die beige-rotbraunen Wurzelknollen dieser mit der Sonnenblume und der Artischocke verwandten Knollenpflanze schmecken leicht süßlich und nussartig.

Weißkohl (Weißkraut)

Pralle, feste, gelbgrüne Kohlköpfe. Etwa die Hälfte der Ernte wird zu Sauerkraut verarbeitet. Kohl mit etwas zerstoßenem oder gemahlenem Kümmel, Anis oder Fenchelsamen würzen. Dadurch erhält der Kohl einen süßlichen Geschmack und ist leichter verdaulich.

Wirsing

Kohl mit locker angelegten, leicht gekräuselten Blättern von kräftig grüner Farbe.

Zucchini (Courgette, Zucchetti)

Dunkelgrüne oder gelbe, gurkenartige Früchte mit festem Fleisch. Kleine Früchte sind zarter im Geschmack als große. Die jungen Blüten sind essbar.

Zwiebeln

Eine große Familie mit unterschiedlichen Formen, Größen, Farben und Schärfen. Gemüsezwiebeln sind groß und relativ mild. Schalotten werden oft im Ganzen geschmort. Bei Frühlingszwiebeln (Lauchzwiebeln) wird das Grün meistens mitverwendet.

Weißkohl

Wirsing

Grünkohl

Rotkohl

Ratatouille
Klassisch

Zubereitungszeit: etwa 40 Minuten

300 g Gemüsezwiebeln
2–3 Knoblauchzehen
je 1 rote und grüne
Paprikaschote (je 150 g)
250 g Zucchini
250 g Auberginen
300 g Tomaten
4 EL Olivenöl
1 Lorbeerblatt
Salz
frisch gemahlener Pfeffer
2–3 TL Kräuter der
Provence

Pro Portion:

E: 4 g, F: 11 g, Kh: 11 g,
kJ: 652, kcal: 156

1 Gemüsezwiebeln abziehen, halbieren oder vierteln und in Scheiben schneiden. Knoblauch abziehen und in Scheiben schneiden.

2 Paprikaschoten halbieren, entstielen, entkernen, die weißen Scheidewände entfernen, die Schoten waschen und in mundgerechte Stücke schneiden. Zucchini und Auberginen waschen, abtrocknen, die Enden abschneiden und beide Zutaten in mundgerechte Stücke schneiden.

3 Tomaten waschen, abtropfen lassen, kreuzweise einschneiden, kurz in kochendes Wasser legen und in kaltem Wasser abschrecken. Tomaten enthäuten, die Stängelansätze herausschneiden, Tomaten entkernen und in Stücke schneiden.

4 Öl in einem flachen Topf erhitzen. Zwiebel- und Knoblauchscheiben darin unter Rühren kurz andünsten. Paprika, Auberginen, Lorbeerblatt, Salz, Pfeffer und 2 Teelöffel Kräuter der Provence dazugeben und unter Rühren andünsten. Dann bei schwacher Hitze etwa 10 Minuten mit Deckel dünsten, dabei gelegentlich umrühren.

5 Zucchini dazugeben und alles weitere 5 Minuten mit Deckel dünsten. Dann die Tomatenstücke unterheben und alles einmal aufkochen lassen. Das Gemüse mit Salz, Pfeffer und Kräutern der Provence abschmecken.

Tipp: Ratatouille als Beilage zu gebratenem Lammfleisch oder als vegetarisches Hauptgericht mit Reis oder Baguette servieren.
Das Gemüse schmeckt auch kalt zu Grillfleisch.

Abwandlung: Wenn Sie Ratatouille als kalte Vorspeise servieren möchten, für 4 Portionen die halbe Rezeptmenge wie oben angegeben zubereiten, erkalten lassen und mit etwas Balsamico-Essig würzen. Das Gemüse auf 2 in Scheiben geschnittenen Tomaten anrichten und mit frischen Basilikumblättern und 100 g in kleine Stücke geteiltem Schafkäse garnieren.

Backofengemüse (Foto)
Vegetarisch

Zubereitungszeit: etwa 60 Minuten

1 kg fest kochende, mittelgroße Kartoffeln
Salz
frisch gemahlener Pfeffer
7 EL Olivenöl
400 g rote Paprika-schoten
200 g gelbe Paprika-schoten
400 g Zucchini
2 Zweige Rosmarin
4 Knoblauchzehen

Pro Portion:
E: 8 g, F: 19 g, Kh: 46 g,
kJ: 1640, kcal: 391

1   Den Backofen vorheizen. Kartoffeln unter fließendem kalten Wasser sehr gründlich abbürsten, trockentupfen, längs vierteln, in eine Fettfangschale legen, mit Salz und Pfeffer bestreuen und mit 2 Esslöffeln Öl beträufeln. Die Fettfangschale in den Backofen schieben.

Ober-/Unterhitze: **etwa 180 °C (vorgeheizt),** Heißluft: **etwa 160 °C (vorgeheizt),** Gas: **Stufe 2-3 (vorgeheizt),** Garzeit: **etwa 20 Minuten.**

2   In der Zwischenzeit Paprikaschoten vierteln, entstielen, entkernen, die weißen Scheidewände entfernen, die Schoten waschen und in kleine Stücke schneiden.

3   Zucchini waschen, abtrocknen, die Enden abschneiden und Zucchini in kleine Stücke schneiden. Das Gemüse salzen, pfeffern und mit dem restlichen Öl vermischen.

4   Rosmarinzweige abspülen und trockentupfen. Knoblauch abziehen und die Zehen mit dem Gemüse und den Rosmarinzweigen zu den vorgegarten Kartoffeln geben. Alle Zutaten miteinander vermischen.

5   Die Fettfangschale wieder in den Backofen schieben und alles **bei der oben angegebenen Backofeneinstellung noch weitere 20-25 Minuten garen.**

Tipp: Das Backofengemüse als vegetarisches Hauptgericht pur oder mit Tomatensauce (S. 190) servieren.
Als Partygericht z. B. zu Braten reichen.

Möhren (Wurzeln, Karotten, gelbe Rüben)
Für Kinder

Zubereitungszeit: etwa 30 Minuten

1 kg Möhren
50 g Butter
100 ml Gemüsebrühe
Salz
1 gestr. TL Zucker
1-2 EL gehackte Petersilie

1   Möhren schälen, Grün und Spitzen abschneiden, Möhren waschen, abtropfen lassen und in Scheiben oder Stifte schneiden.

2   Butter in einem Topf zerlassen. Die Möhren darin unter Rühren kurz andünsten. Gemüsebrühe hinzufügen und die Möhren bei schwacher Hitze in 10-15 Minuten mit Deckel gar dünsten.

3   Die Möhren mit Salz und Zucker würzen und mit Petersilie bestreut servieren.

(Fortsetzung Seite 206)

Tipp: Die Möhren passen als Beilage zu Fleisch-, Fisch- und Geflügel-gerichten oder für eine gemischte Gemüseplatte (Foto S. 209).

Abwandlung 1: Für **Möhren mit Knoblauch und Basilikum** zusätzlich 2 Knoblauchzehen abziehen, in Scheiben schneiden, mit den Möhren dünsten und anstelle von Petersilie 2 Esslöffel gehacktes Basilikum untermischen.

Abwandlung 2: Für **Möhren mit Ingwer und Orange** Möhren in der Butter andünsten, dann zusätzlich 1 Esslöffel Zucker, abgeriebene Schale von 1 unbehandelten Orange, geschälte, in feine Stifte geschnittene frische Ingwerwurzel (etwa 3 cm), Salz und Pfeffer zugeben, umrühren, knapp 125 ml ($\frac{1}{8}$ l) Wasser anstelle der Gemüsebrühe zugeben und die Möhren erst 5–6 Minuten mit Deckel, dann 5–6 Minuten ohne Deckel dünsten, dabei ab und zu umrühren.

Abwandlung 3: Für **glasierte Möhren** 1 kg kleine Bund- oder Fingermöhren putzen, dabei etwas Grün stehen lassen. Möhren waschen, in 50 g zerlassener Butter andünsten, 4 Esslöffel Zucker unterrühren, 100 ml Gemüsebrühe dazu-gießen. Möhren etwa 15 Minuten bei schwacher Hitze mit Deckel dünsten, salzen und mit 1 Esslöffel gehackter Minze oder Basilikum bestreut servieren.

Pastinaken-Möhren-Gemüse
Raffiniert

300 g Möhren
700 g Pastinaken
50 g Butter
125 ml ($\frac{1}{8}$ l) Gemüse-brühe
Salz
frisch gemahlener Pfeffer
1 EL klein geschnittene glatte Petersilie

1 Möhren und Pastinaken schälen, Grün und Spitzen abschneiden, Gemüse waschen und abtropfen lassen. Möhren in dünne Schei-ben schneiden. Von den Pastinaken die Spitze in dünne Scheiben schneiden, das untere Ende vierteln und in dünne Scheiben schneiden.

2 Butter in einem Topf zerlassen. Die Möhrenscheiben darin bei schwacher Hitze etwa 5 Minuten unter Rühren dünsten. Die Pasti-nakenscheiben zugeben und Gemüsebrühe hinzugießen. Das Ge-müse mit Salz und Pfeffer würzen und 6–8 Minuten mit Deckel weiterdünsten, dabei gelegentlich umrühren.

3 Das Gemüse mit Salz und Pfeffer abschmecken und mit Petersilie bestreut servieren.

Tipp: Das Pastinaken-Möhren-Gemüse als Beilage zu Fischgerichten, gebra-tenem Geflügel, Geflügel- oder Kalbsragout servieren.

Abwandlung: Für ein Pastinaken-Möhren-Gemüse mit Kohlrabi nur 400 g Pastinaken und zusätzlich 300 g Kohlrabi verwenden. Die 3 Gemüse-sorten wie oben angegeben vorbereiten (Kohlrabi erst vierteln, dann in Schei-ben schneiden). Kohlrabischeiben und 1–2 Teelöffel Thymianblätter zusammen mit den Möhrenscheiben andünsten und wie oben angegeben weiterverfahren.

Blumenkohl
Für Kinder (4-6 Portionen)

1 Wasser mit Zitronenscheiben zum Kochen bringen. Inzwischen von dem Blumenkohl Blätter und schlechte Stellen entfernen, den Strunk abschneiden, den Blumenkohl unter fließendem kalten Wasser gründlich abspülen, zusammen mit dem Salz mit dem Strunk nach unten in das kochende Wasser geben, zum Kochen bringen und bei schwacher Hitze mit Deckel in etwa 20 Minuten gar kochen.

2 Butter in einer kleinen Pfanne zerlassen. Semmelbrösel dazu geben und unter Rühren hellbraun rösten. Nach Belieben mit Muskatnuss würzen. Den Blumenkohl mit einer Schaumkelle aus dem Wasser heben, abtropfen lassen und in eine vorgewärmte Schüssel geben. Die Butter-Semmelbrösel-Mischung darüber geben.

Tipp: Blumenkohl als Beilage zu Fleisch- oder Geflügelgerichten oder als Teil einer gemischten Gemüseplatte (Foto S. 209) servieren. Mit Hollandaise (S. 188) oder mit Käse überbacken auch als Hauptgericht geeignet. Schneller geht's, wenn Sie den Blumenkohl vor dem Kochen in Röschen teilen. Dann verringert sich die Kochzeit um etwa 10 Minuten.

Zubereitungszeit: etwa 25 Minuten

750 ml (³/₄ l) Wasser
2-3 Zitronenscheiben
(unbehandelt)
1 großer Blumenkohl
(etwa 1,2 kg)
2 TL Salz
60 g Butter
2-3 EL Semmelbrösel
geriebene Muskatnuss

Pro Portion:
E: 4 g, F: 10 g, Kh: 6 g,
kJ: 563, kcal: 134

Brokkoli
Einfach

1 Wasser in einem Topf zum Kochen bringen. In der Zwischenzeit von dem Brokkoli die Blätter entfernen, die Enden abschneiden, die Stängel schälen und bis kurz vor den Röschen kreuzförmig einschneiden.

2 Brokkoli waschen, mit dem Salz in das kochende Wasser geben, zum Kochen bringen und bei mittlerer Hitze in etwa 10 Minuten mit Deckel gar kochen.

3 Butter zerlassen und mit Muskatnuss würzen. Eier pellen, klein hacken und zu der Butter geben.

4 Brokkoli mit einer Schaumkelle aus dem Wasser nehmen, abtropfen lassen und in eine vorgewärmte Schüssel geben. Die Eier-Butter-Mischung über den Brokkoli verteilen.

Tipp: Brokkoli zu Braten und kurz gebratenem Fleisch reichen oder ohne Ei als Teil einer gemischten Gemüseplatte servieren (Foto S. 209).

Zubereitungszeit: etwa 25 Minuten

500 ml (¹/₂ l) Wasser
1 kg Brokkoli
¹/₂ TL Salz
40 g Butter
geriebene Muskatnuss
2 hart gekochte Eier

Pro Portion:
E: 9 g, F: 12 g, Kh: 4 g,
kJ: 669, kcal: 160

Grüne Bohnen (Schnitt- oder Brechbohnen)
Einfach

Zubereitungszeit: etwa 30 Minuten

750 g grüne Bohnen
3-4 Zweige Bohnenkraut
Salz
1 Zwiebel
40 g Butter oder
Margarine
frisch gemahlener Pfeffer
geriebene Muskatnuss
1 EL gehackte Petersilie

Pro Portion:

E: 4 g, F: 9 g, Kh: 10 g,
kJ: 570, kcal: 136

1 In einem Topf Wasser zum Kochen bringen. Inzwischen von den Bohnen die Enden abschneiden, die Fäden abziehen. Bohnen waschen und in Stücke schneiden oder brechen. Bohnenkraut abspülen. Bohnen, Bohnenkraut und Salz (auf 1 l Wasser 1 TL Salz) in das kochende Wasser geben, wieder zum Kochen bringen und Bohnen in 15-20 Minuten mit Deckel gar kochen.

2 In der Zwischenzeit Zwiebel abziehen und würfeln. Butter oder Margarine zerlassen. Die Zwiebelwürfel darin unter Rühren andünsten.

3 Die garen Bohnen zum Abtropfen in ein Sieb geben und das Bohnenkraut entfernen. Die Bohnen zu den Zwiebelwürfeln geben und schwenken. Die Bohnen mit Salz, Pfeffer und Muskatnuss würzen und mit Petersilie bestreut servieren.

Tipp: Grüne Bohnen passen als Teil einer gemischten Gemüseplatte (Foto) zu Fleischgerichten aller Art oder als Beilage zu Matjes.
Sie können gelbe Wachsbohnen auf die gleiche Weise zubereiten.
Prinzess- oder Keniabohnen sind sehr zart (Garzeit 8-12 Minuten). Die garen Bohnen mit kaltem Wasser abschrecken, dann behalten sie ihre grüne Farbe.

Abwandlung: Für **grüne Bohnen mit Speck** zusätzlich 70 g durchwachsenen Speck würfeln, in einer Pfanne auslassen, Butter oder Margarine hinzufügen und zerlassen. Die Zwiebelwürfel darin andünsten, die Bohnen darin schwenken. Zu Lammfleisch servieren.

Junge Erbsen
Für Kinder

Zubereitungszeit: etwa 15 Minuten

35 g Butter
750 g TK-Erbsen
100 ml Gemüsebrühe
Salz, 1 Prise Zucker
1 EL gehackte Petersilie

Pro Portion:

E: 14 g, F: 8 g, Kh: 24 g,
kJ: 965, kcal: 230

1 Butter in einem Topf zerlassen. Die unaufgetauten Erbsen darin unter Rühren andünsten. Gemüsebrühe, Salz und Zucker hinzufügen und die Erbsen bei schwacher Hitze in etwa 8 Minuten mit Deckel gar dünsten, dabei gelegentlich umrühren.

2 Die Erbsen mit Salz und Zucker würzen und mit Petersilie bestreut servieren.

Tipp: Erbsen passen als Beilage zu Fleisch- oder Geflügelgerichten oder für eine gemischte Gemüseplatte (Foto).
Um 750 g Erbsen zu erhalten, benötigen Sie 2 kg ungepalte Erbsen (mit Hülsen). Die Erbsen palen, waschen, abtropfen lassen und wie oben angegeben dünsten.

Kürbisgemüse (Foto)
Schnell

Zubereitungszeit: etwa 25 Minuten

1,2 kg Kürbis
30 g Butter oder
Margarine
125 ml (¹/₈ l) Gemüse-
brühe
Salz
frisch gemahlener Pfeffer
etwas Zucker
Weißweinessig
2 EL gehackter Dill
2 EL gehackte Petersilie

Pro Portion:

E: 3 g, F: 7 g, Kh: 11 g,
kJ: 473, kcal: 113

1 Kürbis in Spalten schneiden, schälen, Kerne und Innenfasern entfernen und das Fruchtfleisch in Stifte schneiden.

2 Butter oder Margarine in einem Topf zerlassen. Die Kürbisstifte darin unter Rühren andünsten. Gemüsebrühe hinzugießen und die Kürbisstifte bei schwacher Hitze in etwa 8 Minuten mit Deckel gar dünsten, dabei gelegentlich umrühren.

3 Das Kürbisgemüse mit Salz, Pfeffer, Zucker und Essig würzen und Dill und Petersilie unterheben.

Tipp: Das Kürbisgemüse passt zu gebratener Leber (S. 94), Frikadellen (S. 96), Eiern mit Senfsauce (S. 335) oder Kasseler (S. 88).
Das Gemüse mit 2 Esslöffeln Speiseöl (z. B. Sonnenblumenöl) anstelle von Butter oder Margarine zubereiten und kurz vor dem Servieren mit 1–2 Esslöffeln Kürbiskernöl beträufeln, das einen nussigen Geschmack hat.

Zuckerschoten
Schnell

Zubereitungszeit: etwa 15 Minuten

500 g Zuckerschoten
Salz
30 g Butter
frisch gemahlener Pfeffer

Pro Portion:

E: 5 g, F: 6 g, Kh: 12 g,
kJ: 535, kcal: 127

1 In einem Topf Wasser zum Kochen bringen. Inzwischen von den Zuckerschoten die Enden abschneiden, die Schoten eventuell abfädeln, waschen und abtropfen lassen. Schoten und Salz (auf 1 l Wasser 1 TL Salz) in das kochende Wasser geben, wieder zum Kochen bringen und in etwa 5 Minuten mit Deckel gar kochen.

2 Die Schoten sofort mit einer Schaumkelle aus dem Wasser nehmen, in eiskaltes Wasser geben, damit Sie ihre grüne Farbe behalten, herausnehmen und gut abtropfen lassen.

3 Butter zerlassen. Die Schoten darin schwenken und mit Salz und Pfeffer würzen.

Tipp: Die Zuckerschoten als Teil einer gemischten Gemüseplatte anrichten (Foto S. 209) oder als Beilage zu Hähnchen- oder Putengeschnetzeltem, Kalbs- oder Putenschnitzel (S. 119) servieren.

Abwandlung: **Für Zuckerschoten mit Orangenbutter** zusätzlich ¹/₂ Teelöffel abgeriebene Orangenschale (unbehandelt) zu der Butter geben.

Chicorée im Schinkenmantel (Foto)

Raffiniert

Zubereitungszeit: etwa 50 Minuten

4 große Chicorée
50 g Butter
1 EL Speiseöl, z. B.
Sonnenblumenöl
4 Scheiben gekochter
Schinken
1 Becher (150 g)
Crème fraîche
150 g Naturjoghurt
(3,5 % Fett)
200 g Schmelzkäse
Salz, Pfeffer
50 g geraspelter Gratin-
oder Gouda-Käse

Pro Portion:

E: 25 g, F: 47 g, Kh: 7 g,
kJ: 2286, kcal: 547

1   Den Backofen vorheizen. Vom Chicorée die äußeren welken Blätter entfernen, Chicorée längs halbieren, waschen, abtropfen lassen und die bitteren Strünke keilförmig so herausschneiden, dass die Blätter möglichst noch zusammenhalten.

2   Butter und Öl in einer Pfanne erhitzen. Die Chicoréehälften darin mit der Schnittseite nach unten bei schwacher Hitze etwa 10 Minuten dünsten.

3   Schinkenscheiben halbieren, je 1 Hälfte um eine Chicoréehälfte legen und in eine flache Auflaufform geben.

4   Crème fraîche und Joghurt in der Pfanne erhitzen, zum Kochen bringen und Schmelzkäse unter Rühren darin auflösen.

5   Die Sauce mit Salz und Pfeffer würzen und über die Chicorée-hälften geben. Den geraspelten Käse darüber streuen. Die Form ohne Deckel auf dem Rost in den Backofen schieben.

Ober-/Unterhitze: etwa 180 °C (vorgeheizt), Heißluft: etwa 160 °C (vorgeheizt), Gas: Stufe 2-3 (vorgeheizt), Garzeit: etwa 20 Minuten.

Beilage: Kleine Kartoffeln oder Reis.

Kohlrabi

Für Kinder

Zubereitungszeit: etwa 30 Minuten

1 kg Kohlrabi
30 g Butter
100 ml Gemüsebrühe
Salz
geriebene Muskatnuss
1 EL gehackte Petersilie

Pro Portion:

E: 3 g, F: 7 g, Kh: 6 g,
kJ: 410, kcal: 98

1   Kohlrabi schälen, die zarten Kohlrabiblätter zum Garnieren beiseite legen. Kohlrabi waschen, abtropfen lassen und erst in Scheiben, dann in Streifen schneiden.

2   Butter in einem Topf zerlassen. Die Kohlrabistreifen darin unter Rühren andünsten. Gemüsebrühe hinzufügen. Kohlrabi bei schwacher Hitze in 10-15 Minuten mit Deckel gar dünsten, dabei gelegentlich umrühren.

3   Kohlrabi mit Salz und Muskatnuss würzen. Das beiseite gelegte Kohlrabigrün abspülen, abtropfen lassen und hacken. Das Ge-müse mit Kohlrabigrün und Petersilie bestreut servieren.

Tipp: Kohlrabigemüse passt als Beilage zu Fleisch- oder Geflügelgerichten oder zu einer gemischten Gemüseplatte (Foto S. 209).
Zu Kohlrabi schmeckt auch eine Béchamelsauce (S. 183).

Gurkengemüse
Schnell

Zubereitungszeit: etwa 20 Minuten

1 kg Salatgurken
30 g Butter oder Margarine oder 3 EL
Speiseöl, z. B. Sonnenblumenöl
Salz
frisch gemahlener Pfeffer
1 EL gehackter Dill

Pro Portion:
E: 1 g, F: 7 g, Kh: 3 g,
kJ: 333, kcal: 80

1 Gurken schälen, die Enden abschneiden, Gurken längs halbieren und die Kerne mit Hilfe eines Löffels herausschaben. Die Gurkenhälften in 1 cm breite Streifen schneiden.

2 Butter, Margarine oder Öl in einem Topf erhitzen. Die Gurkenstreifen darin bei schwacher Hitze in 8–10 Minuten mit Deckel gar dünsten, dabei ab und zu umrühren. Das Gurkengemüse mit Salz und Pfeffer würzen und mit Dill bestreut servieren.

Tipp: Das Gurkengemüse zu Fischgerichten, Frikadellen (S. 96) oder Hackbraten (S. 90) servieren.
Zusätzlich 2 Esslöffel Crème fraîche zum Schluss unter die Gurken rühren. Verwenden Sie im Spätsommer Schmorgurken anstelle von Salatgurken, denn ihr Aroma ist noch intensiver. Schneiden Sie vor dem Schälen die Enden der Gurken ab und probieren die Gurken, denn manche können bitter schmecken.

Abwandlung: Für ein **Curry-Gurkengemüse** zusätzlich 1 Zwiebel abziehen, würfeln, zusammen mit den Gurken in das erhitzte Fett geben, mit 1 Esslöffel Curry bestäuben und wie oben angegeben dünsten. Zum Schluss 4 Esslöffel Schlagsahne untermischen und erhitzen. Das Gemüse mit Zitronensaft und 1 Prise Zucker abschmecken und mit 1 Esslöffel gehacktem Dill, Petersilie oder Korianderkraut bestreuen.

Porree (Lauch)
Schnell

Zubereitungszeit: etwa 25 Minuten

1,2 kg Porree (Lauch)
30 g Butter oder
Margarine oder
3 EL Speiseöl
100 ml Gemüsebrühe
Salz, Pfeffer
geriebene Muskatnuss
1 EL gehackte Petersilie

Pro Portion:
E: 4 g, F: 7 g, Kh: 6 g,
kJ: 420, kcal: 100

1 Von dem Porree die Außenblätter entfernen, Wurzelenden und dunkles Grün abschneiden, die Stangen längs halbieren, gründlich waschen, abtropfen lassen und in 6 cm lange Stücke schneiden.

2 Butter, Margarine oder Öl in einem großen Topf zerlassen. Die Porreestücke hineingeben, kurz andünsten, Brühe dazugeben und bei schwacher Hitze in etwa 10 Minuten mit Deckel gar dünsten.

3 Porree mit Salz, Pfeffer und Muskatnuss würzen und mit Petersilie bestreut servieren.

Tipp: Den Porree als Beilage zu Rinderrouladen (S. 64), Rinderschmorbraten (S. 68), Schweineschmorbraten (S. 83), Steaks oder Schnitzeln servieren. Zusätzlich 2 hart gekochte Eier pellen, hacken und über den fertigen Porree streuen oder 50 g gehobelte Haselnusskerne oder Mandeln in einer Pfanne ohne Fett goldbraun rösten und in das zerlassene Fett geben.

Gefüllte Zwiebeln
Preiswert

1 Wasser in einem Topf zum Kochen bringen. In der Zwischenzeit Gemüsezwiebeln abziehen. Die Zwiebeln dann mit 1 Teelöffel Salz in das kochende Wasser geben und bei schwacher Hitze etwa 20 Minuten mit Deckel halb gar kochen.

2 Die Zwiebeln mit einer Schaumkelle aus dem Wasser nehmen und abkühlen lassen. Von der Kochflüssigkeit 75 ml abmessen. Den Backofen vorheizen. Die Zwiebeln waagerecht halbieren und bis auf 3-4 Schichten aushöhlen (Foto 1). Das Zwiebelinnere klein schneiden (Foto 2).

3 Butter oder Margarine in einem Topf zerlassen. Die Zwiebel-stücke darin unter Rühren 3-4 Minuten dünsten. Sahne und die abgemessene Kochflüssigkeit unterrühren, mit Salz und Pfeffer würzen und in eine flache Auflaufform geben.

4 Das Mett mit 2 Esslöffeln Petersilie vermengen und in die Zwiebel-hälften füllen (Foto 3). Die Zwiebelhälften in die Auflaufform setzen. Die Form ohne Deckel auf dem Rost in den Backofen schieben.

Ober-/Unterhitze: **etwa 200 °C (vorgeheizt)**, Heißluft: **etwa 180 °C (vorgeheizt)**, Gas: **Stufe 3-4 (vorgeheizt)**, Garzeit: **etwa 35 Minuten.**

5 Die Zwiebelhälften mit der Sauce anrichten und mit der restlichen Petersilie bestreuen.

Beilage: **Kartoffelpüree (S. 290), Risotto (S. 305) oder Baguette.**

Abwandlung: **Für gefüllte Zwiebeln in Gemüsesauce** die Zwiebeln wie oben angegeben vorbereiten und füllen. Zusätzlich 1 Bund Suppengrün put-zen, waschen, in kleine Würfel oder Streifen schneiden und zusammen mit dem Zwiebelinneren andünsten. Dann 125 ml (1/8 l) von der Kochflüssigkeit zugeben und das Gemüse etwa 10 Minuten dünsten. Die Schlagsahne und 1 Teelöffel abgetropfte Kapern dazugeben, mit Salz und Pfeffer würzen und die Gemüsesauce in die Auflaufform geben. Die Gemüsesauce nach der Garzeit im Backofen eventuell pürieren, mit Salz und Pfeffer abschmecken und zu den Zwiebelhälften servieren.

Zubereitungszeit: etwa 70 Minuten, ohne Abkühlzeit

1 1/4-1 1/2 l Wasser
2 Gemüsezwiebeln
(etwa 750 g)
Salz
15 g Butter oder
Margarine
3 EL Schlagsahne
frisch gemahlener Pfeffer
375 g Thüringer Mett
(gewürztes Schweine-
gehacktes)
3 EL gehackte Petersilie

Pro Portion:
E: 19 g, F: 25 g, Kh: 9 g,
kJ: 1403, kcal: 336

 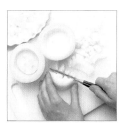 

Gefüllte Champignons

Gut vorzubereiten

Zubereitungszeit: etwa 60 Minuten, ohne Abkühlzeit

600 g Blattspinat
1 kleine Zwiebel
60 g Butter
Salz
frisch gemahlener Pfeffer
geriebene Muskatnuss
12 Riesenchampignons
(etwa 600 g)
125 g Doppelrahm-
Kräuterfrischkäse
2 EL Semmelbrösel
40 g geriebener Emmen-
taler-Käse
evtl. Gemüsebrühe
250 ml (¼ l) Schlagsahne
Saucenbinder
½ TL gekörnte Instant-
Gemüsebrühe

Außerdem:
Fett für die Form

Pro Portion:

E: 17 g, F: 45 g, Kh: 8 g,
kJ: 2069, kcal: 494

1 Spinat verlesen, dicke Stiele entfernen, Spinat gründlich waschen und etwas abtropfen lassen. Zwiebel abziehen und würfeln.

2 40 g Butter in einem Topf zerlassen. Die Zwiebelwürfel darin andünsten. Den Spinat hinzufügen, mit Salz, Pfeffer und Muskatnuss würzen und bei schwacher Hitze etwa 5 Minuten mit Deckel dünsten, dabei vorsichtig umrühren. Den Spinat in ein Sieb geben, dabei die Dünstflüssigkeit auffangen. Den Spinat etwas abkühlen lassen, dann klein schneiden. Den Backofen vorheizen.

3 Von den Champignons Stielenden und schlechte Stellen abschneiden, Champignons mit Küchenpapier abreiben, eventuell abspülen und trockentupfen. Die Stiele aus den Köpfen herausdrehen und in kleine Würfel schneiden.

4 Die restliche Butter zerlassen. Die Champignonwürfel darin unter Rühren 1–2 Minuten dünsten und mit Salz und Pfeffer würzen. Frischkäse unterrühren und mit den Semmelbröseln unter den Spinat geben. Die Masse nochmals mit Salz, Pfeffer und Muskatnuss abschmecken.

5 Die Champignonköpfe innen mit Salz und Pfeffer bestreuen, bergartig mit der Spinatmasse füllen und in eine gefettete Auflaufform geben. Emmentaler darüber streuen.

6 Von der aufgefangenen Spinat-Dünstflüssigkeit 125 ml (⅛ l) abmessen (eventuell mit Gemüsebrühe auffüllen), mit Sahne in dem Spinattopf zum Kochen bringen und mit Saucenbinder andicken. Die Sauce mit Salz, Pfeffer und Gemüsebrühe abschmecken und in die Auflaufform gießen. Die Form ohne Deckel auf dem Rost in den Backofen schieben.

Ober-/Unterhitze: **etwa 180 °C (vorgeheizt)**, Heißluft: **etwa 160 °C (vorgeheizt)**, Gas: **Stufe 2–3 (vorgeheizt)**, Überbackzeit: **etwa 30 Minuten.**

Tipp: Die gefüllten Champignons als vegetarisches Hauptgericht mit Baguette oder Ciabatta (italienisches Weißbrot) servieren.
Als Vorspeise mit Tomatenscheiben oder etwas Blattsalat auf Tellern angerichtet reichen die gefüllten Champignons für 8–10 Portionen.

Abwandlung: Für **gefüllte Champignons mit Tomatensauce** anstelle der Sahnesauce 1 Packung (500 g) passierte Tomaten mit Salz, Pfeffer und Paprikapulver rosenscharf würzen und in die Auflaufform geben. Die Champignons dann nach dem Überbacken mit 2 Esslöffeln gehacktem Basilikum bestreuen.

Sellerieschnitzel (Foto)
Vegetarisch

Zubereitungszeit: etwa 25 Minuten, ohne Bratzeit

800 g Knollensellerie
Salz
frisch gemahlener Pfeffer
2 EL Zitronensaft
2 Eier
100 g Weizenmehl
200 g Semmelbrösel
5 EL Speiseöl, z. B. Sonnenblumenöl
50 g Butter

Pro Portion:

E: 8 g, F: 21 g, Kh: 31 g,
kJ: 1439, kcal: 344

1 Sellerie schälen, schlechte Stellen herausschneiden, Sellerie waschen, abtropfen lassen, in $1/2$ cm dicke Scheiben schneiden, salzen, pfeffern und mit Zitronensaft beträufeln.

2 Eier mit Hilfe einer Gabel in einem tiefen Teller verschlagen. Die Selleriescheiben zunächst in Mehl, dann in Ei und zuletzt in Semmelbröseln wenden. Die Semmelbrösel gut andrücken.

3 Etwas von dem Öl in einer Pfanne erhitzen. Die Selleriescheiben darin portionsweise in etwa 4 Minuten pro Seite goldgelb ausbacken. Kurz vor Beendigung der Bratzeit jeweils etwas Butter in die Pfanne geben und zerlassen.

Tipp: Die Sellerieschnitzel als vegetarisches Hauptgericht, z. B. mit Tomatensauce (S. 190), Kräuterquark und Salat servieren.
Auf diese Weise lassen sich auch Rettichscheiben oder in Scheiben geschnittene Rote Bete zubereiten.

Abwandlung: Sie können Sellerieschnitzel auch mit unterschiedlichen Panaden zubereiten. Dafür nur 180 g Semmelbrösel mit 30 g geriebenem Parmesan-Käse oder 30 g fein gehackten Sonnenblumenkernen mischen.

Schalotten in Rotwein
Mit Alkohol

Zubereitungszeit: etwa 30 Minuten

500 g Schalotten
25 g Butter
20 g Zucker
250 ml ($1/4$ l) Rotwein
Salz
frisch gemahlener Pfeffer
1 EL gehackte glatte Petersilie

Pro Portion:

E: 2 g, F: 5 g, Kh: 10 g,
kJ: 562, kcal: 134

1 Schalotten abziehen und eventuell halbieren. Butter zerlassen, die Schalotten darin hellgelb dünsten. Zucker darüber streuen und unter Rühren etwas karamellisieren lassen.

2 Rotwein hinzugießen und Schalotten in etwa 15 Minuten bei schwacher Hitze mit Deckel gar dünsten. Die Schalotten mit Salz und Pfeffer würzen und mit Petersilie bestreut servieren.

Tipp: Die Schalotten zu Steaks, gebratener Leber (S. 94) oder Krustenbraten servieren.
Die Schalotten anstatt in Butter in 3 Esslöffeln Olivenöl dünsten.
Die Schalotten in Rotwein halten sich etwa 1 Woche im Kühlschrank.
Kalt schmecken sie gut zu Brot oder können Teil einer Vorspeisenplatte sein.

Abwandlung: Zusätzlich 100 g Crème fraîche unter die gegarten Schalotten rühren und nochmals abschmecken.

Gefüllte Paprikaschoten (Titelfoto)

Beliebt

Zubereitungszeit: etwa 80 Minuten, ohne Abkühlzeit

4 Paprikaschoten
(je 150 g)
250 g Gemüsezwiebeln
500 g Tomaten
6 EL Olivenöl
400 g Gehacktes (halb
Rind-, halb Schweine-
fleisch)
2 EL Tomatenmark
Salz
frisch gemahlener Pfeffer
etwa 375 ml ($^3/_8$ l)
Gemüsebrühe
15 g Weizenmehl
6 EL Schlagsahne
Salz
frisch gemahlener Pfeffer
getrockneter, gerebelter
Oregano
etwas Zucker

Pro Portion:
E: 23 g, F: 37 g, Kh: 14 g,
kJ: 1992, kcal: 475

1 Paprikaschoten waschen, abtrocknen, am Stielende einen Deckel abschneiden, Kerne und weiße Scheidewände entfernen und die Schoten abspülen. Gemüsezwiebeln abziehen und würfeln. Tomaten waschen, abtrocknen und die Stängelansätze heraus-schneiden. 3 Tomaten halbieren, entkernen und in Würfel schneiden.

2 Zwei Esslöffel Öl in einer Pfanne erhitzen. Die Hälfte der Zwie-belwürfel darin andünsten. Gehacktes hinzufügen und unter Rühren darin anbraten, dabei die Klümpchen mit Hilfe einer Gabel zerdrücken.

3 Tomatenwürfel und die Hälfte des Tomatenmarks unterrühren, mit Salz und Pfeffer würzen und etwas abkühlen lassen. Die Masse dann in die vorbereiteten Paprikaschoten füllen. Die Paprikadeckel wieder auflegen.

4 Die restlichen Tomaten in Stücke schneiden. Das restliche Öl in einem großen Topf erhitzen. Die restlichen Zwiebelwürfel darin andünsten. Die Paprikaschoten nebeneinander in den Topf stel-len. Tomatenstücke und 375 ml ($^3/_8$ l) Gemüsebrühe dazugeben und die Schoten bei schwacher Hitze in etwa 50 Minuten mit Deckel gar dünsten. Die Paprikaschoten dann auf einer vorge-wärmten Platte warm stellen.

5 Für die Sauce die Garflüssigkeit mit den Tomatenstücken und Zwiebeln durch ein Sieb streichen und 375 ml ($^3/_8$ l) abmessen, eventuell mit Gemüsebrühe ergänzen. Das restliche Tomaten-mark unterrühren und alles zum Kochen bringen. Mehl mit Sahne verrühren, nach und nach in die kochende Flüssigkeit rühren und etwa 10 Minuten schwach kochen lassen, dabei ge-legentlich umrühren.

6 Die Sauce mit Salz, Pfeffer, Oregano und Zucker würzen und zu den gefüllten Paprikaschoten servieren.

Beilage: **Reis, Salz- oder Pellkartoffeln und ein gemischter Blattsalat (S. 252).**

Abwandlung: **Für Paprikaschoten mit Geflügelfüllung das Hackte durch 400 g Hähnchenbrust- oder Putenfilet ersetzen. Das Filet unter fließendem kalten Wasser abspülen, trockentupfen, in sehr feine Würfel schneiden (oder grob würfeln und mit dem Schneidstab des Handrührgerätes pürieren) und wie oben beschrieben verarbeiten. Die Sauce mit 2 Esslöffeln gehackter Petersilie anstelle von Oregano würzen.**

Paprikagemüse
Einfach

1 Paprikaschoten halbieren, entstielen, entkernen, die weißen Scheidewände entfernen, die Schoten waschen und in dünne Streifen oder in Würfel schneiden. Zwiebeln und Knoblauch abziehen und fein würfeln.

2 Öl in einem Topf erhitzen. Zwiebel- und Knoblauchwürfel darin unter Rühren andünsten. Dann Paprika dazugeben, mit Salz, Zucker, Pfeffer und Essig würzen und bei schwacher Hitze etwa 15 Minuten mit Deckel dünsten. Das Paprikagemüse nochmals mit den Gewürzen abschmecken.

3 Sollte sich zuviel Flüssigkeit im Topf sammeln, das Gemüse mit einer Schaumkelle in eine vorgewärmte Schüssel füllen. Die Flüssigkeit noch einige Minuten ohne Deckel einkochen lassen und dann über das Gemüse geben.

4 Das Paprikagemüse mit Petersilie bestreut servieren.

Tipp: Das Paprikagemüse schmeckt gut zu gebratenem oder gedünstetem Fischfilet oder zu gebratenem Hähnchen- oder Putenfleisch.

Abwandlung 1: Für ein **Paprika-Tomaten-Gemüse** nur etwa 500 g Paprikaschoten verwenden und wie oben angegeben zubereiten. Während der Dünstzeit zusätzlich 500 g Tomaten waschen, abtropfen lassen, kreuzweise einschneiden, kurz in kochendes Wasser legen und in kaltem Wasser abschrecken. Tomaten enthäuten, die Stängelansätze herausschneiden, Tomaten vierteln und etwa 3 Minuten vor Ende der Garzeit unter das Paprikagemüse mischen. Das Gemüse abschmecken und anstelle von Petersilie mit 1 Esslöffel gehacktem Basilikum bestreuen. Heiß oder kalt mit Knoblauchquark servieren.

Abwandlung 2: Für ein **Paprika-Porree-Gemüse** nur etwa 700 g Paprikaschoten verwenden und die Zwiebeln durch 300 g Porree (Lauch) ersetzen. Von dem Porree die Außenblätter entfernen, Wurzelenden und dunkles Grün abschneiden, die Stangen längs halbieren, gründlich waschen, abtropfen lassen und quer in Streifen schneiden. Porree und Knoblauch andünsten und das Gemüse wie oben angegeben zubereiten.

Abwandlung 3: Für ein **Paprika-Champignon-Gemüse** nur etwa 500 g Paprikaschoten verwenden. Zusätzlich von 500 g Champignons Stielenden und schlechte Stellen abschneiden, Champignons mit Küchenpapier abreiben, eventuell abspülen, trockentupfen und in Scheiben schneiden. 2 Esslöffel des Öls erhitzen, Champignonscheiben darin bei starker Hitze kurz anbraten, salzen und aus dem Topf nehmen. Die Paprika wie oben angegeben zubereiten und zum Schluss die Champignons untermischen und erhitzen.

Zubereitungszeit: etwa 35 Minuten

1 kg Paprikaschoten (rot, grün und gelb)
2 Zwiebeln
3 Knoblauchzehen
6 EL Olivenöl
Salz
1 Prise Zucker
frisch gemahlener Pfeffer
3 EL Weißweinessig
2 EL gehackte Petersilie

Pro Portion:

E: 3 g, F: 15 g, Kh: 8 g, kJ: 757, kcal: 181

Rote-Bete-Gemüse

Preiswert

Zubereitungszeit: etwa 50 Minuten

750 g Rote Bete
40 g Butter oder
Margarine
Salz
frisch gemahlener Pfeffer
250 ml (¹/₄ l) Gemüse-
brühe
etwa 400 g Gemüse-
zwiebeln
50–75 g magerer durch-
wachsener Speck
1 Becher (150 g) Crème
fraîche oder saure Sahne
2 EL Schnittlauchröllchen

Pro Portion:
E: 7 g, F: 21 g, Kh: 18 g,
kJ: 1237, kcal: 297

1 Rote Bete unter fließendem kalten Wasser gründlich abbürsten (Foto 1), schälen (Foto 2) – am besten mit Gummihandschuhen, da die Rote Bete stark färbt –, abspülen und in dünne Scheiben schneiden, große Scheiben halbieren oder vierteln.

2 Butter oder Margarine in einem Topf zerlassen, die Rote-Bete-Scheiben darin unter Rühren andünsten (Foto 3) und mit Salz und Pfeffer würzen. Gemüsebrühe hinzugießen und die Rote Bete bei schwacher Hitze etwa 20 Minuten mit Deckel dünsten, dabei gelegentlich umrühren.

3 Inzwischen Gemüsezwiebeln abziehen und in Scheiben schneiden. Die Scheiben dann zu der Roten Bete geben und alles noch etwa 15 Minuten mit Deckel dünsten, dabei gelegentlich umrühren.

4 Speck würfeln, in einer Pfanne ohne Fett kross ausbraten und zu dem garen Gemüse geben. Das Gemüse auf einer Platte an-richten. Crème fraîche oder saure Sahne auf das Gemüse geben und mit Schnittlauchröllchen bestreut servieren.

Tipp: Das Rote-Bete-Gemüse als Beilage zu deftigen Schweinebraten, Steaks, gebratenem oder frittiertem Fisch servieren.

Abwandlung 1: **Für ein vegetarisches Rote-Bete-Gemüse** die Butter durch 3 Esslöffel Olivenöl ersetzen und Rote Bete und Gemüsezwiebeln wie oben angegeben garen. Anstelle des Specks 2 Esslöffel Sonnenblumenkerne in einer Pfanne ohne Fett rösten. Anstelle von Crème fraîche oder saurer Sahne und Schnittlauchröllchen 150 g Naturjoghurt (3,5 % Fett) mit 1 Esslöffel gehackter Minze verrühren. Rote Bete anrichten, den Minzejoghurt darauf verteilen und mit Sonnenblumenkernen bestreuen.

Abwandlung 2: **Für Rote Bete aus dem Ofen** (für 6–8 Portionen) von 8 Rote Bete (etwa 1,2 kg) Wurzeln und Blätter abschneiden, die Knollen unter kaltem Wasser bürsten, einzeln in gefettete Alufoliestücke wickeln, auf ein Backblech legen und in den vorgeheizten Backofen schieben. Die Knollen bei Ober- und Unterhitze etwa 200 °C (Heißluft etwa 180 °C, Gas Stufe 3–4) etwa 90 Minuten garen. Mit Kräuter- oder Meerrettichquark servieren.

Jägerkohl (Foto)

Zubereitungszeit: etwa 45 Minuten

1 kg Weißkohl
1 kleine Zwiebel
100 g durchwachsener
Speck
2 EL Speiseöl, z. B.
Sonnenblumenöl
250 ml (¹/₄ l) Gemüse-
brühe
Salz
frisch gemahlener Pfeffer
Kräuteressig
1 Prise Zucker

Pro Portion:

E: 7 g, F: 7 g, Kh: 9 g,
kJ: 560, kcal: 134

1   Von dem Weißkohl die äußeren welken Blätter entfernen, den Kohl vierteln, abspülen, abtropfen lassen, den Strunk heraus-schneiden und den Kohl in feine Streifen schneiden. Zwiebel abziehen und würfeln. Speck in Würfel schneiden.

2   Öl in einem Topf erhitzen. Die Speckwürfel darin auslassen. Die Zwiebelwürfel hinzufügen und unter Rühren darin andüns-ten. Dann die Weißkohlstreifen hinzufügen und ebenfalls unter Rühren andünsten.

3   Gemüsebrühe hinzugießen, den Kohl mit Salz und Pfeffer würzen und bei schwacher Hitze in etwa 25 Minuten mit Deckel gar dünsten. Mit Salz, Pfeffer, Essig und Zucker abschmecken.

Tipp: Der Jägerkohl passt als Beilage zu Schweineschmorbraten (S. 83) mit Salzkartoffeln.
Anstelle von Weißkohl können Sie den Jägerkohl auch mit Wirsing, Spitzkohl oder Chinakohl zubereiten. Bei Spitz- oder Chinakohl verringert sich die Dünstzeit auf 10–15 Minuten.

Sauerkraut

Zubereitungszeit: etwa 60 Minuten

4 Zwiebeln
1 Apfel, z. B. Cox Orange
3 EL Speiseöl, z. B.
Sonnenblumenöl
750 g Sauerkraut
125 ml (¹/₈ l) Wasser,
Weißwein oder Cidre
1 Lorbeerblatt
4 Wacholderbeeren
6 Pfefferkörner
Salz, Zucker, Pfeffer

Pro Portion:

E: 3 g, F: 8 g, Kh: 7 g,
kJ: 514, kcal: 123

1   Zwiebeln abziehen und würfeln. Apfel waschen, schälen, vier-teln, entkernen und in Scheiben schneiden.

2   Öl in einem Topf erhitzen. Zwiebelwürfel darin andünsten. Sauerkraut locker zupfen und mit Wasser, Weißwein oder Cidre hinzufügen. Apfelscheiben auf das Sauerkraut geben.

3   Lorbeerblatt, Wacholderbeeren und Pfefferkörner hinzufügen, mit Salz würzen und das Sauerkraut bei schwacher Hitze 25–30 Minuten mit Deckel dünsten, dabei gelegentlich umrühren, eventuell zwischendurch noch etwas Flüssigkeit hinzufügen. Das Sauerkraut mit Salz, Zucker und Pfeffer abschmecken.

Tipp: Das Sauerkraut zu Kasseler (S. 88) und Kartoffelpüree (S. 290) servie-ren.
Sauerkraut wird sämiger, wenn Sie die letzten 10 Minuten 1 geriebene rohe Kartoffel mitgaren.
Nach Belieben den Apfel durch 150 g Ananasstücke (aus der Dose, den Saft auffangen) ersetzen. Das Sauerkraut mit Ananassaft abschmecken.

Kohlrouladen

Gefriergeeignet

Zubereitungszeit: etwa 90 Minuten

Salz
1 Kopf Wirsing oder
Weißkohl (etwa 1 1/2 kg)
1 Brötchen (Semmel)
vom Vortag
1 Zwiebel
1 Ei (Größe M)
etwa 1 TL mittelscharfer
Senf
375 g Rindergehacktes
frisch gemahlener Pfeffer
4 EL Speiseöl, z. B.
Sonnenblumenöl
250 ml (1/4 l) Gemüse-
brühe
20 g Weizenmehl
2 EL kaltes Wasser

Außerdem:
Küchengarn oder
Rouladennadeln

Pro Portion:
E: 25 g, F: 25 g, Kh: 13 g,
kJ: 1570, kcal: 375

1 In einem großen Topf reichlich Wasser zum Kochen bringen. Salz hinzufügen (auf 1 l Wasser 1 TL Salz). Inzwischen von dem Wirsing oder Weißkohl die äußeren welken Blätter entfernen, den Kohl abspülen, den Strunk unten keilförmig herausschneiden. Kohl so lange in das kochende Salzwasser legen, bis sich die äußeren Blätter lösen. Diesen Vorgang wiederholen, bis etwa 12 große Blätter sich lösen lassen und etwas weich sind. Die Blätter abtropfen lassen, mit Küchenpapier trockentupfen und die dicken Blattrippen flach schneiden.

2 Für die Füllung Brötchen in kaltem Wasser einweichen. Zwiebel abziehen und würfeln. Brötchen gut ausdrücken und mit Zwiebelwürfeln, Ei, Senf und Gehacktem vermengen. Die Masse mit Salz und Pfeffer würzen.

3 Jeweils 2–3 große Kohlblätter übereinander legen, einen Teil der Füllung darauf geben, die Blätter seitlich einschlagen und aufrollen. Die Rouladen mit Küchengarn umwickeln oder mit Rouladennadeln feststecken.

4 Öl in einem Topf erhitzen. Die Rouladen darin von allen Seiten braun anbraten. Gemüsebrühe hinzugießen und die Rouladen bei schwacher Hitze etwa 45 Minuten mit Deckel schmoren, dabei gelegentlich wenden.

5 Wenn die Rouladen gar sind, Küchengarn oder Rouladennadeln entfernen und die Rouladen auf einer vorgewärmten Platte anrichten.

6 Mehl mit Wasser anrühren. Die Garflüssigkeit aufkochen lassen, das angerührte Mehl mit einem Schneebesen unterrühren, nochmals aufkochen und etwa 5 Minuten schwach kochen lassen. Die Sauce mit Salz und Pfeffer abschmecken und zu den Rouladen servieren.

Beilage: **Salzkartoffeln (S. 280), Kartoffelpüree (S. 290), Semmelknödel (S. 309) oder Kartoffelklöße (S. 292).**

Tipp: **Den übrigen Kohl für Wirsing (S. 232), Jägerkohl (S. 224) oder für eine Suppe oder einen Eintopf verwenden.**

Abwandlung 1: **Die Füllung zusätzlich mit 1–2 Teelöffeln Curry würzen und die Sauce mit etwas Curry und Cayennepfeffer scharf abschmecken.**

Abwandlung 2: **Anstatt des eingeweichten Brötchens 50 g gegarten Reis mit dem Gehackten vermengen.**

Rosenkohl
Einfach

1 In einem Topf Wasser zum Kochen bringen. Inzwischen Rosenkohl von den schlechten äußeren Blättchen befreien, etwas vom
Strunk abschneiden, die Rosenkohlröschen am Strunk kreuzförmig einschneiden, waschen und abtropfen lassen.

2 Den Rosenkohl und Salz (auf 1 l Wasser 1 TL Salz) in das kochende
Wasser geben, zum Kochen bringen und bei schwacher Hitze in
etwa 15 Minuten mit Deckel gar kochen.

3 Den garen Rosenkohl in einem Sieb abtropfen lassen. Butter
zerlassen, den Rosenkohl darin schwenken und mit Salz und
Muskatnuss würzen.

**Tipp: Rosenkohl als Beilage zu deftigen Braten (z. B. Wild-, Schweine-,
Gänse- oder Rinderbraten) servieren.**
Wenn Sie TK-Rosenkohl verwenden, benötigen Sie für 4 Portionen 800–900 g.
Den gefrorenen Kohl wie oben angegeben garen.

Zubereitungszeit: etwa 30 Minuten

1 kg Rosenkohl
Salz
40 g Butter
geriebene Muskatnuss

Pro Portion:
E: 9 g, F: 9 g, Kh: 6 g,
kJ: 607, kcal: 145

Rotkohl
Gefriergeeignet

1 Von dem Rotkohl die äußeren welken Blätter entfernen, den
Kohl vierteln, den Kohl abspülen, abtropfen lassen, den Strunk
herausschneiden. Den Kohl sehr fein schneiden oder hobeln.
Äpfel waschen, schälen, vierteln, entkernen und klein schneiden. Zwiebeln abziehen und würfeln.

2 Schmalz oder Öl in einem Topf erhitzen. Die Zwiebelwürfel darin
unter Rühren andünsten. Rotkohlstreifen und Apfelstücke dazugeben und andünsten.

3 Lorbeerblatt, Gewürznelken, Wacholderbeeren, Pimentkörner,
Salz, Pfeffer, Zucker, Essig, Johannisbeergelee und Wasser hinzufügen. Den Rotkohl bei schwacher Hitze in 45–60 Minuten
mit Deckel gar dünsten, dabei gelegentlich umrühren. Den Rotkohl mit Salz und Zucker abschmecken.

**Tipp: Es ist empfehlenswert, Rotkohl in größeren Mengen zuzubereiten und
ihn dann portionsweise einzufrieren. Der Rotkohl sollte dann noch „Biss"
haben, also nicht zu gar sein.**
Sie können den Rotkohl anstelle von Wasser mit derselben Menge Weiß- oder
Rotwein dünsten oder anstelle von Johannisbeergelee 2 Esslöffel Preiselbeerkompott unterrühren.

Zubereitungszeit: etwa 75 Minuten

1 kg Rotkohl
375 g saure Äpfel, z. B.
Cox Orange oder Boskop
2 Zwiebeln
50 g Schweineschmalz
oder 5 EL Speiseöl
1 Lorbeerblatt
3 Gewürznelken
3 Wacholderbeeren
5 Pimentkörner
Salz, Pfeffer, Zucker
2 EL Rotweinessig
3 EL Johannisbeergelee
125 ml (⅛ l) Wasser

Pro Portion:
E: 3 g, F: 13 g, Kh: 24 g,
kJ: 953, kcal: 228

Steinpilze (Foto)
Etwas teurer

Zubereitungszeit: etwa 30 Minuten

500 g Steinpilze
1 Knoblauchzehe
150 g Tomaten
5 EL Olivenöl
Salz
frisch gemahlener Pfeffer
1 EL gehackte Petersilie

Pro Portion:
E: 6 g, F: 13 g, Kh: 2 g,
kJ: 576, kcal: 137

1 Von den Pilzen Stielenden und schlechte Stellen abschneiden, Pilze mit Küchenpapier abreiben, eventuell abspülen, trockentupfen und der Länge nach in Scheiben schneiden. Knoblauch abziehen und fein hacken. Tomaten enthäuten, die Stängelansätze herausschneiden und Tomaten in Würfel schneiden.

2 Die Hälfte des Öls in einer Pfanne erhitzen. Die Hälfte der Pilzscheiben darin bei mittlerer Hitze 5–7 Minuten braten, salzen, pfeffern, herausnehmen, auf vorgewärmten Tellern anrichten und warm stellen. Die restlichen Pilzscheiben ebenso zubereiten.

3 Knoblauch in dem verbliebenen Bratfett andünsten. Tomatenwürfel dazugeben und erhitzen. Petersilie unterrühren. Mit Salz und Pfeffer würzen und über die Pilze geben.

Pilze in Rahmsauce
Klassisch

Zubereitungszeit: etwa 35 Minuten

800 g Champignons oder
Austernpilze
2 Zwiebeln
1 Bund Frühlingszwiebeln
30 g Butter
Salz, Pfeffer
100 ml Gemüsebrühe
1 Becher (150 g) Crème
fraîche
1 Msp. Cayennepfeffer
Worcestersauce
etwa 1 TL Zitronensaft
etwas Zucker
2 EL gehackte, glatte
Petersilie

Pro Portion:
E: 9 g, F: 18 g, Kh: 8 g,
kJ: 937, kcal: 226

1 Von den Pilzen Stielenden und schlechte Stellen abschneiden, Pilze mit Küchenpapier abreiben, eventuell abspülen und trockentupfen. Champignons in Scheiben, Austernpilze in Streifen schneiden. Zwiebeln abziehen und würfeln. Von den Frühlingszwiebeln Wurzelenden und dunkles Grün entfernen, Frühlingszwiebeln waschen, abtropfen lassen und in Ringe schneiden.

2 Butter in einem breiten Topf erhitzen. Zwiebelwürfel darin unter Rühren andünsten. Pilze dazugeben und ebenfalls andünsten. Gemüsebrühe hinzufügen und die Pilze unter gelegentlichem Umrühren 6–8 Minuten bei schwacher Hitze mit Deckel garen. Mit Salz und Pfeffer würzen.

3 Frühlingszwiebelringe hinzufügen und 1–2 Minuten mitdünsten. Crème fraîche unterrühren und erhitzen. Mit Cayennepfeffer, Worcestersauce, Zitronensaft und Zucker abschmecken und mit Petersilie bestreuen.

Tipp: Die Pilze in Rahmsauce zu Steaks, Schnitzeln oder Semmelknödeln (S. 309) servieren.
Sie können anstelle von Gemüsebrühe Weißwein verwenden.

Topinambur
Schnell

Zubereitungszeit: etwa 30 Minuten

800 g Topinambur
kaltes Wasser
einige Zitronenscheiben
30 g Butter
Salz
100 ml Gemüsebrühe
frisch gemahlener Pfeffer
1 EL gehackte glatte
Petersilie oder
Schnittlauchröllchen

Pro Portion:
E: 4 g, F: 7 g, Kh: 6 g,
kJ: 422, kcal: 101

1 Topinambur unter fließendem kalten Wasser gründlich abbürsten (Foto 1), abtropfen lassen, eventuell dünn schälen (Foto 2) und Topinambur in dünne Scheiben oder Streifen schneiden. Wasser mit Zitronenscheiben mischen und die Topinamburscheiben darin schwenken (Foto 3).

2 Butter in einem Topf zerlassen, abgetropfte Topinamburscheiben darin unter Rühren andünsten und salzen. Gemüsebrühe dazugießen und Topinambur bei schwacher Hitze 8-10 Minuten mit Deckel dünsten, dabei gelegentlich umrühren.

3 Die Topinamburscheiben mit Salz und Pfeffer würzen und mit Petersilie oder Schnittlauch bestreuen.

Tipp: Topinambur als Beilage zu kurz gebratenem Fleisch oder Geflügel servieren.

Spargel
Etwas teurer

Zubereitungszeit: etwa 45 Minuten

2 kg weißer Spargel
1 TL Salz
$\frac{1}{2}$ TL Zucker
70 g Butter

Pro Portion:
E: 7 g, F: 13 g, Kh: 8 g,
kJ: 746, kcal: 178

1 Spargel waschen, von oben nach unten dünn schälen, dabei darauf achten, dass die Schalen vollständig entfernt, die Köpfe aber nicht verletzt werden. Die unteren Enden abschneiden (holzige Stellen vollkommen wegschneiden), den Spargel kalt abspülen und abtropfen lassen.

2 In einem großen Topf so viel Wasser zum Kochen bringen, dass der Spargel darin bedeckt ist. Salz, Zucker, 10 g Butter und den Spargel hineingeben, wieder zum Kochen bringen und in etwa 15 Minuten mit Deckel gar kochen.

3 Den gegarten Spargel mit einer Schaumkelle vorsichtig herausnehmen und auf eine vorgewärmte Platte geben.

4 Die restliche Butter zerlassen, Schaum mit einer Schaumkelle abschöpfen, nach Belieben bräunen und zu dem Spargel reichen.

Tipp: Spargel zu rohem oder gekochtem Schinken, Kalbs- oder Putenschnitzel (S. 119) und Petersilienkartoffeln servieren.
Den Spargel anstelle von Butter mit Hollandaise (S. 188) oder Sauce béarnaise (S. 188) servieren und mit gehackter Petersilie bestreuen.

Abwandlung: Anstelle von weißem können Sie auch **grünen Spargel** verwenden. Spargel waschen, abtropfen lassen, Stangen im unteren Drittel dünn schälen und die holzigen Enden abschneiden. Spargel wie im Rezept angegeben kochen (Kochzeit etwa 12 Minuten) und mit der Butter servieren.

Schwarzwurzeln in Sahnesauce
Klassisch

1 1 l Wasser mit der Hälfte des Essigs verrühren. Schwarzwurzeln unter fließendem kalten Wasser gründlich abbürsten, dünn schälen, abspülen, abtropfen lassen. Die Schwarzwurzeln einige Zeit in das Essigwasser legen, damit die Stangen weiß bleiben, abtropfen lassen und in Stücke schneiden.

2 Das restliche Wasser mit Salz und dem restlichen Essig zum Kochen bringen. Die Schwarzwurzeln hineingeben, zum Kochen bringen und in 15-20 Minuten mit Deckel bei schwacher Hitze gar kochen. Die Schwarzwurzeln in eine vorgewärmte Schüssel geben und warm stellen. 250 ml (1/4 l) von dem Kochwasser für die Sauce abmessen.

3 Für die Sahnesauce Butter oder Margarine in einem Topf zerlassen. Mehl unter Rühren so lange darin erhitzen, bis es hellgelb ist. Sahne und das abgemessene Kochwasser nach und nach hinzugießen und mit einem Schneebesen gut durchschlagen, dabei darauf achten, dass keine Klümpchen entstehen. Die Sauce zum Kochen bringen und bei schwacher Hitze etwa 5 Minuten ohne Deckel leicht kochen, dabei gelegentlich umrühren.

4 Eigelb und Wasser in einem Schälchen verquirlen, 4 Esslöffel Sauce unterrühren und das Ganze unter Rühren in die Sauce geben (die Sauce jetzt nicht mehr kochen lassen, da das Eigelb sonst gerinnt). Die Sauce mit Salz und Pfeffer abschmecken. Petersilie unterrühren. Die Schwarzwurzeln in die Sauce geben.

Tipp: Die Schwarzwurzeln mit Schinken und Salzkartoffeln oder als Beilage zu Steaks, Bratwurst (S. 82), Hähnchenkeulen (S. 114), Lammkoteletts (S. 98) oder Kaninchenkeulen servieren.

Zubereitungszeit: etwa 55 Minuten

1 3/8 l Wasser
4 EL Weißweinessig
1 kg Schwarzwurzeln
1 TL Salz

Für die Sahnesauce:
30 g Butter oder Margarine
25 g Weizenmehl
125 ml (1/8 l) Schlagsahne
250 ml (1/4 l) Schwarzwurzel-Kochwasser
1 Eigelb (Größe M)
2 EL kaltes Wasser
Salz
frisch gemahlener weißer Pfeffer
1–2 EL fein gehackte glatte Petersilie

Pro Portion:
E: 4 g, F: 18 g, Kh: 9 g,
kJ: 909, kcal: 217

Gemüsepfanne mit Sesam (Foto)
Vegetarisch

Zubereitungszeit: etwa 40 Minuten

50 g geschälte Sesam-samen
400 g Möhren
700 g Brokkoli
300 g Porree (Lauch)
4 Stangen Stauden-sellerie
Salz
3 EL Speiseöl, z. B. Olivenöl
frisch gemahlener Pfeffer

Pro Portion:
E: 9 g, F: 14 g, Kh: 12 g,
kJ: 885, kcal: 211

1 Sesamsamen in einer Pfanne ohne Fett bei schwacher Hitze goldbraun rösten, dabei gelegentlich wenden.

2 Möhren schälen, Grün und Spitzen abschneiden, Möhren waschen, abtropfen lassen und in Stifte schneiden. Von dem Brokkoli die Blätter entfernen, Röschen abschneiden, die Stängel schälen und in Stücke schneiden. Brokkoli waschen und abtropfen lassen.

3 Von dem Porree die Außenblätter entfernen, Wurzelenden und dunkles Grün abschneiden, die Stangen längs halbieren, gründ-lich waschen, abtropfen lassen und in Streifen schneiden. Von dem Staudensellerie Wurzelenden und welke Blätter entfernen, die harten Außenfäden abziehen, die Stangen waschen, abtrop-fen lassen und in dünne Scheiben schneiden.

4 In einem Topf Wasser zum Kochen bringen. Salz zufügen (auf 1 l Wasser 1 TL Salz). Möhrenstifte, Selleriescheiben und Brokkoli in dem kochenden Salzwasser etwa 3 Minuten blanchieren. An-schließend in ein Sieb geben, kalt abschrecken und gut abtropfen lassen.

5 Öl in einer großen Pfanne oder einem Wok erhitzen. Das gesamte Gemüse zugeben und bei mittlerer Hitze unter ständigem Rühren darin etwa 5 Minuten braten. Mit Salz und Pfeffer würzen und mit Sesam bestreut servieren.

Tipp: Die Gemüsepfanne als vegetarisches Hauptgericht mit Vollkornreis und Tomatensauce (S. 190) oder Pilzsauce (S. 184) servieren oder als Beilage zu kurz gebratenem Fleisch oder Fisch reichen.

Wirsing
Preiswert

Zubereitungszeit: etwa 55 Minuten

1 kg Wirsing
1 Zwiebel
40 g Butter oder Margarine
etwa 125 ml (⅛ l) Gemüse-brühe

1 Von dem Wirsing die äußeren welken Blätter entfernen, den Wirsing achteln, abspülen und abtropfen lassen. Den Strunk herausschneiden und Wirsing in feine Streifen schneiden. Zwiebel abziehen und würfeln.

2 Butter oder Margarine in einem Topf zerlassen. Die Zwiebel-würfel darin andünsten. Die Kohlstreifen dazugeben und eben-falls andünsten. Gemüsebrühe, Salz und Pfeffer hinzufügen und die Kohlstreifen bei schwacher Hitze 20–30 Minuten mit Deckel dünsten.

(Fortsetzung Seite 234)

Salz, Pfeffer
1 Prise Zucker
1 Msp. geriebene
Zitronenschale (unbe-
handelt)
1-2 EL Zitronensaft oder
Weißwein

Pro Portion:

E: 5 g, F: 9 g, Kh: 6 g,
kJ: 536, kcal: 128

3 Den Wirsing mit Salz, Pfeffer, Zucker, Zitronenschale, Zitronensaft oder Wein abschmecken.

Tipp: Den Wirsing als Beilage zu Fleischgerichten servieren.
Kohl mit etwas zerstoßenem oder gemahlenem Kümmel, Anis oder Fenchelsamen würzen. Dadurch wird der Kohl leichter verdaulich.

Abwandlung 1: Anstelle von Wirsing können Sie auch Chinakohl oder Spitzkohl verwenden (Dünstzeit bei beiden Kohlsorten: 10–15 Minuten).

Abwandlung 2: Für **Wirsing-Möhren-Gemüse** nur 800 g Wirsing wie oben
angegeben vorbereiten und zusätzlich 250 g Möhren putzen, schälen, waschen,
abtropfen lassen und in Streifen schneiden, 1-2 Knoblauchzehen abziehen und
in Scheiben schneiden. Möhren und Knoblauch zusammen mit dem Wirsing wie
oben angegeben dünsten.

Zucchini im Käsemantel

R a f f i n i e r t

Zubereitungszeit: etwa 30 Minuten

400 g Zucchini
Salz
frisch gemahlener Pfeffer
1 Ei
3 EL Wasser
100 g frisch geriebener
Parmesan-Käse
75 g Semmelbrösel
75 g Weizenmehl
125 ml ($^1/_8$ l) Speiseöl,
z. B. Sonnenblumenöl

Pro Portion:

E: 12 g, F: 23 g, Kh: 20 g,
kJ: 1401, kcal: 335

1 Zucchini waschen, abtrocknen, die Enden abschneiden, Zucchini
schräg in $^1/_2$ cm dicke Scheiben schneiden (Foto 1) und mit Salz
und Pfeffer bestreuen.

2 Ei mit Wasser mit Hilfe einer Gabel in einem tiefen Teller verschlagen. Parmesan mit Semmelbröseln vermengen. Die
Zucchinischeiben zunächst in Mehl, dann in dem Ei und zuletzt
in dem Parmesan-Semmelbrösel-Gemisch wenden (Foto 2).

3 Öl portionsweise in einer Pfanne erhitzen. Die Zucchinischeiben
darin portionsweise bei mittlerer Hitze in etwa 5 Minuten goldgelb braten (Foto 3), dabei gelegentlich wenden und auf Küchenpapier oder einem Kuchengitter abtropfen lassen.

Tipp: Die Zucchini im Käsemantel als kleines Gericht oder als Vorspeise mit
Kräuterquark oder Tomatensauce (S. 190) reichen. Als Hauptgericht reicht
die Menge für 2 Portionen, eventuell zusätzlich einen gemischten Blattsalat
servieren.
Auf die gleiche Weise können Sie Kürbis- oder Auberginenscheiben zubereiten.

Blattspinat

Schnell

Zubereitungszeit: etwa 25 Minuten

1 kg Blattspinat
2 Zwiebeln
40 g Butter oder
4 EL Olivenöl
Salz
frisch gemahlener Pfeffer
geriebene Muskatnuss

Pro Portion:
E: 6 g, F: 9 g, Kh: 2 g,
kJ: 492, kcal: 116

1 Spinat verlesen, dicke Stiele entfernen, Spinat gründlich waschen und in ein Sieb geben. Zwiebeln abziehen und würfeln. Butter oder Öl in einem großen Topf erhitzen. Die Zwiebelwürfel darin unter Rühren andünsten.

2 Den Spinat hinzufügen, mit Salz, Pfeffer und Muskatnuss würzen und bei schwacher Hitze etwa 5 Minuten mit Deckel garen. Den Spinat vorsichtig umrühren und mit Salz und Pfeffer abschmecken.

Tipp: Den Spinat zu pochierten Eiern (S. 338), Spiegeleiern (S. 336), zu gedünstetem Fisch (S. 153) oder zu kurz gebratenem Fleisch reichen. Zusätzlich 2 abgezogene, durchgepresste Knoblauchzehen mit den Zwiebeln andünsten.
Anstelle von frischem Spinat können Sie auch TK-Blattspinat verwenden. 1 kg frischer Spinat entspricht etwa 600 g TK-Spinat. Die Garzeit kann sich dabei um etwa 5 Minuten verlängern (Packungsanleitung beachten).

Mangold mit Schmand

Preiswert

Zubereitungszeit: etwa 40 Minuten

2-3 Knoblauchzehen
2 Zwiebeln
1 kg Mangold
1-2 TL Zitronensaft
3 EL Speiseöl, z. B. Sonnenblumenöl
125 ml (⅛ l) Gemüsebrühe
Salz
frisch gemahlener Pfeffer
geriebene Muskatnuss
200 g Schmand

Pro Portion:
E: 6 g, F: 15 g, Kh: 5 g,
kJ: 857, kcal: 205

1 Knoblauch und Zwiebeln abziehen und fein würfeln. Mangold putzen, gründlich waschen und die Stiele von den Blättern schneiden. Blätter und Stiele in 1 cm breite Streifen, bzw. Stücke schneiden. Die Mangoldstiele mit Zitronensaft mischen.

2 Öl in einem großen Topf erhitzen. Mangoldstiele, Knoblauch- und Zwiebelwürfel hinzufügen und unter Rühren darin andünsten. Gemüsebrühe dazugeben und alles bei schwacher Hitze 3-4 Minuten mit Deckel dünsten. Dann die Blätter hinzufügen und alles noch etwa 5 Minuten mit Deckel dünsten.

3 Mit Salz, Pfeffer und Muskatnuss würzen. Schmand glatt rühren und kurz vor dem Servieren über das Gemüse geben.

Tipp: Den Mangold als Beilage zu Steaks, Schnitzeln oder Hähnchenkeulen (S. 114) reichen.

Abwandlung 1: **Für Mangold mit orientalischer Note** Mangold wie oben angegeben zubereiten und zusätzlich mit je 1-2 Messerspitzen gemahlenen Koriandersamen und gemahlenen Kreuzkümmel (Cumin) würzen. Den Schmand mit 1 Esslöffel gehackter Minze und etwas Salz würzen und zu dem Mangold servieren.

Abwandlung 2: Für **Mangold in Currysauce** Mangold wie oben angegeben zubereiten, würzen, in einem Sieb abtropfen lassen, dabei die Garflüssigkeit auffangen. Eine helle Grundsauce (S. 182) mit der Garflüssigkeit (mit Gemüsebrühe auf 250 ml ergänzen) und 125 ml (¹/₈ l) Schlagsahne zubereiten, mit 1–2 Teelöffeln Curry, einigen Spritzern Zitronensaft und etwas Zucker würzen, mit dem Mangold mischen und nochmals abschmecken.

Deftiger Grünkohl
Gefriergeeignet

1 In einem großen Topf reichlich Wasser zum Kochen bringen. Salz zufügen (auf 1 l Wasser 1 TL Salz). Inzwischen von dem Grünkohl welke und fleckige Blätter und die Blattrippen entfernen und den Grünkohl gründlich waschen. Grünkohl portionsweise in das kochende Salzwasser geben, zum Kochen bringen, 1–2 Minuten kochen, kurz in kaltem Wasser abschrecken, abtropfen lassen und grob hacken.

2 Zwiebeln abziehen und würfeln. Schweineschmalz oder Öl in einem Topf erhitzen. Die Zwiebelwürfel darin unter Rühren andünsten. Den Grünkohl hinzufügen, Gemüsebrühe zugeben, mit Salz und Pfeffer würzen und 2 Teelöffel Senf unterrühren. Alles zum Kochen bringen und bei schwacher Hitze etwa 30 Minuten mit Deckel kochen, dabei gelegentlich umrühren.

3 In der Zwischenzeit Kasseler unter fließendem kalten Wasser abspülen, den Knochen auslösen, das Fleisch mit dem Knochen zum Grünkohl geben und etwa 15 Minuten mit Deckel mitkochen.

4 Dann Rauchenden und Kohlwürste zum Grünkohl geben und nochmals etwa 15 Minuten mit Deckel mitkochen.

5 Fleisch, Knochen und Würste herausnehmen und zugedeckt warm stellen. Den Grünkohl mit Salz, Pfeffer, Senf und Zucker abschmecken. Haferflocken hinzufügen und alles einmal aufkochen. Das Fleisch in Scheiben schneiden und mit den Würsten und dem Grünkohl auf einer großen Platte anrichten.

Beilage: Salzkartoffeln oder in Butter und Zucker gebratene Röstkartoffeln.

Tipp: Grünkohl kann sehr gut in größeren Mengen zubereitet und portionsweise eingefroren werden. Er kann auch – abgekocht und gehackt – zur späteren Verwendung eingefroren werden. Grünkohl schmeckt auch aufgewärmt.

Zubereitungszeit: etwa 90 Minuten

Wasser
Salz
1 ¹/₂ kg Grünkohl
2 Zwiebeln
30 g Schweineschmalz oder 3 EL Speiseöl, z. B. Sonnenblumenöl
375 ml (³/₈ l) Gemüsebrühe
frisch gemahlener Pfeffer
etwa 2 TL mittelscharfer Senf
500 g Kasselernacken (mit Knochen)
2 Rauchenden (Mettwürstchen, je 150 g)
2 frische oder geräucherte Kohlwürste (je 150 g)
1 Prise Zucker
20 g zarte Haferflocken

Pro Portion:
E: 59 g, F: 51 g, Kh: 10 g,
kJ: 3047, kcal: 728

237

Gegrillte Tomaten (Foto links oben)
Schnell

Zubereitungszeit: etwa 20 Minuten

6 Tomaten
Salz
frisch gemahlener Pfeffer
Kräuter der Provence
2 Knoblauchzehen
25 g Butter
30 g geraspelter mittel-
alter Gouda-Käse

Außerdem:
Fett für die Form

Pro Portion:
E: 3 g, F: 8 g, Kh: 4 g,
kJ: 412, kcal: 98

1 Den Backofengrill vorheizen. Tomaten waschen, abtrocknen, die Stängelansätze herausschneiden und Tomaten waagerecht halbieren. Die Tomaten mit der Schnittfläche nach oben in eine gefettete Auflaufform legen und mit Salz, Pfeffer und Kräutern der Provence bestreuen.

2 Knoblauch abziehen, durch die Knoblauchpresse drücken und auf den Tomaten verteilen. Butter in Flöckchen darauf setzen und Gouda darüber streuen. Die Form auf dem Rost unter den Backofengrill schieben und die Tomaten etwa 10 Minuten grillen.

Tipp: Die gegrillten Tomaten als Beilage zu gegrilltem oder kurz gebratenem Fleisch oder Fisch oder als Vorspeise auf Blattsalat reichen.
Wenn Sie keinen Backofengrill haben, die Tomaten bei Ober- und Unterhitze etwa 220 °C (Heißluft: etwa 200 °C, Gas: Stufe 4–5) im vorgeheizten Backofen 5–8 Minuten überbacken.

Abwandlung 1: Für **gegrillte Tomaten mit Frühlingszwiebeln** (Foto rechts) den Knoblauch weglassen, von 3 Frühlingszwiebeln Wurzelenden und dunkles Grün entfernen, Frühlingszwiebeln waschen, abtropfen lassen, in feine Ringe schneiden und auf die gewürzten Tomaten geben. Nacheinander Käse und Butterflöckchen auf die Tomaten geben und wie oben angegeben grillen.

Abwandlung 2: Für **gegrillte Tomaten mit Pfefferfrischkäse** (Foto links unten) die Kräuter der Provence weglassen, 100 g Doppelrahm-Frischkäse mit grobem Pfeffer, 1 Esslöffel Semmelbröseln, 2 Esslöffeln gehacktem Basilikum, Knoblauch und Käse mischen. Die Schnittflächen der Tomaten trockentupfen, salzen, die Frischkäsemasse darauf geben und wie oben angegeben grillen. Die Tomaten mit Basilikumblättchen garnieren.

Fenchel
Einfach

Zubereitungszeit: etwa 30 Minuten

250 ml (¹/₄ l) Wasser
1 kg Fenchelknollen
¹/₄ TL Salz
40 g Butter

1 Wasser in einem Topf zum Kochen bringen. Inzwischen von den Fenchelknollen die Stiele dicht oberhalb der Knollen abschneiden, braune Stellen und Blätter entfernen und das helle zarte Fenchelgrün zum Garnieren beiseite legen. Die Wurzelenden gerade schneiden, die Knollen waschen, abtropfen lassen und halbieren.

2 Die Fenchelhälften mit dem Salz in das kochende Wasser geben und bei schwacher Hitze 15–20 Minuten mit Deckel garen, dabei zwischendurch einmal wenden.

(Fortsetzung Seite 240)

Pro Portion:
E: 3 g, F: 9 g, Kh: 7 g,
kJ: 503, kcal: 120

3 In der Zwischenzeit das Fenchelgrün abspülen, trockentupfen und hacken. Die garen Fenchelhälften mit der Schaumkelle herausnehmen, auf eine vorgewärmte Platte legen und warm stellen. Butter zerlassen und über den Fenchel gießen. Mit Fenchelgrün bestreut servieren.

Tipp: Den Fenchel als Beilage zu kurz gebratenem Fleisch oder Fisch oder mit geriebenem Käse oder gerösteten Pinienkernen als Vorspeise reichen.

Rote Linsen mit Paprika
Vegetarisch

Zubereitungszeit: etwa 30 Minuten

2 Zwiebeln
2 Knoblauchzehen
350 g rote oder gelbe
Paprikaschoten
2 EL Olivenöl
250 g getrocknete rote
Linsen
1 TL getrockneter,
gerebelter Thymian
400 ml Gemüsebrühe
1 Bund Frühlingszwiebeln
Salz
frisch gemahlener Pfeffer
1 Msp. Cayennepfeffer
1-1 1/2 EL Zitronensaft
1 TL Honig oder
1/2 TL Zucker

Pro Portion:
E: 16 g, F: 6 g, Kh: 36 g,
kJ: 1131, kcal: 270

1 Zwiebeln abziehen und würfeln. Knoblauch abziehen und in Scheiben schneiden. Paprikaschoten halbieren, entstielen, entkernen, die weißen Scheidewände entfernen, die Schoten waschen und in Streifen schneiden.

2 Öl in einem Topf erhitzen. Die Zwiebelwürfel und Knoblauchscheiben darin unter Rühren andünsten. Linsen, Paprikastreifen und Thymian hinzufügen, Gemüsebrühe hinzufügen, zum Kochen bringen und bei schwacher Hitze etwa 8 Minuten mit Deckel kochen.

3 Inzwischen von den Frühlingszwiebeln Wurzelenden und dunkles Grün entfernen, Frühlingszwiebeln waschen, abtropfen lassen, in Ringe schneiden. Die Frühlingszwiebelringe unter die Linsen heben und noch etwa 3 Minuten mit Deckel garen. Mit Salz, Pfeffer, Cayennepfeffer, Zitronensaft und Honig oder Zucker würzen.

Tipp: Die roten Linsen mit Fladenbrot zu gebratenen Hähnchen- oder Putenschnitzeln (S. 119) oder pochierten Eiern (S. 338) servieren.

Abwandlung: Für **Tellerlinsen** 250 g Tellerlinsen in ein Sieb geben, abspülen, mit 600 ml Gemüsebrühe und 1 Lorbeerblatt in einen Topf geben, zum Kochen bringen und in 20–25 Minuten mit Deckel bei mittlerer Hitze knapp gar kochen. In der Zwischenzeit 200 g Knollensellerie und 200 g Möhren putzen, schälen, waschen und in kleine Würfel schneiden. 200 g Porree (Lauch) putzen, längs halbieren, waschen und in Streifen schneiden. 40 g Butter oder Margarine zerlassen, das Gemüse darin etwa 2 Minuten unter Rühren andünsten. Das Gemüse dann zu den Linsen geben, 125 ml (1/8 l) Gemüsebrühe hinzufügen und alles noch etwa 10 Minuten mit Deckel weitergaren. Mit Salz, Pfeffer, Zucker und etwa 2 Esslöffeln Essig (z. B. Balsamico-Essig) abschmecken und mit 1 Esslöffel gehackter Petersilie bestreuen. Als Beilage zu gebratenem Leberkäse, Kasseler (S. 88) oder Wiener Würstchen und Spätzle (S. 298) reichen.

Salate

Glatte Endivie

Feldsalat

Frisée

Eichblattsalat

Römischer Salat

Kopfsalat

Radiccio

Salate haben sich in den letzten Jahren von der reinen Beilage zum beliebten Hauptgericht entwickelt, oft in Kombination mit Käse, Schinken, Meeresfrüchten oder Ei serviert. Blattsalate enthalten wichtige Vitamine, Mineralstoffe und Spurenelemente, aber so gut wie kein Fett. Dadurch sind sie für eine gesunde, kalorienarme Ernährung bestens geeignet.

Einkauf und Lagerung

- Für Rohkost-, Blatt- und Gemüsesalate immer frische, knackige Rohware verwenden.
- Freilandware, die in der Hauptangebotszeit auf dem Markt ist, ist der Treibhausware vorzuziehen, da die Blätter robuster sind und außerdem mehr Nährstoffe und weniger Nitrat enthalten.
- Die Salatköpfe während des Transports nicht quetschen.

- Frische Blattsalate zum Aufbewahren in ein feuchtes Tuch wickeln oder in einen großen Plastikbeutel geben, etwas Luft hineinblasen, den Beutel fest verschließen und im Gemüsefach des Kühlschranks aufbewahren. So kann der Salat nicht zerdrückt werden und bleibt durch die Luft im Beutel länger frisch.
- Blattsalate nicht lange lagern, sondern möglichst

schnell nach dem Einkauf zubereiten.

- Nur einige Salatsorten (z. B. Eisbergsalat) sind in Folie gewickelt einige Tage im Kühlschrank haltbar.

Vorbereitung

- Die äußeren und unansehnlichen Blätter entfernen.
- Den Salatkopf in einzelne Blätter zerteilen und schlechte Stellen entfernen.
- Die unzerteilten Blätter vorsichtig, aber gründlich in kaltem Wasser waschen (stark verschmutzten Salat auch mehrmals), dabei die Blätter nicht drücken und nicht im Wasser liegen lassen, da die Blätter sonst welk und wertvolle Nährstoffe ausgelaugt werden.
- Die Blätter gründlich abtropfen lassen (Sieb oder Durchschlag) oder trockenschleudern (Salatschleuder)
- Grobe Stiele und harte Mittelrippen entfernen und die Blätter nach Bedarf in kleinere oder größere Stücke zerpflücken (bei festeren Sorten eventuell schneiden).
- Für Gemüsesalate vorbereitetes Gemüse fein oder grob raspeln oder in glatte oder gewellte (mit einem Buntmesser) Scheiben oder Stifte schneiden.

- Die Salatzutaten in eine ausreichend große Schüssel geben, damit sie sich locker mit der Sauce mischen lassen.
- Die Salatsauce (Marinade) erst kurz vor dem Servieren unterheben.

Salatsaucen (Salatmarinaden)

Eine Salatsauce soll den Geschmack der Salatzutaten hervorheben und ergänzen, nicht überdecken.

Ein Grundrezept, auf dem viele andere basieren, ist die Essig-Öl-Marinade (Vinaigrette). Sie wird aus 1 Teil Essig und 1-2 Teilen Speiseöl zubereitet und mit Pfeffer, Salz, Zucker, nach Belieben frischen Küchenkräutern, Zwiebelwürfeln und etwas Senf abgeschmeckt.

Zuerst den Essig mit den Gewürzen verrühren, bis sich Salz und Zucker aufgelöst

haben, dann eventuell Senf unterrühren und das Öl unterschlagen. Zum Schluss Kräuter und eventuell Zwiebelwürfel unterrühren.

Sahnesaucen

Für Sahnesaucen werden saure oder süße Sahne mit Zitronensaft oder Essig vermischt und wie die Vinaigrette mit Gewürzen abgeschmeckt und mit Kräutern verfeinert.

Mayonnaise

Für Saucen mit selbst gemachter Mayonnaise nur ganz frische Eier verwenden, die nicht älter als 5 Tage sind (Legedatum beachten!). Den fertigen Salat im Kühlschrank aufbewahren und innerhalb von 24 Stunden verzehren. Mayonnaisesaucen können etwas fettärmer zubereitet werden, wenn ein Teil der Mayonnaise durch Quark oder Joghurt ersetzt wird.

Essig & Öl

Durch die Wahl der Essig- und Ölsorte für die Sauce kann man den Geschmack eines Salates stark beeinflussen. Wein- und Kräuteressige sind sehr vielfältig einsetzbar, während ein dunkler Balsamico-Essig (Aceto Balsamico) nicht unbedingt zu jedem Salat passt. Sonnenblumenöl, Maiskeimöl oder Rapsöl sind relativ geschmacksneutral. Olivenöl oder Nussöle dagegen weisen einen stärkeren Eigengeschmack auf. Für Salate möglichst hochwertige, kalt gepresste Öle verwenden.

Knoblauch

Knoblauch gibt Salaten eine besondere Würze. Wer nur „einen Hauch" Knoblauch möchte, reibt die Salatschüssel mit einer durchgeschnittenen Zehe aus. Für ein kräftigeres Aroma kann der gepresste Knoblauch in die Salatsauce oder in Scheiben geschnitten direkt in den Salat gegeben werden.

Kleine Warenkunde

Bataviasalat

Aufgrund der Blattbeschaffenheit ein Zwischentyp von Kopf- und Eisbergsalat. Die Sorten unterscheiden sich sowohl in der Blattfarbe als auch in der Konsistenz. Der Geschmack reicht von herzhaft-würzig bis mild-süßlich.

Chicorée

Weiße, feste Staude mit hellgelben Spitzen und leicht bitterem Geschmack. Lichtgeschützt lagern, die Spitzen werden sonst grün und bitter.

Chinakohl

Eher ein Blattgemüse, aber beliebt für Salat. Längliche Kohlköpfe mit hellgrünen, leicht gewellten Blättern. Leichter Kohlgeschmack.

Eichblattsalat (Eichenlaubsalat)

Leicht geschlitzte Blätter, die Eichenblättern ähneln. Grün, z. T. mit roten Spitzen, leicht nussiger Geschmack.

Eisbergsalat (Eissalat, Krachsalat)

Helle, feste Blätter mit wenig Eigengeschmack. Der sehr knackige Salat hält sich in Folie verpackt einige Tage im Kühlschrank.

Feldsalat (Acker-, Rapunzel- oder Nüsslisalat)

Kleine Rosetten mit tiefgrünen, kleinen Blättern mit fester Struktur. Hoher Vitamin- und Mineralstoffgehalt (Kalium, Eisen). Angenehmes Nussaroma.

Endivie (Glatte Endivie, Escariol)

Fester, grüner Kopf mit hellgelben Herzblättern. Breite, glatte Blätter mit grobgezahntem Rand.

Friséesalat (Krause Endivie)

Krausblättrige Endiviensorte. Zarte, gefiederte, hellgrüne Außen- und gelbe Innenblätter. Knackiger, leicht bitterer Geschmack.

Kopfsalat (Grüner Salat)

Eine der beliebtesten Salatarten. Mehr oder weniger geschlossene Köpfe mit zarten Blättern. Hellgelbe Herzblättchen.

Lollo Rossa, Lollo Bionda

Gehören zur Familie der Endiviensalate. Knackige rote oder hellgrüne Blätter mit leicht bitterem, nussigen Geschmack.

Löwenzahn

Eine Wiederentdeckung im Salatsortiment mit schmalen, gezähnten Blättern. Löwenzahn aus Anbau ist milder als wild wachsender Löwenzahn.

Portulak

Portulak besteht aus zarten, glatten, langstieligen, fleischigen Blättern, die zu einer Rosette angeordnet sind. Er wird ähnlich wie der Feldsalat zubereitet, kann aber auch wie Spinat gekocht werden.

Radicchio (Rote Endivie)

Faustgroße, sehr feste Köpfe mit violettroten bis rosafarbenen Blättern, die mit weißen Adern durchzogen sind. Leicht bitterer Geschmack.

Römischer Salat (Römersalat, Romana Salat)

Grüner, fester Kopf mit länglichen, schmalen, knackigen Blättern. Leicht bitterer Geschmack.

Rucola (Rauke)

Schmale, gezackte Blätter mit würzig-nussigem, manchmal leicht scharfem Geschmack. Im Bund oder abgepackt angeboten.

Rucola mit Parmesan (Foto)

Etwas teurer

Zubereitungszeit: etwa 25 Minuten, ohne Abkühlzeit

30 g Pinienkerne
125 g Rucola (Rauke)
200 g Cocktailtomaten
30 g Parmesan-Käse

Für die Sauce:
2–3 EL Balsamico-Essig
1/2 TL flüssiger Honig
Salz, Pfeffer
5 EL Olivenöl

Pro Portion:
E: 6 g, F: 19 g, Kh: 3 g,
kJ: 852, kcal: 203

1 Pinienkerne in einer Pfanne ohne Fett goldbraun rösten und erkalten lassen.

2 Rucola verlesen, dicke Stängel abschneiden, Rucola waschen, trockenschleudern und größere Blätter einmal durchschneiden. Cocktailtomaten waschen, abtrocknen und halbieren oder vierteln. Parmesan hobeln.

3 Für die Sauce Essig mit Honig, Salz und Pfeffer verrühren. Öl unterschlagen. Rucola auf einer Platte anrichten, Tomaten darauf verteilen. Mit der Salatsauce beträufeln und Pinienkerne und Parmesan darüber streuen.

Tipp: Den Salat als Vorspeise, als Beilage zu Grillgerichten, zu kurz gebratenem Fleisch oder zu Risotto (S. 305) servieren.
Anstelle der Pinienkerne können Sie auch abgezogene, gestiftelte Mandeln oder grob gehackte Walnusskerne verwenden.

Chinakohlsalat mit Frischkäse

Für Kinder

Zubereitungszeit: etwa 25 Minuten

600 g Chinakohl
1 Dose Mandarinen
(Abtropfgewicht 175 g)
100 g gekochter Schinken

Für die Sauce:
100 g Kräuterfrischkäse
4 EL Schlagsahne
4 EL Mandarinensaft (aus der Dose)
1–2 EL Weißweinessig
Salz, Zucker, Pfeffer
1 EL gemischte, gehackte Kräuter, z. B. Basilikum, Petersilie, Schnittlauch

1 Von dem Chinakohl die äußeren welken Blätter entfernen, den Kohl halbieren, den Strunk herausschneiden, Chinakohl abspülen, gut abtropfen lassen und in schmale Streifen schneiden.

2 Mandarinen in einem Sieb abtropfen lassen, dabei den Saft auffangen und 4 Esslöffel für die Sauce abmessen. Schinken in Streifen schneiden.

3 Für die Sauce Frischkäse mit Sahne und Mandarinensaft verrühren und mit Essig, Salz, Zucker und Pfeffer würzen. Kräuter unterrühren. Die Sauce mit den Salatzutaten in einer Schüssel vermischen und den Salat sofort servieren.

Tipp: Den Chinakohlsalat mit Brot oder Reis als kleine Mahlzeit servieren. Er eignet sich auch als Partysalat, dann Salatzutaten und Sauce getrennt anrichten. Sie können den Salat anstelle von Chinakohl auch mit Eisbergsalat zubereiten.

Pro Portion: E: 10 g, F: 9 g, Kh: 12 g, kJ: 723, kcal: 173

Griechischer Bauernsalat (Foto)

Beliebt

Zubereitungszeit: etwa 20 Minuten

375 g Salatgurken
400 g Tomaten
125 g Gemüsezwiebel
75 g schwarze Oliven
200 g griechischer
Schafkäse

Für die Sauce:
2 EL Weißweinessig
Salz, Pfeffer, Zucker
5 EL Olivenöl
frische Majoranblättchen

Pro Portion:
E: 10 g, F: 26 g, Kh: 6 g,
kJ: 1248, kcal: 297

1 Gurken schälen, die Enden abschneiden, Gurken längs halbieren, eventuell die Kerne mit Hilfe eines Löffels herausschaben und Gurken in dünne Scheiben schneiden. Tomaten waschen, abtrocknen, die Stängelansätze herausschneiden und Tomaten in Stücke schneiden.

2 Gemüsezwiebel abziehen und in dünne Scheiben schneiden. Oliven eventuell abtropfen lassen. Schafkäse in dünne Scheiben schneiden. Die vorbereiteten Zutaten auf einer großen Platte anrichten.

3 Für die Sauce Essig mit Salz, Pfeffer und Zucker verrühren. Öl unterschlagen. Die Sauce über die Salatzutaten geben und mit Majoranblättchen bestreuen.

Tipp: Den griechischen Bauernsalat als kleines Gericht z. B. mit aufgebackenem Pide (Fladenbrot) servieren.
Den Salat nach Belieben auf Römersalatblättern servieren.

Rote-Bohnen-Mais-Salat

Gut vorzubereiten

Zubereitungszeit: etwa 20 Minuten, ohne Durchziehzeit

1 große Dose rote Bohnen
(Abtropfgewicht 425 g)
2 Dosen Gemüsemais
(Abtropfgewicht je 285 g)
1 Bund Frühlingszwiebeln
200 g Edamer-Käse

Für die Sauce:
4 EL Weinessig
1 TL scharfer Senf
Salz, Pfeffer, Zucker
80 ml Speiseöl, z. B.
Sonnenblumenöl

1 Rote Bohnen und Mais in Siebe geben, kalt abspülen und gut abtropfen lassen. Von den Frühlingszwiebeln Wurzelenden und dunkles Grün entfernen, Frühlingszwiebeln waschen, abtropfen lassen und in feine Ringe schneiden. Edamer entrinden und in Würfel schneiden. Die vorbereiteten Zutaten in eine Salatschüssel geben.

2 Für die Sauce Essig mit Senf, Salz, Pfeffer und Zucker verrühren. Öl unterschlagen. Die Salatzutaten mit der Sauce mischen und den Salat mindestens 30 Minuten durchziehen lassen.

3 Den Salat vor dem Servieren nochmals mit Salz, Pfeffer und etwas Essig abschmecken.

Tipp: Den Salat als Partysalat, mit Brot als kleine Mahlzeit oder mit aufgeschnittener Salami oder Parmaschinken und Oliven als Vorspeise servieren.

Pro Portion: E: 22 g, F: 36 g, Kh: 33 g, kJ: 2288, kcal: 546

Eisbergsalat mit zwei Saucen

Fruchtig

1 Kopf Eisbergsalat
1 Orange

Für die Joghurtsauce:
150 g Naturjoghurt
(3,5 % Fett)
1 TL Speiseöl, z. B.
Sonnenblumenöl
1 EL Weißweinessig
Salz
1 Prise Zucker
1 TL gehackte
Zitronenmelisse- oder
Basilikumblättchen

Für die Zitronensauce:
2 EL Zitronensaft
Salz
1 Prise Zucker
frisch gemahlener Pfeffer
1 Msp. abgeriebene
Zitronenschale
(unbehandelt)
3 EL Speiseöl, z. B.
Sonnenblumenöl

Pro Portion:
E: 3 g, F: 10 g, Kh: 7 g,
kJ: 557, kcal: 134

1 Von dem Eisbergsalat die äußeren welken Blätter entfernen, den Salat vierteln, in breite Streifen schneiden (Foto 1), waschen und trockenschleudern. Orange so schälen, dass die weiße Haut mit entfernt wird (Foto 2) und die Filets mit einem scharfen Messer herausschneiden (Foto 3).

2 Für die Joghurtsauce Joghurt mit Öl und Essig verrühren und mit Salz und Zucker würzen. Zitronenmelisse oder Basilikum unterrühren.

3 Für die Zitronensauce Zitronensaft mit Salz, Zucker, Pfeffer und Zitronenschale verrühren. Öl unterschlagen.

4 Eisbergsalat und Orangenfilets in einer Schale vermengen. Die beiden Saucen dazu reichen.

Tipp: Den Eisbergsalat als Beilage zu gegrilltem Fleisch oder Fisch, zu Schnitzeln oder als Vorspeise mit etwas Baguette servieren.

Abwandlung 1: Für einen **Eisbergsalat mit Mango** die Orange durch eine geschälte, in Spalten geschnittene, reife Mango ersetzen.

Abwandlung 2: Für einen **Eisbergsalat mit Weintrauben** die Orange durch 150 g heiß abgespülte, trockengetupfte, halbierte und entkernte blaue oder grüne Weintrauben ersetzen.

Abwandlung 3: Für einen **Sauerkraut-Eisberg-Salat** ½ Kopf Eisbergsalat wie oben angegeben vorbereiten. 1 Dose Mandarinen (Abtropfgewicht 175 g) in einem Sieb abtropfen lassen, dabei den Saft auffangen. 250 g Sauerkraut locker zupfen, eventuell klein schneiden und mit den Eisbergsalatstreifen und Mandarinen mischen. Für die Sauce 1 Esslöffel Mayonnaise mit 4 Esslöffeln Schlagsahne, 4 Esslöffeln Mandarinensaft, 1 Esslöffel Zitronensaft und ½–1 Esslöffel geriebenem Meerrettich (aus dem Glas) verrühren, mit Salz und Pfeffer würzen und mit den Salatzutaten mischen.

Feldsalat (Rapunzelsalat)
Einfach

1 Von dem Feldsalat die Wurzelenden so abschneiden, dass die Blattrosetten noch zusammenhalten. Schlechte Blätter entfernen, den Salat gründlich waschen und trockenschleudern.

2 Weißbrot entrinden und in kleine Würfel schneiden. Butter in einer Pfanne zerlassen, die Brotwürfel darin bei mittlerer Hitze braun und knusprig braten. Ei pellen und fein hacken.

3 Für die Sauce Essig mit Salz, Pfeffer und Zucker verrühren. Öl unterschlagen. Kräuter unterrühren. Den Salat kurz vor dem Servieren mit der Sauce vermengen. Weißbrotwürfel und gehacktes Ei darüber streuen.

Tipp: Den Feldsalat als Vorspeise, als Beilage zu Blech- und frischen Pellkartoffeln, oder ohne Ei zubereitet, als Beilage zu Eiergerichten servieren. Sie können den Feldsalat auch durch 400–500 g (je nach Sorte) jungen Spinat ersetzen (waschen Sie den Spinat gründlich, denn Freilandspinat ist oft sandig).

Abwandlung: Für **Feldsalat mit Walnusskernen** 1 kleine geschälte und entkernte Birne in sehr kleine Würfel schneiden und zusätzlich zur Salatsauce geben. 50 g Walnusskerne grob hacken und den Salat mit den Nüssen anstelle des Eies bestreuen.

Zubereitungszeit: etwa 25 Minuten

250 g Feldsalat
2 Scheiben Weißbrot
(je 20 g)
20 g Butter
1 hart gekochtes Ei

Für die Sauce:
1 EL Essig, z. B. Balsamico-
oder Sherryessig
Salz, Pfeffer, Zucker
3 EL Speiseöl, z. B.
Walnussöl
1 EL gehackte Kräuter,
z. B. Petersilie,
Schnittlauch

Pro Portion:
E: 4 g, F: 14 g, Kh: 5 g,
kJ: 656, kcal: 157

Chicoréesalat
Raffiniert

1 Von dem Chicorée die äußeren welken Blätter entfernen, Chicorée längs halbieren, waschen, abtropfen lassen, die bitteren Strünke keilförmig herausschneiden und Chicorée in etwa 1 $\frac{1}{2}$ cm breite Streifen schneiden. Schinken in feine Streifen schneiden.

2 Für die Sauce Crème fraîche mit Tomatenketchup verrühren und mit Salz, Pfeffer und Zucker würzen. Kerbel unterrühren. Chicorée- und Schinkenstreifen mit der Sauce vermengen.

Tipp: Der Chicoréesalat kann als Beilage z. B. zu Fisch gereicht werden oder als Vorspeise mit Toast und Butter.
Den Salat auf ganzen Chicoréeblättern anrichten.

Abwandlung: **Sie können den Salat auch mit Chinakohl oder Eisbergsalat** anstelle von Chicorée zubereiten. Bunt wird der Salat, wenn man die Hälfte des Chicorées durch roten Chicorée oder Radicchio ersetzt.

Zubereitungszeit: etwa 25 Minuten

800 g Chicorée
150 g gekochter Schinken

Für die Sauce:
150 g Crème fraîche
2 schwach geh. EL
Tomatenketchup
Salz, Pfeffer, Zucker
1 EL gehackter Kerbel

Pro Portion:
E: 12 g, F: 13 g, Kh: 8 g,
kJ: 822, kcal: 198

Gemischter Blattsalat

Klassisch

Zubereitungszeit: etwa 20 Minuten

**¼ Kopf Lollo Rossa oder
Lollo Bionda
¼ Kopf Eichblattsalat
200 g Chicorée**

Für die Sauce:

**1 kleine Zwiebel
2–3 EL Kräuteressig
Salz
1 Prise Zucker
zerstoßene, getrocknete
grüne Pfefferkörner
6 EL Olivenöl
1 EL gehackte Kräuter,
z. B. Petersilie,
Schnittlauch, Kerbel**

Pro Portion:

E: 1 g, F: 15 g, Kh: 3 g,
kJ: 635, kcal: 152

1 Von beiden Salatsorten die äußeren welken Blätter entfernen, den Salat waschen, trockenschleudern und in Stücke zerpflücken (Foto 1).

2 Von dem Chicorée die äußeren welken Blätter entfernen, Chicorée längs halbieren, waschen, abtropfen lassen und die bitteren Strünke keilförmig herausschneiden (Foto 2). Chicorée in Streifen schneiden. Chicoréestreifen in einer Schüssel mit den Blattsalaten mischen.

3 Für die Sauce Zwiebel abziehen und in feine Würfel schneiden. Essig mit Salz, Zucker und Pfefferkörnern verrühren. Öl unterschlagen. Zwiebelwürfel und Kräuter unterrühren (Foto 3). Die Sauce über die Salatzutaten geben, vorsichtig vermengen und sofort servieren.

Tipp: Den gemischten Blattsalat als Vorspeise oder als Beilage zu Fleisch- und Fischgerichten, zu Nudelgerichten und zu Aufläufen servieren.
Frische Blattsalate zum Aufbewahren in einen großen Plastikbeutel geben, etwas Luft hineinblasen, den Beutel fest verschließen und im Gemüsefach des Kühlschranks aufbewahren. So kann der Salat nicht zerdrückt werden und bleibt durch die Luft im Beutel länger frisch.

Abwandlung 1: Die Variationsmöglichkeiten dieses Rezeptes sind vielfältig. Sie können die Blattsalate durch Friséesalat, frischen Spinat oder Feldsalat ersetzen, Hasel- oder Walnussöl anstelle des Olivenöls verwenden und den Kräuteressig durch Himbeeressig ersetzen.

Abwandlung 2: Für einen **gemischten Blattsalat mit Schnitzelscheiben** zusätzlich 500 g Hähnchen-, Puten- oder Schweineschnitzel kalt abspülen, trockentupfen, in dicke Scheiben schneiden und in einer Marinade aus 3 Esslöffeln Sojasauce und etwas Pfeffer etwa 30 Minuten marinieren. Die Fleischscheiben dann abtropfen lassen und in 3 Esslöffeln erhitztem Speiseöl (z. B. Sonnenblumenöl) rundherum 4–6 Minuten braten. Die Fleischscheiben heiß oder kalt auf dem Salat anrichten und sofort servieren.

Kohlrabisalat (Foto)
Fruchtig

Zubereitungszeit: etwa 30 Minuten, ohne Abkühlzeit

800 g Kohlrabi
250 ml (¼ l) Wasser
¼ TL Salz
1 Dose Mandarinen
(Abtropfgewicht 175 g)
150 g Äpfel

Für die Sauce:
300 g Naturjoghurt
(3,5 % Fett)
1 EL Tomatenmark
2 EL flüssiger Honig
Salz, Pfeffer
50 g Rosinen
1 EL gehackte Petersilie

Pro Portion:
E: 6 g, F: 3 g, Kh: 34 g,
kJ: 837, kcal: 200

1 Kohlrabi schälen, waschen, abtropfen lassen, vierteln und in dünne Scheiben schneiden.

2 Das Wasser zum Kochen bringen, Salz hinzufügen, Kohlrabischeiben darin bei schwacher Hitze etwa 2 Minuten mit Deckel garen, dann in einem Sieb abtropfen und erkalten lassen.

3 Mandarinen ebenfalls in einem Sieb abtropfen lassen. Äpfel waschen, schälen, vierteln, entkernen und würfeln.

4 Für die Sauce Joghurt mit Tomatenmark und Honig verrühren und mit Salz und Pfeffer würzen. Rosinen und Petersilie unterrühren.

5 Apfelwürfel, Kohlrabi und Mandarinen unter die Sauce mischen. Den Salat mit Salz und Pfeffer abschmecken.

Tipp: Den Salat als Beilage zu gebratenem Fleisch oder als Partysalat servieren.

Abwandlung: **Sie können die Kohlrabi auch roh verwenden. Die Kohlrabi vorbereiten und in kleine Würfel oder feine Streifen schneiden. Die Salatsauce dann nur mit 200 g Joghurt zubereiten.**

Gurkensalat
Schnell

Zubereitungszeit: etwa 15 Minuten

750 g Salatgurken

Für die Sauce:
1 Zwiebel
2 EL Kräuteressig
Salz, Pfeffer, Zucker
3 EL Speiseöl, z. B.
Sonnenblumenöl
2 EL gehackte Kräuter,
z. B. Dill, Petersilie

1 Gurken schälen, die Enden abschneiden, Gurken in feine Scheiben schneiden oder hobeln.

2 Für die Sauce Zwiebel abziehen und fein würfeln. Essig mit Salz, Pfeffer und Zucker verrühren. Öl unterschlagen. Zwiebelwürfel und Kräuter unterrühren.

3 Die Gurkenscheiben mit der Sauce vermengen und den Salat sofort servieren.

Tipp: Den Gurkensalat als Beilage zu Fischgerichten, Hackbraten (S. 90) oder Frikadellen (S. 96) oder als Teil einer Salatplatte servieren.
Die Gurkenscheiben nicht salzen, weil dadurch der Salat schwer verdaulich wird und durch das Weggießen des Gurkenwassers Nährstoffe verloren gehen.

Pro Portion: **E: 1 g, F: 8 g, Kh: 4 g, kJ: 377, kcal: 90**

Waldorfsalat
Klassisch (4-6 Portionen)

Zubereitungszeit: etwa 25 Minuten, ohne Durchziehzeit

500 g Äpfel
250 g Knollensellerie
100 g Walnusskerne

Für die Mayonnaise:
1 Eigelb (Größe M)
1 EL Weißweinessig
1 TL mittelscharfer Senf
Salz
frisch gemahlener Pfeffer
1 TL Zucker
125 ml ($^1/_8$ l) Speiseöl,
z. B. Sonnenblumenöl

Pro Portion:

E: 4 g, F: 39 g, Kh: 13 g,
kJ: 1753, kcal: 419

1 Äpfel waschen, schälen, vierteln und entkernen. Sellerie schälen, schlechte Stellen herausschneiden, Sellerie waschen und abtropfen lassen. Beide Zutaten auf der Haushaltsreibe grob raspeln (Foto 1). Walnusskerne fein hacken (Foto 2).

2 Für die Mayonnaise Eigelb mit Essig, Senf, Salz, Pfeffer und Zucker in einer Rührschüssel mit einem Schneebesen oder Handrührgerät mit Rührbesen zu einer dicklichen Masse aufschlagen (Foto 3). Öl in Mengen von 1-2 Esslöffeln nach und nach darunter schlagen.

3 Die Salatzutaten mit der Mayonnaise vermengen und den Salat mindestens 30 Minuten durchziehen lassen.

Tipp: Den Waldorfsalat auf Blattsalat angerichtet als Vorspeise oder kleine Mahlzeit oder als Partysalat servieren.

Hinweis: **Für die Mayonnaise nur ganz frisches Eigelb verwenden, das nicht älter als 5 Tage ist (Legedatum beachten!). Den fertigen Salat im Kühlschrank aufbewahren und innerhalb von 24 Stunden verzehren.**

Abwandlung 1: Für **Waldorfsalat mit Hähnchenbrust** zusätzlich 250 g Hähnchenbrustfilet kalt abspülen, trockentupfen, in 1 Esslöffel erhitztem Speiseöl 10-15 Minuten unter Wenden braten. Hähnchenbrust salzen, pfeffern, abkühlen lassen, in Streifen schneiden und unter den Salat mischen.

Abwandlung 2: Für **Waldorfsalat mit Orangenfilets oder Ananas** zusätzlich 1 Orange filetieren und die Filets einmal durchschneiden. Oder 3 Scheiben Ananas (aus der Dose) in kleine Stücke schneiden. Orangenfilets oder Ananasstücke unter den Salat heben.

Abwandlung 3: Sie können den **Waldorfsalat mit Sahne** anstelle von Mayonnaise servieren. Dazu 125 ml ($^1/_8$ l) Schlagsahne mit 1 Päckchen Sahnesteif steif schlagen, 3-4 Esslöffel Zitronensaft unterrühren und mit Salz, weißem Pfeffer und Zucker würzen. Die Sahne vorsichtig mit den Salatzutaten vermischen und den Salat durchziehen lassen.

Bohnensalat
Klassisch

Zubereitungszeit: etwa 35 Minuten, ohne Durchziehzeit

750 g grüne Bohnen
3–4 Zweige Bohnenkraut
250 ml (¹/₄ l) Wasser
¹/₄ TL Salz

Für die Sauce:
1 Zwiebel
2–3 EL Essig, z. B.
Kräuteressig
Salz
frisch gemahlener Pfeffer
etwas Zucker
3 EL Speiseöl, z. B.
Sonnenblumen- oder
Olivenöl
1 EL gehackte Kräuter,
z. B. Petersilie, Dill,
Bohnenkraut

Pro Portion:
E: 4 g, F: 8 g, Kh: 10 g,
kJ: 547, kcal: 130

1 Von den Bohnen die Enden abschneiden, die Fäden abziehen, Bohnen waschen und in Stücke schneiden oder brechen. Bohnenkrautzweige abspülen. In einem Topf Wasser zum Kochen bringen, Salz hinzufügen. Bohnen und Bohnenkrautzweige in das kochende Salzwasser geben, wieder zum Kochen bringen und in 15-20 Minuten bei mittlerer Hitze mit Deckel gar kochen.

2 Die garen Bohnen in ein Sieb geben, kurz mit kaltem Wasser übergießen und abtropfen lassen. Das Bohnenkraut entfernen.

3 Für die Sauce Zwiebel abziehen und fein würfeln. Essig mit Salz, Pfeffer und Zucker verrühren. Öl unterschlagen. Zwiebelwürfel und Kräuter unterrühren. Die noch warmen Bohnen mit der Sauce vermengen und den Salat gut durchziehen lassen.

4 Den Bohnensalat vor dem Servieren nochmals mit Salz, Pfeffer und Zucker abschmecken.

Tipp: Der Bohnensalat passt als Beilage zu gegrilltem Fleisch, zu Steaks, zu kalten Braten oder als Teil einer Salatplatte.
Für den Bohnensalat sollten die Bohnen noch warm mit der Salatsauce vermengt werden, damit sie die Gewürze gut aufnehmen können.
Wenn es ganz schnell gehen soll, können Sie auch 2 Dosen grüne Bohnen (Abtropfgewicht je 340 g) verwenden.

Möhren-Apfel-Salat
Schnell

Zubereitungszeit: etwa 20 Minuten

500 g Möhren
250 g säuerliche Äpfel,
z. B. Elstar, Cox Orange

Für die Sauce:
3 EL Zitronensaft
1–2 TL Zucker oder Honig
Salz
1 TL Speiseöl, z. B.
Sonnenblumenöl

1 Möhren schälen, Grün und Spitzen abschneiden, Möhren waschen und abtropfen lassen. Äpfel waschen, schälen, vierteln und entkernen. Beide Zutaten auf der Haushaltsreibe raspeln.

2 Für die Sauce Zitronensaft mit Zucker oder Honig und Salz verrühren. Öl unterschlagen. Möhren und Äpfel mit der Sauce vermengen. Den Salat mit Salz und Zucker abschmecken.

Tipp: Bei ungespritzten Äpfeln können Sie die Äpfel auch waschen, abtrocknen und mit der Schale reiben.
Die Sauce zusätzlich mit 1 Messerspitze gemahlenem Ingwer würzen.

Pro Portion: E: 1 g, F: 1 g, Kh: 13 g, kJ: 296, kcal: 71

Tomaten-Zwiebel-Salat

Für Gäste (4-6 Portionen)

1 Wasser zum Kochen bringen. In der Zwischenzeit Zwiebeln abziehen und in Scheiben schneiden. Essig, Salz und Zwiebelscheiben in das kochende Wasser geben und bei schwacher
Hitze etwa 5 Minuten mit Deckel kochen, dann abtropfen lassen.

2 Tomaten waschen, abtrocknen, die Stängelansätze herausschneiden. Eier pellen. Tomaten und Eier in Scheiben schneiden
und abwechselnd lagenweise mit den Zwiebelscheiben und der
Petersilie in eine Salatschüssel schichten, dabei die Ei- und die
Tomatenscheiben mit Salz und Pfeffer bestreuen.

3 Für die Mayonnaise Eigelb mit Essig, Senf, Salz, Zucker und
Pfeffer in einer Rührschüssel mit einem Schneebesen oder
Handrührgerät mit Rührbesen zu einer dicklichen Masse aufschlagen. Öl in Mengen von 1-2 Esslöffeln nach und nach darunter schlagen. Joghurt und Kräuter unterrühren. Die Mayonnaise über die Salatzutaten geben und den Salat bis zum Verzehr kalt stellen.

Tipp: Den Tomaten-Zwiebel-Salat als Beilage zu Steaks oder Gegrilltem, zu
Schinken oder als Partysalat servieren.
Durch das Kochen der Zwiebelscheiben in dem Essig-Salzwasser wird den
Zwiebeln die Schärfe genommen, sie werden besser bekömmlich, aber haben
trotzdem noch Biss.
Sie können auch gekaufte Mayonnaise für die Sauce verwenden, dann Joghurt
und Kräuter unterrühren.

Hinweis: Für die Mayonnaise nur ganz frisches Eigelb verwenden, das
nicht älter als 5 Tage ist (Legedatum beachten!). Den fertigen Salat im
Kühlschrank aufbewahren und innerhalb von 24 Stunden verzehren.

Abwandlung 1: Nach Belieben die Zwiebeln durch Porree (Lauch) ersetzen. Von dem Porree die Außenblätter entfernen, Wurzelende und dunkles
Grün abschneiden, die Stange längs halbieren, gründlich waschen, abtropfen
lassen und in Ringe schneiden. Porree in kochendem Salzwasser 1 Minute
blanchieren, dann abtropfen lassen.

Abwandlung 2: Für einen **schnellen Tomatensalat** 750 g kleine, feste
Tomaten waschen, abtrocknen, die Stängelansätze herausschneiden und
Tomaten in Scheiben schneiden. Für die Sauce 1 kleine Zwiebel abziehen,
fein würfeln und mit 2 Esslöffeln Essig (z. B. Weißwein- oder Kräuteressig),
Salz und Pfeffer verrühren. 4 Esslöffel Speiseöl (z. B. Sonnenblumenöl)
unterschlagen. Die Sauce mit den Tomatenscheiben mischen und den Salat
kurz durchziehen lassen.

Zubereitungszeit: etwa 35 Minuten

500 ml (¹/₂ l) Wasser
250 g Zwiebeln
1 EL Essig, z. B.
Kräuteressig
¹/₂ TL Salz
500 g Tomaten
3 hart gekochte Eier
1 EL gehackte glatte
Petersilie
frisch gemahlener Pfeffer

Für die Mayonnaise:

1 Eigelb (Größe M)
1 EL Kräuteressig
1 schwach geh. TL
mittelscharfer Senf
Salz
1 TL Zucker
frisch gemahlener Pfeffer
125 ml (¹/₈ l) Speiseöl,
z. B. Sonnenblumenöl
2 EL Naturjoghurt
(3,5 % Fett)
2 EL gehackte Kräuter,
z. B. Schnittlauch,
Petersilie, Oregano

Pro Portion:

E: 7 g, F: 30 g, Kh: 6 g,
kJ: 1358, kcal: 324

Sprossen-Avocado-Salat
Vegetarisch

Zubereitungszeit: etwa 30 Minuten

150 g Feldsalat
150 g Soja- oder Mungo-
bohnensprossen
250 g Tomaten
1 Avocado

Für die Sauce:

2–3 EL Essig, z. B.
Kräuteressig
2 EL Wasser
Salz
frisch gemahlener Pfeffer
1 Prise Zucker
1 TL mittelscharfer Senf
4 EL Speiseöl, z. B.
Walnussöl

Pro Portion:

E: 4 g, F: 24 g, Kh: 4 g,
kJ: 1030, kcal: 246

1 Von dem Feldsalat die Wurzelenden so abschneiden, dass die Blattrosetten noch zusammenhalten. Schlechte Blätter entfernen, den Salat gründlich waschen und trockenschleudern. Die Sprossen in ein Sieb geben, unter fließendem kalten Wasser abspülen und gut abtropfen lassen, eventuell auf ein Küchentuch geben.

2 Tomaten waschen, abtrocknen, die Stängelansätze herausschneiden und die Tomaten in Spalten schneiden. Avocado längs halbieren, den Stein herauslösen, Avocado schälen und das Fruchtfleisch längs in Spalten schneiden.

3 Für die Sauce Essig mit Wasser, Salz, Pfeffer, Zucker und Senf verrühren. Öl unterschlagen. Die vorbereiteten Salatzutaten auf einer Platte verteilen und die Sauce darüber geben.

Tipp: Den Sprossen-Avocado-Salat als kleine Mahlzeit mit Brot oder als Beilage zu hellem Fleisch oder Fisch servieren.
Zusätzlich 50 g gehackte Walnusskerne über den fertigen Salat streuen.
Sie können die Sojabohnensprossen auch durch Linsensprossen ersetzen.

Abwandlung: Für einen **bunten Sprossensalat** von 1 Kopfsalat oder Lollo Bionda die äußeren welken Blätter entfernen, den Salat waschen, trockenschleudern und in Stücke zerpflücken. 2 rote Zwiebeln abziehen und in Streifen schneiden. 2 Möhren schälen, Grün und Spitzen abschneiden, Möhren waschen, abtropfen lassen und grob raspeln. 150 g Soja- oder Mungobohnensprossen wie oben angegeben vorbereiten. Für die Salatsauce 2–3 Esslöffel Kräuteressig mit 1–2 Esslöffeln Wasser, Salz, Pfeffer und Zucker verrühren, 5 Esslöffel Speiseöl (z. B. Sonnenblumenöl) unterschlagen und die Sauce unter den Salat mischen. Den Salat mit 2 Esslöffeln Sesamsamen bestreuen.

Wurst-Käse-Salat (Foto)
Einfach

Zubereitungszeit: etwa 35 Minuten, ohne Durchziehzeit

250 g Zwiebeln
250 g Emmentaler-Käse
350 g Fleischwurst
75 g Gewürzgurken

Für die Sauce:
2 EL Weinessig
2 EL Wasser
1 TL mittelscharfer Senf
Salz, Pfeffer, Zucker
4 EL Speiseöl, z. B.
Sonnenblumenöl
1 EL Schnittlauchröllchen

Pro Portion:
E: 28 g, F: 51 g, Kh: 4 g,
kJ: 2481, kcal: 539

1 Zwiebeln abziehen, in Ringe schneiden, in kochendes Wasser geben, 2 Minuten kochen lassen, in ein Sieb geben und abtropfen lassen.

2 Emmentaler entrinden und in Streifen schneiden. Fleischwurst aus der Haut lösen und eventuell längs halbieren. Fleischwurst und Gewürzgurken in Scheiben schneiden.

3 Für die Sauce Essig mit Wasser, Senf, Salz, Pfeffer und Zucker verrühren. Öl unterschlagen. Die Salatzutaten mit der Sauce vermengen und den Salat etwa 1 Stunde durchziehen lassen. Den Salat mit Schnittlauchröllchen bestreut servieren.

Tipp: Den Wurst-Käse-Salat als kleine Mahlzeit mit Laugenbrötchen oder -brezeln oder als Partysalat servieren.
Sie können den Salat auch mit Geflügelfleischwurst zubereiten.

Abwandlung: Für einen **Kasseler-Käse-Salat** anstelle der Fleischwurst Kasseler-Aufschnitt in Streifen schneiden und zum Salat geben.

Eiersalat mit Porree
Für Gäste

Zubereitungszeit: etwa 40 Minuten

300 g Porree (Lauch)
300 g Möhren
$^1/_2$ Kopf Eisbergsalat
(etwa 150 g)
6 hart gekochte Eier

Für die Sauce:
100 g Salatmayonnaise
150 g Naturjoghurt
2 EL Zitronensaft
Salz, Pfeffer, Zucker
1 EL Schnittlauchröllchen

Pro Portion:
E: 14 g, F: 24 g, Kh: 9 g,
kJ: 1287, kcal: 307

1 Von dem Porree die Außenblätter entfernen, Wurzelenden und dunkles Grün abschneiden, die Stangen längs halbieren, gründlich waschen, abtropfen lassen, in sehr feine Streifen schneiden. Möhren schälen, Grün und Spitzen abschneiden, Möhren waschen, abtropfen lassen und grob raspeln.

2 Von dem Eisbergsalat die äußeren welken Blätter entfernen, den Salat in feine Streifen schneiden, waschen und trockenschleudern. Eier pellen und in Sechstel schneiden (eventuell mit einem Eierschneider).

3 Für die Sauce Mayonnaise mit Joghurt und Zitronensaft verrühren und mit Salz, Pfeffer und Zucker würzen. Die vorbereiteten Salatzutaten (außer den Eiern) in einer Schüssel mit der Salatsauce mischen und nochmals abschmecken. Die Eiersechstel darauf verteilen und mit Schnittlauchröllchen bestreuen.

Tipp: Den Eiersalat mit Porree als kleine Mahlzeit mit Brot oder Pellkartoffeln servieren. Der Salat eignet sich auch als Partysalat.

Bunter Rohkostsalat
Für Gäste

Zubereitungszeit: etwa 30 Minuten

100 g Radieschen
150 g Tomaten
100 g Zucchini
100 g Sojabohnensprossen
100 g Champignons

Für die Sauce:
1 Becher (150 g) Crème
fraîche
2 EL Schlagsahne oder
Milch
1–2 EL Essig, z. B.
Sherryessig
Salz
frisch gemahlener Pfeffer
1 Prise Zucker
2 EL gehackte Kräuter,
z. B. Kerbel, Estragon,
Basilikum

Pro Portion:
E: 4 g, F: 13 g, Kh: 5 g,
kJ: 663, kcal: 160

1 Von den Radieschen Blätter, Spitzen und schlechte Stellen abschneiden, zarte Radieschenblätter eventuell zum Garnieren aufheben. Radieschen waschen, abtropfen lassen und in Scheiben schneiden (Foto 1).

2 Tomaten waschen, abtropfen lassen, kreuzweise einschneiden, kurz in kochendes Wasser legen und in kaltem Wasser abschrecken. Tomaten enthäuten, die Stängelansätze herausschneiden und Tomaten achteln.

3 Zucchini waschen, abtrocknen, die Enden abschneiden und Zucchini mit einem Sparschäler (Foto 2) oder einem Messer der Länge nach in dünne Scheiben schneiden. Sojabohnensprossen in ein Sieb geben, unter fließendem kalten Wasser abspülen und gut abtropfen lassen, eventuell auf ein Küchentuch geben.

4 Von den Champignons Stielenden und schlechte Stellen abschneiden, Champignons mit Küchenpapier abreiben, eventuell abspülen, trockentupfen und in Scheiben schneiden.

5 Für die Sauce Crème fraîche mit Sahne oder Milch und Essig verrühren und mit Salz, Pfeffer und Zucker würzen. Kräuter unterrühren (Foto 3).

6 Die Salatzutaten auf einer großen Platte anrichten und die Sauce darüber verteilen. Nach Belieben mit den zurückgelassenen Radieschenblättern garnieren.

Tipp: Den bunten Rohkostsalat zu gegrillten oder kurz gebratenen Fleischstücken oder als Snack mit Baguette oder Fladenbrot servieren.
Um Kalorien zu sparen, können Sie die Crème fraîche durch Naturjoghurt (3,5 % Fett) ersetzen.

Abwandlung: In der Spargelsaison die Champignons durch 200 g weißen Spargel ersetzen. Spargel waschen, von oben nach unten dünn schälen, die unteren Enden abschneiden, den Spargel kalt abspülen, abtropfen lassen und schräg in sehr dünne Scheiben schneiden.

Weißkohlsalat
Gut vorzubereiten

1 Von dem Weißkohl die äußeren welken Blätter entfernen, den Kohl vierteln, abspülen, abtropfen lassen, den Strunk heraus-schneiden und den Kohl in feine Streifen schneiden oder hobeln. Die Kohlstreifen in einer Schüssel mit dem Salz gut verkneten und etwa 60 Minuten durchziehen lassen. Dann die entstandene Flüssigkeit abgießen.

2 Speck in kleine Würfel schneiden. Öl in einer Pfanne erhitzen. Die Speckwürfel darin knusprig braten und auf Küchenpapier abtropfen lassen.

3 Für die Sauce Zwiebeln abziehen und fein würfeln. Essig mit Salz, Zucker und Pfeffer verrühren. Öl unterschlagen. Zwiebel-würfel und Kümmel unterrühren. Den Kohl mit der Sauce ver-mengen und den Salat gut 60 Minuten durchziehen lassen.

4 Den Salat vor dem Servieren mit Salz und Pfeffer abschmecken und mit den Speckwürfeln bestreuen.

Tipp: Den Weißkohlsalat zu Braten oder als Partysalat servieren. Sie können den Weißkohlsalat bereits 1 Tag vor dem Verzehr zubereiten.

Abwandlung: **Für eine vegetarische Variante den Speck weglassen. Dafür 2 Esslöffel Sonnenblumenkerne in einer Pfanne ohne Fett rösten und über den fertigen Salat streuen.**

Zubereitungszeit: etwa 30 Minuten, ohne Durchziehzeit

350 g Weißkohl
1 schwach geh. TL Salz
100 g durchwachsener Speck
1 EL Speiseöl, z. B. Sonnenblumenöl

Für die Sauce:
2 kleine Zwiebeln
2 EL Kräuteressig
Salz
1 Prise Zucker
frisch gemahlener Pfeffer
3 EL Speiseöl, z. B. Sonnenblumenöl
1 EL Kümmelsamen

Pro Portion:
E: 6 g, F: 10 g, Kh: 5 g, kJ: 548, kcal: 131

Fenchel-Orangen-Salat
Fruchtig

1 Für die Sauce Essig mit Wasser, Salz, Pfeffer und Zucker ver-rühren. Öl unterschlagen.

2 Von den Fenchelknollen die Stiele dicht oberhalb der Knollen abschneiden, braune Stellen und Blätter entfernen, das helle zarte Fenchelgrün zum Garnieren beiseite legen. Die Wurzel-enden gerade schneiden, die Knollen waschen, abtropfen lassen, halbieren, in dünne Streifen schneiden, mit etwas von der Sauce beträufeln und etwas durchziehen lassen.

3 Das Fenchelgrün abspülen, trockentupfen und in kleine Zweige zupfen. Orangen so schälen, dass die weiße Haut mit entfernt wird, Orangen in dünne Scheiben schneiden und die Scheiben vierteln.

Zubereitungszeit: etwa 30 Minuten, ohne Durchziehzeit

Für die Sauce:
1-2 EL Weißweinessig
4 EL Wasser
Salz
frisch gemahlener Pfeffer
1 Prise Zucker
2 EL Speiseöl, z. B. Sonnenblumen- oder Olivenöl

(Fortsetzung Seite 266)

500 g Fenchelknollen
3 Orangen

Pro Portion:

E: 3 g, F: 5 g, Kh: 13 g,
kJ: 482, kcal: 115

4 Die Orangenscheiben abwechselnd mit dem Fenchel in eine Salatschüssel schichten und die restliche Sauce darüber geben. Den Salat mit dem Fenchelgrün bestreuen.

Tipp: Den Fenchel-Orangen-Salat als Vorspeise oder als Beilage zu Fisch oder gebratenen Geflügelstücken servieren.

Geflügelsalat
Für Gäste

Zubereitungszeit: etwa 20 Minuten, ohne Durchziehzeit

**375 g gebratenes Geflügelfleisch, z. B. Hähnchenbrustfilet
1 Dose Mandarinen (Abtropfgewicht 175 g)
1 Glas Champignonscheiben (Abtropfgewicht 215 g)
1 Glas Spargelstücke (Abtropfgewicht 200 g)**

Für die Sauce:

**3 EL Salatmayonnaise
75 g Naturjoghurt (3,5 % Fett)
2 EL Mandarinensaft (aus der Dose)
Salz
frisch gemahlener Pfeffer
1 Prise Zucker**

20 g gehackte Walnusskerne

Pro Portion:

E: 28 g, F: 9 g, Kh: 12 g,
kJ: 1017, kcal: 243

1 Geflügelfleisch in Streifen schneiden. Mandarinen, Champignonscheiben und Spargelstücke getrennt in Sieben abtropfen lassen, dabei den Mandarinensaft auffangen und 2 Esslöffel für die Sauce abmessen. Die Spargelstücke in 3 cm lange Stücke schneiden.

2 Für die Sauce Mayonnaise mit Joghurt und Mandarinensaft verrühren und mit Salz, Pfeffer und Zucker würzen. Die Sauce mit den Salatzutaten in einer Schüssel vermengen und mindestens 30 Minuten durchziehen lassen.

3 Den Salat vor dem Servieren mit Walnusskernen bestreuen.

Tipp: Der Geflügelsalat eignet sich als Vorspeise (auf Blattsalat angerichtet), als Teil eines kalten Büffets, als Partysalat oder mit Brot serviert als kleine Mahlzeit.
Für das gebratene Geflügelfleisch können Sie auch Fleisch von einem fertigen Grillhähnchen (Imbiss) verwenden. Das Hähnchen enthäuten und die Knochen auslösen.

Abwandlung 1: Für einen **Geflügelsalat mit Erbsen** (Foto) die Champignons durch 200 g TK-Erbsen ersetzen. Die gefrorenen Erbsen in wenig kochendes Salzwasser geben, 3–5 Minuten kochen, mit kaltem Wasser abschrecken, abtropfen lassen und mit den übrigen Salatzutaten mischen.

Abwandlung 2: Für einen **Geflügelsalat mit gebratenen Champignons** die Champignonscheiben aus dem Glas durch 300 g geputzte, in Scheiben geschnittene, frische Champignons ersetzen. Diese in 2 Esslöffeln Speiseöl goldbraun braten, mit Salz und Pfeffer würzen, abkühlen lassen und mit den übrigen Salatzutaten mischen.

Abwandlung 3: Für einen **Geflügelsalat mit geräucherter Hähnchenbrust** das gebratene Geflügelfleisch durch in Streifen geschnittenes, geräuchertes Hähnchenbrustfilet ersetzen. Den Salat anstelle der Walnusskerne mit je 1 Esslöffel Schnittlauchröllchen und gehackter Petersilie bestreuen.

Italienischer Spaghettisalat
Für Gäste (4 - 6 Portionen)

Zubereitungszeit: etwa 50 Minuten, ohne Durchziehzeit

3 l Wasser
250 g Spaghetti
Salz
250 g Gemüsezwiebeln
200 g Zucchini
200 g Fleischtomaten
200 g Bratenaufschnitt,
z. B. Kalbsbraten
3 EL Balsamico-Essig
frisch gemahlener Pfeffer
getrockneter, gerebelter
Oregano
4 EL Olivenöl
12 schwarze Oliven ohne
Stein
2 TL Kapern (aus dem
Glas)

Für die Tunfischsauce:
1 Dose Tunfisch in Öl
(Abtropfgewicht 185 g)
150 g Naturjoghurt
(3,5 % Fett)
1 EL Salatmayonnaise
1 Topf oder kleines Bund
Basilikum

Pro Portion:
E: 27 g, F: 29 g, Kh: 41 g,
kJ: 2237, kcal: 534

1 Wasser in einem großen geschlossenen Topf zum Kochen bringen. Spaghetti zweimal durchbrechen. 3 Teelöffel Salz und Spaghetti in das kochende Wasser geben. Die Spaghetti ohne Deckel bei mittlerer Hitze nach Packungsanleitung bissfest kochen, dabei zwischendurch vier- bis fünfmal umrühren. Anschließend Spaghetti in ein Sieb geben, mit kaltem Wasser abspülen und abtropfen lassen.

2 Gemüsezwiebeln abziehen, halbieren und in dünne Scheiben schneiden. Zucchini waschen, abtrocknen, die Enden abschneiden und Zucchini in dünne Scheiben schneiden. Zwiebel- und Zucchinischeiben in wenig kochendes Salzwasser geben, einmal aufkochen lassen, in ein Sieb geben, mit kaltem Wasser übergießen und abtropfen lassen.

3 Tomaten waschen, abtropfen lassen, kreuzweise einschneiden, kurz in kochendes Wasser legen und in kaltem Wasser abschrecken. Tomaten enthäuten, die Stängelansätze herausschneiden. Tomaten vierteln, entkernen und in Spalten schneiden. Bratenaufschnitt in Streifen schneiden.

4 Essig mit Salz, Pfeffer und Oregano verrühren. Öl unterschlagen. Die Sauce mit den vorbereiteten Zutaten, abgetropften Oliven und abgetropften Kapern in einer Schüssel vermengen und den Salat etwa 20 Minuten durchziehen lassen.

5 Für die Tunfischsauce Tunfisch mit dem Öl aus der Dose, Joghurt und Mayonnaise pürieren. Die Sauce mit Salz und Pfeffer abschmecken.

6 Basilikum abspülen, trockentupfen, die Blättchen von den Stängeln zupfen und den Salat damit garnieren. Die Tunfischsauce zu dem Salat reichen.

Tipp: Den italienischen Spaghettisalat als kaltes Hauptgericht mit Ciabatta (italienisches Weißbrot) oder als Partysalat servieren.

Abwandlung: **Anstelle von Bratenaufschnitt können Sie auch 150 g gegrilltes, in Scheiben geschnittenes Hähnchenbrustfilet verwenden.**

Kartoffelsalat mit Mayonnaise
Traditionell

Zubereitungszeit: etwa 45
Minuten, ohne Abkühl- und
Durchziehzeit

**800 g fest kochende
Kartoffeln
2 Zwiebeln
250 ml (¹/₄ l) Gemüse-
brühe
100 g Gewürzgurken
(aus dem Glas)
3 hart gekochte Eier**

Für die Sauce:

**4 EL Salatmayonnaise
3 EL Gurkenflüssigkeit
Salz
frisch gemahlener Pfeffer**

Pro Portion:

E: 10 g, F: 10 g, Kh: 29 g,
kJ: 1044, kcal: 249

1   Kartoffeln waschen, in einem Topf mit Wasser bedeckt zum
Kochen bringen und bei mittlerer Hitze in 20–25 Minuten mit
Deckel gar kochen.

2   Die garen Kartoffeln abgießen, kurz mit kaltem Wasser abspülen,
abtropfen lassen, noch heiß pellen und abkühlen lassen. Kartoffeln
dann in Scheiben schneiden und in eine große Schüssel geben.

3   Zwiebeln abziehen, in kleine Würfel schneiden, in der Gemüsebrühe aufkochen und 1 Minute mit Deckel kochen. Die Zwiebel-
Brühe-Mischung heiß über die Kartoffelscheiben geben und
mindestens 30 Minuten durchziehen lassen. Gewürzgurken in
Würfel oder Scheiben schneiden. Eier pellen und würfeln.

4   Für die Sauce Mayonnaise mit Gurkenflüssigkeit verrühren. Alle
Zutaten mit den abgekühlten Kartoffelscheiben in der Zwiebel-
Brühe-Mischung mischen, mit Salz und Pfeffer abschmecken
und nochmals mindestens 30 Minuten durchziehen lassen.

Tipp: Den Kartoffelsalat als Beilage zu Gegrilltem, zu Wurst, zu Leberkäse,
zu Schinkenbraten oder Frikadellen (S. 96) servieren.

Abwandlung 1: Für einen **Kartoffelsalat mit Fleischwurst** zusätzlich 1 geschälten, entkernten, in Würfel geschnittenen Apfel und 250 g enthäutete, in
kleine Würfel geschnittene Fleischwurst unter den Salat mischen.

Abwandlung 2: Für einen **Kartoffelsalat mit Radieschen** zusätzlich
1 Bund Radieschen putzen, waschen, in Scheiben schneiden und unter den
Salat heben. Die zarten Blätter abspülen, trockentupfen, in Streifen schneiden und mit 50 g Naturjoghurt (3,5 % Fett) unter die Sauce rühren.

Abwandlung 3: Für einen **Kartoffelsalat mit Kürbis** anstelle der Gewürzgurken 1 Glas eingelegten Kürbis (Abtropfgewicht 200 g) in einem Sieb
abtropfen lassen, dabei die Flüssigkeit auffangen und 3 Esslöffel für die
Sauce abmessen (anstelle der Gurkenflüssigkeit verwenden). Die Kürbisstücke eventuell kleiner schneiden.

Abwandlung 4: Für einen **Kartoffelsalat mit Tomaten** Gewürzgurken und
Eier weglassen. Dafür 4 Tomaten waschen, abtrocknen, die Stängelansätze
herausschneiden, die Tomaten vierteln, entkernen und in Würfel schneiden.
1 kleine Zucchini waschen, abtrocknen, die Enden abschneiden und die
Zucchini in feine Scheiben schneiden. Beide Zutaten zum Salat geben. Für
die Sauce 300 g Naturjoghurt (3,5 % Fett) mit 1–2 Esslöffeln Essig und
2 Esslöffeln Olivenöl verrühren, mit Salz, Pfeffer und Zucker würzen und mit
den Salatzutaten mischen. Mit 2 Esslöffeln Schnittlauchröllchen bestreuen.

Warmer Kartoffelsalat
Gut vorzubereiten

1 Kartoffeln waschen, in einem Topf mit Wasser bedecken, zum Kochen bringen und bei schwacher Hitze in 20-25 Minuten mit Deckel gar kochen.

2 In der Zwischenzeit für die Sauce Zwiebeln abziehen und in Würfel schneiden. Speck ebenfalls würfeln. Eine Pfanne ohne Fett erhitzen. Die Speckwürfel darin bei mittlerer Hitze ausbraten, dann das Fett durch ein kleines Sieb in ein Schälchen gießen. Die Speckwürfel (Grieben) beiseite stellen.

3 Zwiebelwürfel mit Brühe zum Kochen bringen und bei schwacher Hitze etwa 5 Minuten mit Deckel kochen. Essig, Salz, Pfeffer und Zucker unterrühren und mit dem Speckfett vermischen.

4 Die garen Kartoffeln abgießen, kurz mit kaltem Wasser abspülen, abtropfen lassen, heiß pellen, in Scheiben schneiden und in eine hitzefeste Schüssel geben. Die Salatsauce mit den warmen Kartoffelscheiben vermengen und einige Stunden durchziehen lassen.

5 Den Backofen vorheizen. Den Salat mit Salz, Pfeffer und Essig abschmecken. Die Schüssel mit dem Salat auf dem Rost in den Backofen schieben. Den Salat während der Wärmzeit gelegentlich durchschwenken.

Ober-/Unterhitze: **etwa 150 °C (vorgeheizt)**, Heißluft: **etwa 130 °C (vorgeheizt)**, Gas: **etwa Stufe 1 (vorgeheizt)**, Wärmzeit: **15-20 Minuten**.

6 Schnittlauch unterrühren, die ausgelassenen Speckwürfel darauf verteilen und den Salat warm servieren.

Tipp: Den warmen Kartoffelsalat zu Krustenbraten, Hackbraten (S. 90), Wiener Würstchen oder Leberkäse servieren.

Abwandlung 1: Sie können anstelle von fettem auch durchwachsenen Speck verwenden. Die Speckwürfel dann in 2 Esslöffeln erhitztem Speiseöl (z. B. Sonnenblumenöl) ausbraten.

Abwandlung 2: Für eine vegetarische Variante den Speck weglassen und 4 Esslöffel Oliven- oder Nussöl unter die Sauce rühren.

Abwandlung 3: Für einen **warmen Kartoffelsalat mit Kürbiskernen** zusätzlich 70 g Kürbiskerne in einer Pfanne ohne Fett rösten und die Salatsauce ohne Speck, aber mit 4 Esslöffeln neutralem Speiseöl (z. B. Sonnenblumenöl) zubereiten. Die Kürbiskerne unter den fertigen Salat mischen und den Salat nach Belieben mit etwas Kürbiskernöl beträufeln.

Zubereitungszeit: etwa 50 Minuten, ohne Durchziehzeit

1 kg fest kochende Kartoffeln

Für die Sauce:
2 Zwiebeln
75 g fetter Speck
125 ml (¹/₈ l) heiße Gemüsebrühe
4-5 EL Kräuteressig
Salz
frisch gemahlener Pfeffer
1 Prise Zucker

2 EL Schnittlauchröllchen

Pro Portion:
E: 6 g, F: 15 g, Kh: 35 g, kJ: 1263, kcal: 301

Reissalat
Raffiniert (4-6 Portionen)

Zubereitungszeit: etwa 30 Minuten, ohne Abkühl- und Durchziehzeit

etwa 600 ml Wasser
1 leicht geh. TL Salz
200 g Langkorn- oder
Naturreis
200 g gekochter
Schinken in Scheiben
150 g blaue Weintrauben
150 g Staudensellerie
1 Banane

Für die Sauce:

150 g Naturjoghurt
(3,5 % Fett)
2 EL Mayonnaise
3 EL Schlagsahne
2 EL Zitronensaft
Salz
frisch gemahlener Pfeffer
etwas Zucker

Pro Portion:

E: 14 g, F: 9 g, Kh: 41 g,
kJ: 1261, kcal: 301

1   Wasser in einem geschlossenen Topf zum Kochen bringen. Dann Salz und Reis zugeben, umrühren, wieder zum Kochen bringen und den Reis bei schwacher Hitze 12–15 Minuten (Naturreis etwa 20 Minuten) mit Deckel garen. Den Reis in ein Sieb geben, abtropfen und erkalten lassen, dabei gelegentlich umrühren.

2   Schinkenscheiben in Streifen schneiden. Weintrauben waschen, abtropfen lassen, entstielen, halbieren und eventuell entkernen.

3   Von dem Staudensellerie Wurzelenden und welke Blätter entfernen, die harten Außenfäden abziehen, die Stangen waschen, abtropfen lassen und in dünne Scheiben schneiden. Banane schälen und in Scheiben schneiden.

4   Für die Sauce Joghurt mit Mayonnaise, Sahne und Zitronensaft verrühren und mit Salz, Pfeffer und Zucker würzen. Die Salatzutaten mit der Sauce vermengen, etwas durchziehen lassen und nochmals mit Salz, Pfeffer und Zucker abschmecken.

Abwandlung 1: Anstelle von Langkorn- oder Naturreis können Sie den Salat auch mit derselben Menge Reis-Wildreis-Mischung zubereiten. Die Mischung nach Packungsanleitung garen und etwa 10 Minuten vor Ende der Garzeit 50 g Rosinen dazugeben. Reis und Rosinen abtropfen lassen, eventuell kurz mit kaltem Wasser abspülen.

Abwandlung 2: Für einen **Reissalat mit Curry** 3 Esslöffel Speiseöl erhitzen, den Reis darin kurz andünsten, mit 1–2 Teelöffeln Curry bestäuben und umrühren. 750 ml ($^3/_4$ l) Gemüse- oder Hühnerbrühe dazugeben und den Reis bei schwacher Hitze mit Deckel etwa 20 Minuten quellen lassen. Den gegarten Reis mit den oben angegebenen restlichen Zutaten weiterverarbeiten.

Kartoffeln, Reis & Teigwaren

Teigwaren

Nudeln sollten immer in reichlich Wasser gegart werden, damit sie Platz haben, ihr Volumen auszudehnen und damit sie nicht zusammenkleben. Pro 100 g Nudeln benötigt man 1 Liter Wasser (ab einer Nudelmenge von 400–500 g sollte die Menge auf 2 Töpfe verteilt werden). Pro Liter Wasser wird 1 Teelöffel Salz zugegeben. Salz und Nudeln werden in das kochende Wasser gegeben. Nudeln ohne Deckel bei mittlerer Hitze nach Packungsanleitung (selbst gemachte Nudeln benötigen nur einige Minuten) unter gelegentlichem Umrühren bissfest (al dente) kochen. Die garen Nudeln in ein Sieb geben, mit heißem Wasser (für Nudelsalate mit kaltem Wasser) abspülen und abtropfen lassen.

Teigwaren (auch Nudeln genannt) sind beliebte und vielseitige Nahrungsmittel, die als Beilage, Suppeneinlage oder eigenständiges Gericht Verwendung finden. Es gibt sie in vielen Formen und Farben, gefüllt und ungefüllt, getrocknet und als Frischteigwaren im Kühlregal. Sie sind problemlos in der Vorratshaltung (vor allem getrocknete Nudeln sind sehr lange haltbar) und einfach in der Zubereitung. Man unterscheidet zwischen zwei Sorten: Teigwaren aus Mehl, Wasser, Salz und Ei und Teigwaren aus Hartweizengrieß, Mehl, Wasser und Salz ohne Ei.

Wer möchte, kann Nudeln natürlich auch selbst machen (siehe Rezept Hausmachernudeln S. 300). Den Nudelteig nach Belieben z. B. mit Tomatenmark, püriertem Spinat, sehr fein gehackten Kräutern, Safran oder Rote-Bete-Saft einfärben.

Kartoffeln

Kartoffeln enthalten wichtige Vitamine, Mineral-, Nähr- und Ballaststoffe. Ihre guten ernährungsphysiologischen Eigenschaften können am besten genutzt werden, wenn sie fettarm und nährstoffschonend zubereitet werden. Die einzelnen Kartoffelsorten haben ganz unterschiedliche Eigenschaften, daher ist die Auswahl der richtigen Sorte für das Gelingen eines Kartoffelgerichtes sehr wichtig. Nach ihren Kocheigenschaften teilt man Kartoffeln ein in:

- Fest kochende Sorten wie z. B. Cilena, Hansa, Linda, Nicola, Sieglinde, Selma. Diese Sorten eignen sich besonders für Salate, Salz-, Pell- oder Bratkartoffeln.
- Vorwiegend fest kochende Sorten wie z. B. Atica, Clivia, Christa, Gloria, Granola, Grata, Hela. Sie sind gut geeignet für Salz-, Pell- und Bratkartoffeln, Folienkartoffeln oder Kartoffelgemüse.
- Mehlig kochende Sorten wie z. B. Adretta, Ilona, Bintje, Irmgard, Maritta, Datura, Aula, die sich gut für Klöße (Knödel), Kartoffelpuffer (Reibekuchen), Suppen, Eintöpfe oder Kartoffelplätzchen eignen.

Lagerung

Kartoffeln möglichst luftig, kühl (4-6 °C) und dunkel lagern. Bei warmer, heller Lagerung wird die Keimbildung gefördert und es kann zu einer Grünverfärbung kommen. Die Kartoffeln eventuell mit Papier zudecken. Wer keine guten Lagermöglichkeiten hat, sollte immer nur kleinere Mengen für den kurzfristigen Bedarf kaufen.

Tipp

- Für Pellkartoffeln möglichst gleich große Kartoffeln auswählen, damit sie zur gleichen Zeit gar sind (Garprobe: mit einer Gabel oder einem Messer einstechen).
- Salzkartoffeln in etwa gleich große Stücke schneiden, damit sie zur gleichen Zeit gar sind.
- Kartoffeln erst kurz vor dem Zubereiten schälen. Sie in kaltes Wasser legen, damit sie sich nicht verfärben.
- Frühkartoffeln (gibt es ab Anfang Juni) haben eine so dünne Schale, dass diese mitverzehrt werden kann. Die Kartoffeln vor dem Kochen dann besonders sorgfältig waschen bzw. abbürsten. Frühkartoffeln enthalten wenig Stärke, weshalb sie für manche Gerichte wie z. B. Klöße, Knödel, Kartoffelteig oder Kartoffelgemüse nicht geeignet sind.
- Kartoffeln zum Kochen mit Wasser knapp bedecken oder mit wenig Wasser im Kartoffeldämpfer garen.
- Nach dem Abgießen des Kochwassers die Kartoffeln im offenen Topf unter leichtem Schütteln abdämpfen lassen oder zum Abdämpfen ein Küchentuch oder Küchenpapier zwischen Topf und Deckel legen.

Klöße und Knödel

Klöße und Knödel werden aus verschiedenen Grundteigen, vorwiegend aus rohen oder gekochten Kartoffeln oder Semmeln (Brötchen) aber auch z. B. aus Hefeteig, Grieß oder Grünkern zubereitet. Je nach Rezept wird der Teig mit unterschiedlichen Geschmackszutaten zubereitet (herzhaft, aber auch süß).
Wer sich die Mühe ersparen will, Klöße und Knödel selbst zu machen, kann auf vorgefertigte Produkte zurückgreifen.

Tipp

- Zutaten für die Masse gut durchmischen, sie müssen sich zu einer einheitlichen Masse verbinden.
- Klöße mit einem angefeuchteten Löffel abstechen und mit angefeuchteten oder leicht bemehlten Händen formen.
- Zum Füllen die Masse zu einem Kloß formen, in die Mitte eine Mulde eindrücken, die Füllung hineingeben, die Masse vorsichtig über die Füllung drücken und glatt formen.
- Längliche Klößchen mit 2 angefeuchteten Löffeln formen. Dabei die Masse von einem zum anderen Löffel so lange andrücken, bis sich ein länglicher Kloß geformt hat.

- Die fertig geformten Klöße/Knödel auf einen mit Wasser befeuchteten Teller oder ein bemehltes Brett legen, so kleben sie nicht fest.
- Klöße brauchen zum Garen viel Platz. Daher einen breiten Topf wählen.
- Mit einem Probekloß prüfen, ob die Konsistenz des Teiges richtig ist. Zerfällt der Kloß, unter den Teig noch etwas Grieß, Kartoffeln oder Mehl mischen. Ist der Kloß zu fest, noch etwas Brühe, Milch, Quark oder Ei unter den Teig mischen.
- Die Klöße in kochendes Wasser legen, die Temperatur herunterstellen und die Klöße ohne Deckel (Ausnahme Hefeklöße) gar ziehen lassen, nicht kochen lassen (das Wasser muss sich leicht bewegen).
- Den Topf während der Garzeit ab und zu leicht rütteln, damit die Klöße an die Oberfläche steigen.
- Zum Ende der Garzeit einen Kloß mit 2 Gabeln aufreißen. Ist das Kloßinnere trocken, sind sie gar, ist es noch feucht, müssen die Klöße noch ziehen.
- Die garen Klöße mit einer Schaumkelle aus dem Wasser nehmen und gut abtropfen lassen.

Reis

Reis ist vitamin- und mineralstoffreich, kalorienarm und sehr gut verträglich.

Basmatireis
Eine aromatische Duftreis-Sorte, die beim Kochen einen zarten Duft entfaltet.

Langkornreis (Patnareis)
Er wird bei uns sehr häufig verwendet. Er besitzt lange, schlanke Körner, die im Rohzustand leicht glasig aussehen. Fest kochende Sorte für alle pikanten Reisgerichte.

Milchreis
Milchreis ist ein Rundkornreis. Er gibt beim Ausquellen viel Stärke ab und wird sehr weich und breiig. Fast ausschließlich für die Zubereitung von Süßspeisen geeignet.

Naturreis
Er hat eine bräunliche Farbe und enthält noch das zarte Silberhäutchen und den Keimling, in dem wichtige Vitamine und Mineralstoffe enthalten sind. Da er schneller ranzig wird, soll dieser Reis schnell verarbeitet und nicht lange gelagert werden. Seine Garzeit ist länger als die von polierten Sorten. Wird von dem Naturreis die Silberhaut entfernt, entsteht Weißreis (polierter Reis). Die Reiskörner werden gereinigt, poliert und glasiert. Er enthält weniger Vitamine als Naturreis. Die Fette sind entfernt, er kann gut gelagert werden.

Parboiled Reis
Beim parboiled Reis werden mit Dampf und Druck die Vitamine und Mineralstoffe aus dem Silberhäutchen in das Innere des Reiskornes gebracht. Beim anschließenden Schleifen und Polieren bleiben sie erhalten. Parboiled Reis ist leicht gelblich und wird beim Garen weiß. Er ist körnig, auch wenn er wieder aufgewärmt wird.

Risottoreis

Ist ein Mittelkornreis (die Körnung liegt zwischen Langkorn- und Rundkornreis) und stammt aus Italien. Er gibt während des Garens Stärke ab und sorgt so für die Sämigkeit des Risottos.

Schnellkochreis

Wird nach dem Schleifen vorgegart. Deshalb ist seine Garzeit auf 3–5 Minuten verkürzt.

Wildreis

Ist genau genommen keine Reissorte, sondern der Samen eines Wassergrases. Er hat dünne, fast schwarze Körner mit nussigem Geschmack. Lange Garzeit (mindestens 40–50 Minuten). Er ist sehr teuer und wird häufig als Mischung mit Langkornreis angeboten.

Zubereitung

Reis geht bei der Zubereitung um das Dreifache auf, d. h. 1 Tasse roher Reis ergibt 3 Tassen gekochten Reis. Die Garzeit richtet sich nach der Reissorte. Ungeschälter Reis benötigt 35–40 Minuten, geschälter Reis 15–20 Minuten (Packungsanleitung beachten). Sie können Reis in reichlich Salzwasser kochen oder erst in etwas Öl andünsten und dann in wenig Flüssigkeit (Verhältnis Reis zu Flüssigkeit = 1 zu 2) ausquellen lassen. Beim Kochen gehen durch das Abschütten des Kochwassers viele Nährstoffe verloren. Beim Ausquellen nimmt der Reis die gesamte Flüssigkeit auf, d. h. alle Nährstoffe bleiben erhalten.

Tipp

- Gegarter Reis bleibt körnig, wenn nach dem Garen zwischen Topf und Topfdeckel ein Tuch gelegt wird. Der aufsteigende Dampf wird in dem Tuch aufgesaugt. Es entsteht kein Kondenswasser und ein Übergaren wird verhindert.
- Gegarten Reis zum Anrichten in eine Suppenkelle, gefettete Reisrandform oder Tasse füllen, leicht andrücken und auf eine vorgewärmte Platte stürzen.
- Reis zum Aufwärmen in größeren Mengen in eine ausgefettete, hitzebeständige Form einfüllen. Den Reis zugedeckt im Backofen bei etwa 150 °C aufwärmen.
- Reisreste können zugedeckt im Kühlschrank bis zu 3 Tagen aufbewahrt werden. Besser ist es, Reisreste tiefkühlgerecht verpackt einzufrieren und bei Bedarf im Siebeinsatz über Wasserdampf aufzutauen und zu erwärmen.
- Reis als Suppeneinlage nur knapp gar kochen und erst kurz vor dem Servieren in die Suppe geben, er gart in der heißen Flüssigkeit nach.

Nährmittel

Unter dem Begriff Nährmittel versteht man Erzeugnisse aus Getreidekörnern (Reis, Roggen, Weizen, Gerste, Hafer, Hirse, Buchweizen und Mais). Zu den Nährmitteln zählt man: Stärke, Graupen, Sago, Puddingpulver. Getreide ist für unsere Ernährung von sehr großer Bedeutung, denn es enthält wichtige Vitamine, Mineralstoffe, Spurenelemente und Ballaststoffe. Getreidekörner werden in Form von ganzen Körnern, grob oder fein geschrotet, gequetscht (Flocken) oder unterschiedlich fein gemahlenen angeboten.

Folienkartoffeln (Foto vorne)

Einfach

Zubereitungszeit: etwa 60 Minuten

**8 mehlig kochende
Kartoffeln (etwa 1 kg)
Salz**

Für die Sauce:

**1 Becher (150 g) Crème
fraîche
1 EL gehackte Petersilie
Salz
frisch gemahlener Pfeffer
evtl. etwas gemahlener
Kümmel**

Außerdem:

Alufolie

Pro Portion:

**E: 6 g, F: 12 g, Kh: 39 g,
kJ: 1207, kcal: 290**

1 Den Backofen bei Ober- und Unterhitze vorheizen. Kartoffeln unter fließendem kalten Wasser sehr gründlich abbürsten, trockentupfen und der Länge nach etwa 1 cm tief einschneiden (Foto 1). Die Einschnitte salzen. Die Kartoffeln einzeln in Alufolie wickeln (Foto 2) und auf dem Rost im unteren Drittel in den Backofen schieben.

Ober-/Unterhitze: etwa 200 °C (vorgeheizt), Heißluft: etwa 180 °C (nicht vorgeheizt), Gas: Stufe 3-4 (nicht vorgeheizt), Garzeit: 45-60 Minuten, je nach Größe der Kartoffeln.

2 In der Zwischenzeit für die Sauce Crème fraîche mit Petersilie verrühren und mit Salz und Pfeffer würzen. Nach Belieben mit etwas Kümmel abschmecken.

3 Wenn die Kartoffeln gar sind, die Alufolie öffnen, die Kartoffeln mit 2 Gabeln aufbrechen (Foto 3) und mit der Sauce füllen.

Tipp: Die Folienkartoffeln zu gegrilltem Fleisch oder Gemüse, zu Steaks oder als Snack servieren.
Sehr große Kartoffeln (je etwa 250 g, dann genügt 1 Kartoffel pro Person) sind unter der Bezeichnung Backkartoffeln im Gemüsegeschäft zu bekommen, sie müssen allerdings meistens vorbestellt werden.

Abwandlung 1: Für **Folienkartoffeln mit Lachs** (Foto hinten) zusätzlich 100 g Räucher- oder Graved Lachs in sehr feine Streifen schneiden. Crème fraîche und Lachsstreifen in die heißen Kartoffeln füllen.

Abwandlung 2: Für **Folienkartoffeln mit Meerrettichquark** anstelle der Crème-fraîche-Sauce 200 g Speisequark (20 % Fett i. Tr.) mit 1-2 Esslöffeln Milch und 1-2 Esslöffeln geriebenem Meerrettich (aus dem Glas) verrühren und mit Salz abschmecken. 100 g Katenschinken fein würfeln und unterheben. Die heißen Kartoffeln mit Quark und Schinken füllen.

Abwandlung 3: Für **Folienkartoffeln mit Bologneser Sauce** ½ Rezept Bologneser Sauce (S. 191) zubereiten, dick einkochen lassen, in die heißen Kartoffeln füllen und mit 1 Esslöffel gehacktem Basilikum bestreuen.

Salzkartoffeln
Einfach

Zubereitungszeit: etwa 30 Minuten

750 g Kartoffeln
1 TL Salz

Pro Portion:
E: 3 g, F: 0 g, Kh: 22 g,
kJ: 447, kcal: 106

1 Kartoffeln waschen, mit einem Messer oder Sparschäler dünn schälen, dabei Augen entfernen.

2 Kartoffeln nochmals abspülen, größere Kartoffeln ein- oder zweimal durchschneiden, in einen Topf geben, Salz darüber streuen, mit Wasser knapp bedecken und zum Kochen bringen. Kartoffeln in 20-25 Minuten mit Deckel gar kochen.

3 Das Kochwasser abgießen. Die Kartoffeln im offenen Topf unter leichtem Schütteln abdämpfen lassen oder zum Abdämpfen ein Küchentuch oder Küchenpapier zwischen Topf und Deckel legen.

Tipp: Salzkartoffeln passen zu den meisten Fleisch-, Fisch- oder Gemüsegerichten mit Sauce.

Abwandlung: Für **Petersilienkartoffeln** die Kartoffeln wie oben angegeben zubereiten und in 20–30 g zerlassener Butter und 2 Esslöffeln gehackter Petersilie schwenken.

Pellkartoffeln
Einfach

Zubereitungszeit: etwa 30 Minuten

etwa 1 kg Kartoffeln

Pro Portion:
E: 5 g, F: 0 g, Kh: 33 g,
kJ: 670, kcal: 160

1 Kartoffeln gründlich waschen, mit Wasser bedeckt zum Kochen bringen, in 20-25 Minuten mit Deckel gar kochen.

2 Die garen Kartoffeln abgießen, mit kaltem Wasser abschrecken, abtropfen lassen und sofort pellen.

Tipp: Die Pellkartoffeln als Beilage oder mit Kräuterquark und Salat als Hauptgericht servieren.
Sollen die Kartoffeln anschließend für Salat oder Bratkartoffeln verwendet werden, möglichst eine fest kochende Sorte wählen.

Abwandlung: Für **Béchamelkartoffeln** 750 g fest kochende Kartoffeln wie oben angegeben kochen, mit kaltem Wasser abschrecken, sofort pellen und etwas abkühlen lassen. Eine Béchamelsauce (S. 183) zubereiten, die noch lauwarmen Kartoffelscheiben in die Sauce geben und darin erhitzen, dabei gelegentlich vorsichtig umrühren, damit die Sauce nicht anbrennt. Mit Salz, Pfeffer und Muskatnuss (und nach Belieben mit 2–3 Esslöffeln geriebenem Meerrettich aus dem Glas) abschmecken und mit 2 Esslöffeln gehackter Petersilie bestreuen. Die Béchamelkartoffeln als Beilage zu Frikadellen (S. 96), Hackbraten (S. 90), zu gedünstetem Gemüse oder zu gebratenem Fisch reichen.

Kartoffelpuffer (Kartoffel-Pfannkuchen, Reibekuchen)
Klassisch

1 Kartoffeln waschen, schälen und abspülen. Zwiebel abziehen. Kartoffeln (Foto 1) und Zwiebel fein reiben. Eier, Salz und Mehl hinzufügen und alles in einer Schüssel verrühren (Foto 2).

2 Etwas von dem Öl in einer Pfanne erhitzen. Den Teig portionsweise mit einer Saucenkelle oder einem Esslöffel hineingeben (Foto 3), sofort flach drücken und die Puffer bei mittlerer Hitze von beiden Seiten so lange braten, bis der Rand knusprig braun ist.

3 Die fertigen Puffer aus der Pfanne nehmen, überschüssiges Fett mit Küchenpapier abtupfen und die Puffer sofort servieren oder warm stellen.

4 Aus dem restlichen Teig auf die gleiche Weise Puffer braten.

Tipp: Die Kartoffelpuffer mit Apfelmus (S. 370) oder Pflaumenkompott (S. 371), Kräuter- oder Meerrettichquark oder zu Räucherlachs mit Kräuter-Crème fraîche und Blattsalat servieren.
Wenn Sie die Hälfte des Mehls durch 2–3 Esslöffel Haferflocken ersetzen, werden die Kartoffelpuffer noch knuspriger.

Abwandlung 1: **Die fertig gebratenen Kartoffelpuffer auf ein mit Back-** papier belegtes Backblech legen, mit 1–2 Tomatenscheiben und je 1 Scheibe Mozzarella belegen, mit Pfeffer bestreuen und kurz bei Ober- und Unterhitze etwa 220 °C (Heißluft etwa 200 °C, Gas Stufe 4–5) überbacken, bis der Käse zerläuft. Mit Basilikumblättchen bestreut servieren.

Abwandlung 2: **Für Kartoffelpuffer mit Schinken** zusätzlich 50 g in feine Streifen geschnittenen Knochenschinken und 1–2 Teelöffel getrockneten, gerebelten Majoran unter den Teig mischen oder die Schinkenstreifen mit Crème fraîche zu den Kartoffelpuffern servieren.

Zubereitungszeit: etwa 45 Minuten

1 kg fest kochende Kartoffeln
1 Zwiebel
3 Eier (Größe M)
1 gestr. TL Salz
40 g Weizenmehl
100 ml Speiseöl,
z. B. Sonnenblumenöl

Pro Portion:
E: 11 g, F: 20 g, Kh: 37 g,
kJ: 1566, kcal: 373

Rösti (Foto hinten)
Klassisch

Zubereitungszeit: etwa 45 Minuten, ohne Kühlzeit

500 g fest kochende Kartoffeln
Salz
6 EL Speiseöl, z. B. Sonnenblumenöl
frisch gemahlener Pfeffer

Pro Portion:
E: 2 g, F: 13 g, Kh: 17 g,
kJ: 797, kcal: 190

1   Kartoffeln gründlich waschen, in einem Topf mit Wasser bedeckt zum Kochen bringen, mit Deckel etwa 20 Minuten kochen, abgießen, mit kaltem Wasser abspülen, pellen und zugedeckt mindestens 4 Stunden oder über Nacht kalt stellen.

2   Die Kartoffeln grob raspeln (Foto 1) und salzen. Etwas von dem Öl in einer beschichteten Pfanne (Ø 24 cm) erhitzen. Die Kartoffelraspel hineingeben, flach drücken (Foto 2) und bei schwacher Hitze von beiden Seiten unter einmaligem Wenden (Foto 3) in etwa 10 Minuten braun und knusprig braten.

3   Den Rösti zum Servieren in 4 Stücke teilen.

Tipp: Rösti eignen sich besonders gut als Beilage zu Züricher Geschnetzeltem (S. 78) und kurz gebratenem Fleisch.
Den Rösti zum Wenden eventuell aus der Pfanne auf einen Topfdeckel gleiten lassen und zurück in die Pfanne stürzen.
Sie können aus der Kartoffelmasse auch mehrere kleine Puffer backen.

Abwandlung 1: Für **Zucchini-Kräuter-Rösti** (Foto vorne) zusätzlich 100 g Zucchini waschen, abtrocknen, die Enden abschneiden und Zucchini in Scheiben schneiden. 1 Zwiebel abziehen, fein würfeln, mit Salz und 1 Esslöffel getrockneten Kräutern der Provence unter die Kartoffelmasse mischen. Die Rösti wie oben angegeben backen, dabei einige Zucchinischeiben in die Pfanne geben, die Röstimasse daraufgeben, bevor nach dem Wenden der Rösti wieder hineingegeben wird, wieder einige Zucchinischeiben in die Pfanne geben und den Rösti fertig backen. Mit Crème fraîche oder Joghurt und Blattsalat als Snack servieren.

Abwandlung 2: Für **Mini-Apfelrösti** zusätzlich 2 Äpfel waschen, abtrocknen, schälen, Kerngehäuse herausstechen, die Äpfel in Ringe schneiden und mit 1 Esslöffel Zitronensaft beträufeln. Die Kartoffelmasse in 12 Portionen teilen und die Rösti wie oben angegeben backen, dabei sofort nach dem Wenden mit je einer Apfelscheibe belegen und fertig backen. 1 Esslöffel Schnittlauchröllchen und 200 g Schmand verrühren, salzen, auf die fertigen Apfel-Rösti geben und mit grobem Pfeffer bestreuen. Heiß als Snack servieren.

Schwedische Kartoffeln (Fächerkartoffeln)

Raffiniert

Zubereitungszeit: etwa 80 Minuten

**1 kg fest kochende
Kartoffeln
50 g zerlassene Butter
Salz
frisch gemahlener Pfeffer
20–30 g geriebener
Parmesan-Käse**

Außerdem:
Fett für die Form

Pro Portion:

E: 6 g, F: 13 g, Kh: 30 g,
kJ: 1105, kcal: 264

1 Den Backofen bei Ober- und Unterhitze vorheizen. Kartoffeln waschen, schälen, abspülen und trockentupfen. Jede Kartoffel auf einen Löffel legen und mit einem Messer bis zum Löffelrand in Abständen von etwa 3 mm quer einschneiden, dabei nicht ganz durchschneiden (Foto 1).

2 Die Kartoffeln in eine gefettete Auflaufform geben, mit der Butter bestreichen (Foto 2) und mit Salz und Pfeffer bestreuen. Die Form ohne Deckel auf dem Rost in den Backofen schieben.

Ober-/Unterhitze: etwa 200 °C (vorgeheizt), Heißluft: etwa 180 °C (nicht vorgeheizt), Gas: Stufe 3-4 (nicht vorgeheizt), Backzeit: etwa 40 Minuten.

3 Die Kartoffeln während des Backens ab und zu mit der Butter aus der Auflaufform bestreichen.

4 Dann Parmesan über die Kartoffeln streuen (Foto 3) und die Kartoffeln **bei der oben angegebenen Backofeneinstellung noch etwa 20 Minuten** weiterbacken.

Tipp: Die schwedischen Kartoffeln zu kurz gebratenem Fleisch oder Fisch und Salat servieren.

Abwandlung: Für **Salbei-Fächerkartoffeln** in jede eingeschnittene Kartoffel 1-2 Salbeiblätter stecken, die Kartoffeln mit 4-5 Esslöffeln Olivenöl anstelle von Butter beträufeln und wie oben angegeben backen und mit Parmesan bestreuen.

Gemüse-Grünkern-Bratlinge
Vegetarisch (etwa 12 Stück)

1 Gemüsebrühe in einem Topf zum Kochen bringen. Grünkern-schrot unter Rühren in die kochende Brühe streuen, wieder zum Kochen bringen und bei schwacher Hitze unter häufigem Rühren etwa 15 Minuten mit Deckel quellen lassen. Die Masse dann abkühlen lassen.

2 In der Zwischenzeit von dem Porree die Außenblätter entfernen, Wurzelende und dunkles Grün abschneiden, die Stange längs halbieren, gründlich waschen, abtropfen lassen und in feine Streifen schneiden.

3 Zucchini waschen, abtrocknen und die Enden abschneiden. Möhren schälen, Grün und Spitzen abschneiden, Möhren waschen und abtropfen lassen. Zucchini und Möhren raspeln. Kartoffeln waschen, schälen, abspülen und ebenfalls raspeln.

4 Das vorbereitete Gemüse, Eier und Haferflocken unter die Grünkernmasse rühren und die Masse mit Salz und Pfeffer würzen.

5 Etwas von dem Öl in einer Pfanne erhitzen. Die Grünkern-masse esslöffelweise hineingeben (2 bis 3 Esslöffel pro Brat-ling), etwas flach drücken und in etwa 5 Minuten pro Seite knusprig braten. Die fertigen Bratlinge auf Küchenpapier kurz abtropfen lassen und warm stellen. Die restlichen Bratlinge auf die gleiche Weise zubereiten.

Tipp: Die Bratlinge mit Tomatensauce (S. 190) und gemischtem Blattsalat (S. 252) oder mit Brokkoli (S. 207), Blumenkohl (S. 207) oder Gurkengemüse (S. 214) servieren.

Abwandlung 1: **Für Grünkernbratlinge mit Käse und Schnittlauch** zu-sätzlich 2 Esslöffel Schnittlauchröllchen unter die Grünkernmasse mischen, 40 g geriebenen, mittelalten Gouda-Käse auf die fast fertigen Bratlinge streuen und darauf schmelzen lassen.

Abwandlung 2: **Für Grünkernbratlinge mit Paprika** anstelle der Zucchini 180 g rote Paprikaschoten halbieren, entstielen, entkernen, die weißen Scheidewände entfernen, die Schoten waschen und in kleine Würfel schnei-den. Zusätzlich 1 Knoblauchzehe abziehen und durch die Knoblauchpresse drücken. Paprikawürfel und Knoblauch mit dem übrigen Gemüse unter die Grünkernmasse rühren.

Zubereitungszeit: etwa 60 Minuten, ohne Abkühlzeit

375 ml (³/₈ l) Gemüse-brühe
150 g Grünkernschrot
125 g Porree (Lauch)
120 g Zucchini
120 g Möhren
200 g Kartoffeln
2 Eier (Größe M)
50 g Haferflocken
Salz
frisch gemahlener Pfeffer
100 ml Speiseöl, z. B. Sonnenblumenöl

Pro Portion:
E: 4 g, F: 6 g, Kh: 13 g, kJ: 508, kcal: 121

Kartoffelgratin

Für Gäste

Zubereitungszeit: etwa 60 Minuten

1 Knoblauchzehe
800 g fest kochende
Kartoffeln
Salz
frisch gemahlener Pfeffer
geriebene Muskatnuss
125 ml (⅛ l) Milch
125 ml (⅛ l) Schlagsahne
2 EL geriebener
Parmesan-Käse

Außerdem:
Fett für die Form

Pro Portion:
E: 6 g, F: 13 g, Kh: 26 g,
kJ: 1051, kcal: 251

1 Den Backofen bei Ober- und Unterhitze vorheizen. Knoblauch abziehen, durchschneiden und eine gefettete, flache Auflaufform mit dem Knoblauch einreiben.

2 Kartoffeln waschen, schälen, abspülen, trockentupfen und in dünne Scheiben schneiden. Die Kartoffelscheiben dachziegelartig schräg in die vorbereitete Form einschichten (Foto 1) und mit Salz, Pfeffer und Muskatnuss bestreuen (Foto 2).

3 Milch und Sahne verrühren und über die Kartoffelscheiben gießen (Foto 3). Parmesan darüber streuen. Die Form ohne Deckel auf dem Rost auf der mittleren Einschubleiste in den Backofen schieben und das Gratin goldbraun backen.

Ober-/Unterhitze: **etwa 180 °C (vorgeheizt)**, Heißluft: **etwa 160 °C (nicht vorgeheizt)**, Gas: **Stufe 2–3 (nicht vorgeheizt)**, Backzeit: **etwa 45 Minuten**.

Tipp: Das Kartoffelgratin zu saucenlosen Fleisch-, Fisch- oder Gemüsegerichten servieren.

Abwandlung 1: Anstelle von Milch und Sahne können Sie auch etwa 250 ml (¼ l) Gemüsebrühe mit 2 Esslöffeln Weißwein oder Crème fraîche verrühren und über die Kartoffelscheiben gießen. Mit Parmesan bestreuen und wie oben angegeben backen.

Abwandlung 2: Für ein **Kartoffelgratin mit Steinpilzen** 20 g getrocknete Steinpilze in ein Sieb geben, kalt abspülen, in 250 ml (¼ l) Gemüsebrühe aufkochen und im geschlossenen Topf abkühlen lassen. Die Brühe mit den Steinpilzen anstelle von Milch und Sahne über die Kartoffelscheiben geben, Parmesan darauf streuen, 40 g Butterflöckchen darauf setzen und wie oben angegeben backen.

Abwandlung 3: Für ein **Kartoffel-Möhren-Gratin** 300 g Kartoffeln durch vorbereitete, in dünne Scheiben geschnittene Möhren ersetzen. Die Möhren mit den Kartoffelscheiben und 1 Esslöffel Thymianblättern einschichten.

Pommes frites
Für Kinder

1 Kartoffeln waschen, schälen, abspülen, in gleich lange, bleistift-dicke Streifen schneiden und mit Küchenpapier gut abtrocknen.

2 Öl in einem Topf auf etwa 180 °C erhitzen. Die Kartoffelstreifen in mehreren Portionen mit einer Schaumkelle in das heiße Fett geben und in etwa 2 Minuten halb gar backen (wichtig: nicht zu viel Kartoffelstreifen auf einmal in das Fett geben, da sie sich in dem Fettbad nicht berühren dürfen, außerdem kühlt das Fett sonst zu stark ab).

3 Sobald sich die Spitzen der Kartoffelstreifen gelb färben, sie mit der Schaumkelle herausnehmen, auf einem mit Küchen-papier belegten Backblech ausbreiten und abtropfen lassen. Auf die gleiche Weise alle Kartoffelstreifen vorbacken.

4 Wenn die Streifen abgekühlt sind, sie noch einmal in das heiße Fett geben, in 4–5 Minuten braun und knusprig backen, mit der Schaumkelle herausnehmen, abtropfen lassen, mit Salz be-streuen und sofort servieren.

Tipp: Die Temperatur des Öls kann man prüfen, indem man einen Holzstab (Kochlöffel) in das Öl taucht. Steigen Bläschen am Stiel auf, ist das Öl heiß genug. Während des Frittierens die Kochstelle auf etwa mittlere Hitze schal-ten. Ist das Fett zu kalt, saugen sich die Kartoffeln voll. Bei zu heißem Fett verbrennen die Kartoffeln, ohne gar zu werden.
Wenn Sie die Pommes frites in einer Fritteuse zubereiten, benötigen Sie eine größere Menge Ausbackfett (bitte Herstellerangaben beachten).

Abwandlung: Für **Kartoffelchips** 500 g fest kochende Kartoffeln waschen, schälen, abspülen, auf dem Gemüsehobel (Foto 1) oder mit einem scharfen Messer in dünne Scheiben schneiden und trockentupfen. Die Kartoffelscheiben in mehreren Portionen in dem heißen Fett kurz vorbacken, auf einem Rost oder Kuchengitter ausbreiten (Foto 2) und abtropfen lassen. Die Scheiben dann nochmals frittieren, bis sie hellbraun sind (Foto 3). Mit Salz und Paprikapulver rosenscharf bestreut als Snack servieren.

Zubereitungszeit: etwa 60 Minuten

1 kg fest kochende Kartoffeln
Salz

Zum Ausbacken:
etwa 750 ml (³/₄ l) Speiseöl

Pro Portion:
E: 4 g, F: 10 g, Kh: 30 g, kJ: 940, kcal: 224

Blechkartoffeln mit Kräuterquark (Foto)
Einfach

Zubereitungszeit: etwa 60 Minuten

**1,2 kg mittelgroße fest
kochende Kartoffeln
5 EL Speiseöl, z. B.
Sonnenblumenöl
40 g Butter
2 EL Kümmelsamen
Salz**

Für den Kräuterquark:
**500 g Speisequark
(Magerstufe)
2 EL Schmand
etwa 6 EL Milch
je 2 TL gehackter Kerbel,
Petersilie und Dill
2 TL Schnittlauchröllchen
Salz
grober bunter Pfeffer**

Außerdem:
Fett für das Backblech

1 Den Backofen bei Ober- und Unterhitze vorheizen. Kartoffeln unter fließendem kalten Wasser sehr gründlich abbürsten und trockentupfen. Öl mit Butter erwärmen.

2 Die Kartoffeln ungeschält der Länge nach halbieren, die Schnittflächen mit der Öl-Butter-Mischung bestreichen, mit Kümmel bestreuen und mit der Schnittfläche nach oben auf ein gefettetes Backblech legen. Mit dem restlichen Fett beträufeln und mit Salz bestreuen. Das Backblech in den Backofen schieben.

Ober-/Unterhitze: **etwa 200 °C (vorgeheizt)**, Heißluft: **etwa 180 °C (nicht vorgeheizt)**, Gas: **Stufe 3-4 (nicht vorgeheizt)**, Garzeit: **etwa 40 Minuten**.

3 In der Zwischenzeit für den Kräuterquark Quark mit Schmand, Milch und den Kräutern verrühren und mit Salz und Pfeffer würzen. Den Kräuterquark zu den Blechkartoffeln servieren.

Tipp: Die Blechkartoffeln mit Gemüse oder Blattsalat als Hauptgericht oder als Partygericht servieren.
Die Blechkartoffeln anstelle von Kräuterquark mit Tsatsiki oder Kräuterbutter servieren.

Pro Portion: E: 24 g, F: 24 g, Kh: 51 g, kJ: 2225, kcal: 531

Bratkartoffeln
Preiswert

Zubereitungszeit: etwa 60 Minuten,
ohne Abkühlzeit

**1 kg fest kochende
Kartoffeln
50-70 g Butterschmalz
oder 5-7 EL Speiseöl,
z. B. Sonnenblumenöl
Salz, Pfeffer
2 große Zwiebeln**

Pro Portion:
E: 5 g, F: 15 g, Kh: 35 g,
kJ: 1256, kcal: 300

1 Kartoffeln gründlich waschen, in einem Topf mit Wasser bedeckt zum Kochen bringen und in 20-25 Minuten mit Deckel gar kochen. Kartoffeln abgießen, mit kaltem Wasser abschrecken, sofort pellen und erkalten lassen. Die Kartoffeln dann in Scheiben schneiden.

2 Butterschmalz oder Öl in einer großen Pfanne erhitzen. Die Kartoffelscheiben hinzufügen, mit Salz und Pfeffer würzen und unter gelegentlichem Wenden etwa 15 Minuten bei schwacher bis mittlerer Hitze goldbraun braten.

3 In der Zwischenzeit Zwiebeln abziehen und würfeln. Die Zwiebelwürfel zu den Kartoffeln geben und alles weitere 5-10 Minuten unter gelegentlichem Wenden braten. Die Bratkartoffeln mit Salz und Pfeffer abschmecken.

(Fortsetzung Seite 290)

Tipp: Bratkartoffeln zu Spiegelei (S. 336) oder Rührei (S. 336), Gemüse- oder Fleischsülzen, Salaten, Würsten oder zu Roastbeef mit Remouladen- sauce (S. 192) servieren.

Die Bratkartoffeln zusätzlich mit Paprikapulver edelsüß oder 1–2 Teelöffeln getrockneten Kräutern (z. B. Majoran, Thymian oder Rosmarin) würzen. Bratkartoffeln sind auch eine gute Resteverwertung für übrig gebliebene Pell- oder Salzkartoffeln vom Vortag.

Abwandlung: Für ein **Bauernfrühstück** 1 weitere Zwiebel abziehen und würfeln. Zusätzlich 75 g durchwachsenen Speck würfeln. Speck- und alle Zwiebelwürfel etwa 5 Minuten vor Ende der Bratzeit zu den Kartoffelscheiben geben und mitbraten. 3 Eier mit 3 Esslöffeln Milch, etwas Salz, Pfeffer, Paprikapulver edelsüß und geriebener Muskatnuss verrühren und über die braun gebratenen Kartoffeln in die Pfanne gießen. Die Eiermilch bei schwacher Hitze etwa 5 Minuten stocken lassen, dabei die Kartoffeln eventuell einmal wenden. Das Bauernfrühstück mit eingelegten sauren Gurken servieren.

Kartoffelpüree (Kartoffelbrei)
Für Kinder

Zubereitungszeit: etwa 35 Minuten

**1 kg mehlig kochende Kartoffeln
Salz
50 g Butter oder Margarine
etwa 250 ml (¹/₄ l) Milch
geriebene Muskatnuss**

Pro Portion:

E: 6 g, F: 13 g, Kh: 33g,
kJ: 1160, kcal: 277

1 Kartoffeln waschen, schälen, abspülen, in Stücke schneiden, in einen Topf geben, 1 Teelöffel Salz darüber streuen, mit Wasser knapp bedecken und zum Kochen bringen. Kartoffeln mit Deckel in etwa 15 Minuten gar kochen, abgießen, sofort durch die Kar- toffelpresse geben oder mit einem Kartoffelstampfer zerdrücken. Butter oder Margarine zugeben.

2 Milch aufkochen und mit einem Schneebesen oder Kochlöffel nach und nach unter die Kartoffelmasse rühren (je nach Beschaffenheit der Kartoffeln kann die Milchmenge etwas variieren).

3 Das Püree bei schwacher Hitze so lange mit dem Schneebesen rühren, bis eine einheitlich lockere Masse entstanden ist. Mit Salz und Muskatnuss abschmecken.

Wichtig: **Die Kartoffeln nicht mit einem Mix- oder Pürierstab pürieren, das Pürree wird sonst zäh!**

Tipp: Kartoffelpüree als Beilage z. B. zu Sellerieschnitzeln (S. 218), Braten, Frikadellen (S. 96), Fisch oder Eiern in Senfsauce (S. 335) servieren.

Abwandlung 1: **Die Milch durch Schlagsahne ersetzen, dann auf die Butter verzichten. Oder die Butter weglassen und stattdessen 100 g durchwachse- nen Speck würfeln, ausbraten und zum Schluss unter das Püree rühren.**

Abwandlung 2: Für **Kartoffelpüree mit Knoblauch und Kräutern** zusätzlich 1-2 Knoblauchzehen abziehen und hacken. Die Butter zerlassen, Knoblauch darin bei schwacher Hitze etwa 5 Minuten dünsten. Die Knoblauchbutter mit 2 Esslöffeln gehackter Petersilie und 1 Esslöffel Schnittlauchröllchen zum Schluss unter das Püree rühren.

Abwandlung 3: Für **Kartoffelpüree mit Käse** zusätzlich 4 Esslöffel geriebenen mittelalten Gouda- oder Emmentaler-Käse zum Schluss unter das Püree rühren und mit 1 Esslöffel gehackter Petersilie oder Kerbel bestreut servieren.

Herzoginkartoffeln (Pommes duchesse)
Für Kinder

1 Kartoffeln waschen, schälen, abspülen, größere Kartoffeln ein- oder zweimal durchschneiden (Foto 1), in einen Topf geben, 1 Teelöffel Salz darüber streuen, mit Wasser knapp bedecken und zum Kochen bringen. Kartoffeln mit Deckel in 20-25 Minuten gar kochen. Die garen Kartoffeln abgießen, abdämpfen, sofort durch eine Kartoffelpresse geben (Foto 2) oder mit einem Kartoffelstampfer zerdrücken und erkalten lassen.

2 Den Backofen vorheizen. Die kalte Kartoffelmasse mit Ei und Butter oder Margarine verrühren und mit Salz und Muskatnuss würzen. Die Masse in einen Spritzbeutel mit großer Sterntülle füllen und in Form von Tuffs auf ein gefettetes Backblech spritzen (Foto 3).

3 Eigelb mit Milch verschlagen und die Tuffs damit bestreichen. Das Backblech in den Backofen schieben.

Ober-/Unterhitze: **etwa 200 °C (vorgeheizt)**, Heißluft: **etwa 180 °C (vorgeheizt)**, Gas: **Stufe 3-4 (vorgeheizt)**, Backzeit: **etwa 12 Minuten.**

Tipp: Die Herzoginkartoffeln als Beilage zu Braten, Schnitzeln oder Steaks servieren.

Zubereitungszeit: etwa 40 Minuten, ohne Abkühlzeit

750 g mehlig kochende Kartoffeln
Salz
1 Ei (Größe M)
20 g weiche Butter oder Margarine
geriebene Muskatnuss
1 Eigelb
2 TL Milch

Außerdem:
Fett für das Blech

Pro Portion:
E: 6 g, F: 8 g, Kh: 22 g,
kJ: 797, kcal: 190

Rohe Kartoffelklöße (Foto)
Klassisch (12 Stück)

Zubereitungszeit: etwa 60 Minuten

1 ½ kg mehlig kochende
Kartoffeln
250 ml (¼ l) Milch
70 g Butter oder
Margarine
Salz
150 g Hartweizengrieß
1 Brötchen (Semmel)
Salzwasser (auf 1 l Wasser
1 TL Salz)

Pro Portion:
E: 13 g, F: 18 g, Kh: 79 g,
kJ: 2242, kcal: 535

1 Kartoffeln waschen, schälen, abspülen, in eine Schüssel mit kaltem Wasser reiben, in ein Sieb geben und dann in einem Küchentuch gut auspressen.

2 Milch mit 40 g Butter oder Margarine und etwa 2 Teelöffeln Salz zum Kochen bringen. Grieß unter Rühren einstreuen, kurz aufkochen lassen, sofort zu den ausgepressten Kartoffeln geben und mit einem Handrührgerät mit Knethaken zu einer einheitlichen Masse verkneten. Die Masse nochmals mit Salz abschmecken.

3 Brötchen in kleine Würfel schneiden. Die restliche Butter oder Margarine in einer Pfanne zerlassen. Die Brötchenwürfel darin unter gelegentlichem Wenden braun rösten.

4 In einem großen Topf so viel Salzwasser zum Kochen bringen, dass die Klöße in der Flüssigkeit „schwimmen" können. Aus der Kartoffelmasse mit nassen Händen 12 Klöße formen, dabei in jeden Kloß einige Brötchenwürfel drücken. Die Klöße in das kochende Salzwasser geben, wieder zum Kochen bringen und in etwa 20 Minuten ohne Deckel gar ziehen lassen (das Wasser muss sich leicht bewegen). Die garen Klöße mit einer Schaumkelle aus dem Wasser nehmen und gut abtropfen lassen.

Tipp: Die rohen Kartoffelklöße als Beilage zu Braten und Fleischgerichten mit Sauce servieren.
Übrig gebliebene Klöße in Scheiben schneiden, in erhitztem Butterschmalz oder Speiseöl von beiden Seiten goldbraun braten.

Kartoffelklöße halb und halb
Klassisch (etwa 12 Stück)

Zubereitungszeit: etwa 75 Minuten,
ohne Kühlzeit

1 ¼ kg mehlig kochende
Kartoffeln
1 Ei (Größe M)
65 g Weizenmehl
1 TL Salz
Salzwasser (auf 1 l Wasser
1 l TL Salz)

1 750 g Kartoffeln gründlich waschen, in einem Topf mit Wasser bedeckt zum Kochen bringen und in 20-25 Minuten mit Deckel gar kochen. Kartoffeln abgießen, mit kaltem Wasser abschrecken, pellen, sofort durch die Kartoffelpresse geben oder mit einem Kartoffelstampfer zerdrücken, abkühlen lassen und zugedeckt bis zum nächsten Tag kalt stellen.

2 Die restlichen Kartoffeln waschen, schälen, abspülen, in eine Schüssel mit kaltem Wasser reiben, in ein Sieb geben, dann in einem Küchentuch gut auspressen und zu den gekochten Kartoffeln geben. Ei, Mehl und Salz unterkneten.

(Fortsetzung Seite 294)

Pro Portion:

E: 9 g, F: 2 g, Kh: 51 g,
kJ: 1116, kcal: 266

3 Aus der Masse mit bemehlten Händen etwa 12 Klöße formen. In einem großen Topf so viel Salzwasser zum Kochen bringen, dass die Klöße in der Flüssigkeit „schwimmen" können. Die Klöße in das kochende Salzwasser geben, wieder zum Kochen bringen und ohne Deckel bei schwacher Hitze in etwa 20 Minuten gar ziehen lassen (das Wasser muss sich leicht bewegen). Die garen Klöße mit einer Schaumkelle aus dem Wasser nehmen und gut abtropfen lassen.

Tipp: Die Kartoffelklöße zu Fleischgerichten mit Sauce servieren, etwa zum Schweinebraten oder Rinderrouladen (S. 64).

Gekochte Kartoffelklöße
Klassisch (12 Stück)

Zubereitungszeit: etwa 60 Minuten,
ohne Kühlzeit

**750 g mehlig kochende
Kartoffeln
50 g Semmelbrösel
20 g Weizenmehl
2 Eier (Größe M)
Salz
geriebene Muskatnuss
Salzwasser (auf 1 l Wasser
1 TL Salz)**

Pro Portion:

E: 9 g, F: 4 g, Kh: 38 g,
kJ: 938, kcal: 224

1 Kartoffeln gründlich waschen, mit Wasser bedeckt zum Kochen bringen und in 20-25 Minuten mit Deckel gar kochen. Kartoffeln abgießen, mit kaltem Wasser abschrecken, abtropfen lassen, pellen, sofort durch die Kartoffelpresse geben oder mit einem Kartoffelstampfer zerdrücken, abkühlen lassen und zugedeckt bis zum nächsten Tag kalt stellen.

2 Semmelbrösel, Mehl und Eier mit einem Handrührgerät mit Knethaken oder einem Rührlöffel unter die Kartoffelmasse kneten und mit Salz und Muskatnuss würzen. Aus der Masse mit bemehlten Händen 12 Klöße formen.

3 In einem großen Topf so viel Salzwasser zum Kochen bringen, dass die Klöße in dem Wasser „schwimmen" können. Klöße in das kochende Salzwasser geben, wieder zum Kochen bringen und in etwa 20 Minuten ohne Deckel gar ziehen lassen (das Wasser muss sich leicht bewegen). Die garen Klöße mit einer Schaumkelle aus dem Wasser nehmen und gut abtropfen lassen.

Tipp: Kartoffelklöße zu Sauerbraten (S. 66) oder Schweinebraten mit Rotkohl (S. 227) oder Brokkoli (S. 207) reichen.

Abwandlung 1: **Für Kartoffelklöße mit Speck und Petersilie** zusätzlich 100 g mageren, durchwachsenen Speck würfeln, bei mittlerer Hitze ausbraten, 1 Esslöffel gehackte Petersilie dazugeben und erkalten lassen. Speck-Petersilien-Mischung unter die Kartoffelmasse geben und die Klöße wie oben angegeben zubereiten.

Abwandlung 2: Für gefüllte **süße Kartoffelklöße** 8–12 kleine Aprikosen oder Pflaumen (die Anzahl richtet sich nach der Größe der Früchte) waschen, trockentupfen, längs einschneiden, entsteinen und mit je 1 Stück Würfelzucker füllen. Die Kartoffelmasse ohne Muskatnuss zubereiten, in 8–12 gleich große Stücke teilen. Jedes Stück mit einer Frucht füllen, zu einem Kloß formen und wie oben angegeben garen. 70 g Butter zerlassen, 1–2 Esslöffel Semmelbrösel und 1 Esslöffel Zucker darin bräunen und über die abgetropften Klöße geben.

Schupfnudeln
Für Gäste (36 Stück)

1 Kartoffeln waschen, dünn schälen, abspülen, in einen Topf geben, mit ½ Teelöffel Salz bestreuen, knapp mit Wasser bedecken und zum Kochen bringen. Kartoffeln in etwa 20 Minuten mit Deckel gar kochen, dann abgießen, abdämpfen, sofort durch die Kartoffelpresse geben (Foto 1) oder mit einem Kartoffelstampfer zerdrücken und erkalten lassen.

2 Die Kartoffelmasse mit Ei und Mehl verrühren und mit Salz, Pfeffer und Muskatnuss abschmecken. Aus der Masse mit bemehlten Händen erst fingerdicke, etwa 5 cm lange Röllchen formen, dann die Röllchen an den Enden etwas dünner rollen (Foto 2).

3 In einem Topf so viel Salzwasser zum Kochen bringen, dass die Schupfnudeln in dem Wasser „schwimmen" können. Die Schupfnudeln in das kochende Salzwasser geben, wieder zum Kochen bringen und bei schwacher Hitze 3–4 Minuten ohne Deckel gar ziehen lassen (Foto 3) (das Wasser muss sich leicht bewegen).

4 Die Schupfnudeln mit einer Schaumkelle aus dem Wasser nehmen und gut abtropfen lassen. Butter zerlassen. Die Schupfnudeln darin unter gelegentlichem Wenden 3–4 Minuten anbraten.

Tipp: **Die Schupfnudeln zu Rinderschmorbraten, Gulasch (S. 65), Geschnetzeltem oder Sauerkraut (S. 224) servieren.**

Zubereitungszeit: etwa 60 Minuten, ohne Abkühlzeit

300 g mehlig kochende Kartoffeln
Salz
1 Ei (Größe M)
100 g Weizenmehl
frisch gemahlener Pfeffer
geriebene Muskatnuss
Salzwasser (auf 1 l Wasser
1 TL Salz)
30 g Butter

Pro Portion:
E: 6 g, F: 8 g, Kh: 27 g,
kJ: 852, kcal: 203

Kastenpickert (Dicker Pickert)
Für Gäste (8 Portionen)

Zubereitungszeit: etwa 45 Minuten, ohne Teiggeh-, Back- und Kühlzeit

1 kg mehlig kochende Kartoffeln
3 Eier (Größe M)
1 gestr. TL Salz
125 ml (⅛ l) Milch
500 g Weizenmehl
1 Pck. Trockenbackhefe
250 g Rosinen

Außerdem:
Fett für die Form
200 ml Speiseöl,
z. B. Sonnenblumenöl

Pro Portion:
E: 13 g, F: 29 g, Kh: 81 g, kJ: 2685, kcal: 641

1　Kartoffeln waschen, dünn schälen, abspülen, fein reiben (Foto 1), in einem Sieb abtropfen lassen, in eine Rührschüssel geben und mit Eiern und Salz verrühren.

2　Milch in einem kleinen Topf erwärmen. Mehl in eine Schüssel sieben und mit der Trockenbackhefe sorgfältig vermischen. Das Mehl-Hefe-Gemisch in 2 Portionen abwechselnd mit der warmen Milch mit einem Handrührgerät mit Knethaken unter die Kartoffel-Eier-Masse rühren, bis eine glatte Masse entsteht.

3　Den Teig dann noch etwa 5 Minuten mit dem Handrührgerät kneten und zugedeckt an einem warmen Ort so lange gehen lassen, bis er sich sichtbar vergrößert hat (etwa 60 Minuten).

4　Dann Rosinen unter den Teig rühren, in eine gefettete Kastenform (35 x 11 cm) füllen (Foto 2) und zugedeckt an einem warmen Ort nochmals etwa 30 Minuten gehen lassen. Den Backofen bei Ober- und Unterhitze vorheizen. Die Form dann auf dem Rost in den Backofen schieben.

Ober-/Unterhitze: **etwa 180 °C (vorgeheizt)**, Heißluft: **etwa 160 °C (nicht vorgeheizt)**, Gas: **Stufe 2–3 (nicht vorgeheizt)**, Backzeit: **etwa 60 Minuten.**

5　Den Pickert aus der Form lösen und auf einem Kuchenrost erkalten lassen. Den Pickert dann in 24 Scheiben schneiden.

6　Etwas von dem Öl in einer Pfanne erhitzen. Die Pickertscheiben darin portionsweise von beiden Seiten goldbraun backen (Foto 3).

Tipp: Den Pickert mit Sirup, Konfitüre oder Apfelmus (S. 370) und eventuell mit Butter servieren. Nach Belieben Kaffee dazu reichen.

Abwandlung: Für **Hefepüfferchen** (etwa 20 Stück) den Teig wie oben angegeben – jedoch nur mit 2 Eiern – zubereiten. Zum Schluss die Rosinen unterrühren. Öl portionsweise in einer Pfanne erhitzen. Den Teig esslöffelweise hineingeben, etwas flach drücken, die Püfferchen von beiden Seiten goldbraun braten und auf Küchenpapier kurz abtropfen lassen. Die Hefepüfferchen wie den Pickert servieren.

Spätzle
Preiswert

Zubereitungszeit: etwa 35 Minuten

250 g Weizenmehl
2 Eier (Größe M)
¹/₂ gestr. TL Salz
etwa 5 EL Wasser
3 l Wasser
3 TL Salz
40 g Butter

Pro Portion:
E: 10 g, F: 12 g, Kh: 45 g,
kJ: 1361, kcal: 325

1 Mehl in eine Rührschüssel sieben. Eier, Salz und etwa 5 Esslöffel Wasser dazugeben. Die Zutaten mit einem Handrührgerät mit Knethaken (Foto 1) oder mit einem Holzlöffel verrühren, dabei darauf achten, dass keine Klümpchen entstehen. Den Teig so lange rühren, bis er Blasen wirft.

2 3 l Wasser zum Kochen bringen. Salz hinzufügen. Den Teig portionsweise mit einem Spätzlehobel (Foto 2) oder durch eine Spätzlepresse in das kochende Salzwasser geben und in 3–5 Minuten gar kochen (die Spätzle sind gar, wenn sie an der Oberfläche schwimmen).

3 Die garen Spätzle mit einer Schaumkelle aus dem Wasser nehmen, in ein Sieb geben, mit kaltem Wasser abschrecken und abtropfen lassen. Die Butter in einer Pfanne bräunen und die Spätzle darin schwenken (Foto 3).

Tipp: Die Spätzle als Beilage zu Rinderschmorbraten (S. 68), Gulasch (S. 65) oder Geschnetzeltem (S. 78) servieren.

Abwandlung 1: Für **geschmälzte Spätzle** 30 g Butter zerlassen (schmälzen), mit 2 Esslöffeln Semmelbröseln verrühren und über die Spätzle geben.

Abwandlung 2: Die **Spätzle mit gebräunten Zwiebeln** servieren (großes Foto). Dafür 3 Zwiebeln abziehen, in Ringe schneiden, in zerlassener Butter oder Margarine bräunen und vor dem Servieren über die Spätzle geben.

Abwandlung 3: Für **Käsespätzle** aus 400 g Weizenmehl, 4 Eiern (Größe M), 1 gestrichenen Teelöffel Salz und 150 ml Wasser wie oben angegeben Spätzle zubereiten und die abgetropften Spätzle lagenweise mit insgesamt 200 g geriebenem Emmentaler-Käse in eine gefettete Auflaufform geben (die oberste Schicht sollte aus Käse bestehen). Die Form auf dem Rost in den vorgeheizten Backofen schieben und die Käsespätzle bei Ober- und Unterhitze etwa 200 °C (Heißluft etwa 180 °C, Gas Stufe 3–4) etwa 20 Minuten backen. Die Käsespätzle mit gebräunten Zwiebelringen (von 4 Zwiebeln) bestreuen und mit einem gemischten Salat als Hauptgericht servieren.

Hausmachernudeln

Etwas aufwändiger

Zubereitungszeit: etwa 40 Minuten,
ohne Teigruhe- und Trockenzeit

250 g Weizenmehl
250 g Hartweizengrieß
4 Eier (Größe M)
2 TL Salz
etwa 4 EL Wasser
5 l Wasser
5 TL Salz

Pro Portion:

E: 20 g, F: 7 g, Kh: 91 g,
kJ: 2145, kcal: 512

1 Mehl in eine Rührschüssel sieben, mit dem Grieß mischen und eine Vertiefung eindrücken. Eier und Salz mit den 4 Esslöffeln Wasser verschlagen, in die Vertiefung geben. Mit einer Gabel nach und nach etwas von dem Mehl-Grieß-Gemisch einrühren.

2 Dann alles mit einem Handrührgerät mit Knethaken zu einem glatten Teig verkneten (Foto 1). Sollte der Teig kleben, noch etwas Mehl hinzugeben. Den Teig mit etwas Mehl bestäuben, in Frischhaltefolie wickeln und etwa 30 Minuten ruhen lassen.

3 Den Teig sechsteln und portionsweise auf der bemehlten Arbeitsfläche möglichst dünn ausrollen. Die Teigplatten zum Trocknen auf Küchentücher legen.

4 Wenn die Teigplatten so weit getrocknet sind (nach etwa 20 Minuten), dass sie nicht mehr kleben, aber auch noch nicht zerbrechen, daraus Nudeln in gewünschter Länge und Breite schneiden (Foto 2).

5 Wasser in einem großen, geschlossenen Topf zum Kochen bringen. Dann Salz und Nudeln zugeben. Die Nudeln ohne Deckel bei mittlerer Hitze in 4-5 Minuten bissfest kochen, dabei zwischendurch vier- bis fünfmal umrühren. Anschließend Nudeln in ein Sieb geben, mit heißem Wasser abspülen und abtropfen lassen.

Tipp: Den Nudelteig mit einer Nudelmaschine verarbeiten (Foto 3). Die Nudeln reichen zum Sattessen für 4 und als Beilage für 6-8 Portionen. Falls Sie nicht alle Nudeln sofort kochen möchten, die übrigen Nudeln so lange locker ausgebreitet an der Luft stehen lassen, bis sie vollkommen trocken sind. In Frischhaltefolie verpackt halten sich die Nudeln dann bis zu 1 Woche (für eine längere Lagerung die Nudeln einfrieren). Die Kochzeit verlängert sich bei den vollständig getrockneten Nudeln auf 6-7 Minuten.

Abwandlung 1: Für **grüne Nudeln** 150 g gehackten TK-Spinat auftauen lassen. Je 200 g Hartweizengrieß und Weizenmehl mischen. Spinat mit 4 Eiern (Größe M) und 2 Teelöffeln Salz verrühren und in die Vertiefung geben. Den Teig wie oben angegeben weiterverarbeiten.

Abwandlung 2: Für **rote Nudeln** 300 g Weizenmehl und 200 g Hartweizengrieß mischen. 4 Eier (Größe M) mit 2 Teelöffeln Salz, 4 Esslöffeln Tomatenmark und je 2 Esslöffeln Wasser und Speiseöl (z. B. Sonnenblumenöl)
verschlagen und in die Vertiefung geben. Den Teig wie im Rezept angegeben
weiterverarbeiten.

Makkaroni oder Spaghetti

Schnell

1 Wasser in einem großen, geschlossenen Topf zum Kochen
bringen. Dann Salz und Makkaroni oder Spaghetti zugeben.
Die Nudeln ohne Deckel bei mittlerer Hitze nach Packungsanleitung bissfest kochen, dabei zwischendurch vier- bis fünfmal umrühren.

2 Anschließend Nudeln in ein Sieb geben, mit heißem Wasser
abspülen und abtropfen lassen.

Tipp: 250 g getrocknete Nudeln reichen für 4 Portionen als Beilage, zum
Sattessen sollten Sie 400–500 g Nudeln zubereiten.
Pro 100 g Nudeln benötigt man 1 Liter Wasser, pro Liter Wasser wird jeweils
1 Teelöffel Salz zugegeben. Ab einer Nudelmenge von 500 g eventuell 2 Töpfe
verwenden.
Wenn Sie frische Nudeln oder Gnocchi aus dem Kühlregal verwenden möchten,
benötigen Sie für ein Hauptgericht mit Sauce für 2 Portionen etwa 500 g Nudeln
oder Gnocchi.
Makkaroni z. B. als Beilage zu Gulasch reichen.
Spaghetti z. B. mit Pesto (S. 194) servieren oder in 20 g zerlassener Butter
schwenken und mit geriebenem Käse bestreuen.

Abwandlung 1: Für **Spaghetti Bolognese** 400 g Spaghetti wie oben angegeben kochen und abtropfen lassen. Die Spaghetti mit Bologneser Sauce
(S. 191) servieren und nach Belieben mit geriebenem Parmesan-Käse bestreuen.

Abwandlung 2: Für **Spaghetti oder Makkaroni Carbonara** 400 g Spaghetti
oder Makkaroni wie oben angegeben kochen und abtropfen lassen.
150 g durchwachsenen Speck in Würfel schneiden, in 1 Esslöffel erhitztem
Olivenöl in einer großen Pfanne oder flachem Topf bei mittlerer Hitze ausbraten. 4 Eier verschlagen, mit 50 g geriebenem Parmesan-Käse mischen,
salzen, pfeffern und mit 6 Esslöffeln Schlagsahne verrühren. 50 g Butter zu
dem Speck geben, zerlassen, das Eiergemisch und die Nudeln hinzufügen und
mit einer Gabel durchrühren, bis die Eiermasse gestockt ist. Mit einem gemischten Blattsalat (S. 252) oder Feldsalat (S. 251) servieren.

Zubereitungszeit: etwa 25 Minuten

2 ¹/₂ l Wasser
2 ¹/₂ TL Salz
250 g getrocknete
Makkaroni oder Spaghetti

Pro Portion:
E: 8 g, F: 1 g, Kh: 44 g,
kJ: 909, kcal: 218

Maultaschen
Gefriergeeignet (24 Stück)

Zubereitungszeit: etwa 75 Minuten,
ohne Auftau- und Teigruhezeit

Zum Vorbereiten für die
Spinatfüllung:
600 g TK-Blattspinat

Für den Teig:
300 g Weizenmehl
2 Eier (Größe M)
4 EL Wasser
etwas Salz

Für die Spinatfüllung:
2 Zwiebeln
2 Knoblauchzehen
2 EL Speiseöl, z. B.
Sonnenblumen- oder
Olivenöl
Salz
frisch gemahlener Pfeffer
geriebene Muskatnuss
1 Eigelb (Größe M)

1 Eiweiß (Größe M)
1 ¹/₂ l Gemüse- oder
Fleischbrühe

Pro Portion:
E: 18 g, F: 11 g, Kh: 57 g,
kJ: 1686, kcal: 402

1   Für die Spinatfüllung Blattspinat nach Packungsanleitung auftauen lassen.

2   Für den Teig Mehl in eine Rührschüssel sieben. Eier, Wasser und Salz hinzufügen. Die Zutaten mit einem Handrührgerät mit Knethaken zu einem glatten Teig verarbeiten, zudecken und etwa 40 Minuten ruhen lassen.

3   In der Zwischenzeit für die Spinatfüllung aufgetauten Blattspinat gut ausdrücken und grob hacken. Zwiebeln und Knoblauch abziehen und würfeln.

4   Öl in einem Topf erhitzen. Zwiebel- und Knoblauchwürfel darin unter Rühren andünsten. Den Spinat dazugeben und bei schwacher Hitze etwa 3 Minuten mit Deckel dünsten. Mit Salz, Pfeffer und Muskat würzen und etwas abkühlen lassen. Dann Eigelb unterrühren.

5   Den Teig auf der bemehlten Arbeitsfläche dünn ausrollen und 10 x 10 cm große Quadrate daraus ausrädeln. Etwas von der Füllung auf jedes Teigquadrat geben. Eiweiß mit einer Gabel verschlagen und die Teigränder damit bestreichen. Die Teigquadrate zu Dreiecken übereinander klappen und die Ränder andrücken.

6   Gemüse- oder Fleischbrühe in einem Topf erhitzen. Die Hälfte der Maultaschen hineingeben und ohne Deckel bei schwacher bis mittlerer Hitze etwa 15 Minuten garen. Die garen Maultaschen mit einer Schaumkelle aus der Brühe nehmen und warm stellen. Die zweite Hälfte Maultaschen entsprechend verarbeiten.

7   Die fertigen Maultaschen mit etwas von der Brühe in Suppentellern servieren.

Tipp: Die garen Maultaschen abtropfen lassen, von beiden Seiten in zerlassener Butter anbraten und mit in Butter gebräunten Semmelbröseln und in Butterschmalz oder Speiseöl braun gebratenen Zwiebelringen (von 6–8 Zwiebeln) servieren (Foto).

Abwandlung: Für **Maultaschen mit Hackfleischfüllung** 1 Zwiebel abziehen und würfeln. 1 Esslöffel Speiseöl in einer Pfanne erhitzen. Die Zwiebelwürfel hinzufügen und bei mittlerer Hitze andünsten. Zwiebelwürfel mit 300 g Gehacktem (halb Rind-, halb Schweinefleisch), 1 Ei und 1 Eigelb (je Größe M) und 2 Esslöffeln gehackter Petersilie vermengen und mit Salz und Pfeffer würzen. Die Teigquadrate damit wie oben angegeben füllen und weiterverarbeiten.

Milchreis
Für Kinder

Zubereitungszeit: etwa 40 Minuten

1 l Milch
1 Prise Salz
20 g Zucker
2–3 Stücke dünn ab-
geschälte Zitronenschale
(unbehandelt)
175 g Milchreis
(Rundkornreis)

Pro Portion:
E: 11 g, F: 9 g, Kh: 51 g,
kJ: 1402, kcal: 335

1 Milch mit Salz, Zucker und Zitronenschale in einem Topf zum Kochen bringen. Milchreis hineingeben, umrühren, zum Kochen bringen und bei schwacher Hitze etwa 35 Minuten mit halb aufgelegtem Deckel quellen lassen, dabei gelegentlich umrühren.

2 Die Zitronenschale entfernen. Den Milchreis heiß oder kalt servieren.

Tipp: Den Milchreis als süßes Hauptgericht mit gebräunter Butter und Zimt-Zucker, Kompott oder Obst servieren.

Abwandlung: Für **Milchreis mit Haselnusskernen oder Mandeln** 40 g gehobelte Haselnusskerne oder Mandeln in einer Pfanne ohne Fett rösten, über den Reis streuen und mit Ahornsirup oder Honig beträufeln.

Gedünsteter Reis
Einfach

Zubereitungszeit: etwa 30 Minuten

1 Zwiebel
20 g Butter oder
Margarine
200 g Langkornreis
400 ml Gemüsebrühe
evtl. Salz

Pro Portion:
E: 4 g, F: 5 g, Kh: 39 g,
kJ: 906, kcal: 217

1 Zwiebel abziehen und in kleine Würfel schneiden. Butter oder Margarine in einem Topf zerlassen. Zwiebelwürfel und Reis darin andünsten.

2 Gemüsebrühe hinzugießen, zum Kochen bringen und den Reis bei schwacher Hitze 15–20 Minuten mit Deckel quellen lassen. Den garen Reis eventuell mit Salz abschmecken.

Tipp: Den gedünsteten Reis als Beilage zu Fleisch- und Gemüsegerichten servieren oder als Basis für Reissalate verwenden.
Anstelle von geschältem Reis können Sie auch Natur-Langkornreis verwenden. Wegen des Silberhäutchens hat er eine bräunliche Farbe, darunter stecken Vitamine und Mineralstoffe. Die Garzeit beträgt 25–30 Minuten (Packungsanleitung beachten).

Abwandlung 1: Für **Curryreis** Zwiebelwürfel und Reis wie oben angegeben andünsten. 1 Esslöffel Curry darüber streuen und kurz mitdünsten. Dann Brühe hinzugießen und den Reis wie angegeben garen.

Abwandlung 2: Für **Tomatenreis** den Reis wie oben angegeben zubereiten. In der Zwischenzeit 800 g Tomaten enthäuten, die Stängelansätze herausschneiden, Tomaten halbieren, entkernen und in Würfel schneiden. 2 Knoblauchzehen und 1 Zwiebel abziehen und würfeln. 3 Esslöffel Speiseöl (z. B. Sonnenblumenöl) erhitzen und Knoblauch- und Zwiebelwürfel darin andünsten. Tomatenwürfel und 1 Teelöffel getrocknete Kräuter der Provence dazugeben, bei schwacher Hitze etwa 5 Minuten mit Deckel dünsten und mit Salz, Pfeffer und wenig Zucker abschmecken. Die Tomatenmasse mit dem gedünsteten Reis vermischen. 50 g mittelalten, geriebenen Gouda-Käse und 1 Esslöffel gehackte Petersilie unterrühren.

Risotto
Einfach

1 Zwiebel abziehen und würfeln. Butter in einem Topf zerlassen. Die Zwiebelwürfel darin andünsten. Risottoreis hinzufügen und glasig dünsten.

2 Etwas von der heißen Brühe hinzugießen, zum Kochen bringen und den Reis unter gelegentlichem Umrühren bei schwacher Hitze etwa 20 Minuten mit Deckel quellen lassen, dabei nach und nach die Brühe hinzufügen.

3 Risotto mit Salz abschmecken, in eine vorgewärmte Schüssel füllen und mit Kräutern bestreuen.

Tipp: Risotto als Beilage zu kurz gebratenem Fleisch oder Fisch oder mit einem gemischtem Salat als Hauptgericht servieren.

Abwandlung 1: Für **Risi Pisi** etwa 5 Minuten vor Ende der Garzeit zusätzlich 150 g TK-Erbsen unter den Reis mischen und fertig garen. 3 Esslöffel geriebenen Parmesan-Käse und 20 g kalte Butter untermischen und mit 1 Esslöffel gehackter Petersilie bestreuen.

Abwandlung 2: Für einen **Risotto mit Champignons** zusätzlich 300 g geputzte, in Scheiben geschnittene Champignons mit den Zwiebelwürfeln in der Butter andünsten, den Reis hinzufügen, mit 3 Esslöffeln Weißwein ablöschen, Brühe dazugießen und wie oben angegeben garen. Zum Schluss 1 Esslöffel geriebenen Greyerzer-Käse unterrühren, nochmals mit Salz abschmecken und mit 1 Esslöffel Schnittlauchröllchen bestreut servieren.

Abwandlung 3: Für einen **Mailänder Risotto** 125 ml ($^1/_8$ l) Weißwein und 1 Messerspitze gemahlenen Safran zum glasig gedünsteten Reis geben, im offenen Topf zum Kochen bringen und bei schwacher Hitze etwa 20 Minuten garen. Wenn die Flüssigkeit verkocht ist, nach und nach etwa 500 ml ($^1/_2$ l) Gemüsebrühe hinzugießen. 30 g geriebenen Parmesan-Käse und 1–2 Esslöffel Crème fraîche verrühren und unter den fertigen Risotto mischen. Mit Salz und Pfeffer abschmecken.

Zubereitungszeit: etwa 30 Minuten

1 kleine Zwiebel
50 g Butter
200 g Risottoreis,
z. B. Arborio
400–500 ml heiße
Gemüsebrühe
Salz
1 EL gemischte, gehackte
Kräuter, z. B. Petersilie,
Basilikum, Schnittlauch

Pro Portion:
E: 4 g, F: 11 g, Kh: 39 g,
kJ: 1143, kcal: 273

Buntes Reisfleisch

Raffiniert

Zubereitungszeit: etwa 65 Minuten

**je 1 rote und grüne
Paprikaschote (je 175 g)
250 g Zwiebeln
500 g Schweinefleisch
ohne Knochen, z. B.
aus dem Nacken
60 g durchwachsener
Speck
2 EL Speiseöl, z. B.
Sonnenblumenöl
2 EL Tomatenmark
1–2 TL Paprikapulver
edelsüß
Salz
frisch gemahlener Pfeffer
1 Msp. Cayennepfeffer
1 TL gehackte Lieb-
stöckelblätter
500 ml (½ l) Gemüse-
brühe
250 g Langkornreis
(parboiled)
500 g Tomaten
1 EL gehackte
Basilikumblättchen**

Pro Portion:

E: 35 g, F: 24 g, Kh: 60 g,
kJ: 2505, kcal: 598

1 Paprikaschoten halbieren, entstielen, entkernen, die weißen Scheidewände entfernen, die Schoten waschen und in Stücke schneiden. Zwiebeln abziehen und vierteln oder achteln.

2 Schweinefleisch unter fließendem kalten Wasser abspülen, trockentupfen und in etwa 1 ½ cm große Würfel schneiden. Speck fein würfeln.

3 Öl in einer Pfanne erhitzen. Die Speckwürfel darin auslassen. Die Fleischwürfel hinzufügen und unter Wenden darin anbraten. Zwiebelviertel oder -achtel dazugeben und mitdünsten.

4 Tomatenmark unterrühren. Mit Paprikapulver, Salz, Pfeffer, Cayennepfeffer und Liebstöckel würzen. 250 ml (¼ l) Gemüsebrühe dazugeben und Fleisch und Zwiebeln bei schwacher Hitze 10-15 Minuten mit Deckel schmoren.

5 Dann Paprikastücke und Reis zu dem Fleisch geben, die restliche Gemüsebrühe hinzugießen und alles weitere 15-20 Minuten mit Deckel schmoren.

6 In der Zwischenzeit Tomaten waschen, abtropfen lassen, kreuzweise einschneiden, kurz in kochendes Wasser legen und in kaltem Wasser abschrecken. Tomaten enthäuten, die Stängelansätze herausschneiden und Tomaten in Viertel schneiden.

7 Die Tomatenviertel unterheben und alles noch 3-5 Minuten schmoren. Das Reisfleisch mit Salz und Cayennepfeffer abschmecken und mit Basilikum bestreut servieren.

Beilage: **Gemischter Blattsalat (S. 252).**

Abwandlung: **Zusätzlich 1 Dose abgetropften Gemüsemais (Abtropfgewicht 285 g) mit den Tomaten unter das Reisfleisch mischen (Foto).**

Hefeklöße
Für Kinder (8 Stück)

Zubereitungszeit: etwa 50 Minuten,
ohne Teiggehzeit

125 ml (¹/₈ l) Milch
50 g Butter oder
Margarine
300 g Weizenmehl
1 Pck. Trockenbackhefe
50 g Zucker
1 Pck. Vanillin-Zucker
1 gestr. TL Salz
1 Ei (Größe M)

Pro Portion:

E: 12 g, F: 14 g, Kh: 74 g,
kJ: 1951, kcal: 466

1 Milch in einem kleinen Topf erwärmen und Butter oder Margarine darin zerlassen. Mehl in eine Rührschüssel sieben und mit Trockenbackhefe sorgfältig vermischen. Zucker, Vanillin-Zucker, Salz, Ei und die Milch-Fett-Mischung hinzufügen. Die Zutaten mit einem Handrührgerät mit Knethaken kurz auf niedrigster, dann auf höchster Stufe in etwa 5 Minuten zu einem glatten Teig verarbeiten (Foto 1). Den Teig zugedeckt so lange an einem warmen Ort gehen lassen, bis er sich sichtbar vergrößert hat (etwa 40 Minuten).

2 Den Teig leicht mit Mehl bestäuben, aus der Schüssel nehmen und auf der leicht bemehlten Arbeitsfläche nochmals kurz durchkneten. Den Teig zu einer Rolle formen, die Teigrolle in 8 gleichmäßige Stücke schneiden (Foto 2), mit bemehlten Händen zu Klößen formen und auf ein bemehltes Brett legen. Die Klöße zugedeckt an einem warmen Ort nochmals so lange gehen lassen, bis sie sich sichtbar vergrößert haben (etwa 15 Minuten).

3 Ein Tuch recht straff über einen möglichst breiten Topf mit kochendem Wasser spannen, es an den Topfgriffen fest binden, mit Mehl bestreuen, die Klöße darauf legen (Foto 3) und eine Schüssel darüber decken. Die Klöße bei mittlerer Hitze in 15–20 Minuten garen (zur Garprobe mit einem Holzstäbchen in die Klöße stechen, es darf kein Teig mehr daran kleben).

Tipp: Die Hefeklöße mit zerlassener, gebräunter Butter, Zimt-Zucker, gehobelten, gerösteten Mandeln oder mit Kompott servieren.

Abwandlung 1: Für **Bayerische Dampfnudeln** den Teig wie beschrieben zubereiten, daraus 8 gleich große Kugeln formen und auf der bemehlten Arbeitsfläche zugedeckt etwa 30 Minuten gehen lassen. 30 g Butter, 100 ml Schlagsahne und 100 ml Milch in einem breiten Topf (wenn kein großer Topf vorhanden ist, 2 kleine Töpfe verwenden) erhitzen. Die Teigkugeln in die Flüssigkeit geben und bei mittlerer Hitze 20–25 Minuten mit Deckel garen. Die Klöße mit der Flüssigkeit servieren.

Abwandlung 2: Für **gefüllte Rohrnudeln** den Teig wie beschrieben (aber nur mit 1 Prise Salz) zubereiten, zu einer Rolle formen und in 12 Scheiben schneiden. Auf jede Scheibe 1 Teelöffel Pflaumenmus geben und den Teig über dem Mus beutelartig zusammendrücken. 40–50 g zerlassene Butter in eine Auflaufform (etwa 30 x 20 cm) geben. Die Rohrnudeln mit der Nahtstelle nach unten in die Form legen und etwa 10 Minuten an einem warmen Ort gehen lassen, bis sie sich deutlich vergrößert haben. Die Form auf dem Rost in den vorgeheizten Backofen schieben (Ober-/Unterhitze etwa 180 °C, Heißluft etwa 160 °C, Gas Stufe 2–3) und 25–30 Minuten backen. Heiß servieren.

Semmelknödel
Klassisch (12 Stück)

1 Speck in Würfel schneiden. Zwiebeln abziehen und fein würfeln. Öl in einer Pfanne erhitzen. Die Speckwürfel darin knusprig braten. Die Zwiebelwürfel hinzufügen und bei schwacher Hitze unter Rühren andünsten.

2 Brötchen in kleine Würfel schneiden und in eine Schüssel geben. Milch mit Butter erhitzen, über die Brötchenwürfel gießen (Foto 1) und gut verrühren. Die Speck-Zwiebel-Masse mit dem Bratfett darunter rühren (Foto 2) und abkühlen lassen.

3 Eier mit Petersilie verschlagen, unter die abgekühlte Masse rühren und mit Salz würzen. Aus der Masse mit bemehlten Händen 12 Knödel formen (Foto 3). In einem großen Topf so viel Salzwasser zum Kochen bringen, dass die Knödel in dem Wasser „schwimmen" können. Die Knödel in das kochende Salzwasser geben, wieder zum Kochen bringen und in etwa 20 Minuten ohne Deckel gar ziehen lassen (das Wasser muss sich leicht bewegen). Die garen Knödel mit einer Schaumkelle aus dem Wasser nehmen und gut abtropfen lassen.

Tipp: Semmelknödel als Beilage zu Braten servieren.
Die Brötchen vor der Verarbeitung 2–3 Tage trocknen lassen.

Abwandlung: Für **Brezelknödel** die Brötchen durch Laugengebäck ersetzen und zusätzlich 1 Esslöffel Schnittlauchröllchen unter die Knödelmasse mischen.

Zubereitungszeit: etwa 50 Minuten, ohne Abkühlzeit

50 g durchwachsener Speck
2 Zwiebeln
1 EL Speiseöl, z. B. Sonnenblumenöl
300 g (etwa 8 Stück) trockene Brötchen (Semmeln)
300 ml Milch
30 g Butter
4 Eier (Größe M)
2 EL gehackte Petersilie
Salz
Salzwasser (auf 1 l Wasser 1 TL Salz)

Pro Portion:
E: 19 g, F: 20 g, Kh: 51 g, kJ: 1922, kcal: 459

Spinat-Schafkäse-Lasagne

3 Knoblauchzehen
3 Zwiebeln
4 EL Olivenöl
600 g TK-Blattspinat
etwa 3 EL Wasser
Salz
frisch gemahlener Pfeffer
geriebene Muskatnuss

Für die Béchamelsauce:
50 g Butter oder
Margarine
50 g Weizenmehl
500 ml ($^1/_2$ l) Milch
500 ml ($^1/_2$ l) Gemüse-
brühe
Salz
frisch gemahlener Pfeffer
geriebene Muskatnuss

300 g Schafkäse
$^1/_2$ Pck. (225 g) Lasagne-
blätter, ohne Vorgaren
100 g geriebener Gratin-
Käse

E: 37 g, F: 47g, Kh: 57 g,
kJ: 3384, kcal: 808

1 Knoblauch und Zwiebeln abziehen und in kleine Würfel schneiden. Öl in einem Topf oder in einer Pfanne erhitzen. Die Knoblauch- und Zwiebelwürfel darin glasig dünsten. Unaufgetauten Spinat und Wasser hinzufügen und den Spinat bei schwacher Hitze mit Deckel auftauen lassen. Mit Salz, Pfeffer und Muskatnuss würzen. Den Backofen vorheizen.

2 Für die Béchamelsauce Butter oder Margarine in einem Topf zerlassen. Mehl unter Rühren so lange darin erhitzen, bis das Mehl hellgelb ist. Milch und Gemüsebrühe hinzugießen und mit einem Schneebesen durchschlagen, dabei darauf achten, dass keine Klümpchen entstehen. Die Sauce zum Kochen bringen und bei schwacher Hitze etwa 5 Minuten ohne Deckel kochen, dabei gelegentlich umrühren. Mit Salz, Pfeffer und Muskatnuss kräftig würzen.

3 Schafkäse zerbröseln. Etwas von der Sauce in eine eckige Auflaufform geben, darauf 1 Schicht Lasagneblätter legen, dann etwas Spinat und etwas Schafkäse darauf geben und mit Sauce bedecken.

4 Nacheinander wieder Lasagneblätter, Spinat, Schafkäse und Béchamelsauce einschichten, so dass etwa 4 Lasagneschichten entstehen. Die restliche Béchamelsauce auf die oberste Lasagneschicht streichen und mit Gratin-Käse bestreuen. Die Form ohne Deckel auf dem Rost in den Backofen schieben.

Ober-/Unterhitze: **etwa 200 °C (vorgeheizt)**, Heißluft: **etwa 180 °C (vorgeheizt)**, Gas: **Stufe 3–4 (vorgeheizt)**, Backzeit: **etwa 35 Minuten.**

Lasagne

Beliebt

Zubereitungszeit: etwa 75 Minuten

Für die Bologneser Sauce:
750 g Tomaten
2 Zwiebeln
1 Knoblauchzehe
2 EL Olivenöl
300 g Thüringer Mett
(gewürztes Schweine-
gehacktes)
125 ml (¹/₈ l) Gemüse-
brühe
1 EL Tomatenmark
1 Lorbeerblatt
¹/₂ EL gehacktes
Basilikum
Salz
Tabascosauce

Für die Béchamelsauce:
30 g Butter oder
Margarine
25 g Weizenmehl
300 ml Milch
200 ml Gemüsebrühe
Salz
frisch gemahlener
schwarzer Pfeffer
geriebene Muskatnuss

175 g geriebener, mittel-
alter Gouda-Käse
12 Lasagneblätter (knapp
250 g), ohne Vorgaren

Pro Portion:
E: 37 g, F: 42 g, Kh: 56 g,
kJ: 3177, kcal: 759

1 Für die Bologneser Sauce Tomaten waschen, abtropfen lassen, kreuzweise einschneiden, kurz in kochendes Wasser legen und in kaltem Wasser abschrecken. Tomaten enthäuten, die Stängelansätze herausschneiden und Tomaten in Würfel schneiden. Zwiebeln und Knoblauch abziehen und würfeln.

2 Öl in einem Topf erhitzen. Das Mett darin unter Rühren anbraten, dabei die Klümpchen grob zerteilen (Foto 1). Zwiebel- und Knoblauchwürfel hinzugeben und ebenfalls andünsten.

3 Die Tomatenwürfel mit Gemüsebrühe, Tomatenmark, Lorbeerblatt und Basilikum zu dem Mett geben und etwa 5 Minuten köcheln lassen. Mit Salz und Tabascosauce abschmecken. Den Backofen bei Ober- und Unterhitze vorheizen.

4 Für die Béchamelsauce Butter oder Margarine in einem Topf zerlassen. Mehl unter Rühren so lange darin erhitzen, bis das Mehl hellgelb ist. Milch und Gemüsebrühe hinzugießen und mit einem Schneebesen durchschlagen, dabei darauf achten, dass keine Klümpchen entstehen. Die Sauce einmal aufkochen. ¹/₃ des Goudas unterrühren und die Sauce mit Salz, Pfeffer und Muskatnuss kräftig würzen.

5 Auf den Boden einer eckigen, flachen Auflaufform (30 x 20 cm) etwas Bologneser Sauce geben (Foto 2), darauf 1 Schicht Lasagneblätter legen, dann wieder Bologneser Sauce darauf geben und mit etwa 3 Esslöffeln Béchamelsauce beträufeln. Nacheinander wieder Lasagneblätter, Bologneser Sauce und Béchamelsauce einschichten, so dass 4 Lasagneschichten entstehen (Foto 3).

6 Die restliche Béchamelsauce auf die oberste Lasagneschicht streichen und mit dem restlichen Gouda bestreuen. Die Form ohne Deckel auf dem Rost in den Backofen schieben.

Ober-/Unterhitze: **200 °C (vorgeheizt)**, Heißluft: **180 °C (nicht vorgeheizt)**, Gas: **Stufe 3-4 (nicht vorgeheizt)**, Backzeit: **etwa 45 Minuten.**

Cannelloni in pikanter Tomatensauce

Für Gäste

1   Für die Tomatensauce Tomaten waschen, abtropfen lassen, kreuzweise einschneiden, kurz in kochendes Wasser legen und in kaltem Wasser abschrecken. Tomaten enthäuten, die Stängelansätze herausschneiden und Tomaten in Würfel schneiden. Zwiebel und Knoblauch abziehen und fein würfeln.

2   Öl erhitzen. Die Zwiebel- und Knoblauchwürfel darin unter Rühren andünsten. Tomatenwürfel und Tomatenmark hinzufügen, zum Kochen bringen und bei schwacher Hitze etwa 5 Minuten ohne Deckel köcheln. Mit Salz, Pfeffer und Oregano würzen. Petersilie unterrühren. Den Backofen vorheizen.

3   Für die Cannelloni Brötchen in kaltem Wasser einweichen. Zwiebeln abziehen und fein würfeln. Gehacktes mit dem gut ausgedrückten Brötchen, Zwiebelwürfeln und Petersilie vermengen und mit Salz und Pfeffer würzen. Die Fleischmasse in einen Spritzbeutel ohne Tülle füllen und in die Cannelloni spritzen, oder die Fleischmasse mit einem Teelöffel von beiden Seiten in die Cannelloni füllen.

4   Etwas von der Tomatensauce in eine flache Auflaufform geben, die gefüllten Cannelloni nebeneinander hineinlegen und die restliche Tomatensauce darüber verteilen. Butter in Flöckchen darauf setzen und Käse darüber streuen. Die Form ohne Deckel auf dem Rost in den Backofen schieben.

Ober-/Unterhitze: etwa 180 °C (vorgeheizt), Heißluft: etwa 160 °C (vorgeheizt), Gas: Stufe 2–3 (vorgeheizt), Garzeit: etwa 35 Minuten.

Beilage: Gemischter Blattsalat (S. 252) oder Tomatensalat (S. 259).

Tipp: Anstelle der frischen Tomaten können Sie auch 1 große Dose (800 g) geschälte Tomaten für die Sauce verwenden. Dann zusätzlich 100 ml Gemüsebrühe hinzufügen. Nach Belieben 1 Lorbeerblatt mitkochen.
Wenn Sie keinen Spritzbeutel haben, können Sie die Fleischmasse in einen Gefrierbeutel geben, eine Ecke abschneiden und die Füllung in die Cannelloni spritzen.

Abwandlung: Für **Cannelloni mit Paprika-Frischkäse-Füllung** (für etwa 20 Cannelloni) 400 g grüne Paprikaschoten halbieren, entstielen, entkernen, die weißen Scheidewände entfernen, die Schoten waschen, in kleine Würfel schneiden. Die Paprikawürfel mit 300 g Doppelrahm-Frischkäse, 2 gewürfelten Zwiebeln, 1 Ei (Größe M), 50 g gehackten Walnusskernen, 1 Esslöffel gehackter Petersilie und 1 Esslöffel Semmelbröseln mischen, salzen und pfeffern. Die Masse in die Cannelloni füllen und die Cannelloni in der Tomatensauce, mit Butterflöckchen und Käse bestreut wie oben angegeben garen.

Zubereitungszeit: etwa 70 Minuten

Für die Tomatensauce:
1 kg Tomaten
1 Zwiebel
1 Knoblauchzehe
2 EL Olivenöl
1 schwach geh. EL Tomatenmark
Salz
frisch gemahlener Pfeffer
1 TL getrockneter, gerebelter Oregano
1 EL gehackte Petersilie

Für die Cannelloni:
1 Brötchen (Semmel) vom Vortag
2 Zwiebeln
500 g Gehacktes (halb Rind-, halb Schweinefleisch)
1 EL gehackte Petersilie
Salz
frisch gemahlener Pfeffer
16 Cannelloni, ohne Vorgaren
20 g Butter
50 g geriebener Käse, z. B. mittelalter Gouda-Käse

Pro Portion
E: 36 g, F: 34 g, Kh: 43 g,
kJ: 2609, kcal: 622

Ungarischer Sauerkrautauflauf

Für Gäste (6 Portionen)

Zubereitungszeit: etwa 55 Minuten

5 EL Speiseöl, z. B.
Sonnenblumenöl
500 g Sauerkraut
125 ml (¹/₈ l)
Gemüsebrühe
2 kleine Lorbeerblätter
Salz
frisch gemahlener Pfeffer
1 Prise Zucker
250 ml (¹/₄ l) Wasser
125 g Langkornreis
(parboiled)
1 Zwiebel
500 g Gehacktes (halb
Rind-, halb Schweine-
fleisch)
2 Mettwürstchen
(Rauchenden, je 100 g)
200 g Schmand oder
saure Sahne
200 ml Schlagsahne
20 g Semmelbrösel
25 g Butter

Außerdem:
Fett für die Form

Pro Portion:
E: 26 g, F: 53 g, Kh: 23 g,
kJ: 2816, kcal: 672

1 Drei Esslöffel Öl in einem Topf erhitzen. Sauerkraut locker zup-
fen und darin unter Rühren kurz andünsten. Gemüsebrühe und
Lorbeerblätter hinzufügen, mit Salz, Pfeffer und Zucker würzen
(Foto 1) und das Sauerkraut bei schwacher Hitze etwa 25 Minu-
ten mit Deckel dünsten. Zum Schluss eventuell vorhandene
Flüssigkeit ohne Deckel verdampfen lassen. Das Sauerkraut mit
Salz, Pfeffer und Zucker abschmecken und die Lorbeerblätter
entfernen.

2 Wasser in einem geschlossenen Topf zum Kochen bringen.
Dann ¹/₄ Teelöffel Salz und Reis zugeben, umrühren, wieder zum
Kochen bringen und den Reis bei schwacher Hitze mit Deckel
etwa 12 Minuten garen. Den Reis in ein Sieb geben und abtropfen lassen. Den Backofen vorheizen.

3 Zwiebel abziehen und würfeln. Das restliche Öl erhitzen. Gehacktes und Zwiebelwürfel hinzufügen und unter Rühren darin
anbraten (Foto 2), dabei die Fleischklümpchen mit Hilfe eines
Rührlöffels grob zerdrücken. Das Gehackte mit Salz und Pfeffer
würzen und den Reis unterheben.

4 Mettwürstchen in Scheiben schneiden. Sauerkraut, Gehacktes-
Reis-Masse und Würstchenscheiben abwechselnd lagenweise in
eine gefettete Auflaufform schichten (Foto 3), die oberste
Schicht sollte aus Sauerkraut bestehen.

5 Schmand oder saure Sahne mit Schlagsahne verrühren und
über den Auflauf gießen. Mit Semmelbröseln bestreuen und
Butter in Flöckchen darauf setzen. Die Form ohne Deckel auf
dem Rost in den Backofen schieben.

Ober-/Unterhitze: etwa 200 °C (vorgeheizt), Heißluft: etwa 180 °C (vorgeheizt),
Gas: Stufe 3–4 (vorgeheizt), Backzeit: etwa 30 Minuten.

Tipp: Den ungarischen Sauerkrautauflauf mit Brötchen oder Weißbrot servieren.

Makkaroniauflauf

für Kinder

Hauptgericht für 4–6 Kinder

2 ¹/₂ l Wasser
250 g Makkaroni
2 ¹/₂ TL Salz
200 g gekochter
Schinken in Scheiben
250 g Porree (Lauch)
3 Eier (Größe M)
200 ml Milch
Salz
frisch gemahlener Pfeffer
geriebene Muskatnuss
15 g Semmelbrösel
20 g Butter

Außerdem:
Fett für die Form
10 g Semmelbrösel

Pro Portion:
E: 28 g, F: 14 g, Kh: 52 g,
kJ: 1903, kcal: 455

1 Wasser in einem großen, geschlossenen Topf zum Kochen bringen. Makkaroni in fingerlange Stücke brechen. Salz und Makkaroni in das kochende Wasser geben. Die Makkaroni bei mittlerer Hitze ohne Deckel nach Packungsanleitung bissfest kochen, dabei zwischendurch vier- bis fünfmal umrühren. Anschließend Makkaroni in ein Sieb geben, mit heißem Wasser abspülen und abtropfen lassen. Den Backofen vorheizen.

2 Schinken in kleine Stücke schneiden. Von dem Porree die Außenblätter entfernen, Wurzelenden und dunkles Grün abschneiden, die Stangen längs halbieren, gründlich waschen, abtropfen lassen und in feine Streifen schneiden.

3 Makkaroni und Schinkenstücke vermischen und abwechselnd mit den Porreestreifen in eine gefettete, mit Semmelbröseln ausgestreute Auflaufform schichten.

4 Eier mit Milch verschlagen, mit Salz, Pfeffer und Muskatnuss würzen und über den Auflauf gießen. Mit Semmelbröseln bestreuen und Butter in Flöckchen darauf setzen. Die Form ohne Deckel auf dem Rost in den Backofen schieben.

Ober-/Unterhitze: **etwa 200 °C (vorgeheizt)**, Heißluft: **etwa 180 °C (vorgeheizt)**, Gas: **Stufe 3–4 (vorgeheizt)**, Backzeit: **etwa 35 Minuten.**

Tipp: **Den Makkaroniauflauf mit Tomatensauce (S. 190), mit Gurkensalat (S. 254) oder Eisbergsalat (S. 250) servieren.**

Abwandlung 1: **Für einen Makkaroniauflauf mit Würstchen** 200 g Geflügel- oder Frankfurter Würstchen in dünne Scheiben schneiden und anstelle des Schinkens verwenden.

Abwandlung 2: **Für einen Makkaroniauflauf mit Mais oder Erbsen** zusätzlich 1 Dose abgetropften Gemüsemais (Abtropfgewicht 285 g) oder 200 g TK-Erbsen untermischen.

Nudel-Hack-Auflauf

Für Kinder

1 Wasser in einem großen, geschlossenen Topf zum Kochen bringen. Dann Salz und Nudeln zugeben. Die Nudeln bei mittlerer Hitze ohne Deckel nach Packungsanleitung bissfest kochen, dabei zwischendurch vier- bis fünfmal umrühren. Anschließend Nudeln in ein Sieb geben, mit heißem Wasser abspülen und abtropfen lassen.

2 Tomaten waschen, abtropfen lassen, kreuzweise einschneiden, kurz in kochendes Wasser legen und in kaltem Wasser abschrecken. Tomaten enthäuten, die Stängelansätze herausschneiden und Tomaten in Stücke schneiden. Zwiebeln und Knoblauch abziehen und würfeln. Den Backofen vorheizen.

3 Öl in einer Pfanne erhitzen. Zwiebel- und Knoblauchwürfel darin andünsten. Gehacktes hinzufügen und unter Rühren darin anbraten, dabei die Klümpchen mit Hilfe einer Gabel zerdrücken (Foto 1). Mit Salz, Pfeffer, Paprikapulver und Thymian würzen. Die Tomatenstücke hinzufügen (Foto 2) und etwa 5 Minuten mitschmoren. Nochmals mit Salz, Pfeffer und Paprikapulver abschmecken.

4 Zwei Drittel der Nudeln in eine Auflaufform füllen, die Hackmasse darauf geben und mit den restlichen Nudeln bedecken. Käse darüber streuen (Foto 3) und Butter in Flöckchen darauf setzen. Die Form auf dem Rost in den Backofen schieben.

Ober-/Unterhitze: **etwa 200 °C (vorgeheizt)**, Heißluft: **etwa 180 °C (vorgeheizt)**, Gas: **Stufe 3-4 (vorgeheizt)**, Backzeit: **etwa 35 Minuten.**

Abwandlung: **Für einen vegetarischen Nudelauflauf** Zwiebeln und Gehacktes weglassen. Dafür 500 g Porree (Lauch) und 1 Bund Frühlingszwiebeln vorbereiten, in 1 cm breite Stücke schneiden. Porree mit Knoblauch in dem Öl unter Rühren andünsten. 70 g getrocknete rote Linsen hinzufügen, kurz mitdünsten, 150 ml Gemüsebrühe hinzugießen, zum Kochen bringen und etwa 6 Minuten mit Deckel dünsten. Frühlingszwiebelstücke und die vorbereiteten Tomatenstücke unterrühren, erhitzen und kräftig mit Salz, Pfeffer und Cayennepfeffer würzen. Die Linsenmasse anstelle der Hackfleischmasse einschichten.

Zutatangabe für 4 Personen

2 ½ l Wasser
2 ½ TL Salz
250 g Bandnudeln
500 g Tomaten
2 Zwiebeln
1 Knoblauchzehe
3 EL Speiseöl, z. B. Sonnenblumenöl
500 g Gehacktes (halb Rind-, halb Schweinefleisch)
Salz
frisch gemahlener Pfeffer
Paprikapulver edelsüß
getrockneter, gerebelter Thymian
100 g geriebener Käse, z. B. mittelalter Gouda-Käse
20 g Butter

Nährwerte

E: 39 g, F: 40 g, Kh: 47 g, kJ: 2966, kcal: 708

Kartoffelauflauf

1 kg fest kochende
Kartoffeln
5 hart gekochte Eier
3 Mettwürstchen
(Rauchenden, je 100 g)
Salz
frisch gemahlener Pfeffer
300 g saure Sahne
30 g Semmelbrösel
50 g Butter

Pro Portion:
E: 29 g, F: 53 g, Kh: 42 g,
kJ: 3192, kcal: 762

1 Kartoffeln gründlich waschen, mit Wasser bedeckt zum Kochen bringen, in 20-25 Minuten mit Deckel gar kochen. Kartoffeln abgießen, mit kaltem Wasser abschrecken, abtropfen lassen, sofort pellen und erkalten lassen. Inzwischen den Backofen vorheizen.

2 Eier pellen und in Scheiben schneiden. Rauchenden und die Kartoffeln ebenfalls in Scheiben schneiden. Die vorbereiteten Zutaten abwechselnd lagenweise in eine flache Auflauf- oder Gratinform schichten, dabei Kartoffel- und Eischeiben jeweils mit Salz und Pfeffer bestreuen. Die oberste Schicht sollte aus Kartoffeln bestehen.

3 Saure Sahne mit Salz und Pfeffer würzen, verrühren und über die Kartoffeln gießen. Semmelbrösel darüber streuen und Butter in Flöckchen darauf setzen. Die Form ohne Deckel auf dem Rost in den Backofen schieben.

Ober-/Unterhitze: etwa 200 °C (vorgeheizt), Heißluft: etwa 180 °C (vorgeheizt), Gas: Stufe 3-4 (vorgeheizt), Backzeit: etwa 35 Minuten.

Tipp: Den Kartoffelauflauf mit Möhren-Apfel-Salat (S. 258) servieren. Falls Sie stichfeste saure Sahne verwenden, die Sahne mit etwa 5 Esslöffeln Milch geschmeidig rühren.

Abwandlung: Für einen **Kartoffel-Zucchini-Auflauf mit Cabanossi** (Foto) anstelle der hart gekochten Eier 300 g Zucchini waschen, abtrocknen, die Enden abschneiden, Zucchini in Scheiben schneiden, mit 1 Teelöffel Salz bestreuen und etwa 10 Minuten stehen lassen. 300 g Cabanossi (Knoblauchwurst) anstelle der Mettwürstchen in Scheiben schneiden. Zucchini trockentupfen, mit Kartoffel- und Cabanossischeiben dachziegelartig einschichten (Kartoffel- und Zucchinischichten mit Pfeffer bestreuen). Saure Sahne mit 2 Eiern (Größe M) verschlagen, mit Salz und Pfeffer würzen und über die eingeschichteten Zutaten geben. Den Auflauf mit Semmelbröseln bestreuen, mit Butterflöckchen belegen und wie oben angegeben backen.

Gemüseauflauf

Vegetarisch

Zubereitungszeit: etwa 80 Minuten

1 kg mehlig kochende Kartoffeln
Salz
250 g Porree (Lauch)
250 g Auberginen
250 g Zucchini
125 ml (¹/₈ l) heiße Milch
150 ml Schlagsahne
geriebene Muskatnuss
30 g Butter oder Margarine
frisch gemahlener Pfeffer
2 EL gehackte glatte Petersilie
150 g geriebener mittelalter Gouda- oder Emmentaler-Käse
etwa 3 EL Sonnenblumenkerne

Pro Portion:
E: 19 g, F: 32 g, Kh: 37 g,
kJ: 2161, kcal: 516

1 Kartoffeln waschen, schälen, abspülen, in Stücke schneiden, in einen Topf geben, 1 Teelöffel Salz darüber streuen, mit Wasser knapp bedecken und zum Kochen bringen. Kartoffeln in 20–25 Minuten mit Deckel gar kochen.

2 In der Zwischenzeit von dem Porree die Außenblätter entfernen, Wurzelenden und dunkles Grün abschneiden, die Stangen längs halbieren, gründlich waschen, abtropfen lassen und in Streifen schneiden. Auberginen und Zucchini waschen, abtrocknen, die Enden abschneiden und Auberginen und Zucchini in Scheiben schneiden. Den Backofen bei Ober- und Unterhitze vorheizen.

3 Die garen Kartoffeln abgießen, abdämpfen und sofort durch die Kartoffelpresse geben oder mit einem Kartoffelstampfer zerdrücken. Die Kartoffelmasse mit Milch und Sahne verrühren und mit Salz und Muskatnuss würzen.

4 Butter oder Margarine in einer Pfanne zerlassen. Das vorbereitete Gemüse darin 1–2 Minuten unter Rühren dünsten und mit Salz und Pfeffer würzen. Das Gemüse in eine große flache Auflaufform (etwa 30 x 20 cm) geben und mit Petersilie bestreuen. Die Hälfte des Käses darüber streuen, die Kartoffelmasse darauf verteilen und mit dem restlichen Käse und Sonnenblumenkernen bestreuen. Die Form ohne Deckel auf dem Rost in den Backofen schieben.

Ober-/Unterhitze: **etwa 200 °C (vorgeheizt)**, Heißluft: **etwa 180 °C (nicht vorgeheizt)**, Gas: **Stufe 3–4 (nicht vorgeheizt)**, Backzeit: **etwa 45 Minuten.**

Abwandlung 1: **Für einen Gemüseauflauf mit Möhren und Comté-Käse** anstelle von Auberginen Möhren verwenden. Möhren schälen, Grün und Spitzen abschneiden, Möhren waschen, abtropfen lassen, in Scheiben schneiden. Die Möhrenscheiben in dem zerlassenen Fett etwa 2 Minuten bei schwacher Hitze mit Deckel dünsten, erst dann das übrige Gemüse hinzufügen und wie oben angegeben zubereiten. Gouda- oder Emmentaler-Käse durch Comté-Käse ersetzen.

Abwandlung 2: **Für einen Gemüseauflauf mit Lengfischfilet** die Auberginen weglassen. Zusätzlich 4 Stücke Lengfischfilet (je 120 g) unter fließendem kalten Wasser abspülen, trockentupfen, mit Salz und Pfeffer würzen, nebeneinander in die gefettete Auflaufform legen und mit 1 Esslöffel gehacktem Dill bestreuen. Das angedünstete Gemüse und die übrigen Zutaten wie oben angegeben darauf verteilen und den Auflauf wie oben angegeben backen.

Moussaka

Klassisch (etwa 6 Portionen)

Zubereitungszeit: etwa 45 Minuten

1   Auberginen waschen, abtrocknen, die Enden abschneiden, Auberginen in $1/2$–1 cm dicke Scheiben schneiden, mit Salz bestreuen und etwa 15 Minuten stehen lassen.

2   In der Zwischenzeit Tomaten waschen, abtropfen lassen, kreuzweise einschneiden, kurz in kochendes Wasser legen und in kaltem Wasser abschrecken. Tomaten enthäuten, die Stängelansätze herausschneiden und Tomaten in Scheiben schneiden. Zwiebeln abziehen und würfeln. Den Backofen vorheizen.

3   Etwas von dem Öl in einer Pfanne erhitzen. Die Auberginenscheiben mit Küchenpapier trockentupfen, portionsweise in dem Öl von beiden Seiten anbraten und auf Küchenpapier abtropfen lassen.

4   Das restliche Öl in der Pfanne erhitzen. Die Zwiebelwürfel darin andünsten. Gehacktes hinzufügen und unter Rühren darin anbraten, dabei die Klümpchen mit Hilfe einer Gabel zerdrücken. Mit Salz, Pfeffer, Oregano, Thymian und Basilikum würzen und etwa 5 Minuten schmoren. Knoblauch abziehen, durch die Knoblauchpresse drücken und unterrühren.

5   Die Hälfte der Auberginenscheiben in eine große flache Auflaufform (etwa 30 x 25 cm) geben und mit Salz, Pfeffer und Petersilie bestreuen. Die Hälfte der Tomatenscheiben darauf geben, das Gehackte darauf verteilen und nacheinander die restlichen Auberginen- und Tomatenscheiben fächerartig darauf legen.

6   Joghurt mit Milch und Eiern verrühren und über die Zutaten gießen. Gouda darüber streuen. Die Form ohne Deckel auf dem Rost in den Backofen schieben.

Ober-/Unterhitze: **etwa 200 °C (vorgeheizt)**, Heißluft: **etwa 180 °C (vorgeheizt)**, Gas: **Stufe 3–4 (vorgeheizt)**, Backzeit: **etwa 35 Minuten.**

Beilage: **Fladenbrot und Tomatensalat (S. 259).**

Tipp: **Die Gehacktesmasse nach Belieben zusätzlich mit etwa 1 Teelöffel gemahlenem Zimt würzen.**

1 $1/2$ kg Auberginen
Salz
500 g Tomaten
2 Zwiebeln
150 ml Olivenöl
600 g Gehacktes
(Lamm- oder Rindfleisch)
frisch gemahlener Pfeffer
je etwa 1 TL getrockneter, gerebelter Oregano,
Thymian und Basilikum
2 Knoblauchzehen
1 EL gehackte Petersilie
300 g Naturjoghurt
(3,5 % Fett)
125 ml ($1/8$ l) Milch
2 Eier (Größe M)
150 g geriebener mittelalter Gouda-Käse

Pro Portion:
E: 34 g, F: 46 g, Kh: 12 g,
kJ: 2519, kcal: 601

Pfannkuchenauflauf

Vegetarisch

Zubereitungszeit: etwa 100 Minuten,
ohne Teigruhe- und Abkühlzeit

Für die Pfannkuchen:
185 g Weizenmehl
3 Eier (Größe M)
1 Prise Zucker
1 Msp. Salz
225 ml Milch
150 ml Mineralwasser
40 g Margarine oder
4 EL Speiseöl, z. B.
Sonnenblumenöl

Für die Füllung:
2 Zwiebeln
2 Knoblauchzehen
250 g Möhren
30 g Margarine oder
3 EL Speiseöl, z. B.
Sonnenblumenöl
450 g TK-Blattspinat
Salz, Pfeffer
geriebene Muskatnuss

Für den Guss:
200 g Frischkäse
(z. B. mit Joghurt)
100 ml Milch
1 Ei (Größe M)
Salz, Pfeffer

Außerdem:
Fett für die Form
125 g Mozzarella-Käse
einige Basilikumblättchen

Pro Portion:
E: 29 g, F: 52 g, Kh: 43 g,
kJ: 3151, kcal: 752

1 Für die Pfannkuchen Mehl in eine Rührschüssel sieben und in die Mitte eine Vertiefung eindrücken. Eier mit Zucker, Salz, Milch und Mineralwasser verschlagen und etwas davon in die Vertiefung geben. Von der Mitte aus Eierflüssigkeit und Mehl verrühren, nach und nach die übrige Eierflüssigkeit dazugeben, dabei darauf achten, dass keine Klümpchen entstehen. Den Teig 20-30 Minuten ruhen lassen.

2 Etwas von der Margarine oder dem Öl in einer Pfanne erhitzen und eine dünne Teiglage hineingeben. Sobald die Ränder goldgelb sind, den Pfannkuchen vorsichtig mit einem Pfannenwender oder einem Holzspatel wenden oder auf einen Teller gleiten lassen, umgedreht wieder in die Pfanne geben und die zweite Seite goldgelb backen. Bevor der Pfannkuchen gewendet wird, etwas Fett in die Pfanne geben. Den Pfannkuchen von beiden Seiten goldgelb backen. Auf diese Weise 6-8 Pfannkuchen (je nach Pfannengröße) backen, die fertigen Pfannkuchen aufeinander stapeln und abkühlen lassen.

3 Für die Füllung Zwiebeln und Knoblauch abziehen und würfeln. Möhren schälen, Grün und Spitzen abschneiden, Möhren waschen, abtropfen lassen und in Würfel schneiden.

4 Margarine oder Öl in einem Topf zerlassen. Zwiebel- und Knoblauchwürfel darin unter Rühren andünsten. Möhren und gefrorenen Spinat dazugeben und bei schwacher Hitze 10-15 Minuten mit Deckel garen, bis der Spinat aufgetaut ist, dabei gelegentlich umrühren. Den Backofen vorheizen. Eventuell vorhandene Gemüseflüssigkeit im offenen Topf verdampfen lassen. Das Gemüse mit Salz, Pfeffer und Muskatnuss würzen und abkühlen lassen.

5 In der Zwischenzeit für den Guss Frischkäse mit Milch und Ei verrühren und mit Salz und Pfeffer würzen.

6 Die Pfannkuchen auf der Arbeitsfläche nebeneinander ausbreiten. Die Füllung darauf verteilen, die Pfannkuchen aufrollen und nebeneinander in eine gefettete, flache Auflaufform (etwa 30 x 24 cm) legen. Den Guss darüber geben. Mozzarella in dünne Streifen schneiden und darauf verteilen. Die Form ohne Deckel auf dem Rost in den Backofen schieben.

Ober-/Unterhitze: **etwa 200 °C (vorgeheizt),** Heißluft: **etwa 180 °C (vorgeheizt),** Gas: **Stufe 3-4 (vorgeheizt),** Backzeit: **etwa 35 Minuten.**

7 Den Auflauf vor dem Servieren mit Basilikumblättchen bestreuen.

(Fortsetzung Seite 324)

Abwandlung: Für einen **Pfannkuchenauflauf mit Schafkäse und Rosinen** zusätzlich 50 g Rosinen mit dem Gemüse dünsten. Das Gemüse mit Salz, Pfeffer, gemahlenem Kreuzkümmel (Cumin) und gemahlenen Koriandersamen würzen. Den Guss anstelle von Frischkäse mit püriertem Schafkäse oder Ziegenfrischkäse zubereiten. Den Auflauf wie im Rezept angegeben zubereiten und backen.

Reis-Gemüse-Auflauf

Für Kinder

Zubereitungszeit: etwa 50 Minuten

300 g Möhren
2 EL Speiseöl, z. B. Sonnenblumenöl
250 g Langkornreis
2 EL Curry
500 ml (½ l) Gemüsebrühe
40 g Butter oder Margarine
300 g TK-Erbsen
Salz
frisch gemahlener Pfeffer
1 Prise Zucker
2 Eier (Größe M)
200 ml Schlagsahne
geriebene Muskatnuss
125 g geriebener mittelalter Gouda-Käse

Pro Portion:
E: 23 g, F: 41 g, Kh: 64 g,
kJ: 3042, kcal: 726

1 Möhren schälen, Grün und Spitzen abschneiden, Möhren waschen, abtropfen lassen und in Würfel schneiden.

2 Öl in einem Topf erhitzen. Reis darin unter Rühren glasig dünsten. Curry darüber streuen und kurz mitdünsten. Mit Gemüsebrühe ablöschen, zum Kochen bringen und etwa 10 Minuten mit Deckel bei schwacher Hitze garen. Den Backofen vorheizen.

3 In der Zwischenzeit Butter oder Margarine zerlassen. Die Möhrenwürfel darin andünsten. Erbsen unterheben und das Gemüse mit Salz, Pfeffer und Zucker würzen. Den Reis mit dem Gemüse vermischen und in eine flache Auflaufform geben.

4 Eier mit Sahne verquirlen, mit Salz, Pfeffer und Muskatnuss würzen und Käse unterrühren. Die Eiersahne über die Zutaten in der Form gießen. Die Form ohne Deckel auf dem Rost in den Backofen schieben.

Ober-/Unterhitze: etwa 180 °C (vorgeheizt), Heißluft: etwa 160 °C (vorgeheizt), Gas: Stufe 2–3 (vorgeheizt), Backzeit: etwa 25 Minuten.

Tipp: Den Reis-Gemüse-Auflauf mit Blattsalat, kaltem Braten oder Schinken servieren.
Sie können die gleiche Menge Vollkornreis verwenden, die Garzeit für den Reis beträgt dann etwa 20 Minuten.

Abwandlung: Für einen **Reis-Gemüse-Auflauf mit Hähnchenbrust** (Foto) zusätzlich 300 g Hähnchenbrustfilet unter fließendem kalten Wasser abspülen, trockentupfen, in Streifen schneiden und in dem Öl rundherum anbraten. Mit Salz und Pfeffer würzen und aus dem Topf nehmen. Dann den Reis in dem verbliebenen Bratfett glasig dünsten und weiterverfahren wie oben angegeben. Die Fleischstreifen mit den übrigen Zutaten mischen, in die Auflaufform geben und den Auflauf wie oben angegeben backen.

Getreide-Gemüse-Auflauf

Vegetarisch

800 g Blumenkohl
1 Bund Frühlingszwiebeln
150 g Knollensellerie
200 g Möhren
2 Zwiebeln
40 g Butter oder
Margarine
200 g 7-Korn-Getreide-
mischung
$\frac{1}{2}$ TL getrockneter,
gerebelter Thymian
1 TL Senfkörner
Salz
frisch gemahlener Pfeffer
400 ml Gemüsebrühe
500 ml ($\frac{1}{2}$ l) Wasser
2 EL gehackte Petersilie
oder Kerbel
200 g Schmand
4 EL Milch
50 g geriebener mittel-
alter Gouda-Käse
30 g geriebener
Parmesan-Käse

E: 18 g, F: 27 g, Kh: 49 g,
kJ: 2154, kcal: 512

1   Von dem Blumenkohl Blätter und schlechte Stellen entfernen,
    den Strunk abschneiden und den Blumenkohl in Röschen teilen.
    Von den Frühlingszwiebeln Wurzelenden und dunkles Grün ent-
    fernen, Frühlingszwiebeln waschen, abtropfen lassen und in
    3 cm lange Stücke schneiden.

2   Sellerie schälen und schlechte Stellen herausschneiden. Möhren
    schälen und Grün und Spitzen abschneiden. Sellerie und Möhren
    waschen, abtropfen lassen und in kleine Würfel schneiden. Zwie-
    beln abziehen und würfeln.

3   Butter oder Margarine in einem Topf zerlassen. Die Getreide-
    mischung darin unter Rühren andünsten. Thymian, Senfkörner,
    Möhren-, Sellerie- und Zwiebelwürfel hinzufügen und mit Salz
    und Pfeffer würzen. Gemüsebrühe hinzugießen, zum Kochen
    bringen und bei schwacher Hitze etwa 20 Minuten mit Deckel
    garen. Den Backofen vorheizen.

4   In der Zwischenzeit Wasser zum Kochen bringen. $\frac{1}{2}$ Teelöffel
    Salz und die Blumenkohlröschen hinzufügen, etwa 5 Minuten
    mit Deckel garen, in ein Sieb geben, mit kaltem Wasser ab-
    schrecken und abtropfen lassen.

5   Petersilie oder Kerbel unter die Getreidemischung rühren und
    in eine flache Auflaufform füllen. Blumenkohlröschen und
    Frühlingszwiebelstücke darauf verteilen.

6   Schmand mit Milch verrühren und über das Gemüse in die Form
    gießen. Mit beiden Käsesorten bestreuen. Die Form ohne
    Deckel auf dem Rost in den Backofen schieben.

Ober-/Unterhitze: etwa 200 °C (vorgeheizt), Heißluft: etwa 180 °C (vorgeheizt),
Gas: Stufe 3–4 (vorgeheizt), Backzeit: etwa 25 Minuten.

Tipp: Den Auflauf mit Blattsalat servieren. Er passt auch als Beilage zu kurz
gebratenem Fleisch oder Fisch, dann reicht er für 6–8 Portionen.

Abwandlung 1: Sie können anstelle der Getreidemischung die gleiche
Menge Vollkornreis verwenden und den Auflauf wie oben angegeben zubereiten.

Abwandlung 2: Sie können anstelle der Frühlingszwiebeln auch
200 g grüne Bohnen verwenden. Von den Bohnen die Enden abschneiden,
eventuell Fäden abziehen, Bohnen waschen und ein- bis zweimal durchschneiden oder -brechen. Die Bohnen zusammen mit den Blumenkohlröschen
vorgaren und den Auflauf wie oben angegeben zubereiten.

Quark- & Eierspeisen

Eier

Hühnereier sind ernährungs-
physiologisch wertvoll, preis-
günstig und vielseitig einsetzbar. Stehen in den Rezepten
Eier in der Zutatenliste, sind
immer Hühnereier gemeint.

**Auf den Eierpackungen sind
folgende Angaben vorge-
schrieben:**

- Güteklasse, Gewichtsklasse,
  Anzahl der verpackten Eier
- Mindesthaltbarkeitsdatum
- Angabe „Bei Kühlschrank-
  temperatur aufbewahren"
- Angabe „Nach Ablauf des
  Mindesthaltbarkeitsdatum
  durcherhitzen"
- Name, Anschrift und Kenn-
  nummer des Verpackungs-
  betriebes.

Die Güteklasse (A, B und C)
bezieht sich auf die Frische
und Unversehrtheit der Eier.
Für den Endverbraucher sind
praktisch nur Eier der Güteklasse A im Handel erhältlich.

Die Gewichtsklasse ist vom
Gewicht des einzelnen Eies
abhängig:
XL (sehr groß): 73 g und darüber
L (groß): 63 g bis unter 73 g
M (mittel): 53 g bis unter 63 g
S (klein): unter 53 g.

Zum Teil wird mittlerweile
auch das Legedatum auf das
einzelne Ei aufgedruckt.

Frische-Tests

Mit zunehmendem Alter vergrößert sich die Luftkammer
am stumpfen Ende eines Eies,
da während der Lagerung
Wasser verdunstet. Außerdem
wird mit der Zeit das Eiklar
dünnflüssiger. Diese Alterungs-
vorgänge laufen bei hoher
Lagertemperatur und gerin-
ger Luftfeuchtigkeit schneller
ab, deshalb Eier immer im
Kühlschrank lagern.

Schwimmprobe/Aufschlagprobe

1. Ein frisches Ei bleibt auf
   dem Boden liegen. Das Eiweiß umschließt das Eigelb
   fest, das Eigelb ist kugelig.

2. Ein etwa 7 Tage altes Ei richtet sich leicht auf. Das Eiweiß
   beginnt zu fließen, es steht
   nicht mehr so fest.

3. Ein etwa 3 Wochen altes Ei
   beginnt zu schwimmen. Das
   Eiweiß ist wässrig, das Eigelb ist flach.

Eier trennen

Das Ei auf einer Kante aufschlagen, die Schale ausein-
ander brechen und das Eigelb
von einer Schalenhälfte in die
andere gleiten lassen. Dabei
das Eiweiß in einem darunter
stehenden Gefäß auffangen.

Einfacher geht's, wenn Sie
einen Eitrenner verwenden.
Das Ei wird in den Eitrenner
gegeben, das Eiweiß läuft durch
eine Rinne ab und das Eigelb
bleibt in der Mulde liegen.

Eischnee schlagen

Eischnee wird für viele Gerichte als Lockerungsmittel,
z. B. für Aufläufe, Soufflés,
Puddinge, Cremes, Kuchen
usw., eingesetzt.

- Je frischer das Eiweiß ist,
  desto besser lässt es sich
  steif schlagen.

- Das gekühlte Eiweiß in einem sauberen, fettfreien Gefäß mit einem Handrührgerät mit Rührbesen oder mit einem Schneebesen steif schlagen (fetthaltige Gefäße und Eigelbreste verhindern das Steifwerden von Eiweiß).
- Eischnee ist steif, wenn ein Messerschnitt sichtbar bleibt.

- Eischnee beim Weiterverarbeiten unterheben, nicht rühren. Die eingeschlagene Luft würde entweichen und die Konsistenz der Speise zu fest werden.
- Werden unter den Eischnee fetthaltige Zutaten gemischt, diese vorsichtig unterziehen, nicht rühren. Der Eischnee fällt sonst zusammen.
- Eischnee sofort weiterverarbeiten. Beim Stehen wird er schnell wieder flüssig.

Wichtige Hinweise

- Bei falscher Lagerung sind rohe Eier sehr anfällig für Salmonellen, die eine Lebensmittelvergiftung verursachen können. Deshalb Eier immer im Kühlschrank (8–10 °C) lagern.
- Für Speisen, die mit rohen Eiern zubereitet werden, nur ganz frische Eier verwenden, die nicht älter als 5 Tage sind (Legedatum beachten!). Die fertige Speise im Kühlschrank aufbewahren und innerhalb von 24 Stunden verzehren.
- Eier mit beschädigter Schale nur durcherhitzt verzehren.

Quark (Topfen)

Quark ist ein Frischkäse (ungereifter Käse), der durch Milchsäuregerinnung aus pasteurisierter Magermilch gewonnen wird. Er wird in unterschiedlichen Fettstufen angeboten.

Speisequark (Magerstufe)/ Magerquark

Enthält 2 % Fett in der Trockenmasse (Fett i. Tr.), d. h. 100 g Quark enthalten 0,1 g Fett.

Speisequark (20 % Fett i. Tr.)

Enthält 20 % Fett in der Trockenmasse, d. h. 100 g Quark enthalten 4–5 g Fett. Zur Herstellung wird Magerquark mit so viel Sahne verrührt, bis der Fettgehalt erreicht ist.

Speisequark (40 % Fett i. Tr.)/ Sahnequark

Enthält 40 % Fett in der Trockenmasse, d. h. 100 g Quark enthalten 10–12 g Fett. Zur Herstellung wird ebenfalls Magerquark mit so viel Sahne verrührt, bis der Fettgehalt erreicht ist.

Schichtkäse

Wird im Gegensatz zu Quark aus pasteurisierter, im Fettgehalt bereits eingestellter Milch hergestellt. Er wird mit 10, 20 und 40 % Fett i. Tr. angeboten, d. h. 100 g Schichtkäse enthalten 2–12 g Fett.

Omeletts mit Champignonfüllung
Preiswert (2 Portionen)

Zubereitungszeit: etwa 60 Minuten

Für die Füllung:
400 g Champignons
1 Zwiebel
50 g durchwachsener Speck
20 g Butterschmalz oder 2 EL Speiseöl, z. B. Sonnenblumenöl
Salz
frisch gemahlener Pfeffer
50 ml Schlagsahne
2 EL gehackte Petersilie

Für die Omeletts:
6 Eier (Größe M)
1 Prise Salz
1 Prise Paprikapulver edelsüß
30 g Butterschmalz oder 3 EL Speiseöl, z. B. Sonnenblumenöl

Pro Portion:
E: 35 g, F: 54 g, Kh: 5 g,
kJ: 2623, kcal: 626

1 Für die Füllung von den Champignons Stielenden und schlechte Stellen abschneiden, Champignons mit Küchenpapier abreiben, eventuell abspülen, trockentupfen und in Scheiben schneiden. Zwiebel abziehen und würfeln. Speck in Würfel schneiden.

2 Butterschmalz oder Öl in einem Topf erhitzen. Speckwürfel darin leicht ausbraten. Zwiebelwürfel und Champignonscheiben hinzufügen, kurz andünsten, mit Salz und Pfeffer würzen und in etwa 8 Minuten bei mittlerer Hitze dünsten, dabei gelegentlich umrühren.

3 Sahne unterrühren, nochmals mit Salz und Pfeffer abschmecken, Petersilie unterrühren und die Füllung warm stellen.

4 Für die Omeletts Eier mit Salz und Paprikapulver verschlagen.

5 Die Hälfte Butterschmalz oder Öl in einer beschichteten Pfanne (Ø 22-24 cm) zerlassen. Die Hälfte der Eiermasse hineingeben und bei schwacher Hitze 4-5 Minuten mit Deckel stocken lassen. Die untere Seite muss bräunlich gebacken sein.

6 Das Omelett auf einen vorgewärmten Teller gleiten lassen, die Hälfte der Pilzfüllung darauf geben, das Omelett zusammenklappen und warm stellen. Das andere Omelett auf die gleiche Weise zubereiten.

Tipp: Die Omeletts als Hauptgericht mit gemischtem Blattsalat (S. 252) oder Feldsalat (S. 251, ohne Ei zubereitet) servieren.
Die Omeletts erst kurz vor dem Anrichten zubereiten.
Wenn das Omelett lockerer sein soll, das Eiweiß steif schlagen und unter die Eigelbmasse heben.

Abwandlung: Anstelle der Champignonfüllung die **Omeletts mit Mozzarella und Tomaten** zubereiten (Foto). Dazu 125 g Mozzarella-Käse abtropfen lassen und in dünne Scheiben schneiden. 2 Tomaten waschen, abtrocknen, Stängelansätze entfernen und in Scheiben schneiden. Jeweils auf eine Omeletthälfte die Hälfte der Käse- und Tomatenscheiben legen, mit Salz und Pfeffer bestreuen und die Omeletts zusammenklappen. Die Omeletts eventuell mit Basilikumblättchen garnieren.

Gefüllte Eier
Preiswert

Zubereitungszeit: etwa 25 Minuten

**4 hart gekochte Eier
(Größe M)
1 schwach geh. EL
Mayonnaise
1 schwach geh. TL Senf
Salz
frisch gemahlener Pfeffer
1 Prise Zucker
einige Salatblätter
8 eingelegte Sardellen-
filets
etwa 3 Cornichons (aus
dem Glas)
einige Cocktailtomaten
gehackte Petersilie**

Pro Portion:
E: 9 g, F: 9 g, Kh: 2 g,
kJ: 523, kcal: 125

1 Eier pellen, längs halbieren, das Eigelb herauslösen (Foto 1), durch ein feines Sieb streichen (Foto 2) und mit Mayonnaise und Senf zu einer geschmeidigen Masse verrühren (Foto 3). Die Masse mit Salz, Pfeffer und Zucker würzen, in einen Spritzbeutel mit großer Sterntülle füllen und in die Eihälften spritzen.

2 Salatblätter waschen und trockenschleudern. Sardellenfilets trockentupfen. Cornichons abtropfen lassen und in Streifen schneiden. Cocktailtomaten waschen, abtrocknen und halbieren. Die Eihälften auf den Salatblättern anrichten, mit Sardellenfilets, Cornichonstreifen und Tomatenhälften garnieren und mit Petersilie bestreuen.

Tipp: Die gefüllten Eier zu Salatplatten, auf einem Buffet oder als Vorspeise mit Toast oder Baguette servieren.

Abwandlung 1: Für **Eier mit Curry-Frischkäse-Füllung** 50 g Doppelrahm-Frischkäse, 1 Teelöffel Crème fraîche und $1/2$ Teelöffel Curry unter das durch das Sieb gestrichene Eigelb rühren, mit Salz, Pfeffer und Zucker würzen und in die Eihälften spritzen. Mit 1–2 Esslöffeln Krabben oder Shrimps, einigen Dillzweigen und Zitronenscheiben garnieren.

Abwandlung 2: Für **Eier mit Parmesanfüllung** 1 Esslöffel Crème fraîche, 1 Esslöffel fein geriebenen Parmesan-Käse und einige gehackte, rosa Beeren (im Gewürzregal) unter das durch das Sieb gestrichene Eigelb rühren. Salzen, pfeffern, in die Eihälften füllen und mit 1 Esslöffel gerösteten Pinienkernen und 1 Esslöffel in Streifen geschnittenem Rucola (Rauke) garnieren.

Abwandlung 3: Für **Eier mit Kräuterquarkfüllung** je 1 Esslöffel Crème fraîche Kräuter und Kräuterquark unter das durch das Sieb gestrichene Eigelb rühren, mit Salz und Zucker abschmecken, mit einem Teelöffel in die Eihälften füllen und mit etwa 100 g bunten Paprikastreifen garnieren.

Abwandlung 4: Für **Eier mit Tomatenquark** 2 Esslöffel Sahnequark, 1–2 Teelöffel Tomatenmark und 1 Teelöffel abgetropfte, fein gehackte Kapern unter das durch das Sieb gestrichene Eigelb rühren, mit Salz, Pfeffer und Zucker würzen, in die Eihälften füllen und mit 50 g feinen Schinkenstreifen garnieren.

Eierfrikassee

Mit Alkohol

Zubereitungszeit: etwa 45 Minuten

300 g Champignons
1 Glas Spargelstücke
(Abtropfgewicht 175 g)
etwa 250 ml (¼ l)
Gemüsebrühe
6 hart gekochte Eier
20 g Butter oder
Margarine
25 g Weizenmehl
1 Eigelb
3 EL Weißwein
Salz
frisch gemahlener weißer
Pfeffer
1 Prise Zucker
etwa 2 TL Zitronensaft
1 EL gehackte Petersilie

Pro Portion:
E: 16 g, F: 15 g, Kh: 7 g,
kJ: 972, kcal: 232

1 Von den Champignons Stielenden und schlechte Stellen abschneiden, Champignons mit Küchenpapier abreiben, eventuell
abspülen, trockentupfen und in Scheiben schneiden.

2 Spargelstücke in einem Sieb abtropfen lassen, dabei das Spargel-
wasser auffangen und mit der Gemüsebrühe auf 375 ml (³/₈ l)
auffüllen. Eier pellen und in Sechstel teilen, eventuell mit einem
Eierschneider.

3 Butter oder Margarine in einem Topf zerlassen. Die Champignonscheiben darin unter Rühren kurz andünsten. Mit Salz und
Pfeffer würzen, mit Mehl bestäuben und unter Rühren so lange
erhitzen, bis das Mehl hellgelb ist. Die abgemessene Flüssigkeit
hinzugießen und mit einem Schneebesen durchschlagen, dabei
darauf achten, dass keine Klümpchen entstehen. Die Sauce zum
Kochen bringen und bei schwacher Hitze etwa 5 Minuten ohne
Deckel kochen lassen, dabei gelegentlich umrühren.

4 Eiersechstel und Spargel in die Sauce geben und bei schwacher
Hitze etwa 5 Minuten darin erhitzen, dabei gelegentlich vorsichtig umrühren. Eigelb mit Weißwein verschlagen, mit 3 Esslöffeln
der Sauce verrühren, dann in die Sauce rühren (nicht mehr
kochen lassen). Das Frikassee mit Salz, Pfeffer, Zucker und
Zitronensaft würzen und mit Petersilie bestreut servieren.

Tipp: Ein Eierfrikassee ist eine gute Möglichkeit, übrig gebliebene hart gekochte Eier (z. B. Ostereier) zu verwerten.

Abwandlung 1: **Zum Schluss zusätzlich 2 Teelöffel abgetropfte Kapern in
das Frikassee geben.**

Abwandlung 2: **Zusätzlich 100 g Erbsen (TK oder aus der Dose) mit dem
Spargel und den Eiern in das Frikassee geben und darin erhitzen.**

Abwandlung 3: **Sie können anstelle der frischen Champignons auch
200 g abgetropfte Champignons aus der Dose verwenden. Dann die Champignonscheiben nicht vorher andünsten, sondern zusammen mit Spargel
und Eiern in der Sauce erhitzen.**

Eier mit Senfsauce

Preiswert

1 Den Backofen vorheizen. Jeweils 2 Eier in 4 hitzebeständige, gut gefettete Förmchen aufschlagen. Speck in Würfel schneiden und über die Eier geben.

2 Mit Pfeffer bestreuen und Schnittlauch darauf verteilen. Die Förmchen auf dem Rost in den Backofen schieben.

Ober-/Unterhitze: etwa 200 °C (vorgeheizt), Heißluft: etwa 180 °C (vorgeheizt), Gas: Stufe 3-4 (vorgeheizt), Garzeit: etwa 25 Minuten.

3 In der Zwischenzeit für die Senfsauce Crème fraîche mit Salz und Senf verrühren. Die garen Eier vom Rand der Förmchen lösen, auf eine Platte geben und mit Petersilie garnieren. Die Senfsauce dazu reichen.

Tipp: Eier mit Senfsauce eignen sich für 4 Personen als Hauptgericht, etwa mit Petersilienkartoffeln (S. 280) und Salat oder für 8 Personen als Snack. Sie können auch Kräuter-Crème-fraîche für die Sauce verwenden.

Pro Portion: E: 19 g, F: 27 g, Kh: 3 g, kJ: 1374, kcal: 329

Zubereitungszeit: etwa 35 Minuten

8 Eier (Größe M)
75 g durchwachsener Speck
frisch gemahlener Pfeffer
2 EL Schnittlauchröllchen

Für die Senfsauce:
1 Becher (150 g) Crème fraîche
Salz
2 schwach geh. TL körniger Senf

einige Petersilienblättchen

Außerdem:
Fett für die Förmchen

Gekochte Eier

Einfach

1 Eier am dicken runden Ende mit einer Nadel oder einem Eierpick anstechen, damit sie beim Kochen nicht platzen. Wasser in einem kleinen Topf zum Kochen bringen.

2 Eier auf einen Löffel oder eine Schaumkelle legen und vorsichtig in das kochende Wasser gleiten lassen (die Eier sollten mit Wasser bedeckt sein). Das Wasser wieder zum Kochen bringen und Eier im offenen Topf bei schwacher Hitze kochen. Die Kochzeiten für Eier Größe M betragen für weiche Eier 5 Minuten, für wachsweiche Eier 8 Minuten, für harte Eier 10 Minuten. Bei größeren Eiern die Garzeit jeweils um etwa 1 Minute verlängern.

3 Die fertigen Eier mit dem Löffel oder der Schaumkelle herausnehmen und in kaltem Wasser abschrecken, damit sie sich besser pellen lassen.

Tipp: Werden gekühlte Eier direkt aus dem Kühlschrank verwendet, verlängert sich die Kochzeit um etwa 1 Minute. Sehr kalte Eier in lauwarmem Wasser vorwärmen, damit die Schalen nicht platzen.

Zubereitungszeit: etwa 10 Minuten

4 frische Eier (Größe M)

Pro Portion:
E: 7 g, F: 6 g, Kh: 0 g,
kJ: 355, kcal: 85

Spiegeleier (Foto)

Einfach

Zubereitungszeit: etwa 10 Minuten

**20 g Butterschmalz oder
Margarine
4 Eier (Größe M)
Salz**

Pro Portion:
E: 7 g, F: 11 g, Kh: 0 g,
kJ: 540, kcal: 129

1 Butterschmalz oder Margarine in einer Pfanne (Ø 28 cm) zerlassen. Die Eier vorsichtig aufschlagen und nebeneinander in das Fett gleiten lassen.

2 Eiweiß mit Salz bestreuen und die Eier etwa 5 Minuten bei mittlerer Hitze braten, bis das Eiweiß fest ist. Die Spiegeleier aus der Pfanne nehmen und sofort servieren.

Tipp: Als Hauptgericht pro Portion 2 Eier verwenden und z. B. mit Gemüsesalat oder Bratkartoffeln (S. 288) und eingelegten Gurken oder zu Spinat (S. 236) servieren.

Abwandlung: Für **Spiegeleier mit Schinkenspeck** (Foto) zusätzlich 4 Scheiben Schinkenspeck in dem Fett anbraten, die Eier aufschlagen, darauf geben, mit Pfeffer würzen und wie oben angegeben fertig braten. Spiegeleier mit Schnittlauchröllchen servieren.

Rührei

Schnell (3 Portionen)

Zubereitungszeit: etwa 10 Minuten

**6 Eier (Größe M)
6 EL Milch
Salz
frisch gemahlener Pfeffer
geriebene Muskatnuss
40 g Butter oder
Margarine
2 EL Schnittlauchröllchen**

Pro Portion:
E: 15 g, F: 25 g, Kh: 2 g,
kJ: 1216, kcal: 290

1 Eier mit Milch, Salz, Pfeffer und Muskatnuss kurz verschlagen (Foto 1). Butter oder Margarine in einer Pfanne (Ø 26-28 cm) zerlassen (Foto 2). Die Eiermilch hineingeben und die Kochstelle auf schwache Hitze schalten.

2 Sobald die Masse zu stocken beginnt, sie mit einem Pfannenwender oder Holzspatel vom Pfannenboden lösen (Foto 3), dabei die Masse immer wieder vom Rand zur Mitte schieben, bis keine Flüssigkeit mehr vorhanden ist (Garzeit insgesamt etwa 5 Minuten). Das Rührei sollte großflockig und innen noch saftig sein. Mit Schnittlauch bestreut servieren.

Tipp: Das Rührei als Hauptgericht für 3 Portionen z. B. zu Bratkartoffeln (S. 288) und gemischtem Salat servieren oder für 4-6 Portionen mit gemischtem Blattsalat (S. 252) als kleines Gericht oder zum Brunch.

Pochierte Eier (Verlorene Eier)

Raffiniert

Zubereitungszeit: etwa 15 Minuten

1 l Wasser
3 EL Essig, z. B.
Weißweinessig
8 Eier (Größe M)
evtl. 1 EL gehackte
Kräuter, z. B. Schnitt-
lauch, Petersilie oder
Kerbel

Pro Portion:

E: 14 g, F: 12 g, Kh: 1 g,
kJ: 712, kcal: 170

1   Wasser mit Essig in einem Topf zum Kochen bringen. Eier einzeln in einer Kelle aufschlagen, vorsichtig in das siedende (nicht sprudelnd kochende) Wasser gleiten lassen (Foto 1). Eiweiß sofort mit 2 Esslöffeln an das Eigelb schieben. Die Eier bei schwacher Hitze 3-4 Minuten ohne Deckel gar ziehen lassen (maximal 4 Eier auf einmal garen).

2   Die garen Eier mit einem Schaumlöffel herausnehmen (Foto 2), kurz in kaltes Wasser tauchen, abtropfen lassen und die Ränder glatt schneiden (Foto 3). Eier auf Tellern anrichten und nach Belieben mit gehackten Kräutern bestreuen.

Tipp: Pochierte Eier als Einlage für Suppen reichen oder auf Blattspinat (S. 236) anrichten.
Verwenden Sie möglichst frische Eier, das Eiweiß zieht sich dann besser um das Eigelb herum zusammen.

Abwandlung 1: **Die pochierten Eier auf einem gemischten Salat** anrichten. Dazu von je ½ Kopf Lollo Rossa und Bionda die äußeren welken Blätter entfernen, den Salat waschen, trockenschleudern und in mundgerechte Stücke teilen. 250 g Cocktailtomaten waschen, abtrocknen und vierteln. 250 g Salatgurke waschen, die Enden abschneiden und Gurke in Scheiben schneiden. 200 g dünne Bundmöhren schälen, Grün und Spitzen abschneiden, Möhren waschen, abtropfen lassen und in dünne Scheiben schneiden oder hobeln. 1 Zwiebel abziehen und würfeln. Die vorbereiteten Salatzutaten in einer Schüssel mischen. 2-3 Esslöffel Sherryessig mit Salz, Pfeffer und 1 Teelöffel Honig verrühren und 5 Esslöffel Olivenöl unterschlagen. Die Sauce mit den Salatzutaten vermengen, auf 4 Teller verteilen und je 2 Eier darauf anrichten. Mit Dillzweigen und Liebstöckelblättern garnieren.

Abwandlung 2: **Die pochierten Eier auf geröstetem Brot servieren.** Dazu 4 Scheiben Sandwichbrot toasten. Die heißen Brotscheiben dünn mit je ½ Teelöffel Pesto (S. 194) bestreichen und mit je 2 Tomatenscheiben belegen. Die Eier wie oben angegeben pochieren (aber nicht abschrecken), sofort auf die Tomatenscheiben legen, mit etwas geriebenem Parmesan-Käse und Pfeffer bestreuen und sofort servieren.

Pfannkuchen (Eierkuchen)

Für Kinder (etwa 7 Stück)

Zubereitungszeit: etwa 40 Minuten, ohne Teigruhezeit.

1 Mehl in eine Rührschüssel sieben und in die Mitte eine Vertiefung eindrücken. Eier mit Zucker, Salz, Milch und Mineralwasser mit einem Schneebesen verschlagen und etwas davon in die Vertiefung geben. Von der Mitte aus Eierflüssigkeit und Mehl verrühren, nach und nach die übrige Eierflüssigkeit dazugeben, dabei darauf achten, dass keine Klümpchen entstehen. Den Teig 20-30 Minuten ruhen lassen.

2 Etwas Butterschmalz oder Öl in einer beschichteten Pfanne (Ø etwa 24 cm) erhitzen und eine dünne Teiglage mit einer drehenden Bewegung gleichmäßig auf dem Boden der Pfanne verteilen. Sobald die Ränder goldgelb sind, den Pfannkuchen vorsichtig mit einem Pfannenwender oder einem Holzspatel wenden oder auf einen Teller gleiten lassen, umgedreht wieder in die Pfanne geben und die zweite Seite goldgelb backen. Bevor der Pfannkuchen gewendet wird, etwas Fett in die Pfanne geben.

3 Den restlichen Teig auf die gleiche Weise backen, dabei den Teig vor jedem Backen umrühren.

250 g Weizenmehl
4 Eier (Größe M)
1 EL Zucker
1 Prise Salz
375 ml ($^3/_8$ l) Milch
125 ml ($^1/_8$ l) Mineral-wasser
etwa 80 g Butterschmalz oder 8 EL Speiseöl, z. B. Sonnenblumenöl

Pro Stück:
E: 10 g, F: 17 g, Kh: 29 g, kJ: 1290, kcal: 308

Tipp: Pfannkuchen mit Kompott, Zimt-Zucker, Ahornsirup oder Früchten servieren. Die Pfannkuchen werden zarter und lockerer, wenn Sie die Eier trennen und zuerst nur das Eigelb in den Teig rühren. Das Eiweiß kurz vor dem Backen steif schlagen und unter den Teig heben.
Bereits gebackene Pfannkuchen im Backofen bei etwa 80 °C (Ober-/Unterhitze) oder etwa 60 °C (Heißluft) warm halten. Die einzelnen Pfannkuchen vor dem Stapeln mit wenig Zucker bestreuen. So kleben sie nicht zusammen.

Abwandlung 1: Für **Apfelpfannkuchen** den Pfannkuchenteig wie oben angegeben zubereiten. Zusätzlich 1 kg säuerliche Äpfel (z. B. Boskop) waschen, schälen, vierteln, entkernen, längs in dünne Scheiben schneiden und in 7 Portionen teilen. Etwas von dem Fett in der Pfanne erhitzen. 1 Portion Apfelscheiben darin 2–3 Minuten dünsten, eine dünne Teiglage darüber gießen und bei mittlerer Hitze stocken lassen, dabei gelegentlich den Pfannkuchen vom Boden lösen und wie beschrieben fertig backen. Restliche Äpfel und Teig auf die gleiche Weise verarbeiten. Die Pfannkuchen mit Zimt-Zucker bestreut servieren.

Abwandlung 2: Für **Speckpfannkuchen** den Pfannkuchenteig wie oben angegeben (aber nur mit 1 Prise Zucker) zubereiten. Zusätzlich 200 g Schinkenspeck in Scheiben schneiden und für jeden Pfannkuchen etwas von dem Speck in dem heißen Fett goldbraun braten. 1 Portion Teig darüber geben und wie oben angegeben backen. Restlichen Speck und Teig auf die gleiche Weise verarbeiten. Die Speckpfannkuchen mit Blattsalat servieren.

Crêpes

Raffiniert (10-12 Stück)

Zubereitungszeit: etwa 40 Minuten,
ohne Teigruhezeit

Für die Crêpes:
60 g Butterschmalz oder
Margarine
100 g Weizenmehl
10 g Zucker
2 Eier (Größe M)
250 ml (¼ l) Milch

Für die Füllung:
1 kleine Dose Aprikosen-
hälften (Abtropf-
gewicht 240 g)
1 Pck. Pudding-Pulver
Vanille-Geschmack
300 ml Milch
1–2 EL Zucker
200 g Doppelrahm-
Frischkäse
100 g Aprikosenkonfitüre
1 EL Zitronensaft
evtl. Waldmeisterblätter,
Zitronenmelisse oder
Puderzucker

Pro Stück:
E: 6 g, F: 13 g, Kh: 25 g,
kJ: 1039, kcal: 248

1 Für den Teig 20 g Butterschmalz oder Margarine zerlassen. Mehl sieben, mit Zucker in einer Rührschüssel mischen, mit Eiern und Milch verrühren und Butterschmalz oder Margarine unterrühren (Foto 1). Den Teig 20-30 Minuten ruhen lassen.

2 Das restliche Fett in einem kleinen Topf zerlassen. Eine kleine Pfanne (Ø 16-18 cm) erhitzen und mit etwas von dem Fett aus-pinseln. Eine dünne Teiglage hineingeben, bei schwacher bis mitt-lerer Hitze goldgelb backen, auf einen Teller stürzen und wieder in die Pfanne gleiten lassen (Foto 2, die Pfanne vorher wieder mit etwas Fett auspinseln). Die zweite Seite goldbraun backen.

3 Crêpe zusammenfalten (Foto 3) und warm stellen. Aus dem restlichen Teig auf die gleiche Weise weitere Crêpes backen.

4 Für die Füllung Aprikosenhälften in einem Sieb abtropfen lassen. Aus Pudding-Pulver, Milch und Zucker nach Packungsanleitung – aber nur mit 300 ml Milch – einen Pudding kochen. Frischkäse unterrühren. Aprikosen in kleine Stücke schneiden und mit Kon-fitüre und Zitronensaft erhitzen. Die Crêpes mit Puddingmasse und Aprikosenmischung füllen und nach Belieben mit Waldmeis-terblättern oder Zitronenmelisse garnieren oder mit Puderzu-cker bestäuben.

Abwandlung: **Die Crêpes mit einer Hackfüllung** servieren. Dafür 1 Zwiebel abziehen und fein würfeln. 125 g Zucchini waschen, abtrocknen, die Enden ab-schneiden und Zucchini in Würfel schneiden. Von 150 g Champignons Stielenden und schlechte Stellen abschneiden, Champignons mit Küchenpapier abreiben, eventuell abspülen, trockentupfen und in Scheiben schneiden. 1 Esslöffel Speiseöl (z. B. Sonnenblumenöl) in einem Topf erhitzen. 300 g Gehacktes (halb Rind-, halb Schweinefleisch) hinzufügen und unter Rühren darin anbraten, dabei die Klümpchen mit Hilfe einer Gabel zerdrücken. Zwiebelwürfel, Champignon-scheiben und Zucchiniwürfel hinzufügen, andünsten, mit Salz und Pfeffer wür-zen und 5-8 Minuten mit Deckel bei schwacher Hitze dünsten. Die Füllung nochmals mit den Gewürzen abschmecken und die Crêpes damit füllen. Nach Belieben mit Champignonscheiben, Zucchinistreifen und Petersilie garnieren.

Kaiserschmarrn
Schnell (2 Portionen)

1 Mehl in eine Rührschüssel sieben und in die Mitte eine Vertiefung eindrücken. Eier trennen. Eigelb mit Salz und Sahne oder Milch verschlagen und etwas davon in die Vertiefung geben. Von der Mitte aus Eigelbflüssigkeit und Mehl verrühren, nach und nach die übrige Eigelbflüssigkeit dazugeben, dabei darauf achten, dass keine Klümpchen entstehen. Eiweiß steif schlagen und mit den Rosinen unterheben.

2 Etwas Butterschmalz oder Öl in einer Pfanne (Ø 28 cm) erhitzen. Die Hälfte des Teiges hineingeben und bei mittlerer Hitze auf der Unterseite hellgelb backen. Den an der Oberfläche noch etwas flüssigen Teig mit 2 Pfannenwendern erst vierteln, dann wenden und goldgelb backen, eventuell noch etwas Fett in die Pfanne geben.

3 Dann den Eierkuchen mit 2 Pfannenwendern in kleine Stücke reißen, auf einem Teller anrichten und warm stellen. Den restlichen Teig auf die gleiche Weise zubereiten. Den Kaiserschmarrn mit Puderzucker bestreut servieren.

Tipp: Den Kaiserschmarrn als süßes Hauptgericht für 2 oder als Dessert für 4 Portionen servieren. Pflaumen- oder Aprikosenkompott dazu reichen.

Abwandlung: **Sie können die Rosinen vor der Verwendung in 1–2 Esslöffeln erwärmten, braunen Rum geben und etwa 30 Minuten durchziehen lassen. Die Rosinen (mit dem Rum) wie oben angegeben unter den Teig geben.**

Zubereitungszeit: etwa 30 Minuten

100 g Weizenmehl
4 Eier (Größe M)
1 Prise Salz
200 ml Schlagsahne oder Milch
50 g Rosinen
50 g Butterschmalz oder 5 EL Speiseöl, z. B. Sonnenblumenöl
Puderzucker

Pro Portion:
E: 22 g, F: 70 g, Kh: 61 g, kJ: 4011, kcal: 958

Quarkpüfferchen
Einfach (2 Portionen)

1 Quark mit Mehl, Eiern, Zitronensaft und Zucker verrühren.

2 Etwas von dem Butterschmalz oder Öl in einer Pfanne erhitzen. Den Teig esslöffelweise hineingeben, etwas flach drücken und bei schwacher bis mittlerer Hitze von beiden Seiten goldbraun backen.

Tipp: Die Quarkpüfferchen mit gezuckerten Beeren (z. B. Erdbeeren, Himbeeren und Brombeeren) oder Kompott servieren.
Die Quarkpüfferchen sind als süße Hauptmahlzeit für 2 Portionen (für 4 Portionen die Zutatenmengen verdoppeln) und als Dessert für 4 Portionen ausreichend.

Pro Portion: E: 25 g, F: 19 g, Kh: 23 g, kJ: 1540, kcal: 368

Zubereitungszeit: etwa 25 Minuten

250 g Speisequark (Magerstufe)
3 schwach geh. EL Weizenmehl
2 Eier (Größe M)
2 EL Zitronensaft
2 EL Zucker
25 g Butterschmalz oder 3 EL Speiseöl, z. B. Sonnenblumenöl

Arme Ritter (Foto links)

Preiswert (6 Portionen)

Zubereitungszeit: etwa 40 Minuten

300 ml Milch
2 Eier (Größe M)
50 g Zucker
6 etwa 1 ½ cm dicke
Scheiben Kastenweißbrot
(2–5 Tage alt)
50 g Butterschmalz
oder 5 EL Speiseöl,
z. B. Sonnenblumenöl

Pro Portion:
E: 6 g, F: 13 g, Kh: 25 g,
kJ: 996, kcal: 238

1 Milch mit Eiern und Zucker verrühren. Weißbrotscheiben in eine Schale legen, mit der Eiermilch übergießen und einweichen lassen (dabei ein- bis zweimal vorsichtig wenden), bis die Milch aufgesogen ist (die Scheiben dürfen nicht zu weich sein).

2 Etwas Butterschmalz oder Öl in einer beschichteten Pfanne erhitzen. Die Brotscheiben darin portionsweise bei mittlerer Hitze von beiden Seiten in etwa 8 Minuten knusprig braun braten. Die armen Ritter heiß servieren.

Tipp: Arme Ritter als Dessert oder süße Hauptmahlzeit z. B. mit Pflaumenkompott (S. 371), Apfelmus (S. 370) oder Vanillesauce (S. 379) servieren.

Abwandlung 1: Für arme Ritter mit Mandel- oder Vanille-Geschmack zusätzlich 3 Esslöffel Mandellikör oder 3 Tropfen Butter-Vanille-Aroma mit Milch und Eiern verrühren. Anstelle von Kastenweißbrot 12 kleine Baguettescheiben verwenden. Die eingeweichten Brotscheiben in etwa 75 g abgezogenen, gemahlenen Mandeln wenden und wie oben angegeben braten.

Abwandlung 2: Für **herzhafte arme Ritter** (Foto rechts) anstelle des Zuckers Milch und Eier mit 1 gestrichenen Teelöffel Salz, etwas Pfeffer und geriebener Muskatnuss verrühren. Die eingeweichten Brotscheiben in 100 g gemahlenen Sonnenblumenkernen oder etwa 75 g abgezogenen, gemahlenen Mandeln wenden und wie oben angegeben braten. Sie können die Brotscheiben zusätzlich nach dem Wenden mit je 1 Scheibe Salami, Tomate und Käse belegen, mit getrocknetem, gerebeltem Oregano bestreuen und mit Deckel fertig backen, bis der Käse verläuft. Mit Blattsalat oder Gemüsesalat servieren.

Tipp: Herzhafte arme Ritter (siehe Abwandlung 2) eignen sich auch als Beilage zu Suppen oder zu Ratatouille (S. 202). Um einen Knoblauchgeschmack zu erhalten, 1–2 Knoblauchzehen abziehen, durch die Knoblauchpresse drücken, zu der Milch geben und 20 Minuten stehen lassen. Milch durch ein Sieb geben, mit Eiern und Gewürzen verrühren, das Brot darin einweichen und wie oben angegeben braten.

Filettoast mit Käse (Foto hinten)

Etwas teurer

Zubereitungszeit: etwa 30 Minuten

300 g Schweinefilet
2 EL Speiseöl, z. B.
Sonnenblumenöl
Salz
frisch gemahlener Pfeffer
4 Scheiben Schinken-
speck (60 g)
4 Scheiben Toastbrot
30 g Butter
200 g Camembert
einige Salatblätter,
z. B. Kopfsalat,
Endiviensalat
evtl. grob gemahlener
Pfeffer

Außerdem:
Backpapier

Pro Portion:
E: 32 g, F: 22 g, Kh: 10 g,
kJ: 1536, kcal: 367

1 Den Backofengrill vorheizen. Schweinefilet unter fließendem kalten Wasser abspülen, trockentupfen und in 8 Stücke schneiden. Öl in einer Pfanne erhitzen. Die Filetstücke darin von jeder Seite etwa 2 Minuten braten, mit Salz und Pfeffer würzen, aus der Pfanne nehmen und warm stellen.

2 Schinkenspeckscheiben in dem verbliebenen Bratfett kurz anbraten und aus der Pfanne nehmen. Toastbrot toasten und mit Butter bestreichen. Camembert in Scheiben schneiden.

3 Salatblätter abspülen, trockentupfen und auf die Toastscheiben legen. Nacheinander Speckscheiben, Filetstücke und Camembertscheiben darauf verteilen.

4 Die Toasts auf ein mit Backpapier belegtes Backblech legen. Das Backblech kurz unter den Backofengrill schieben, bis der Käse anfängt zu zerlaufen. Die Toasts nach Belieben mit Pfeffer bestreuen.

Tipp: Wenn Sie keinen Backofengrill haben, schieben Sie die Toasts in den vorgeheizten Backofen, bis der Käse zerläuft (Temperatur siehe Abwandlung 2).

Abwandlung 1: Für einen **Käsetoast mit Frühlingszwiebeln** (Foto rechts) 2 Tomaten waschen, abtrocknen, die Stängelansätze herausschneiden und Tomaten in Scheiben schneiden. Von 2 Frühlingszwiebeln Wurzelenden und dunkles Grün entfernen, Frühlingszwiebeln waschen, abtropfen lassen, auf die Länge von 4 Scheiben Weißbrot zurecht schneiden und längs halbieren. Die Brotscheiben toasten, mit 60 g Erdnusscreme bestreichen und nacheinander jede Brotscheibe mit je 1 Scheibe Bratenaufschnitt (je 20 g), 2–3 Tomatenscheiben, 1 Frühlingszwiebelhälfte und 1 Scheibe dänischem Butterkäse (je 30 g) belegen. Die Toasts auf ein mit Backpapier belegtes Backblech legen und unter dem vorgeheizten Backofengrill überbacken, bis der Käse anfängt zu zerlaufen.

Abwandlung 2: Für einen **Toast Hawaii** (Foto links) 4 Scheiben Toastbrot toasten und mit 30 g Butter bestreichen. Jede Toastscheibe nacheinander mit je 1 Scheibe gekochtem Schinken (je 40 g), 1 Scheibe Ananas aus der Dose (je 80 g) und 1 Scheibe Käse, z. B. jungem Gouda-Käse (je 60 g) belegen. Die Toasts auf ein mit Backpapier belegtes Backblech legen. Das Backblech in den vorgeheizten Backofen schieben und bei Ober- und Unterhitze bei etwa 200 °C (Heißluft etwa 180 °C, Gas Stufe 3–4) etwa 8 Minuten überbacken.

Tipp: Die Toasts z. B. mit gemischtem Blattsalat (S. 252) oder Eisbergsalat (S. 250) servieren.

Lachs-Wraps (Foto)
Einfach (8 Stück)

Zubereitungszeit: etwa 40 Minuten

**je 1 rote und gelbe
Paprikaschote (je 200 g)
250 g Rucola (Rauke)
1 Kästchen Kresse
8 Weizentortillas**

Für die Sauce:
**2 Becher (je 150 g)
Crème fraîche
2–3 EL Sahnemeerrettich
(aus dem Glas)
Salz, Pfeffer, Zucker**

**250 g Räucherlachs in
Scheiben**

Pro Stück:
E: 12 g, F: 17 g, Kh: 24 g,
kJ: 1209, kcal: 289

1 Paprikaschoten halbieren, entstielen, entkernen, die weißen Scheidewände entfernen, die Schoten waschen und in Streifen schneiden. Rucola verlesen, dicke Stängel abschneiden, Rucola waschen und trockenschleudern. Kresse abspülen und trockentupfen.

2 Tortillas nach Packungsanleitung im Backofen oder nacheinander in einer Pfanne ohne Fett beidseitig kurz erwärmen.

3 Für die Sauce Crème fraîche mit Sahnemeerrettich verrühren und mit Salz, Pfeffer und Zucker würzen. Die Tortillas mit der Hälfte der Sauce bestreichen und Rucola und Kresse darauf verteilen. Je 1–2 Lachsscheiben darauf legen, die Paprikastreifen darüber streuen und die restliche Sauce darauf verteilen.

4 Die Tortillas fest aufrollen, halbieren und sofort servieren oder kurz kalt stellen.

Tipp: Stellen Sie die Tortillas zum Servieren in niedrige Gläser oder umwickeln Sie das untere Ende fest mit einer Serviette.
Die Lachs-Wraps nicht zu lange vor dem Verzehr vorbereiten, da sie sonst durchweichen.

Bruschetta
Schnell

Zubereitungszeit: etwa 20 Minuten

**5 reife Tomaten
1 Knoblauchzehe
1 EL fein geschnittene
Basilikumblättchen
etwa 3 EL Olivenöl
Salz, Pfeffer
8 große Scheiben
Baguette
Basilikumblättchen**

Pro Portion:
E: 5 g, F: 8 g, Kh: 32 g,
kJ: 953, kcal: 227

1 Den Backofen vorheizen. Tomaten waschen, abtropfen lassen, kreuzweise einschneiden, kurz in kochendes Wasser legen und in kaltem Wasser abschrecken. Tomaten enthäuten, die Stängelansätze herausschneiden, Tomaten vierteln, entkernen und in Würfel schneiden. Knoblauch abziehen, fein hacken und mit Basilikum und Öl unter die Tomatenwürfel rühren. Mit Salz und Pfeffer würzen.

2 Die Baguettescheiben auf ein Backblech legen. Das Backblech in den Backofen schieben und die Baguettescheiben rösten.

Ober-/Unterhitze: etwa 220 °C (vorgeheizt), Heißluft: etwa 200 °C (vorgeheizt), Gas: Stufe 4–5 (vorgeheizt), Röstzeit: etwa 5 Minuten.

3 Die Tomatenmasse auf den Baguettescheiben verteilen, mit Basilikumblättchen garnieren und sofort servieren.

Fladenbrot-Pizza
Einfach

Zubereitungszeit: etwa 40 Minuten

1 Fladenbrot
4 Tomaten
**$^1\!/_2$ Bund Frühlings-
zwiebeln**
**125 g Feta-Käse oder
Schafkäse**
**50 g trocken eingelegte
schwarze Oliven**
**250 g Thüringer Mett
(gewürztes Schweine-
gehacktes)**
100 g Tsatsiki
etwas Gyros-Gewürz

Außerdem:
Backpapier

Pro Portion:
E: 19 g, F: 23 g, Kh: 6 g,
kJ: 1298, kcal: 310

1 Das Fladenbrot auf ein mit Backpapier belegtes Backblech legen. Den Backofen vorheizen.

2 Tomaten waschen, abtrocknen, die Stängelansätze heraus-schneiden und Tomaten in dünne Scheiben schneiden. Von den Frühlingszwiebeln Wurzelenden und dunkles Grün entfernen, Frühlingszwiebeln waschen, abtropfen lassen und in feine Ringe schneiden.

3 Feta- oder Schafkäse abtropfen lassen und in kleine Würfel schneiden. Oliven entsteinen, grob zerteilen und mit den Käse-würfeln mischen.

4 Mett gleichmäßig dünn auf dem Fladenbrot verteilen. Tsatsiki in Klecksen darauf verteilen. Tomatenscheiben und Frühlingszwiebel-ringe darauf geben und mit Gyros-Gewürz bestreuen.

5 Die Oliven-Käse-Mischung darauf streuen. Das Backblech in den Backofen schieben.

Ober-/Unterhitze: etwa 180 °C (vorgeheizt), Heißluft: etwa 160 °C (vorgeheizt), Gas: Stufe 2–3 (vorgeheizt), Backzeit: etwa 20 Minuten.

6 Die Fladenbrot-Pizza zum Servieren in Stücke schneiden.

Tipp: Zur Fladenbrot-Pizza z. B. Blattsalat, Gurkensalat (S. 254) oder einge-legte Kürbisstücke servieren.

Abwandlung: Für eine **Fladenbrot-Pizza mit Hähnchenstreifen** anstelle des Thüringer Metts 250 g Hähnchenbrustfilet unter fließendem kalten Wasser abspülen, trockentupfen, in dünne, kurze Streifen schneiden, unter Rühren in 2 Esslöffeln erhitztem Olivenöl anbraten, mit Salz, Pfeffer und Paprikapulver edelsüß würzen, abkühlen lassen und anstelle des Metts auf dem Fladenbrot verteilen. Das Fladenbrot wie angegeben mit den übrigen Zutaten belegen und backen.

Gefüllte Baguettebrötchen
Für Kinder (4 Stück)

1 Tomaten waschen, abtrocknen und die Stängelansätze herausschneiden. Gurke waschen, abtrocknen und die Enden abschneiden. Tomaten und Gurke in Scheiben schneiden. Schinken in
Streifen, Camembert in Scheiben schneiden. Salatblätter und
Kräuterblättchen abspülen und trockentupfen.

2 Baguettebrötchen waagerecht halbieren und mit Butter bestreichen. Die unteren Hälften nacheinander mit Salatblättern,
Tomatenscheiben, Gurkenscheiben, Schinkenstreifen, Camembertscheiben und Kräuterblättchen belegen und mit den oberen
Baguettehälften bedecken.

Tipp: Die Gurken- und Tomatenscheiben nach Belieben salzen und pfeffern.

Abwandlung: Für ein **gefülltes Fladenbrot** 150 g Möhren putzen, schälen,
waschen und grob raspeln. 70 g Eisbergsalat putzen und in dünne Streifen
schneiden. 100 g Kasseler-Aufschnitt in Streifen schneiden. 1–2 Teelöffel
Balsamico-Essig mit Salz und Pfeffer verrühren, 2 Esslöffel Olivenöl unterschlagen. Die Sauce mit 1 Esslöffel Schnittlauchröllchen und den vorbereiteten Zutaten vermengen. 1 rundes Fladenbrot aufbacken, vierteln, die Brot-
stücke waagerecht aufschneiden, dabei am Rand nicht ganz durchschneiden,
aufklappen und mit dem Salat füllen.

Zubereitungszeit: etwa 15 Minuten

2 Tomaten
150 g Salatgurke
100 g gekochter Schinken
200 g Camembert
einige Salatblätter
Kräuterblättchen,
z. B. Basilikum, Petersilie
4 Baguettebrötchen
(je etwa 80 g)
40 g Butter

Pro Stück:
E: 23 g, F: 22 g, Kh: 42 g,
kJ: 1933, kcal: 462

Tomaten mit Mozzarella
Klassisch

1 Tomaten waschen, abtrocknen, die Stängelansätze herausschneiden und Tomaten in Scheiben schneiden. Mozzarella abtropfen lassen und ebenfalls in Scheiben schneiden. Tomaten-
und Mozzarellascheiben abwechselnd auf einer Platte anrichten.

2 Für die Sauce Essig mit Salz, Pfeffer und Zucker verrühren.
Öl unterschlagen. Die Sauce über die Zutaten gießen. Mit Basilikumblättchen garnieren.

Tipp: Mit Ciabatta (italienisches Weißbrot) servieren.

Abwandlung: Für Tomaten und Zucchini mit Mozzarella zusätzlich
200 g Zucchini waschen, abtrocknen, die Enden abschneiden und in Scheiben
schneiden. Zucchinischeiben in 2 Esslöffeln erhitztem Olivenöl kurz braten,
mit Salz bestreuen und abkühlen lassen. Zucchinischeiben mit Tomaten-
und Mozzarellascheiben anrichten.

Zubereitungszeit: etwa 15 Minuten

7 Tomaten
250 g Mozzarella-Käse

Für die Sauce:
etwa 2 EL Balsamico-
Essig
Salz, Pfeffer, Zucker
4 EL Olivenöl
Basilikumblättchen

Pro Portion:
E: 14 g, F: 20 g, Kh: 4 g,
kJ: 1073, kcal: 256

Fruchtig-pikante Käsehäppchen
Für Gäste (8 Portionen)

Zubereitungszeit: etwa 50 Minuten

Für den Teig:

400 g Weizenmehl
1 Pck. Backpulver
150 g Naturjoghurt
(3,5 % Fett)
100 ml Sonnenblumenöl
¹/₂ TL Salz
1 Ei (Größe M)

Für den Belag:

¹/₂ Becher (75 g) Crème
fraîche
1 kleine Dose Aprikosen
(Abtropfgewicht 240 g)
1 kleine Dose Birnen
(Abtropfgewicht 230 g)
100 g Walnusskerne
150 g Weichschimmelkäse
(Blau- und Weißschimmel)

Außerdem:

Fett für das Backblech
evtl. Zitronenmelisse
oder Basilikum

Pro Portion:

E: 13 g, F: 34 g, Kh: 50 g,
kJ: 2316, kcal: 555

1 Den Backofen vorheizen. Für den Teig Mehl mit Backpulver mischen und in eine Rührschüssel sieben. Joghurt, Öl, Salz und Ei hinzufügen. Die Zutaten mit einem Handrührgerät mit Knethaken kurz zu einem glatten Teig verarbeiten.

2 Den Teig auf einem gefetteten Backblech (40 x 30 cm) ausrollen und mit Crème fraîche bestreichen.

3 Aprikosen und Birnen getrennt jeweils in einem Sieb abtropfen lassen und in Würfel schneiden. Walnusskerne hacken. Käse in Würfel schneiden.

4 Auf einer Teighälfte die Aprikosenwürfel, auf der anderen Hälfte die Birnenwürfel verteilen. Käsewürfel mit den gehackten Walnusskernen auf dem ganzen Blech verteilen. Das Backblech auf der mittleren Einschubleiste in den Backofen schieben.

Ober-/Unterhitze: etwa 200 °C (vorgeheizt), Heißluft: etwa 180 °C (vorgeheizt), Gas: Stufe 3-4 (vorgeheizt), Backzeit: etwa 25 Minuten.

5 Das Gebäck in kleine Stücke schneiden. Nach Belieben Zitronenmelisse oder Basilikum abspülen, trockentupfen, die Blättchen von den Stängeln zupfen, in Streifen schneiden und auf den Käsehäppchen verteilen. Die Häppchen warm oder kalt servieren.

Tipp: Die Käsehäppchen zu Wein oder Bier reichen.

Staudensellerie mit Dips
Für Gäste

Zubereitungszeit: etwa 50 Minuten

800 g Staudensellerie

Für den Eier-Dip:
3 hart gekochte Eier
100 g Frischkäse
4 EL Schlagsahne oder
Milch
1 EL gehackter Estragon
Salz, Pfeffer

Für den Knoblauch-Dip:
2 Knoblauchzehen
1 EL Kapern
2 EL gehackte Petersilie
2 EL Schnittlauchröllchen
100 g Frischkäse
4 EL Naturjoghurt
(3,5 % Fett)
Salz, Pfeffer

Für den Orangen-
Meerrettich-Dip:
½ Orange (unbehandelt)
100 g Frischkäse
1 EL geriebener
Meerrettich (aus dem
Glas)
Salz, Pfeffer

Für den Crème-fraîche-
Dip:
1 Becher (150 g) Crème
fraîche
1 geh. EL Tomatenketchup
2 EL gehackte Kräuter,
z. B. Petersilie,
Schnittlauch, Dill, Kresse
Salz, Pfeffer, Zucker

1 Von dem Staudensellerie Wurzelenden und welke Blätter entfernen, die harten Außenfäden abziehen, die Stangen waschen, abtropfen lassen und in einem Glas anrichten.

2 Für den Eier-Dip (Foto oben) Eier pellen und halbieren. Eigelb herauslösen, mit einer Gabel zerdrücken, mit Frischkäse, Sahne oder Milch und Estragon verrühren und mit Salz und Pfeffer würzen. Eiweiß fein hacken und unterrühren.

3 Für den Knoblauch-Dip (Foto unten) Knoblauch abziehen und durch die Knoblauchpresse drücken. Kapern abtropfen lassen und fein hacken. Beide Zutaten mit Petersilie, Schnittlauch, Frischkäse und Joghurt verrühren und mit Salz und Pfeffer würzen.

4 Für den Orangen-Meerrettich-Dip (Foto links) Orange heiß waschen, abtrocknen, halbieren, von der Hälfte die Schale mit einem scharfen Messer dünn abschälen und in feine Streifen schneiden oder mit Hilfe eines Zestenreißers abschälen. Dann die Hälfte auspressen (ergibt 2 Esslöffel). Orangensaft mit Frischkäse und Meerrettich verrühren, mit Salz und Pfeffer würzen und mit den Orangenstreifen garnieren.

5 Für den Crème-fraîche-Dip (Foto rechts) Crème fraîche mit Tomatenketchup und Kräutern verrühren und mit Salz, Pfeffer und Zucker würzen.

6 Die Staudenselleriestangen mit den Dips servieren.

Tipp: Sie können die Dips auch zu anderen rohen, in Stifte geschnittenen Gemüsesorten (z. B. Möhren, Salatgurke, Paprika, Kohlrabi) servieren. Für den Crème-fraîche-Dip können Sie anstelle der frischen Kräuter auch 1 Päckchen (25 g) gemischte TK-Kräuter verwenden.

Pro Portion: E: 17 g, F: 43 g, Kh: 11 g, kJ: 2065, kcal: 495

Desserts

Pudding (Flammeri)

Ein Flammeri (Kochpudding) wird aus Speisestärke, Zucker, Milch und Eiern zubereitet (siehe Rezept S. 361). Im Handel gibt es außerdem eine große Vielfalt an Pudding-Pulvern, die die Zubereitung eines Puddings noch einfacher machen. Wenn Eischnee in einen gekochten Pudding gegeben wird, muss der Eischnee so steif geschlagen werden, dass ein Messerschnitt sichtbar bleibt, und unter die kochend heiße Masse gehoben werden, sonst setzt er sich ab und verflüssigt den Pudding. Pudding, der gestürzt werden soll, in eine große mit kaltem Wasser ausgespülte Sturzform oder 4 Portionsförmchen füllen und mindestens 4 Stunden in den Kühlschrank stellen. Vor dem Stürzen die obere Außenkante des Puddings mit einem spitzen Messer leicht lösen.

Instantpudding

Kalte Flüssigkeit wird mit Stärke, Gelatine oder pflanzlichen Gelierstoffen gebunden. Diese Puddinge werden kalt angerührt, nicht gekocht und sind meist sofort verzehrfertig. Bitte beachten Sie bei der Zubereitung die Packungsanleitung.

Fruchtgrütze

Für eine Fruchtgrütze (z. B. rote Grütze, grüne Grütze) werden Beeren oder klein geschnittene Früchte mit Obstsaft aufgekocht und mit angerührter Speisestärke angedickt. Eine weitere, vitaminschonende Möglichkeit ist es, den Saft für die Grütze anzudicken und die Früchte erst unter den angedickten Saft zu mischen, aber nicht aufzukochen. Das Aroma und die kräftigen Farben der Früchte bleiben so erhalten. Bei Verwendung von tiefgekühlten Früchten muss der Saft sehr stark angedickt werden und die gefrorenen Früchte unter den kochend heißen, angedickten Saft gemischt werden (nicht aufkochen).

Eis und Sorbet

Grundzutaten für Eis sind Zucker, Eier, Milch oder Sahne und geschmacksgebende Zutaten, z. B. Vanille, Schoko-lade, Zitrone, Erdbeere. Die Zutaten werden zuerst im heißen Wasserbad aufgeschlagen und dann durch Einfrieren gefestigt. Die Einhaltung der genauen Mengen ist wichtig, denn Eis wird körnig, wenn zu wenig Zucker verwendet wird und nicht fest bei Zugabe von zu viel Zucker.
Sorbet wird aus Fruchtpüree, Zuckersirup und eventuell Eischnee zubereitet und tiefgefroren. Es ist wichtig, während der Gefrierzeit mehrmals umzurühren, damit das Sorbet eine cremige Konsistenz bekommt.
Wer eine Eismaschine hat, kann sowohl Eis als auch Sorbets darin zubereiten (Herstellerangaben beachten).

Fruchtsalat/Obstsalat

Für Frucht- oder Obstsalate sollte nur reifes Obst der Saison ausgewählt werden. Es ist süß und macht zusätzlichen Zucker überflüssig. Zuerst etwas frisch gepressten Grapefruit- oder Orangensaft in die Schüssel geben und danach die vorbereiteten, frischen Früchte untermischen. Anstatt des Saftes können auch saftziehende Früchte (Trauben, Melonen, Erdbeeren) zuerst in die Schüssel gegeben werden. Die Säure in dem Saft bewirkt, dass empfindliche Früchte, wie z. B. Bananen oder Äpfel, ihre Farbe behalten und nicht braun werden. Bei Fruchtsalaten sollte man darauf achten, Früchte von verschiedener Konsistenz und Farbe und verschiedenem Geschmack zusammenzustellen, z. B. saftige Pfirsiche, knackige Äpfel, cremige Bananen, säuerliche Kiwis.

Orangen filetieren/filieren

Mit einem scharfen Messer am Blütenansatz und der Unterseite der Orange bis zum Ansatz des Fruchtfleischs je einen Deckel abschneiden. Die Orange auf ein Schneidbrett stellen und mit dem Messer von oben nach unten die Schale rundherum so dick abschneiden, dass auch die weiße Haut mit entfernt wird. Dann die Fruchtfilets vorsichtig nacheinander zwischen den Trennhäuten herausschneiden. Dabei den Saft auffangen und eventuell für das Rezept mitverwenden.

Gelatine

Gelatine ist ein häufig verwendetes Geliermittel für Cremes und Fruchtgelees, da sie geschmacksneutral ist. Es gibt weiße und rote, gemahlene und Blattgelatine. Als Faustregel gilt:

500 ml (½ l) Flüssigkeit wird mit 6 Blatt oder 1 Päckchen gemahlener Gelatine sturzfest. Bei der Verwendung von Gelatine bitte auch die Packungsanleitung beachten.

- **Einweichen:** Blattgelatine in kaltem Wasser etwa 5 Minuten einweichen. Gemahlene Gelatine mit 6 Esslöffeln kalter Flüssigkeit (abhängig vom Rezept) in einem kleinen Topf anrühren und 5 Minuten quellen lassen.

- **Auflösen:** Gequollene Blattgelatine leicht ausdrücken und tropfnass in einem kleinen Topf unter Rühren bei schwacher Hitze auflösen.

Gequollene, gemahlene Gelatine unter Rühren bei schwacher Hitze auflösen.
- **Kalte Flüssigkeiten oder Massen festigen:** 2–3 Esslöffel von der zu festigenden Flüssigkeit oder Masse zu der lauwarmen Gelatinelösung geben und verrühren (Temperaturausgleich). Die Mischung dann mit einem Schneebesen unter die übrige Flüssigkeit oder Masse rühren.
- **Heiße Flüssigkeiten festigen:** Gequollene, ausgedrückte Blattgelatine oder gequollene, gemahlene Gelatine unaufgelöst in die heiße, aber nicht mehr kochende Flüssigkeit geben und so lange rühren, bis sie sich vollständig aufgelöst hat.
- **Erkalten und Ausgelieren:** Die Speise mehrere Stunden möglichst in den Kühlschrank stellen. In kühlen Räumen (z. B. Keller) dauert es viel länger, bis die Speise fest wird.

Tipp
- Steif geschlagene Sahne oder Eischnee in Gelatinespeisen erst einrühren, wenn die Masse zu gelieren beginnt.

- Einige Früchte (z. B. Ananas, Kiwi, Feigen und Papaya) müssen vor der Verarbeitung blanchiert werden. Sie enthalten in rohem Zustand ein eiweißspaltendes Enzym, das die Gelierfähigkeit von Gelatine beeinträchtigt.

Kleine Warenkunde

Ananas

hat eine braungeschuppte, nicht essbare Schale. Je ausgeprägter die Schuppe, desto aromatischer ist die Frucht. Reife Früchte sind sehr aromatisch und saftig. Bei reifen Früchten lassen sich die Blättchen leicht aus der Blattkrone herausziehen.

Datteln

Die länglich-ovalen Früchte sind außen rötlichbraun und innen weiß mit einem harten ungenießbaren Stein. Datteln haben einen honigsüßen Geschmack.

Feigen

sind sehr empfindliche Früchte von unterschiedlicher Farbe. Das rötliche Fruchtfleisch hat viele kleine, essbare Kerne.

Nur reife Früchte sind aromatisch. Feigen sind nicht lange lagerfähig. Meist getrocknet im Handel.

Granatapfel

Die runde, bis 500 g schwere Frucht hat eine ledrige Schale und ein geleeartiges Fruchtfleisch mit essbaren Kernen, das durch weiße Trennhäute (bitter und nicht essbar) in Kammern unterteilt wird.

Grapefruit

hat eine gelbe bis orangefarbene Schale und gelbes bis rosafarbenes Fruchtfleisch. Sie ist sehr saftig, mit einem leicht säuerlich-bitteren Geschmack. Die Früchte quer halbieren und auslöffeln, auspressen oder wie Orangen filetiert im Obstsalat verwenden.

Guave

Die Frucht ist rundlich, ei- oder birnenförmig mit einer gelblichen Schale. Die Frucht schmeckt süß-säuerlich und ist sehr reich an Vitamin C.

Kaki/Sharon

Kaki ist eine tomatenähnliche, runde Frucht mit orangefarbener, glatter, glänzender, nicht essbarer Haut. Das etwas durchsichtige Fruchtfleisch hat wenige Kerne. Reife Früchte sind weich und süßlich, unreife Früchte schmecken pelzig. Für Fruchtpürees und Quarkspeisen gut geeignet. Sharonfrüchte haben eine leicht quadratische Form und können wie ein Apfel aus der Hand gegessen werden.

Kaktusfeige

ist eine grünrötliche Frucht mit sehr feinen Stacheln und ungenießbarer Schale. Das gelbrötliche Fruchtfleisch hat zahlreiche, essbare Kerne und einen frischen, aromatischen Geschmack. Grüne Früchte sind noch nicht reif. Früchte vorsichtig schälen oder halbieren und auslöffeln.

Kap-Stachelbeeren (Physalis)

haben eine papierdünne Hülle, in der eine kugelige, hellgelbgelborange Frucht sitzt. Das Fruchtfleisch ist hell, mit einem etwas säuerlichen, ananasähnlichen Geschmack. Kerne und Schale sind essbar. Kapstachelbeeren können roh verzehrt werden und schmecken am besten, wenn die Früchte gelb und vollreif sind.

Karambole (Sternfrucht)

Eine gelbe Frucht, die beim Durchschneiden ein sternförmiges Aussehen hat. Sie wird überwiegend frisch verzehrt und wegen der attraktiven Form als Dekoration verwendet.

Kiwi

hat eine olivbraune oder goldgelbe leicht behaarte, ungenießbare Schale. Das hellgrüne oder gelbe Fruchtfleisch ist etwas säuerlich mit essbaren Kernen. Die Früchte schälen oder halbieren, mit einem Löffel an der Schaleninnenseite entlangfahren und das Fruchtfleisch herausheben. Kiwis lassen sich gut bis zu 1 Woche im Kühlschrank lagern.

Kumquat (Zwergorange)

Eine sehr kleine Zitrusfrucht, die mit Schale verzehrt wird. Eine hocharomatische Frucht mit einem hohen Kalzium- und Vitamin-C-Gehalt.

Limette

Eine Zitrusfrucht mit grünlichem Fruchtfleisch, welches sehr saftig, hocharomatisch und meist kernlos ist. Sie ist etwas milder im Geschmack als eine Zitrone, aber genauso vielseitig einsetzbar.

Litschi

ist eine pflaumengroße Frucht mit runzeliger, rotbrauner, ungenießbarer Schale. Das Fruchtfleisch ist hell und saftig mit einem braunschwarzen, nicht essbaren Stein. Die Früchte haben einen süß-säuerlichen, leicht nussartigen Geschmack. Bei reifen Litschis lässt sich die Schale leicht eindrücken und von der Frucht glatt abheben. In den Wintermonaten im Handel.

Mango

hat eine grünrote bis gelbe, glatte, nicht essbare Schale und gelbes, saftiges Fruchtfleisch mit einem nicht essbaren Stein. Reife Früchte haben ein sehr intensives Aroma und die Schale gibt bei leichtem Druck nach. Das Fruchtfleisch ist süß und leicht herb

Melonen

gibt es in unterschiedlichen Größen und Farben. Die Schalen sind ungenießbar. Das Fruchtfleisch ist sehr saftig und aromatisch, der Geschmack reicht von süßlich-mild (Wassermelonen) bis zu intensiver Süße (Honigmelonen, Galiamelonen). Die Kerne und Fasern im Inneren sind nicht essbar. Reife Früchte lassen sich am Stielansatz etwas eindrücken und haben einen intensiven Duft.

Papayas

haben eine grünrote oder grüngelbe, ledrige, nicht essbare Schale. Das gelbe Fruchtfleisch ist süß, mit kleinen, nicht essbaren Kernen. Papayas eignen sich sehr gut für Obstsalate. Sie sind reif, wenn die Schale gelblich wird und bei leichtem Fingerdruck etwas nachgibt.

Passionsfrüchte (Maracuja)

ist grüngelb oder grünrot, mit verschrumpelter, nicht essbarer Schale. Das rötlich-orangefarbene Fruchtfleisch hat viele essbare Kerne und einen süßen, aromatischen Geschmack. Reife Früchte haben eine sehr verschrumpelte Haut.

Bayerische Creme, gestürzt (Foto vorne)

Klassisch (4-5 Portionen)

Zubereitungszeit: etwa 40 Minuten, ohne Kühlzeit

1 Vanilleschote
250 ml (¹/₄ l) Milch
6 Blatt weiße Gelatine
3 Eigelb (Größe M)
75 g Zucker
250 ml (¹/₄ l) gekühlte
Schlagsahne

Pro Portion:

E: 8 g, F: 24 g, Kh: 21 g,
kJ: 1383, kcal: 330

1 Vanilleschote aufschlitzen. Das Mark mit einem Messerrücken herausschaben, mit Milch in einen Topf geben und zum Kochen bringen. Gelatine nach Packungsanleitung in kaltem Wasser einweichen.

2 Eigelb mit Zucker in einer Edelstahlschüssel oder einem Edelstahltopf mit einem Schneebesen verrühren. Die heiße Milch unter Rühren dazugeben. Bei mittlerer Hitze im heißen Wasserbad unter ständigem Schlagen erhitzen, bis die Masse leicht dicklich und weiß wird (Wasser und Masse dürfen aber nicht kochen, da die Masse sonst gerinnt). Die Masse von der Kochstelle nehmen.

3 Gelatine gut ausdrücken und in der noch heißen Masse unter Rühren auflösen. Die Masse anschließend durch ein feines Sieb passieren und abkühlen lassen, dabei gelegentlich durchrühren.

4 Sobald die Masse anfängt dicklich zu werden, Sahne steif schlagen und unterheben. Die Creme in 4-5 mit kaltem Wasser ausgespülte Portionsförmchen oder Tassen (150-200 ml Inhalt) füllen und im Kühlschrank etwa 3 Stunden fest werden lassen.

5 Die Creme jeweils vorsichtig mit einem spitzen Messer vom Rand lösen. Die Förmchen kurz in heißes Wasser stellen und die Creme auf Dessertteller stürzen. Nach Belieben garnieren.

Tipp: Die Bayerische Creme mit geschlagener Schlagsahne und Früchten, Fruchtpüree oder Schokoladensauce (S. 379) anrichten.

Abwandlung 1: Für eine **Bayerische Cappuccinocreme** (Foto hinten) zusätzlich 5 Teelöffel Instant-Espressopulver zusammen mit der Gelatine in der Eigelb-Milch-Masse auflösen und wie oben angegeben fertig stellen. Die Creme in Cappuccinotassen füllen und kalt stellen. Vor dem Servieren 125 ml (¹/₈ l) Schlagsahne halb steif oder steif schlagen, als Haube auf die Creme geben und mit Kakaopulver bestäuben.

Abwandlung 2: Für eine **Bayerische Orangencreme** zusätzlich 3 Esslöffel Orangenlikör unter die durch ein Sieb passierte Eigelb-Milch-Masse rühren und wie oben angegeben fertig stellen. Die Masse mit Orangenfilets (von 2-3 Orangen) in Glasschälchen oder Gläser einschichten und kalt stellen.

Abwandlung 3: Für eine **Bayerische Schokoladencreme** zusätzlich 150 g Zartbitterschokolade hacken, vor der Gelatinezugabe in die Eigelb-Milch-Masse geben und darin unter Rühren schmelzen. Dann Gelatine (nur 4 Blatt Gelatine verwenden, die Masse wird sonst zu fest) darin auflösen und wie oben angegeben fertig stellen (ergibt 6 Portionsförmchen zu je 150 ml).

Grießpudding
Für Kinder

Zubereitungszeit: etwa 15 Minuten,
ohne Kühlzeit

½ Vanilleschote
500 ml (½ l) Milch
75 g Zucker
abgeriebene Schale von
½ Zitrone (unbehandelt)
50 g Weichweizengrieß
1 Ei (Größe M)

Pro Portion:
E: 7 g, F: 6 g, Kh: 34 g,
kJ: 925, kcal: 221

1   Vanilleschote der Länge nach aufschlitzen (Foto 1) und das Mark mit einem Messerrücken herausschaben. Milch mit Zucker, Zitronenschale, Vanilleschote und -mark in einem Topf zum Kochen bringen. Grieß unter Rühren einstreuen (Foto 2), zum Kochen bringen und etwa 1 Minute unter Rühren kochen lassen.

2   Den Topf von der Kochstelle nehmen und die Vanilleschote entfernen. Ei trennen und Eigelb zügig unterrühren. Eiweiß steif schlagen und zügig unter den heißen Pudding heben.

3   Den Grießpudding in eine mit kaltem Wasser ausgespülte Puddingform, Schale oder Portionsförmchen füllen. Den Grießpudding abkühlen lassen und dann etwa 3 Stunden kalt stellen.

4   Vor dem Servieren den Pudding mit einem Messer vorsichtig vom Rand lösen und auf einen Teller stürzen (Foto 3).

Hinweis: Nur ganz frische Eier verwenden, die nicht älter als 5 Tage sind (Legedatum beachten!). Die fertige Speise im Kühlschrank aufbewahren und innerhalb von 24 Stunden verzehren.

Tipp: Den Grießpudding mit frischem Obst und Schlagsahne, Pflaumenkompott (S. 371) oder pürierten Aprikosen servieren.
Da die Grießmasse beim Kochen spritzen kann, eignet sich ein Löffel oder Schneebesen mit langem Stiel besonders gut zum Umrühren.

Abwandlung 1: Für **Maisgrießpudding** Milch, Zucker, Zitronenschale, Vanilleschote und -mark und zusätzlich 20 g Butter zum Kochen bringen. Anstelle von Weizengrieß Maisgrieß (Polentagrieß) verwenden und den Pudding wie oben angegeben zubereiten.

Abwandlung 2: Für einen **Grieß-Quark-Pudding** nach dem Eischnee zusätzlich 125 g Speisequark (20 % Fett i. Tr.) unter den lauwarmen Pudding rühren (eventuell etwas nachsüßen).

Abwandlung 3: Für einen **Grießpudding mit Zimt** anstelle der Vanilleschote 1 Zimtstange verwenden.

Vanilleflammeri
Klassisch (4–5 Portionen)

1 Stärke mit der Hälfte des Zuckers mischen. Nach und nach mit mindestens 6 Esslöffeln von der Milch und mit dem Eigelb glatt rühren. Vanilleschote aufschlitzen und das Mark mit einem Messerrücken herausschaben.

2 Übrige Milch mit Salz, Vanillemark und -schote aufkochen, von der Kochstelle nehmen, Schote entfernen und die angerührte Stärke einrühren. Flammeri unter Rühren mindestens 1 Minute kochen lassen, dann von der Kochstelle nehmen.

3 Eiweiß mit dem restlichen Zucker steif schlagen, unter die heiße Masse heben und zugedeckt 10 Minuten stehen lassen. Flammeri in 4 oder 5 kalt ausgespülte Tassen oder Portionsförmchen (je 200 ml Inhalt) geben. Flammeri mindestens 4 Stunden in den Kühlschrank stellen.

4 Den Flammeri jeweils vorsichtig mit einem spitzen Messer vom Rand lösen. Die Förmchen kurz in warmes Wasser stellen und aus den Tassen oder Portionsförmchen auf Dessertteller stürzen.

Tipp: Wenn Sie den Flammeri nicht stürzen wollen, füllen Sie ihn in eine Glasschüssel. Damit sich keine Haut bildet, den Flammeri mit etwas Zucker betreuen oder Frischhaltefolie direkt auf die Oberfläche legen.
Den Flammeri mit steif geschlagener Schlagsahne und frischem Obst oder Kompott servieren.

Abwandlung 1: Für einen **Mandelflammeri** zusätzlich 70 g abgezogene, gehackte Mandeln in einer Pfanne ohne Fett bei schwacher Hitze goldbraun rösten, abkühlen lassen und vor Zugabe des Eischnees unter den Flammeri rühren.

Abwandlung 2: Für einen **Pistazien-Orangen-Flammeri** zusätzlich 1 Päckchen (25 g) gehackte Pistazienkerne, 1 Teelöffel abgeriebene Orangenschale (unbehandelt) und nach Belieben 1–2 Esslöffel Orangenlikör vor Zugabe des Eischnees unter den Flammeri rühren.

Abwandlung 3: Für einen **Karamellflammeri** Speisestärke mit Eigelb und Milch glatt rühren, die Vanillemilch wie oben angegeben zubereiten und von der Kochstelle nehmen. Für den Karamell 100 g Zucker in einem Topf bei mittlerer Hitze unter Rühren schmelzen lassen, bis er hellbraun ist und den Topf von der Kochstelle nehmen. 15 g Butter unterrühren, die Vanillemilch dazugeben und unter Rühren zum Kochen bringen. Die angerührte Stärke unterrühren und nochmals aufkochen lassen. Eischnee unterheben und wie oben angegeben weiterverfahren.

Zubereitungszeit: etwa 15 Minuten, ohne Kühlzeit

40 g Speisestärke
60 g Zucker
500 ml (½ l) Milch
2 Eigelb (Größe M)
½ Vanilleschote
1 Prise Salz
1 Eiweiß (Größe M)

Pro Portion:
E: 6 g, F: 7 g, Kh: 30 g, kJ: 858, kcal: 205

(Fortsetzung Seite 362)

Abwandlung 4: Für einen **Schokoladenflammeri** Speisestärke mit Eigelb und Milch glatt rühren, zusätzlich 70 g Zartbitterschokolade hacken, mit 5 Esslöffeln Schlagsahne, 1 Prise Salz und 30–40 g Zucker (ohne Vanille-schote) zu der restlichen Milch geben und unter Rühren darin schmelzen. Die angerührte Stärke unterrühren und nochmals aufkochen lassen. Eischnee unterheben und wie oben angegeben weiterverfahren.

Tiramisu
Beliebt (6 Portionen)

Zubereitungszeit: etwa 30 Minuten, ohne Durchziehzeit

500 g Mascarpone (italienischer Frischkäse)
150 ml Milch
75 g Zucker
1 Pck. Bourbon-Vanille-Zucker
40 ml Amaretto (Mandellikör)
250 ml (¹/₄ l) kalter Espresso oder starker Kaffee
200 g Löffelbiskuits
2 EL Kakaopulver

Pro Portion:
E: 9 g, F: 39 g, Kh: 45 g, kJ: 2466, kcal: 589

1 Mascarpone mit Milch, Zucker, Vanille-Zucker und der Hälfte des Amarettos in einer Schüssel glatt rühren.

2 Übrigen Amaretto mit Espresso oder Kaffee verrühren. Die Hälfte der Löffelbiskuits in eine flache eckige Auflaufform (etwa 30 x 18 cm) legen, mit der Hälfte der Kaffee-Amaretto-Mischung beträufeln und mit der Hälfte der Mascarponemasse bedecken. Die restlichen Zutaten in gleicher Reihenfolge darauf schichten.

3 Tiramisu in den Kühlschrank stellen und einige Stunden durch-ziehen lassen. Vor dem Servieren die Creme dick mit Kakao be-stäuben.

Tipp: Ein Tiramisu eignet sich gut als Partydessert.

Abwandlung 1: Sie können die Hälfte des Mascarpones durch 250 g Speise-quark (20 % Fett i. Tr.) ersetzen, das spart Kalorien.

Abwandlung 2: Für ein **Tiramisu mit Pfirsichen** zusätzlich 1 Dose Pfirsich-hälften (Abtropfgewicht 470 g) abtropfen lassen und in dünne Scheiben schneiden. Die Mascarponecreme wie oben angegeben zubereiten. Die Hälfte der Löffelbiskuits in die Form schichten, mit der Hälfte der Kaffee-Amaretto-Mischung beträufeln. Die Hälfte der Pfirsiche darauf legen. Die restlichen Pfirsiche mit den übrigen Zutaten in gleicher Reihenfolge darauf schichten. Wie unter Punkt 3 angegeben fortfahren.

Mousse au chocolat
Für Gäste

Zubereitungszeit: etwa 30 Minuten,
ohne Kühlzeit

**100 g Halbbitter-
Kuvertüre
50 g Vollmilch-Kuvertüre
3 Eigelb (Größe M)
1 EL Zucker
1 EL Cognac oder Rum
3 Eiweiß (Größe M)
125 ml (¹/₈ l) gekühlte
Schlagsahne**

Pro Portion:
E: 9 g, F: 27 g, Kh: 22 g,
kJ: 1548, kcal: 370

1 Beide Kuvertüresorten grob zerkleinern (Foto 1), zusammen in einem Topf im heißen Wasserbad bei schwacher Hitze unter Rühren schmelzen und etwas abkühlen lassen.

2 Eigelb mit Zucker und Cognac oder Rum in einer Rührschüssel mit einem Handrührgerät mit Rührbesen zu einer dicklichen Masse aufschlagen. Die noch warme Kuvertüre nach und nach unterrühren.

3 Eiweiß so steif schlagen, dass ein Messerschnitt sichtbar bleibt (Foto 2). Sahne steif schlagen und mit dem Eischnee unterheben. Die Creme in eine große flache Schüssel füllen und mindestens 2 Stunden in den Kühlschrank stellen.

4 Vor dem Servieren von der Mousse mit einem Eisportionierer Kugeln oder mit Hilfe einer Nockenzange oder eines Esslöffels Nocken formen (Foto 3) und auf Teller verteilen.

Hinweis: **Nur ganz frische Eier verwenden, die nicht älter als 5 Tage sind (Legedatum beachten!). Die fertige Speise im Kühlschrank aufbewahren und innerhalb von 24 Stunden verzehren.**

Tipp: **Die Mousse au chocolat vor dem Servieren mit Puderzucker oder Kakaopulver bestäuben.**

Abwandlung 1: **Für eine Mousse mit Amarettini** zusätzlich 40 g Amarettini (italienische Mandelmakronen) grob zerkleinern und unter die Mousse heben. Die Mousse mit steif geschlagener Schlagsahne und Amarettini garnieren.

Abwandlung 2: Die Mousse schmeckt auch gut mit einer **weißen Schoko-ladensauce.** Dazu 100 g weiße Schokolade mit 125 ml (¹/₈ l) Schlagsahne in einem kleinen Topf bei schwacher Hitze zu einer geschmeidigen Masse ver-rühren und abkühlen lassen. Die Sauce zu der Mousse servieren.

Abwandlung 3: **Für eine Mousse à la vanille** anstelle der Halbbitter- und Vollmilch-Kuvertüre 150 g weiße Kuvertüre verwenden und zusätzlich 1 Päckchen Bourbon-Vanille-Zucker unterrühren.

Schweizer Reis
Für Kinder (4-6 Portionen)

1 Für die Reiscreme Milch mit Salz, Zucker und Vanillin-Zucker in einem Topf zum Kochen bringen. Milchreis hineingeben, unter Rühren aufkochen lassen und bei schwacher Hitze etwa 20 Minuten mit Deckel quellen lassen, dabei gelegentlich um- rühren (der Reis muss noch körnig sein). Den Reis etwas ab- kühlen lassen, zudecken und kalt stellen.

2 Sahne steif schlagen und unter den kalten Reis heben. Die Reis- creme in eine Schale füllen und bis zum Verzehr kalt stellen.

3 Für die Erdbeersauce Erdbeeren waschen, abtropfen lassen und entstielen. 400 g Erdbeeren pürieren und mit Vanillin- Zucker und Zucker verrühren. Die restlichen Erdbeeren in Scheiben schneiden. Die Reiscreme mit der Erdbeersauce und den Erdbeerscheiben anrichten.

Tipp: Der Reis reicht für 3 Portionen als süße Mahlzeit.

Pro Portion: E: 6 g, F: 17 g, Kh: 46 g, kJ: 1528, kcal: 365

Zubereitungszeit: etwa 40 Minuten, ohne Kühlzeit

Für die Reiscreme:
500 ml ($^1/_2$ l) Milch
1 Prise Salz
50 g Zucker
1 Pck. Vanillin-Zucker
100 g Milchreis
(Rundkornreis)
**200 ml gekühlte Schlag-
sahne**

Für die Erdbeersauce:
500 g Erdbeeren
1 Pck. Vanillin-Zucker
25 g Zucker

Weinschaumsauce (Chaudeau)
Schnell

1 Ei und Eigelb mit Zucker und Weißwein in einer Edelstahlschüssel oder einem Edelstahltopf verrühren.

2 Die Masse mit einem Schneebesen oder einem Handrührgerät mit Rührbesen auf niedrigster Stufe bei mittlerer Hitze im heißen Wasserbad so lange durchschlagen, bis die Masse durch und durch schaumig ist (das Volumen muss sich etwa verdoppeln – Wasser und Sauce nicht kochen lassen, da die Sauce sonst gerinnt). Die Sauce sofort servieren.

Hinweis: Nur ganz frische Eier verwenden, die nicht älter als 5 Tage sind (Legedatum beachten!).

Tipp: Die Sauce zu Obstsalat (S. 371) oder Eis (S. 378) servieren.

Abwandlung 1: Für eine **alkoholfreie Schaumsauce** anstelle von Weißwein 125 ml ($^1/_8$ l) Apfelsaft und 2 Esslöffel Zitronensaft verwenden.

Abwandlung 2: Für eine **Zabaione** aus 3 Eigelb (Größe M), 60 g Zucker und 125 ml ($^1/_8$ l) Marsala (italienischer Dessertwein) wie oben angegeben eine Sauce zubereiten.

Zubereitungszeit: etwa 10 Minuten

1 Ei (Größe M)
1 Eigelb (Größe M)
60 g Zucker
**125 ml ($^1/_8$ l) trockener
Weißwein**

Pro Portion:
E: 3 g, F: 3 g, Kh: 15 g,
kJ: 507, kcal: 121

Quarkspeise mit Obst
Für Kinder

Zubereitungszeit: etwa 20 Minuten, ohne Kühlzeit

1 Dose Pfirsichhälften (Abtropfgewicht 470 g)
abgeriebene Schale von ¹/₂ Limette oder Zitrone (unbehandelt)
2 EL Limetten- oder Zitronensaft
250 g Speisequark (Magerstufe)
250 g Speisequark (20 % Fett i. Tr.)
150 g Naturjoghurt (3,5 % Fett)
3-4 EL Zucker
1 Pck. Vanillin-Zucker

Pro Portion:
E: 18 g, F: 5 g, Kh: 38 g, kJ: 1162, kcal: 277

1 Pfirsichhälften in einem Sieb abtropfen lassen, in kleine Stücke schneiden und mit Limetten- oder Zitronenschale und -saft mischen.

2 Beide Quarksorten, Joghurt, Zucker und Vanillin-Zucker mit einem Schneebesen verrühren. Die Hälfte der Quarkmasse in eine Glasschüssel füllen. Die Pfirsichmischung darauf verteilen und mit der restlichen Quarkmasse bedecken. Die Quarkspeise mindestens 30 Minuten kalt stellen.

Tipp: Die Quarkspeise vor dem Servieren mit Zitronenmelisseblättchen garnieren. Sie eignet sich gut als preiswertes Partydessert.
Zusätzlich 50 g gebräunte Kokosraspel mit einschichten (die Hälfte auf die Pfirsichmischung geben und das Dessert mit dem Rest bestreuen).

Abwandlung: Für einen **Schokoladenquark mit Bananen** (Foto)
100 g Zartbitterschokolade in Stücke brechen und im Wasserbad bei schwacher Hitze unter Rühren schmelzen. 500 g Speisequark (Magerstufe) mit 4-6 Esslöffeln Milch oder Schlagsahne geschmeidig rühren. 1 Päckchen Vanillin-Zucker und die Schokolade unterrühren und die Creme mit etwa 1 ¹/₂ Esslöffeln Zucker abschmecken. 4 kleine reife Bananen schälen, auf je 1 Dessertteller legen. Den Schokoladenquark in einen Spitzbeutel mit großer Sterntülle füllen und auf und neben die Bananen spritzen. Nach Belieben mit Krokant, gehobelten, gebräunten Mandeln oder Schokoladenstreuseln bestreut servieren.

Bratäpfel (Puttäpfel, gebackene Äpfel)
Mit Alkohol (8 Portionen)

Zubereitungszeit: etwa 60 Minuten, ohne Einweichzeit

1 EL Rosinen
etwa 100 ml Rum
8 Äpfel, z. B. Holsteiner Cox oder Boskop
20 g weiche Butter
20 g Zucker
1 Pck. Vanillin-Zucker
2 EL abgezogene, gemahlene Mandeln

1 Rosinen in 2 Esslöffeln von dem Rum über Nacht einweichen.

2 Den Backofen bei Ober- und Unterhitze vorheizen. Äpfel von den Stielen befreien, waschen, abtrocknen und von der Blütenseite her ausbohren, aber nicht durchstechen, dabei das Kerngehäuse entfernen. Die Äpfel in eine gefettete Auflaufform oder auf hitzebeständige kleine Teller setzen.

3 Butter mit Zucker, Vanillin-Zucker, gemahlenen Mandeln und eingeweichten Rosinen mit einem Löffel verrühren und mit einem Teelöffel in die Äpfel füllen. Mandelstifte darauf verteilen und leicht andrücken. Übrigen Rum angießen. Die Form (die Teller) auf dem Rost in den Backofen schieben.

(Fortsetzung Seite 368)

**2 EL abgezogene,
gestiftelte Mandeln
Puderzucker**

Außerdem:
Fett für die Form

Pro Portion:
E: 1 g, F: 4 g, Kh: 20 g,
kJ: 644, kcal: 154

Ober-/Unterhitze: etwa 200 °C (vorgeheizt), Heißluft: etwa 180 °C (nicht vorgeheizt),
Gas: Stufe 3–4 (nicht vorgeheizt), Backzeit: etwa 40 Minuten.

4 Die Äpfel nach dem Backen mit Puderzucker bestäuben und
heiß servieren.

Tipp: Die Bratäpfel mit Vanillesauce (S. 379) oder halb steif geschlagener
Schlagsahne servieren. Sie eignen sich als Dessert oder zum Tee.

Abwandlung: Für eine Variante ohne Alkohol die Rosinen in 2 Esslöffeln
Orangen- oder Apfelsaft einweichen, abtropfen lassen und wie oben angegeben verwenden. Anstelle von Rum Orangen- oder Apfelsaft in die Auflaufform gießen.

Rote Grütze
K l a s s i s c h (6 P o r t i o n e n)

Zubereitungszeit: etwa 20 Minuten,
ohne Kühlzeit

**250 g Brombeeren
250 g Johannisbeeren
250 g Himbeeren
250 g Erdbeeren
(alle Früchte vorbereitet
gewogen)
35 g Speisestärke
100 g Zucker
500 ml (¹/₂ l) Fruchtsaft,
z. B. Sauerkirsch- oder
Johannisbeersaft**

Pro Portion:
E: 3 g, F: 1 g, Kh: 40 g,
kJ: 813, kcal: 194

1 Brombeeren verlesen, eventuell vorsichtig waschen und gut
abtropfen lassen. Johannisbeeren waschen, gut abtropfen lassen
und die Beeren von den Stielen streifen. Himbeeren verlesen,
nicht waschen. Erdbeeren waschen, abtropfen lassen, entstielen
und je nach Größe der Früchte halbieren oder vierteln.

2 Speisestärke mit Zucker vermischen, dann mit 4 Esslöffeln von
dem Saft anrühren. Den übrigen Saft in einem Topf zum Kochen
bringen. Die angerührte Stärke unterrühren, aufkochen lassen
und den Topf von der Kochstelle nehmen. Die Beeren unterrühren.

3 Die Rote Grütze in eine Glasschale oder in Dessertschälchen
füllen und kalt stellen.

Tipp: Die Rote Grütze als Dessert mit Vanillesauce (S. 379) oder Sahne oder
als süße Mahlzeit für 4 Portionen mit Milch servieren.
Sie eignet sich gut als Partydessert.
Sie können die Grütze auch mit TK-Beeren zubereiten. Die gefrorenen Früchte
dann in den heißen, angedickten Saft rühren.

Abwandlung: Für eine **Grüne Grütze** 500 g Stachelbeeren waschen, gut
abtropfen lassen und Blüten- und Stängelansätze entfernen. 250 g Kiwis
schälen, halbieren und in Stücke schneiden. 250 g kernlose grüne Weintrauben waschen, abtropfen lassen, entstielen und große Trauben halbieren.
20 g Speisestärke mit 150 g Zucker vermischen. Von 375 ml (³/₈ l) hellem
Traubensaft 4 Esslöffel abnehmen und mit der Stärke-Zucker-Mischung verrühren. Den übrigen Saft zum Kochen bringen, angerührte Stärke unterrühren
und aufkochen lassen. Stachelbeeren und Weintrauben unterrühren, einmal
kurz aufkochen lassen, den Topf von der Kochstelle nehmen und Kiwis unterrühren. Die Grütze in eine Schale füllen und kalt stellen.

Saftgelee mit Obst
Raffiniert

1 Gelatine nach Packungsanleitung in kaltem Wasser einweichen. Die Hälfte von dem Saft oder Nektar in einem Topf erwärmen. Zucker hinzufügen und darin unter Rühren auflösen. Gelatine ausdrücken, hinzufügen und unter Rühren in dem heißen Saft auflösen. Den restlichen Saft unterrühren und die Flüssigkeit etwas abkühlen lassen.

2 In der Zwischenzeit Erdbeeren waschen, abtropfen lassen, entstielen und in Scheiben schneiden. Johannisbeeren waschen, gut abtropfen lassen und die Beeren von den Rispen streifen.

3 In eine Glasschale oder 4 Portionsschälchen eine dünne Schicht der Flüssigkeit geben (Foto 1) und kalt stellen, bis sie fest ist. Die restliche Flüssigkeit bei Zimmertemperatur aufbewahren, damit sie nicht fester wird.

4 Sobald die Geleeschicht fest ist, einen Teil der Früchte darauf verteilen (Foto 2) und mit etwas von der restlichen Flüssigkeit bedecken. Die Schale wieder kalt stellen, bis die zweite Geleeschicht fest ist.

5 Auf diese Weise noch je 2 Frucht- und Geleeschichten zubereiten, die letzte Schicht sollte aus Geleemasse bestehen (Foto 3). Dann die Speise mindestens 2 Stunden in den Kühlschrank stellen.

Tipp: Das Saftgelee mit Vanillesauce (S. 379) oder Sahne servieren. Sollte die verbliebene Flüssigkeit während des Einschichtens doch zu gelieren beginnen, die Schüssel in ein warmes Wasserbad stellen.

Abwandlung: Für ein **Apfelgelee** aus 6 Blatt weißer Gelatine, 500 ml (¹/₂ l) Apfelsaft, 2 Esslöffeln Zitronensaft, 50 g Zucker und 2 Messerspitzen Vanillin-Zucker wie oben angegeben eine Flüssigkeit zubereiten und kalt stellen. 300 g säuerliche Äpfel (z. B. Elstar) waschen, schälen, achteln und entkernen. Apfelachtel quer in dünne Scheiben schneiden und mit 1 Esslöffel Zitronensaft und 250 ml (¹/₄ l) Wasser vermengen. Flüssigkeit und Apfelstückchen wie oben angegeben schichten, dabei die Apfelstückchen kurz vor dem Einschichten aus dem Zitronenwasser nehmen und trockentupfen.

Zubereitungszeit: etwa 30 Minuten, ohne Kühlzeit

6 Blatt rote Gelatine
500 ml (¹/₂ l) roter Johannisbeersaft oder -nektar
120 g Zucker
250 g Erdbeeren
100 g rote Johannisbeeren

Pro Portion:
E: 4 g, F: 0 g, Kh: 62 g, kJ: 1196, kcal: 285

Apfelmus
Klassisch

Zubereitungszeit: etwa 25 Minuten

**750 g säuerliche Äpfel,
z. B. Boskop oder Elstar
5 EL Wasser
etwa 50 g Zucker**

Pro Portion:
E: 0 g, F: 1 g, Kh: 30 g,
kJ: 537, kcal: 129

1 Äpfel waschen, schälen, vierteln, entkernen und in kleine Stücke schneiden. Die Apfelstücke mit Wasser in einem Topf zum Kochen bringen und bei schwacher Hitze etwa 15 Minuten mit Deckel kochen.

2 Die Apfelmasse nach Belieben pürieren und das Apfelmus mit Zucker abschmecken.

Tipp: Apfelmus als Dessert pur oder mit steif geschlagener Sahne oder zu Kartoffelpuffern (S. 281) oder Kastenpickert (S. 296) servieren. Zusätzlich 1 Stück Zimtstange mitkochen.
Sie können auch ungeschälte Äpfel verwenden. Die Äpfel dann waschen, Stiele und Blütenansätze entfernen, die Äpfel in Stücke schneiden und wie oben angegeben kochen. Die Masse dann durch ein Sieb streichen.

Abwandlung 1: Für **Apfelkompott**, die stückige Variante des Apfelmuses, die geschälten, entkernten Äpfel grob zerkleinern, mit dem Wasser wie oben angegeben etwa 10 Minuten kochen, nicht pürieren und mit Zucker abschmecken.

Abwandlung 2: Für eine **Apfelmus-Quark-Schichtspeise** die halbe Menge Apfelmus wie oben angegeben zubereiten und erkalten lassen. 50 g Sonnenblumenkerne in einer Pfanne ohne Fett bei schwacher Hitze goldbraun rösten und erkalten lassen. 500 g Speisequark (20 % Fett i. Tr.) mit 2–3 Esslöffeln Zucker und 1 Päckchen Vanillin-Zucker verrühren. Nacheinander jeweils die Hälfte Quark, Apfelmus und Sonnenblumenkerne in eine Glasschüssel schichten, dann restlichen Quark, Apfelmus und Sonnenblumenkerne darauf schichten. Das Dessert etwa 30 Minuten kalt stellen.

Birnenkompott
Einfach

Zubereitungszeit: etwa 20 Minuten, ohne Kühlzeit

**500 g Birnen
250 ml (¹/₄ l) Wasser
50 g Zucker
1 Pck. Vanillin-Zucker
1 Zimtstange
3 Gewürznelken
1–2 EL Zitronensaft
evtl. etwas Zucker**

1 Birnen waschen, schälen, halbieren, entkernen und in grobe Stücke schneiden. Wasser mit Zucker, Vanillin-Zucker, Zimtstange und Gewürznelken in einem Topf zum Kochen bringen.

2 Die Birnenstücke hineingeben, zum Kochen bringen und bei schwacher Hitze in etwa 10 Minuten mit Deckel weich kochen. Zitronensaft unterrühren. Das Kompott erkalten lassen.

3 Das Kompott mit Zucker abschmecken und Gewürznelken und Zimtstange entfernen.

Tipp: Das Kompott als Dessert eventuell mit steif geschlagener Sahne oder Eis servieren oder als süße Mahlzeit zu Pfannkuchen (S. 339) oder Quarkpüfferchen (S. 341) reichen.

Alle Kompotte können zusätzlich mit der dünn abgeschälten Schale von ½ Zitrone (unbehandelt) gewürzt und geschmacklich abgerundet werden. Sie wird zu Anfang mit in den Topf gegeben und am Ende der Garzeit oder nach dem Abkühlen aus dem Kompott entfernt.

Abwandlung 1: Die Hälfte Wasser durch 125 ml (⅛ l) Weißwein ersetzen.

Abwandlung 2: Für ein **Pflaumenkompott** 500 g Pflaumen waschen, abtropfen lassen, eventuell einzeln mit einem Tuch abreiben, entstielen, halbieren und entsteinen. 125 ml (⅛ l) Wasser oder Rotwein mit 50 g Zucker in einem Topf zum Kochen bringen. Die Pflaumenhälften, 1 Zimtstange und 3 Gewürznelken hineingeben, wieder zum Kochen bringen und bei schwacher Hitze etwa 8 Minuten mit Deckel dünsten. Zimtstange und Gewürznelken entfernen, das Kompott erkalten lassen und mit etwas Zucker abschmecken.

Pro Portion:
E: 0 g, F: 0 g, Kh: 29 g,
kJ: 501, kcal: 119

Obstsalat
Fruchtig (6 Portionen)

1 Apfel waschen, schälen, vierteln und entkernen. Mango schälen, halbieren und das Fruchtfleisch vom Stein lösen. Nektarine und Pfirsich waschen, abtrocknen, halbieren und entsteinen. Die 4 Zutaten in Stücke schneiden. Orange so schälen, dass die weiße Haut mit entfernt wird und mit einem scharfen Messer die Filets herausschneiden.

2 Kiwi und Banane schälen und in Scheiben schneiden. Erdbeeren waschen, abtropfen lassen, entstielen und in Stücke schneiden.

3 Das Obst mit Zitronensaft und eventuell Zucker oder Honig vermengen. Den Obstsalat in eine Glasschale füllen und mit Walnuss-, Haselnusskernen oder Mandeln bestreuen.

Tipp: Den Obstsalat mit Sahne, Vanillesauce (S. 379) oder Eis oder als süße Mahlzeit zu heißem Grießpudding (S. 360) oder Milchreis (S. 304) servieren. Den Obstsalat zusätzlich mit etwas Orangenlikör würzen oder 50 g Rosinen oder 1 Esslöffel gehackte Pfefferminzblättchen unter den Salat heben.

Abwandlung: Der Obstsalat lässt sich beliebig abwandeln, je nach Saison und Geschmack. Im Winter kann ein Teil der Früchte z. B. durch Grapefruits (wie Orangen zubereiten), Sharonfrüchte (waschen und ungeschält in Stücke schneiden), Grenadillas (Kerne aus der Frucht lösen und mit 2 Esslöffeln Orangensaft mit den Rührbesen des Handrührgerätes kurz aufschlagen) oder Granatapfel (Schale einschneiden, Apfel aufbrechen, Kerne herauslösen) ersetzt werden. Sie benötigen insgesamt etwa 1 kg Obst.

Zubereitungszeit: etwa 30 Minuten

1 Apfel
1 kleine Mango
1 Nektarine
1 Pfirsich
1 Orange
1 Kiwi
1 Banane
100 g Erdbeeren
3 EL Zitronensaft
evtl. 1 EL Zucker oder Honig
30 g gehackte Walnusskerne, Haselnusskerne oder Mandeln

Pro Portion:
E: 2 g, F: 3 g, Kh: 22 g,
kJ: 548, kcal: 131

Welfenspeise
Mit Alkohol

Zubereitungszeit: etwa 30 Minuten,
ohne Kühlzeit

Für die Creme:
2 Eiweiß (Größe M)
35 g Speisestärke
40 g Zucker
1 Pck. Vanillin-Zucker
500 ml (¹/₂ l) Milch

Für den Weinschaum:
3 Eigelb (Größe M)
80 g Zucker
10 g Speisestärke
250 ml (¹/₄ l) Weißwein

Pro Portion:
E: 9 g, F: 9 g, Kh: 48 g,
kJ: 1491, kcal: 356

1 Für die Creme Eiweiß so steif schlagen (Foto 1), dass ein Messerschnitt sichtbar bleibt. Speisestärke mit Zucker und Vanillin-Zucker mischen und mit 6 Esslöffeln von der Milch anrühren.

2 Die restliche Milch in einem Topf zum Kochen bringen, von der Kochstelle nehmen, die angerührte Speisestärke mit einem Schneebesen unter Rühren hineingeben und kurz aufkochen.

3 Den Eischnee unter die kochend heiße Speise rühren (Foto 2), nochmals kurz aufkochen. Die Speise in eine Glasschale oder in Dessertgläser füllen (Schale bzw. Gläser nur zur Hälfte füllen!) und kalt stellen.

4 Für den Weinschaum Eigelb mit Zucker, Speisestärke und Weißwein in einen Edelstahltopf oder eine Edelstahlschüssel geben und mit einem Handrührgerät mit Rührbesen auf niedrigster Stufe im heißen Wasserbad so lange schlagen (Foto 3), bis die Masse durch und durch schaumig ist (das Volumen muss sich etwa verdoppeln – Wasser und Weinschaum nicht kochen lassen, da die Sauce sonst gerinnt). Topf oder Schüssel aus dem Wasserbad nehmen, die Masse am Rand lösen und nochmals kurz verrühren.

5 Den Weinschaum erkalten lassen und vorsichtig auf die Creme füllen.

Hinweis: **Nur ganz frische Eier verwenden, die nicht älter als 5 Tage sind (Legedatum beachten!).**

Tipp: Die Welfenspeise mit Waldmeister- oder Zitronenmelisseblättchen garniert servieren.
Zum Steifschlagen von Eiweiß müssen Schüssel und Rührbesen absolut fettfrei sein, und es darf keine Spur von Eigelb im Eiweiß sein.

Abwandlung: **Für eine alkoholfreie Variante können Sie den Weinschaum auch mit 250 ml (¹/₄ l) Apfelsaft und 3 Esslöffeln Zitronensaft anstelle des Weißweins zubereiten.**

Crème Caramel
Gut vorzubereiten (6 Portionen)

Zubereitungszeit: etwa 60 Minuten,
ohne Kühlzeit

180 g Zucker
2 EL Wasser
1 EL Cognac
500 ml (¹/₂ l) Milch
¹/₂ Vanilleschote
1 Prise Salz
4 Eier (Größe M)

Pro Portion:

E: 7 g, F: 7 g, Kh: 34 g,
kJ: 987, kcal: 236

1   Den Backofen vorheizen. Eine Fettfangschale zur Hälfte mit heißem Wasser gefüllt in den Backofen schieben.

2   Die Hälfte des Zuckers in einem Topf unter Rühren schmelzen
lassen, bis er hellbraun ist. Dann Wasser und Cognac hinzufügen. Den Topf von der Kochstelle nehmen und den Karamell in
6 hitzebeständige Förmchen oder Tassen (je 150 ml Inhalt)
gießen.

3   Milch in einen Topf geben. Vanilleschote aufschlitzen und das
Mark mit einem Messerrücken herausschaben. Vanillemark
und -schote mit Salz zu der Milch geben, erhitzen und etwa
10 Minuten bei schwacher Hitze ziehen lassen.

4   Vanilleschote aus der Milch entfernen. Den restlichen Zucker
mit Eiern mit einem Schneebesen gut verrühren (nicht schaumig schlagen). Nach und nach die heiße Vanillemilch zugeben
und gut verrühren. Die Eiermilch durch ein feines Sieb in die
Förmchen oder Tassen gießen.

5   Die Förmchen vorsichtig in die Fettfangschale stellen und noch
so viel heißes Wasser zugießen, dass die Förmchen zu ¹/₃-¹/₂ im
Wasser stehen. Die Crème im Backofen garen, das Wasser darf
aber nicht kochen.

Ober-/Unterhitze: **etwa 140 °C (vorgeheizt)**, Heißluft: **etwa 120 °C (vorgeheizt)**,
Gas: **etwa Stufe 1 (vorgeheizt)**, Garzeit: **etwa 40 Minuten (die Creme ist gestockt,
wenn keine Haut an den Fingern kleben bleibt.)**

6   Die Crème etwas abkühlen lassen, dann mindestens 2 Stunden
in den Kühlschrank stellen.

7   Die Crème mit einem Messer vorsichtig am Förmchenrand lösen
(eventuell die Förmchen kurz in heißes Wasser tauchen), die
Crème auf Dessertteller stürzen und sofort servieren.

**Tipp: Die Crème Caramel pur oder mit geschlagener Schlagsahne servieren.
Die Crème lässt sich gut 1 oder 2 Tage vor dem Verzehr zubereiten. Sie
kann bis zum Servieren in den Förmchen bleiben (wichtig: nur einwandfreie
Förmchen verwenden, Metallförmchen mit Roststellen aussortieren).**

Abwandlung: **Sie können die Hälfte der Milch durch Schlagsahne ersetzen.**

Panna cotta mit Beerensauce

Gut vorzubereiten

1 Für die Creme Sahne mit Vanille-Aroma, Salz, Zitronenschale und Zucker in einem kalt ausgespülten Topf zum Kochen bringen und bei schwacher Hitze 10–15 Minuten ohne Deckel leicht kochen lassen.

2 Gelatine nach Packungsanleitung in kaltem Wasser einweichen. Zitronenschale aus der Sahne nehmen. Gelatine ausdrücken und unter Rühren in der heißen Sahne auflösen. Die Sahne in 4 kalt ausgespülte Förmchen oder Tassen (je 150 ml Inhalt) gießen, etwas abkühlen lassen und mindestens 3 Stunden (oder über Nacht) in den Kühlschrank stellen.

3 Für die Beerensauce Beeren vorbereiten (Erdbeeren waschen, abtropfen lassen und entstielen, Himbeeren verlesen, nicht waschen, TK-Beeren auftauen lassen), pürieren und mit Bourbon-Vanille-Zucker abschmecken.

4 Die Panna cotta mit einem Messer vom Förmchen- oder Tassenrand lösen, kurz in sehr heißes Wasser stellen, auf Dessertteller stürzen und mit der Sauce umgießen.

Tipp: Panna cotta als Dessert mit Erdbeersauce oder Orangenfilets servieren oder einfach mit gehobelten, gerösteten Mandeln bestreuen.
Eignet sich auch als Partydessert.
Die Panna cotta lässt sich gut 1–2 Tage im Voraus zubereiten.

Abwandlung 1: Sie können 200 ml der Sahne durch Milch ersetzen.

Abwandlung 2: Für eine **Panna cotta mit Joghurt** 350 ml Sahne wie oben angegeben mit Vanille-Aroma, Salz, Zitronenschale und Zucker kochen, Gelatine darin auflösen und etwas abkühlen lassen. Dann 250 g Naturjoghurt (3,5 % Fett) oder Vanillejoghurt unterrühren, die Masse sofort in Förmchen füllen und kalt stellen.

Zubereitungszeit: etwa 25 Minuten, ohne Kühlzeit

Für die Creme:
600 ml Schlagsahne
1 Pck. Finesse Bourbon-Vanille-Aroma
1 Prise Salz
2 Stück Zitronenschale (unbehandelt)
40 g Zucker
4 Blatt weiße Gelatine

Für die Beerensauce:
300 g Beeren, z. B. Erdbeeren, Himbeeren oder TK-Beerencocktail
1 Pck. Bourbon-Vanille-Zucker

Pro Portion:
E: 6 g, F: 48 g, Kh: 22 g, kJ: 2291, kcal: 547

Himbeersorbet (Foto hinten)
Fruchtig

Zubereitungszeit: etwa 30 Minuten, ohne Gefrierzeit

150 ml Wasser
160 g Zucker
Schale von 1/2 Zitrone
(unbehandelt)
500 g Himbeeren
evtl. 1 EL Himbeergeist

Pro Portion:
E: 2 g, F: 0 g, Kh: 46 g,
kJ: 877, kcal: 209

1 Wasser mit Zucker und Zitronenschale in einen kleinen Topf geben, zum Kochen bringen und bei starker Hitze etwa 5 Minuten ohne Deckel kochen lassen (ergibt etwa 100 ml Sirup). Den Sirup erkalten lassen. Dann Zitronenschale entfernen.

2 Himbeeren verlesen, nicht waschen. Die Himbeeren mit der Hälfte des Sirups in einen hohen Rührbecher geben und mit einem Pürierstab pürieren. Die Masse nach Belieben durch ein Sieb streichen, den restlichen Sirup unterrühren und eventuell mit Himbeergeist abschmecken.

3 Die Masse in eine gefrierfeste Schüssel geben und 1 Stunde gefrieren lassen, dann umrühren und die Masse noch weitere 3 Stunden gefrieren lassen, dabei mehrmals umrühren, so dass eine cremige Masse entsteht.

4 Das Himbeersorbet in einen Spritzbeutel mit großer Sterntülle füllen und in 4 Portionsschälchen spritzen.

Tipp: Sie können das Sorbet auch in der Eismaschine in 30–45 Minuten (je nach Modell) zubereiten.
Eventuell zusätzlich 200 ml gekühlte Schlagsahne steif schlagen, zum Schluss unter die Fruchtmasse geben und dann gefrieren lassen.
Zusätzlich 250 ml (1/4 l) Sekt auf die Schälchen mit dem Sorbet verteilen.

Abwandlung 1: Für ein **rotes Johannisbeersorbet** anstelle von Himbeeren Johannisbeeren verwenden. Johannisbeeren waschen, gut abtropfen lassen und die Beeren von den Rispen streifen. Das Sorbet wie oben angegeben zubereiten, durch ein Sieb streichen und gefrieren lassen.

Abwandlung 2: Für ein **Erdbeersorbet** anstelle von Himbeeren Erdbeeren verwenden (waschen, abtropfen lassen, entstielen und pürieren, nicht durch ein Sieb streichen). Für den Sirup nur 100 g Zucker verwenden. Das Sorbet wie oben angegeben zubereiten.

Abwandlung 3: Für ein **Mangosorbet** (Foto vorne) für den Sirup nur 125 ml (1/8 l) Wasser, 80 g Zucker, Schale von 1/2 Limette (unbehandelt) und 2 Esslöffel Limettensaft wie oben angegeben kochen (ergibt etwa 80 ml Sirup) und erkalten lassen. Limettenschale entfernen. 2 Mangos schälen, halbieren, das Fruchtfleisch von den Steinen schneiden, in Würfel schneiden und mit dem Pürierstab pürieren. Fruchtfleisch und Sirup verrühren und etwa 4 Stunden gefrieren lassen, nach der ersten Stunde ein- bis zweimal umrühren. Das Sorbet vor dem Servieren eventuell nochmals mit dem Pürierstab oder den Rührbesen des Handrührgerätes durcharbeiten.

Vanilleeis
Gut vorzubereiten (8 Portionen)

Zubereitungszeit: etwa 30 Minuten, ohne Gefrierzeit

1 Vanilleschote
4 Eigelb (Größe M)
500 ml (¹/₂ l) Schlagsahne
100 g Zucker

Pro Portion:

E: 3 g, F: 23 g, Kh: 15 g,
kJ: 1163, kcal: 278

1 Vanilleschote der Länge nach aufschlitzen und das Mark mit einem Messerrücken herausschaben. Eigelb mit 3 Esslöffeln von der Sahne, Zucker und Vanillemark in einer Edelstahlschüssel oder einem Edelstahltopf verrühren. Die Masse mit einem Schneebesen bei mittlerer Hitze im heißen Wasserbad zu einer dicklichen Masse aufschlagen (Wasser und Masse dürfen aber nicht kochen, da die Masse sonst gerinnt).

2 Die Schüssel herausnehmen, in kaltes Wasser setzen und die Eigelbmasse mit dem Schneebesen so lange weiterschlagen, bis sie abgekühlt ist.

3 Die restliche Sahne steif schlagen und unterheben. Die Masse in eine flache Gefrierdose (etwa 1 l Inhalt) füllen und mindestens 3 Stunden gefrieren lassen.

Tipp: Das Eis mit frischen Früchten, Schokoladensauce (S. 379), mit etwas Eierlikör oder Schlagsahne servieren.
Sie können das Eis auch in der Eismaschine in etwa 40 Minuten (je nach Modell, Herstellerhinweise beachten) zubereiten. Dann nur die Eigelbmasse im heißen Wasserbad aufschlagen, die restliche Sahne nicht steif schlagen, sondern flüssig unterrühren.

Abwandlung 1: Für ein **Vanille-Walnusskrokant-Eis** zusätzlich 100 g Walnusskerne hacken, in einer Pfanne ohne Fett bei schwacher Hitze goldbraun rösten und auf einen Teller geben. 60 g Zucker in der Pfanne goldbraun karamellisieren, Walnusskerne unterrühren, die Masse auf ein Stück Backpapier geben, glatt streichen, erkalten lassen, eventuell etwas zerkrümeln und mit der steif geschlagenen Sahne unter die Eismasse heben. Bei einer Zubereitung in einer Eismaschine den Walnusskrokant erst kurz vor Ende der Gefrierzeit dazugeben.

Abwandlung 2: Für ein **Schokoladeneis** zusätzlich 100 g Zartbitterschokolade grob zerkleinern und im Wasserbad bei schwacher Hitze schmelzen. 50 g Vollmilchschokolade fein hacken. Die Eigelbmasse wie oben angegeben (aber ohne Vanillemark) im Wasserbad zubereiten. Die geschmolzene Schokolade unterrühren und die Masse etwas abkühlen lassen. Erst die steif geschlagene Sahne in 2 Portionen, dann die gehackte Schokolade unterheben. Bei einer Zubereitung in einer Eismaschine die flüssige Sahne unter die Schokomasse rühren. Gehackte Schokolade erst kurz vor Ende der Gefrierzeit dazugeben.

Zitronencreme
Fruchtig

1 Gelatine nach Packungsanleitung in kaltem Wasser einweichen. Zitronensaft in einem kleinen Topf erhitzen (aber nicht kochen!).

2 Gelatine ausdrücken und unter Rühren im heißen Zitronensaft auflösen, dann den Zucker einrühren. Die Gelatine-Flüssigkeit etwas abkühlen lassen, dann mit dem Joghurt verrühren. Die Masse kalt stellen, bis sie anfängt zu gelieren, dabei zwischendurch umrühren.

3 Wenn die Masse anfängt dicklich zu werden, Sahne steif schlagen und unterheben. Die Creme in eine Glasschüssel oder Portionsgläser füllen und mindestens 3 Stunden in den Kühlschrank stellen.

Tipp: Die Zitronencreme mit geschlagener Schlagsahne servieren.

Abwandlung 1: **Die Zitronencreme mit einer Schokoladensauce servieren. Dazu 100 g Zartbitterschokolade grob zerkleinern und mit 3 Esslöffeln Wasser im Wasserbad bei schwacher Hitze unter Rühren schmelzen.**

Abwandlung 2: **Für eine Orangencreme den Zitronensaft durch frisch gepressten Orangensaft ersetzen und nur 100 g Zucker verwenden.**

Zubereitungszeit: etwa 30 Minuten, ohne Kühlzeit

**4 Blatt weiße Gelatine
150 ml Zitronensaft
(von etwa 3 Zitronen)
125 g Zucker
150 g Naturjoghurt
(3,5 % Fett)
300 ml gekühlte Schlagsahne**

Pro Portion:
E: 5 g, F: 25 g, Kh: 36 g, kJ: 1669, kcal: 399

Vanillesauce
Klassisch

1 Vanilleschote der Länge nach aufschlitzen und das Mark mit einem Messerrücken herausschaben. Speisestärke mit 3 Esslöffeln von der Milch mit einem Schneebesen verrühren. Eigelb, Zucker und Salz unterrühren.

2 Die übrige Milch mit Vanillemark in einem Topf zum Kochen bringen. Topf von der Kochstelle nehmen und die angerührte Stärke mit dem Schneebesen einrühren. Sauce unter Rühren einmal kurz aufkochen.

3 Die Sauce von der Kochstelle nehmen und unter gelegentlichem Rühren erkalten lassen.

Tipp: Vanillesauce passt z. B. zu Kompott (S. 370, 371), Roter Grütze (S. 368), Bratäpfeln (S. 366) oder Apfelkuchen. Sie können auch 100 ml der Milch durch Schlagsahne ersetzen.

Zubereitungszeit: etwa 10 Minuten, ohne Kühlzeit

**1 Vanilleschote
10 g Speisestärke
500 ml (1/2 l) Milch
3 Eigelb (Größe M)
40 g Zucker
1 Prise Salz**

Pro Portion:
E: 7 g, F: 9 g, Kh: 18 g, kJ: 768, kcal: 183

Ratgeber

Küchenkräuter

Küchenkräuter und Gewürze runden ein Gericht geschmacklich perfekt ab und sorgen für Abwechslung auf dem Speiseplan. Kräuter werden einzeln, aber auch kombiniert verwendet und können helfen, Salz zu sparen. Außerdem haben Sie gesundheitsfördernde Wirkungen.

Lagerung und Verarbeitung

- Bundkräuter in Wasser stellen (die Stielenden vorher abschneiden) oder locker in Frischhaltefolie eingewickelt im Kühlschrank aufbewahren.
- Frische Kräuter unter fließendem kalten Wasser sorgfältig abspülen und gründlich trockentupfen oder -schütteln.
- Kleinblättrige Kräuter zum Abstreifen der Blätter am oberen Teil des Stängels festhalten und die Blätter mit der Hand von oben nach unten abstreifen (z. B. Thymian, Majoran).
- Die Kräuter erst unmittelbar vor der Weiterverarbeitung mit einem scharfen Messer oder einer Wiegemesser zerkleinern, damit kein Aromaverlust eintritt. Schnittlauch kann auch gut mit einer scharfen, sauberen Küchenschere geschnitten werden.

Kleine Warenkunde

Basilikum

Kräftige, längliche, gerippte grüne Blätter. Aromatischer, leicht pfeffriger Geschmack.
Zu: Lamm, Geflügel, Fisch, Eiern, Salaten (besonders Tomatensalat), Rohkost, Gemüse.

Bohnenkraut

Spitz zulaufende, intensiv grüne Blättchen, lila bis weiße Blüten.
Zu: (Bohnen-) Gemüse, pikanten Salaten, Eintöpfen, Getreide- und Hülsenfruchtgerichten, Kartoffeln.

Borretsch (Gurkenkraut)

Längliche, leicht behaarte, hell- bis kräftiggrüne Blätter, blaue Blüten. Leicht gurkenartig im Geschmack.
Zu: Salaten, Saucen, Gemüse, Eiern, Quark- und Joghurtspeisen, Suppen.

Dill (Gurkenkraut)

Stiele mit mehrfach gefiederten, hellgrünen Blättern. Angenehm würzig.
Zu: Rohkost, Salaten, Krustentieren, hellen Geflügel- und Fleischgerichten, Fisch, Eier- und Quarkspeisen, Suppen, Saucen.

Estragon

Buschig verzweigte Triebe, schmale, längliche, kräftig grüne, glatte Blätter. Weißliche Blütenrispen.

Zu: Suppen, Saucen, Salaten, Fisch, hellen Geflügel- und Fleischgerichten, Gemüse, Getreidespeisen, Quark-, Joghurt- und Eierspeisen.

Koriander

Koriander kann man frisch oder getrocknet (kugelförmige, braune Samen oder gemahlen) kaufen. Frischer Koriander wird für orientalisch, indisch, karibisch und mexikanisch gewürzte Gerichte verwendet. Koriandersamen werden für Beizen, eingelegtes Gemüse, Kohlarten und auch beim Backen (Weihnachtsbäckerei, Brot) verwendet.

Kresse

Gartenkresse hat hellgrüne, kleinblättrige, zarte Blättchen. Kräftig, würzig im Geschmack. In Kästchen angeboten.
Zu: Suppen, Saucen, Salaten, Rohkost, Quark-, Joghurt- und Eierspeisen, Kräuterbutter, auf Brot.
Brunnenkresse, die seltener angeboten wird, ist kräftiger im Geschmack.
Beide Kressearten lassen sich weder einfrieren noch trocknen.

Liebstöckel (Maggikraut)

Röhrenförmige Stängel mit großen, gezackten Blättern. Sehr würzig, sparsam verwenden.
Zu: Suppen, Eintöpfen, Füllungen, Brühen, Hülsenfrüchten,

Getreidegerichten, Gemüse, pikanten Salaten.

Majoran

Kleine, ovale Blättchen, weiß bis hellviolette Blüten. Kräftig würzig, leicht bitter. Macht fette Speisen bekömmlicher.
Zu: Suppen, Saucen, Hackfleisch, Getreidegerichten, Eintöpfen, pikanten Salaten, Gemüse, Kartoffeln, Wurstwaren.

Minze, Pfefferminze

Mehrere Sorten. Hellgrüne bis grünviolette, längliche, gerippte Blätter. Sehr würziger, kräftiger Geschmack, sparsam verwenden.
Zu: Ragouts, Füllungen, Lamm, Eintöpfen, Hülsenfrüchten, Obstsalaten.

Oregano (wilder Majoran)

Ein Gewürz der italienischen Küche; es entfaltet sein volles Aroma erst beim Kochen oder Backen. Es findet Verwendung bei Nudelgerichten, pikanten Saucen, Pizzen, Gemüsegerichten.

Petersilie

Glatt- und krausblättrige Sorten. Besonders intensiver, würziger Geschmack bei der glatten Sorte.
Universalkraut zu: fast allen Gerichten, besonders Gemüse, Suppen, Saucen, Teigwaren, Eintöpfen, Aufläufen.

Pimpinelle (kleiner Wiesenknopf)

Zartgrüne, leicht gefiederte Blättchen, rotblaue Blütenköpfe. Mild-würzig, leicht nussiger Geschmack.
Zu: Suppen, Saucen, Rohkost, Eier-, Quark- und Joghurtspeisen.

Rosmarin

Mittel- bis dunkelgrüne Blätter (Nadeln), blauviolette Blüten. Würzig, kräftig, leicht bitter.
Zu: Braten, Geflügel, Fisch, Innereien, Wild, Kartoffeln, Getreide- und Hülsenfruchtgerichten, würzigen Saucen, Pilzen, Zucchini, Auberginen, Lamm.

Salbei

Längliche, silbergraue bis olivgrüne Blätter, blauviolette Blütenrispen. Würzig, leicht bitterer Geschmack. Sparsam einsetzen.
Zu: Innereien, Lamm, Geflügel, Aal, Getreidegerichten, Teigwaren, Reis, Füllungen, Tomaten.

Sauerampfer

Überwiegend wildwachsend, längliche, pfeilförmige, kräftige Blätter. Leicht säuerlicher Geschmack.
Zu: Suppen, Saucen, Fisch, hellen Fleisch- und Geflügelgerichten, Eier-, Quark- und Joghurtspeisen, Kartoffelsalat, Kräuterbutter.

Schnittlauch

Binsenähnliche Blattröhren, blauviolette Blütenknospen. Würzig, scharf.
Universalkraut zu: Suppen, Saucen, Kräuterbutter, Salaten, Teigwaren, Reis, Gemüse, Eintöpfen, Eier-, Quark- und Joghurtgerichten.

Thymian

Kleine grüngraue Blättchen, rosaviolette Blütenrispen.
Zu: Fleisch, Geflügel, Wild, Fisch, Hackfleisch, pikanten Salaten, Hülsenfrucht- und Getreidegerichten, Gemüse, Reis, Kräuteressig.

Zitronenmelisse

Zartgrüne, eiförmige, leicht behaarte Blättchen, weiße bis hellgelbe Blütenrispen. Zitronenähnlicher Geschmack.
Zu: Salaten, Saucen, Eiern, Quark- und Joghurtgerichten, Tee, Erfrischungsgetränken, Obstsalaten.

Gewürze

Tipp

- Möglichst ungemahlene Gewürze kaufen und diese erst unmittelbar vor der Verwendung zerkleinern (Pfeffermühle, Muskatreibe, Mörser usw.). So bleiben ihre Aromastoffe am besten erhalten.

- Gemahlene Gewürze nur in kleinen Mengen einkaufen und licht- und aromageschützt, sortenrein in geschlossenen Behältern aufbewahren.
- Vorsicht vor Wasserdampf. Gewürze verklumpen und verderben.
- Vorsicht vor zu heißem Fett. Viele Gewürze werden bitter und verbrennen (z. B. Paprikapulver).

Kleine Warenkunde

Curry
Gewürzmischung aus 12–15 verschiedenen Gewürzen für Reis- und Getreidegerichte, Geflügel, Fisch, Saucen.

Gewürznelken
Getrocknete Blütenknospen, die ganz oder gemahlen verwendet werden. Z.B. für Sauerbraten, Reis, Hirse, Wild, Kompott, Gebäck, Glühwein.

Ingwer
Knollige Wurzelstöcke, die man frisch und getrocknet gemahlen verwendet. Z.B. für Geflügel, Lammbraten, süß-sauer eingelegte Früchte, Süßspeisen und Gebäck.

Kreuzkümmel (Cumin)
Sichelförmiger Samen, der ganz oder gemahlen verwendet werden kann. Schärfer als Kümmel mit orientalischer Note. Für Auberginen, Currys.

Kümmel
Fruchtsamen in gemahlener oder ganzer Form. Für Kohl, Kartoffeln, Hackfleisch, Brot, Quark.

Lorbeerblatt
Getrocknete Blätter des Lorbeerstrauches. Für Marinaden, Wild, Kohl, Hülsenfrüchte.

Macis (Muskatblüte)
Getrockneter und gemahlener Samenmantel der Muskatnuss. Verwendung wie Muskatnuss.

Muskatnuss
Frucht des immergrünen Muskatbaumes. Für Apfelmus, Kartoffelbrei, Gemüse, Eierspeisen.

Paprikapulver
Getrocknete, gemahlene Schoten, die unter anderem in den Sorten edelsüß (leicht scharf) und rosenscharf (sehr scharf) angeboten werden.

Pfeffer
Runde Früchte des Pfefferstrauches. Je nach Reifegrad färbt sich die Schale von grün nach rot, schwarz bis gelblichweiß. Schwarzer Pfeffer ist würzig und weniger reif als der weiße, milde. Grüne Pfefferkörner auch in Lake eingelegt im Handel.

Piment (Nelkenpfeffer)
Runde, vor der Reife gepflückte rot- bis dunkelbraune Beerenfrüchte. Getrocknet ganz oder gemahlen, z. B. für Wild, Marinaden

Rosa Beeren
Unzerkleinert wie Pfeffer verwendbar, süßlich-scharfer, wacholderähnlicher Geschmack. Für Fisch- und Fleischgerichte.

Safran
Getrocknete Blütennarben einer Krokusart in ganzer oder gemahlener Form. Aufgrund der aufwändigen Ernte sehr teuer. In Abpackungen von 0,02 g auf dem Markt. Mildes, leicht bitter-süßes Gewürz, das stark gelb färbt.

Wacholderbeeren
Violettfarbene Beeren des Wacholderstrauches. Für Marinaden, Wild, Fleisch, Fisch, Kohl.

Vanille
Verwendet wird das ausgekratzte Mark der Schote. Es kann auch die aufgeschlitzte, ausgekratzte Schote in Flüssigkeiten mitgekocht und vor dem Verzehr entfernt werden. Vanille wird überwiegend bei Süßspeisen eingesetzt.

Zimt

Getrocknete Innenrinde des Zimtbaumes. Wichtigste Sorten: Ceylon-Zimt (würzig-mild) und Kassia-Zimt (stark würzig). Als Zimtstange und gemahlen erhältlich.

Portionsgrößen

Hier folgen Durchschnittsangaben für Zutatenmengen, die pro Portion etwa benötigt werden.

Vorsuppe:

150-250 ml (fertiges Gericht)

Hauptgerichte:

Suppe: 375-500 ml (fertiges Gericht)
Eintöpfe: 500-600 g (fertiges Gericht)
Fleisch ohne Knochen: etwa 150 g (Rohware)
Fleisch mit Knochen: etwa 200 g (Rohware)
Fischfilet: 150-200 g (Rohware)
Fisch, ganz: 200-300 g (Rohware)
Teigwaren: 100-125 g (Rohware)

Beilagen:

Sauce: etwa 100 ml (fertiges Gericht)
Gemüse: etwa 200 g (geputzt)
Salat: 40-50 g (geputzt)
Kartoffeln: etwa 200 g (geschält)
Reis, Hirse, Graupen usw.: 50-75 g (Rohware)

Teigwaren: 60-80 g (Rohware)

Dessert:

Obstsalat: 150-200 g (fertiges Gericht)
Kompott: 100-150 g (fertiges Gericht)
Pudding: 125-175 g (fertiges Gericht)

Einkauf und Lagerung

Alle Lebensmittel sollten so frisch wie möglich verarbeitet werden. Ein Notvorrat für einen Zeitraum von etwa 2 Wochen ist jedoch empfehlenswert. Schnell verderbliche Lebensmittel können im Kühlschrank (bei Temperaturen zwischen +2 °C und +8 °C) länger aufbewahrt werden als bei Zimmertemperatur. Die Lebensmittel möglichst sofort nach dem Einkauf in geeigneten Verpackungen am dafür vorgesehenen Platz im Kühlschrank (z. B. Gemüsefach) einlagern.

Tipps zur Lagerung im Kühlschrank

- Obst und Gemüse in den dafür vorgesehenen Schalen lagern. Sie bleiben länger frisch.
- Pilze in Papiertüten lagern.
- Speisen abdecken, damit Austrocknung und Geruchsübertragung vermieden werden.

- Geöffnete Konserven oder Kondensmilch (in Weißblechdosen) vorher in ein anderes Gefäß umfüllen.
- Gegarte Speisen vorher abkühlen.

Tiefgefrieren

Lebensmittel werden durch Tiefgefrieren haltbar gemacht. Wichtig ist, dass die Lebensmittel und Speisen „schockgefroren" werden. Dabei wird der größte Teil der Zellflüssigkeit im Gefriergut bei mindestens -30 °C so schnell eingefroren, dass sich möglichst kleine Eiskristalle bilden. Ist die Gefriertemperatur nicht niedrig genug, bilden sich größere Eiskristalle, die das Zellgewebe verändern und zerstören und Aussehen und Nährstoffgehalt nach dem Auftauen beeinträchtigen. Die Lagertemperatur sollte mindestens -18 °C betragen.

Tipps zum Einfrieren

- Einige Zeit vor dem Einfüllen der einzufrierenden Lebensmittel das Gerät auf Superfrosten schalten.
- Nur frische Lebensmittel oder frisch zubereitete Speisen einfrieren.
- Gekochte Speisen erst abkühlen lassen.
- Das Verpackungsmaterial muss säurestabil, kältebeständig, luftundurchlässig

und reißfest sein (z. B. Gefrierbeutel, -dosen, extra starke Alufolie, Aluschalen). Stapelbare, gut verschließbare Behälter verwenden.

- Die meisten Gemüsesorten blanchieren (besonders wichtig bei Bohnen und Erbsen; Spargel unblanchiert einfrieren), Gemüse in einem Sieb 2–4 Minuten in kochendes Wasser geben und danach zum Abkühlen in Eiswasser eintauchen.

- Vorbereitete Beeren auf einem Tablett oder Backblech nebeneinander schockgefrieren, danach fachgerecht verpacken.
- Behälter ohne Flüssigkeit (z. B. Gemüse) voll, mit Flüssigkeit (z. B. Suppe) nur etwa bis 2 cm unter den Rand einfüllen, da sich die Flüssigkeit beim Gefrieren ausdehnt.
- Das Gefriergut mit Inhaltsangabe und Abpack-Datum beschriften.
- Das Gefriergut neben- und nicht aufeinander zum Gefrieren in das Gerät stellen, damit die Kälte schneller durch die Speisen dringen

kann. Danach aufeinander gestapelt lagern.
- Das Tiefkühlgerät übersichtlich einräumen. Das erleichtert die Entnahme und das Gerät kann schnell wieder geschlossen werden (Reifbildung).
- Lebensmittel erst nach dem Auftauen würzen. Salz und Zucker entziehen den Speisen Eigensaft, Gewürze verlieren ihren Geschmack.
- Magere Lebensmittel sind länger lagerfähig als fette.
- Zum Tiefgefrieren ungeeignet sind: gebundene Saucen, Pudding, Joghurt, Gelatinespeisen ohne Ei und Schlagsahne, Käse (Aromaverlust), Salate, Radieschen, Kartoffeln.

Tipps zum Auftauen
- Gemüse gefroren weiterverarbeiten.
- Kleine Fleisch- oder Fischportionen können angetaut weiterverarbeitet werden.
- Angetautes, nicht vollkommen aufgetautes Fleisch lässt sich sehr gut schneiden (z. B. für Geschnetzeltes oder Gulasch).
- Im Gefrierkochbeutel eingefrorene Speisen im Wasserbad auftauen und erwärmen.

Salmonellen
Folgende Verhaltensregeln helfen, eine mögliche Salmonelleninfektion zu verhindern:

- Leicht verderbliche Lebensmittel tierischer Herkunft immer im Kühlschrank bei einer Temperatur unter +10 °C aufbewahren.
- Lebensmittel, die als mögliche Träger von Salmonellen gelten, also vor allem Geflügel, Wild, Fisch, Krusten-, Schalen- und Weichtiere, getrennt von anderen Lebensmitteln aufbewahren und zubereiten.
- Beim Auftauen von gefrorenem Geflügel und Fleisch darauf achten, dass das Tauwasser nicht andere Lebensmittel verunreinigt. Diese Lebensmittel immer auf einer abwaschbaren Unterlage verarbeiten und zubereiten.
- Geflügel, Fleisch und Fisch immer gut durchbraten, Hackfleisch noch am Tag der Herstellung verbrauchen.
- Bei der Zubereitung von Speisen in der Mikrowelle darauf achten, dass diese gleichmäßig auf eine Temperatur von mindestens 80 °C erhitzt werden.
- Für Speisen, die mit rohen Eiern zubereitet werden (z. B. Mayonnaise), nur ganz frische Eier verwenden, die nicht älter als 5 Tage sind (Legedatum beachten!). Die fertige Speise im Kühlschrank aufbewahren und innerhalb von 24 Stunden verzehren.

• Bei Küchenarbeiten auf peinliche Sauberkeit achten. Vor und während der Küchenarbeit möglichst oft die Hände mit warmem Wasser und Seife waschen.

Garmethoden

Abhängig von Zutaten und Gericht können unterschiedliche Garmethoden eingesetzt werden. Im Rahmen einer gesunden Ernährung sollte darauf geachtet werden, die Speisen möglichst fettarm und schonend zu garen. D. h. eine nährstoffschonende Garmethode (z. B. Dünsten, Dämpfen) anzuwenden, die Garzeit so kurz wie möglich zu halten und zubereitete Speisen nicht lange warm zu halten.

Kochen

Garen in einer großen Menge siedender Flüssigkeit bei etwa 100 °C (siehe Ratgeber Fleisch S. 56; Ratgeber Gemüse S. 197).

Schmoren

Garen durch Anbraten (bei etwa 180 °C) in heißem Fett und Weitergaren im geschlossenen Topf in wenig siedender Flüssigkeit und Wasserdampf bei etwa 100 °C (siehe Ratgeber Fleisch S. 56).

Braten

Braten in der Pfanne (Kurzbraten). Garen und Bräunen in wenig Fett bei 100–150 °C (siehe Ratgeber Fleisch S. 54).

Braten im Backofen

Garen unter Bräunung (mit oder ohne Fettzugabe) in einem Gefäß bei 160–250 °C (siehe Ratgeber Fleisch S. 55).

Dämpfen

Garen im Wasserdampf in einem Siebeinsatz bei Temperaturen um etwa 100 °C (siehe Ratgeber Gemüse S. 197). Gewürze und Kräuter in die Dämpfflüssigkeit geben. Ihre Aroma- und Geschmacksstoffe übertragen sich während des Garens auf das Gargut.

Dünsten

Garen im eigenen Saft oder unter Zugabe von etwas Fett, wenig Flüssigkeit und Wasserdampf bei Temperaturen unter 100 °C (siehe Ratgeber Gemüse S. 197).

Garziehen

Garen in siedender Flüssigkeit bei Temperaturen zwischen 80 und 90 °C. Die Flüssigkeit darf nicht kochen, muss sich nur leicht bewegen.

Frittieren/Ausbacken

Garen und Bräunen im heißen Fettbad bei Temperaturen zwischen 170 °C und 200 °C. Beim Frittieren werden die Lebensmittel schwimmend ausgebacken und von allen Seiten gleichmäßig gebräunt (z. B. Pommes frites, Kroketten, panierte Fisch- oder Fleischportionen). Frittieren ist eine sehr fettreiche Garmethode, die möglichst wenig eingesetzt werden sollte. Das Frittiergut möglichst auf Küchenpapier abtropfen lassen.

Grillen

Garen unter Bräunung durch Strahlungs- oder Kontakthitze bei hoher Temperatur (etwa 250 °C) unter dem Backofenoder auf dem Holzkohle- oder Elektrogrill. Einschubhöhe im Backofen entsprechend der Herstellerangaben. Fettarme Garmethode. Das Grillgut nach dem Grillen salzen. Beim Holzkohlengrill ist es empfehlenswert, Alufolie oder spezielle Grillschalen zu verwenden.

Wasserbad

Allmähliches Erwärmen im offenen Topf, der in heißem, nicht kochendem Wasser hängt oder im Simmertopf (80–100 °C). Für Saucen und Cremes, die als Zutat Butter, Eier oder Sahne enthalten (z. B. Hollandaise, Bayerische Creme) und alle Gerichte, die bei der Zubereitung auf der Kochstelle gerinnen oder leicht anbrennen könnten (z. B. Eierstich).

Foliengaren

Garen in einer hitzebeständigen Folie im Backofen im eigenen Saft bei Temperaturen um 200 °C. Eine sehr nährstoffschonende Garmethode, bei der das Aroma erhalten bleibt. In Alufolie gart das Gargut ohne Bräunung. Die Folie richtig zufalzen, damit keine Flüssigkeit entweichen kann. Dabei die Folie nicht zu eng um das Gargut spannen, es muss etwas Platz für die Dampfentwicklung bleiben. Die verschlossenen Folienpäckchen auf den Backofenrost legen (eventuell in einer feuerfesten Form). Die Garzeit der Speisen verlängert sich um etwa ein Drittel im Vergleich zu der üblichen Garzeit.

Im Gegensatz zur Alufolie bekommen in Bratbeutel oder Bratschlauch zubereitete Speisen durch die Strahlungswärme eine Bräunung. Bratfolie ist geruchsneutral, bis etwa 230 °C hitzebeständig und nur für die Zubereitung von Speisen im Backofen geeignet. Genügend große Beutel oder Schläuche wählen, damit für die Dampfentwicklung genügend Platz bleiben. Bei Bratbeuteln und Bratschläuchen immer die Packungsanleitung beachten.

Tontopf (Römertopf)

In einem Tontopf wird das Gargut im eigenen Saft (mit oder ohne Bräunung) schonend und fettarm gegart. Der Tontopf aus porösem Ton muss vor jeder Benutzung einige Zeit in kaltem Wasser gewässert werden. Der Topf wird immer in den kalten Backofen gestellt. Beim Garen gibt er das aufgesaugte Wasser in Form von Dampf ab. Die Speisen bleiben saftig. Bei Tontöpfen immer die Herstellerangaben beachten.

Schnellkochen

Garen in einem hermetisch (luft- und wasserdicht) abgeschlossenen Topf unter Druck bei Temperaturen zwischen 108 und 118 °C. Im Topfinnenraum entsteht bei der Erwärmung der Flüssigkeit ein Überdruck, der die Temperatur ansteigen lässt. Durch die hohe Temperatur wird die Garzeit

der einzelnen Speisen um etwa zwei Drittel verkürzt. Zum Schnellgaren sind besonders Speisen mit einer langen Garzeit geeignet, z. B. Hülsenfrüchte, Suppenfleisch, Suppenhuhn. Bei Gerichten mit einer kräftigen Sauce werden die Zutaten erst kräftig angebraten. Wenn die gewünschte Bräunung erreicht ist, wird etwas Flüssigkeit angegossen und das Gericht unter Druck fertig gegart (z. B. Rouladen, Gulasch, Schmorbraten). Bei Schnellkochtöpfen immer die Herstellerangaben beachten.

Herdarten
a. Elektroherd

Elektroherde haben entweder Kochmulden mit 4 Kochplatten oder Glaskeramik-Kochfelder. Die meisten Kochplatten bzw. Kochfelder haben entweder eine Skala von 1-3 Stufen (jeweils um $\frac{1}{2}$ Stufe aufwärts), eine von 1-9 oder eine etwas empfindlichere Skala von 1-12 Stufen. Blitz- und Schnellkochplatten heizen sich schneller auf und eignen sich daher zum schnellen Ankochen, Aufkochen oder Anbraten. Sie sind meistens mit einem roten Punkt versehen.

b. Gasherd

Die Kochstellen des Gasherdes haben einen Brennkopf und

-deckel. Aus den Schlitzen des Deckels tritt bei Inbetriebnahme das Gas aus, das durch eine Flamme gezündet wird. Die Hitzezufuhr erfolgt schnell und direkt und kann stufenlos geregelt werden.

c. Induktionsherd

Beim induktiven Kochen wird die Wärme durch elektromagnetische Wechselfelder direkt im Topfboden erzeugt. Damit entsteht die Wärme unmittelbar da, wo sie gebraucht wird. Das Glaskeramikkochfeld bleibt dabei kalt. Es werden Kochtöpfe mit speziell ausgerüsteten Böden benötigt.

Backofen

Backöfen werden mit unterschiedlichen Beheizungsfunktionen angeboten. Viele Modelle bieten die Möglichkeit je nach Bedarf auf unterschiedliche Beheizungsarten umzuschalten:

a. Ober- und Unterhitze

Die Heizschlangen im oberen und unteren Backofenraum erzeugen Wärme, die Strahlung und Luftströmung an das Gargut und das Gargeschirr abgeben. Um eine optimale Wärmeübertragung zu erzielen, kann nur eine Einschubleiste mit Gargut bestückt werden. Die Einschubleiste so wählen, dass sich das Gargut in der Backofenmitte befindet. Unabhängig von der Garzeit den Backofen immer vorheizen.

b. Heißluft/Umluft

Ein in der Backofenrückwand eingebautes Gebläse wälzt die erwärmte Luft im gesamten Backofeninnenraum um. Dieses System ermöglicht das gleichzeitige Garen in verschiedenen Etagen. Bei Garzeiten über 30 Minuten kann ein Vorheizen des Backofens entfallen.

c. Grillen

Beim Groß- und Kleinflächengrill kann die Größe der Grillfläche der Menge des Gargutes angepasst werden. Flache Grillstücke werden durch Strahlungshitze gegart und an der Oberfläche knusprig.
Beim Umluft-Grill wird die Strahlungshitze durch ein Gebläse um das Grillgut herum geleitet. Die Bräunung erfolgt, ohne dass das Gargut gedreht werden muss.

Mikrowelle

In der Mikrowelle werden die Wassermoleküle der Lebensmittel durch elektromagnetische Wellen in Schwingung versetzt, wobei Wärme entsteht. Es können Speisen auftauen, erhitzt und gegart werden, wobei die Garzeiten erheblich verkürzt werden. Es darf nur mikrowellengeeignetes Geschirr verwendet werden.

Küchen-Werkzeuge

Dazu gehören vor allem die Koch- und Küchenmesser in unterschiedlichen Größen und Formen. Sie werden täglich eingesetzt und sollten deshalb von bester Qualität sein. Auf eine gute Stahlsorte der Klinge ist unbedingt zu achten, damit die Messer funktionstüchtig und haltbar sind. Sie müssen darüber hinaus gut in der Hand liegen, also „griffig" sein. Folgende Werkzeug-Grundausstattung sollte in einer gut ausgerüsteten Küche vorhanden sein:
1 Brotmesser
1-2 Küchenmesser
1 Sparschäler
1 Fleischmesser
1 Knoblauchpresse
1 Küchenschere
1 Wiegemesser (für Kräuter)
1 kleiner und 1 großer Kochtopf
1 Bratentopf bzw. Bräter
1 Stieltopf
1 Schüssel-Set
1 Auflaufform
je 1 große und 1 kleine Pfanne (eventuell mit Antihaftbeschichtung)
1 Kurzzeitmesser
1 Messbecher
1 elektrisches Handrührgerät mit Rührbesen, Knethaken, Pürierstab

1-2 Schneidebretter
1 Lebensmittelwaage
1 Kuchenrost (-gitter)
1 Kartoffel- oder Spätzlepresse
1 Vielzweck-Rohkostreibe
1 Salatsieb und 1 Teesieb
1 Salatbesteck
1 Salatschleuder
1 Pfannenwender
1 Schöpfkelle
1 Kochlöffel
1 Saucenlöffel
1 Schaumkelle
1 Schneebesen
1 Backpinsel
1 Dosenöffner
1 Flaschenöffner
1 Zitronenpresse
1 Pfeffermühle
1 Salzstreuer

Küchentechnische Ausdrücke

Abbrennen
Bei ständiger Wärmezufuhr
Mehl- oder Grießbrei so lange
rühren, bis sich die Masse als
Kloß vom Topfboden löst.

Abdämpfen
Verringerung unerwünschter
Flüssigkeit bei gegarten Le-
bensmitteln (z. B. Kartoffeln).

Abhängen
Fleisch oder Wild müssen teilweise bis zur Weiterverarbeitung eine gewisse Zeit kühl
gelagert abhängen, damit das
Fleisch zart wird.

Ablöschen
Mehlschwitze, Saucenfond,
angebratenes Fleisch oder
Karamell unter Rühren mit
Flüssigkeit auffüllen.

Abschäumen
Entfernen des Schaumes
nach dem ersten Aufkochen
(geronnenes Eiweiß) mit einer
Schaumkelle z. B. bei Brühen,
Obst.

Abschlagen
Zutaten für Saucen und
Cremes im Wasserbad ständig
mit dem Schneebesen
schlagen, dabei langsam erwärmen, bis eine gebundene
Masse entstanden ist.

Abschrecken
Heiße Speisen (Eier, Reis)
ganz kurz mit kaltem Wasser
überbrausen. Eier lassen sich
leichter pellen, Reis klebt
nicht mehr.

Abstechen
Klößchen mit angefeuchteten
Löffeln von einem Teig oder
einer Masse abnehmen, formen und weiterverarbeiten.

Abziehen
Flüssigkeiten wie Milch, Saucen, Fleischbrühen, pikante
Suppen binden, dann mit
einer Mischung aus Sahne
und Eigelb verrühren. Dann
nicht mehr aufkochen.

Ausbacken (Frittieren)
Fleisch, Fisch, Obst, Gemüse
meist in einer Teighülle oder
paniert, aber auch natur in
Fett schwimmend (Ausback-
fett) garen (frittieren).

Ausbeinen
Aus rohem Wild, Fleisch oder
Geflügel die Knochen heraus-
lösen.

Auslassen
Erwärmen von klein geschnittenen fetthaltigen Lebensmitteln zur Fettgewinnung
(z. B. Speck).

Bardieren
Mageres Fleisch oder Geflügel
mit Speckscheiben umwickeln
oder belegen, damit es beim
Garen nicht austrocknet.

Beizen
Einlegen von Fleisch oder Wild
in eine Essig- oder Wein-
mischung oder in Buttermilch
mit Gewürzen und Kräutern.

Binden, Andicken
Flüssigkeiten durch Zugabe
von Bindemitteln (z. B. Mehl,
Speisestärke, Saucenbinder)
sämig machen.

Blanchieren
Kurzes Vorgaren von Lebens-
mitteln in kochendem Wasser.
Danach rasches Abkühlen in
Eiswasser.

Dressieren
Garfertige Lebensmittel mit Hilfe von Stäbchen, Klammern, Faden oder Nadel und Faden in die gewünschte Form bringen (z. B. Geflügel, Rollbraten).

Entfetten
Von einer Brühe oder Sauce das sich oben absetzende Fett mit einem Löffel abnehmen.

Filieren, Filetieren
Rohe, tierische Lebensmittel von Haut, Kopf und Gräten befreien und in Stücke teilen. Oder das Herauslösen von Filets einer Zitrusfrucht.

Flambieren
Speisen mit einer kleinen Menge, meist erwärmter, alkoholhaltiger Flüssigkeit übergießen und anzünden.

Karamellisieren
Speisen mit Zucker überziehen, der zu Karamell (hellbraun) gekocht ist, wird z. B. für Möhren, Kartoffeln und Esskastanien verwendet.

Klären
Beseitigung von Trübstoffen aus Flüssigkeiten (z. B. Brühen) z. B. durch verschlagenes Eiweiß, das in der Flüssigkeit aufgekocht und dann mit einer Schaumkelle wieder entfernt wird. Das Eiweiß bindet die Trübstoffe.

Legieren
Einrühren von Eigelb, Sahne oder Butter in eine nicht mehr kochende Flüssigkeit.

Marinieren
Fleisch in Marinade einlegen, die – im Gegensatz zur Beize – beim Kochen als Grundlage einer Sauce verwendet wird. Fleisch wird auch zum Grillen in einer Ölmarinade eingelegt.

Mehlieren
An der Oberfläche trockene Lebensmittel vor dem Braten in Mehl wenden (z. B. Leber).

Panieren
Umhüllen von gewürzten, z. T. in Mehl und verschlagenem Ei gewendeten Speisen, die gebraten oder frittiert werden sollen, um das Gargut saftig zu halten und eine schmackhafte Kruste zu bilden.

Parieren
Fleisch oder Fisch von Haut, Fett und Sehnen befreien und für die Zubereitung sauber zurechtschneiden.

Passieren
Weiche rohe oder gegarte Lebensmittel oder Speisen durch ein Sieb streichen.

Pochieren
Lebensmittel gar ziehen lassen, ohne sie zu kochen (z. B. Eier in Essigwasser).

Reduzieren/Einkochen
Brühen, Suppen und Saucen in einen offenen Gefäß mit großem Durchmesser kochen, bis so viel Flüssigkeit wie gewünscht verdampft ist und sie konzentrierter und sämig sind.

Sautieren
Fleisch-, Geflügel- oder Fischstücke schnell in einer Pfanne in reichlich Fett anbraten.

Schälen, Pellen, Abziehen
Schale von Lebensmitteln entfernen (z. B. bei Kartoffeln, Gurken, Bananen, Zwiebeln).

Schlagen, Aufschlagen
Luft einarbeiten (z. B. bei Schlagsahne oder Eiweiß).

Stocken
Verfestigen von Eimasse (z. B. Eierstich) im Wasserbad, in heißer Luft (Backofen) oder in der Pfanne (z. B. Rührei).

Tranchieren
Rohe oder gegarte Lebensmittel in Scheiben oder in Teile schneiden.

Unterheben, Unterziehen
Gleichmäßiges Unterheben und Verteilen unter eine Masse. Nicht rühren (z. B. Eischnee oder geschlagene Schlagsahne unterheben).

Wässern
Einlegen in Wasser, z. B. Heringe.

ALPHABETISCHES REGISTER

Umwelthinweis: Dieses Buch und der Einband wurden auf chlorfrei gebleichtem Papier gedruckt. Die Einschrumpffolie – zum Schutz vor Verschmutzung – ist aus umweltfreundlichem und recyclingfähigem PE-Material.

Hinweis: Wenn Sie Anregungen, Vorschläge oder Fragen zu unseren Büchern haben, rufen Sie uns unter folgender Nummer an:
0521 1552580 oder 520645
oder schreiben Sie uns:

Dr. Oetker Verlag KG,
Am Bach 11, 33602 Bielefeld.

Copyright: © 2006 by Dr. Oetker Verlag KG, Bielefeld

Redaktion: Eva-Maria Dammeier, Carola Reich

Rezeptentwicklung und -beratung: Dr. Oetker Versuchsküche, Bielefeld
Annette Elges, Bielefeld
Anke Rabeler, Hamburg

Nährwertberechnungen: NutriService GbR, Hennef

Titelfoto: Thomas Diercks, Hamburg

Innenfotos: Ulli Hartmann, Bielefeld
Brigitte Wegner, Bielefeld
Thomas Diercks, Hamburg
Norbert Toelle, Bielefeld
Bernd Lippert, Bielefeld
Ulrich Kopp, Füssen
Hans-Joachim Schmidt, Hamburg
Christiane Pries, Borgholzhausen

Grafisches Konzept: Björn Carstensen, Hamburg
Gestaltung: Kontur Design, Bielefeld
Einbandgestaltung: Kontur Design, Bielefeld

Reproduktionen: Repro Schmidt, Dornbirn, Österreich
Satz: Typografika, Bielefeld
Druck und Bindung: Mohn media Mohndruck GmbH, Gütersloh

ISBN 978-3-7670-0502-0